DECLÍNIO E QUEDA DO IMPÉRIO ROMANO

EDWARD GIBBON

DECLÍNIO E QUEDA DO IMPÉRIO ROMANO

Edição abreviada

Organização e introdução
Dero A. Saunders

Prefácio
Charles Alexander Robinson, Jr.

Tradução e notas suplementares
José Paulo Paes

9ª reimpressão

Grafia atualizada segundo o Acordo Ortográfico da Língua Portuguesa de 1990, que entrou em vigor no Brasil em 2009.

Título original
Decline and Fall of the Roman Empire — The portable Gibbon

Capa
Jeff Fisher

Preparação
Cecília Ramos

Índice onomástico
José Muniz Jr.

Revisão
Renato Potenza Rodrigues
Vivian Miwa Matsushita

Atualização ortográfica
Verba Editorial

Dados Internacionais de Catalogação na Publicação (CIP)
(Câmara Brasileira do Livro, SP, Brasil)

Gibbon, Edward, 1737-1794.
Declínio e queda do Império Romano / Edward Gibbon ; organização e introdução Dero A. Saunders ; prefácio Charles Alexander Robinson, Jr. ; tradução e notas suplementares José Paulo Paes. — Ed. abreviada — São Paulo : Companhia das Letras, 2005.

Título original: Decline and Fall of the Roman Empire — The portable Gibbon.
ISBN 978-85-359-0744-5

1. Império bizantino — História 2. Roma — História — Império, 30 a.C.-476 I. Saunders, Dero II. Robinson, Jr., Charles Alexander. III. Paes, José Paulo, IV. Título.

05-7885 CDD-937.06

Índices para catálogo sistemático:
1. Império Romano : História, 31 a.C.-476 937.06
2. Roma antiga : Império : História, 31 a.C.-476 937.06

EDITORA SCHWARCZ S.A.
Rua Bandeira Paulista, 702, cj. 32
04532-002 — São Paulo — SP
Telefone: (11) 3707-3500
www.companhiadasletras.com.br
www.blogdacompanhia.com.br

SUMÁRIO

O IMPÉRIO ROMANO
NA ÉPOCA
DOS ANTONINOS
(SÉCULO II D.C.)
BRITÂNIA
LONDRES
Baixa
Alemanha
RIO RENO
Bélgica
Lugduno
Alta
Alemanha
GÁLIA
Récia
Nórica
Aquitânia
LYON
MILÃO
AQUILEIA
Panônia
Dácia
Tarraconense
Narbona
rio Ródano
MARSELHA
ITÁLIA
HISPÂNIA
Lusitânia
Córsega
ILÍRIA
RIO DANÚBIO
Mésia
MAR ADRIÁTICO
Dalmácia
ROMA
CÁPUA
Trácia
FILIPÓPOLIS
BIZÂNCIO
(Constantinopla)
Bitínia
Sardenha
Bética
TÂNGER
MACEDÔNIA
NICOMÉDIA
Ponto
ARMÊNIA
MAR
ÁSIA
rio Tigre
Mauritânia
Tingitana
Mauritânia Cesariense
Sicília
SIRACUSA
CARTAGO
MAR
JÔNICO
ATENAS
MAR EGEU
Acaia
Capadócia
AMIDA
NISIBIS
Numídia
MEDITERRÂNEO
ESPARTA
Cilícia
ANTIOQUIA
rio Eufrates
Creta
Chipre
SÍRIA
ÁFRICA
Cirenaica
ALEXANDRIA
JERUSALÉM
ARÁBIA
EGITO
rio Nilo

PREFÁCIO

As frases majestosas de Winston Churchill, como todos sabemos, foram inspiradas, ao menos em parte, por uma grande familiaridade com Declínio e queda do Império Romano, *de Gibbon. Duvido, contudo, de que muitos saibam que outro primeiro-ministro da Inglaterra, Clement R. Attlee, releu* Declínio e queda *durante o crítico verão de 1949. "Nenhuma significação especial, dizem seus admiradores, deve ser atribuída a sua escolha, na ocasião, dessa obra em particular", noticiava o* The New York Times.

Seja como for, causa certa emoção, assim como traz certo conforto, saber que esses dois grandes líderes da democracia ocidental se embeberam da mais terrível e mais instrutiva das lições da Antiguidade. A história de Roma é afinal a história de uma notável cidade-Estado que parece ter acumulado êxito sobre êxito e que, depois de haver conquistado o mundo, se enredou na catástrofe, arrastando a civilização consigo. A questão de exatamente por que tal catástrofe ocorreu tem desde então ocupado os historiadores, e nenhum mais eloquentemente do que Gibbon.

A atualidade e a importância de Gibbon para nós — afora seu mérito e valor como artista literário — resultam basicamente de uma visão e de uma perspectiva refinadas por um longo avir-se com mais de mil anos de acidentada história. Historiador e filósofo do século XVIII, estava ele muito mais preocupado com o pensamento humano, a criatividade e a corrosão moral do que com a economia ou a arqueologia, especialidades que surgiram mais tarde; todavia, suas pesquisas dos dados então disponíveis foram assaz minuciosas, ainda que seus juízos pecassem por parcialidade. Gibbon interessava-se apaixonadamente pela política, pela guerra e pela religião. "Descrevi", diz ele, "o triunfo da barbárie e da religião"; e num momento melancólico acentua que a História "pouco mais é do que o registro dos crimes, loucuras e desventuras da humanidade".

Foi sem dúvida a extensão universal da triunfante caminhada de Gibbon através dos séculos que fez com que muitas pessoas hesitassem em acompanhá-lo nessa frutífera e fascinante viagem de exploração. Com sua elegante introdução e seu trabalho de organizar a edição de material de tão embaraçosa abundância e riqueza, Dero A. Saunders presta um assinalado serviço público. Com destreza de jornalista, reduziu Gibbon a dimensões razoáveis, logrando não obstante preservar-lhe a vívida exposição das glórias da civilização antiga, de sua decadência e de sua acabrunhadora tragédia final. O ponto principal talvez seja ter ele conseguido manter a fluência do original consagrando a maior parte do volume a um único grande período — o que termina no começo do século V. Os séculos que conduzem ao colapso do Império Romano do Ocidente são os que mais de perto nos interessam e eles constituem, na verdade, metade da obra de Gibbon.

Não obstante, o sr. Saunders inclui acontecimentos ulteriores, de igual modo, particularmente a histórica captura de Constantinopla pelos turcos. Em suma, ele nos facultou conhecer, juntamente com os Churchills e Attlees de nosso mundo, um relato impressionante e sistemático do maior dos fenômenos da História.

Charles Alexander Robinson, Jr.
Professor de Letras Clássicas
Brown University
6 de abril de 1952

INTRODUÇÃO DO ORGANIZADOR

I

O historiador do Império Romano nasceu em abril de 1737 em Putney, condado de Surrey, de uma família abastada cuja riqueza havia sido granjeada pelo avô de Gibbon, um fornecedor do exército, homem de espírito obstinado. (Gibbon observa que "mesmo as opiniões dele se subordinavam a seu interesse; e eu o encontro em Flandres vestindo as tropas do rei Guilherme, conquanto mais prazerosamente tivesse preferido, ainda que não talvez por tarifa menor, servir ao rei Jaime".) A família estaria mais rica não fosse o envolvimento do avô na falência da Cia. dos Mares do Sul em 1720, quando um irado Parlamento só deixou de confiscar 10 mil libras esterlinas de uma fortuna que chegava a 106 500 libras esterlinas. Todavia, o astuto ancião havia colocado fora do alcance da lei consideráveis propriedades fundiárias; conseguiu outrossim, antes de sua morte em 1736, recuperar*

* Trata-se de Guilherme III de Orange (1650-1702), defensor do protestantismo, que destronou Jaime II, seu sogro, e foi proclamado rei da Inglaterra, da Escócia e da Irlanda no lugar dele. (N. T.)

As notas assinaladas no texto por um asterisco posposto à palavra a que se referem e indicadas ao final por (N. T.) visam a esclarecer o sentido de alusões menos comuns a personagens, topônimos e fatos históricos, peculiaridades de instituições romanas antigas e bizantinas, acepções especiais de certas palavras etc. que não tenham sido suficientemente esclarecidas no texto de Gibbon ou pelo organizador da presente versão resumida. Foram, tais notas, preparadas pelo tradutor brasileiro, que com elas buscou poupar ao leitor não especializado o trabalho de consulta a obras de referência. Em sua preparação, além de diversos dicionários, enciclopédias e fontes historiográficas, valeu-se o dito tradutor de dois livros muito úteis, presentemente ao alcance do leitor brasileiro em versões fidedignas: o *Dicionário Oxford de literatura clássica*, traduzido por Mário da Gama Kury (Rio de Janeiro, Jorge Zahar Editor, 1987), e *Roma e os romanos*, de H. Bornecque e D. Monet, traduzido por Alceu Dias Lima (São Paulo, EPU/EDUSP, 1976).

grande parte do que lhe tinha sido tomado. Subsequentemente, a fortuna da família começou a declinar de modo constante devido à má administração do amável mas extravagante pai do historiador.

Edward Gibbon agradeceu formalmente não ter nascido escravo, selvagem ou camponês, e sim "num país livre e civilizado, na era da ciência e da filosofia, numa família de respeitável condição social, e razoavelmente dotado de bens de fortuna". Mas a prodigalidade da natureza teve no seu caso uma medida estrita. Primeiro de sete filhos, foi o único a sobreviver, passada a infância. De saúde frágil e permanentemente enfermo, era arrastado em desespero de um a outro médico; os tratamentos sem êxito só lhe trouxeram as cicatrizes que teve de carregar consigo para a tumba e uma certa resistência aos cuidados médicos que tanto contribuíram para levá-lo até ela. Os primórdios de sua educação formal num internato de Kingston-sobre-o-Tâmisa foram interrompidos, antes de ele completar os dez anos, com a morte de sua mãe, devido às fadigas e complicações dos partos frequentes. Anos mais tarde, já bem nutrido pela fama e pelas satisfações adultas, podia ele se dar ao desfrute de fustigar "a cediça e profusa louvação da ventura de nossos anos de meninice, que é entoada com tanto fingimento pelo mundo afora. Tal ventura nunca a conheci, de tais anos nunca senti saudades...".

Sua própria sobrevivência se deveu provavelmente a uma tia bondosa, srta. Catherine Porten, por ocasião de cuja morte Gibbon escreveu uma carta em que combinava ternas lembranças com um impiedoso retrato de sua própria juventude:

> *Aos cuidados dela devo, na primeira infância, a preservação de minha vida e saúde. Eu era uma criança franzina; minha mãe não se importava comigo, minha ama me matava de fome, e eu não fazia jus a maiores cuidados ou expectativas; sem a vigilância maternal de minha tia, ou eu iria direto para o cemitério ou sobreviveria precariamente como um frágil e enfezado monstro, pesado encargo para mim próprio e para os outros. Às lições dela devo os primeiros rudimentos de saber, os primeiros exercícios da razão e um gosto pelos livros que até hoje é o prazer e a glória de minha vida; embora ela nunca me tivesse ensinado língua nem ciência, foi certamente a mais útil das preceptoras que jamais tive.*

Uma das recompensas gratas que, com um olho posto na vida do autor, se pode tirar de uma leitura atenta da History of the decline and fall of the Roman Empire [*História do declínio e queda do Império Romano*], *é descobrir aquelas passagens eloquentes em que, falando de outrem, o historiador inconscientemente descreve a si mesmo. Assim, anota ele a respeito de Maomé: "A conversação enriquece o entendimento, mas a solidão é a escola do gênio". O garoto franzino sabia muito a respeito da solidão, que aos poucos foi aprendendo a pôr a serviço de seus propósitos de desenvolver a confiança em si mesmo. Em Kingston-sobre-o-Tâmisa, a princípio o fascinaram dois livros, a tradução de Homero por Pope ("um retrato dotado de todos os méritos menos o da parecença com o original") e* As mil e uma noites. *Durante cerca de nove meses após a morte da mãe, ele viveu em casa de seu avô materno, onde pôde "regalar-se sem nenhuma restrição" na biblioteca que lhe foi franqueada.*

Perseguido pela enfermidade periódica, arrastado ou antes mandado de cá para lá por um pai ainda inconsolado pela morte da esposa, assistido por este ou aquele tutor ou médico, conseguiu ele ler não obstante, nos cinco anos subsequentes, muita coisa de Horácio, Virgílio, Terêncio e Ovídio; conhecer a fundo tudo quanto havia disponível em inglês acerca da história do Oriente; abrir caminho a custo através do tremendo latim de livros como o Abulpharagius *de Pococke; e meditar tão profundamente acerca da geografia e da cronologia antigas a ponto de permanecer desperto à noite tentando conciliar a cronologia do Velho Testamento hebraico com a do grego. Chegou ao Magdalen College de Oxford em abril de 1752, com "um cabedal de erudição capaz de intrigar um douto, e um grau de ignorância de que um colegial se envergonharia".*

A breve permanência de Gibbon no Magdalen coincidiu com sua bendita libertação dos achaques da meninice; todavia, afora tal acontecimento fortuito, ele considerava os catorze meses passados em Oxford "os mais ociosos e improfícuos de toda a minha vida". A instituição estava àquela altura no seu pior período de declínio, e nem o corpo docente nem o discente contavam com quem quer que fosse desejoso ou capaz de atender ao jovem e precoce estudante. Ao cabo de intensas leituras religiosas e provavelmente influenciado pelo pensador católico francês Bossuet, Gibbon se converteu ao catolicismo romano e foi confidencialmente batizado em Londres no começo de julho de 1753.

Seu ultrajado pai respondeu a isso retirando-o precipitadamente de Oxford e exigindo saber quem o havia convertido; fosse quem fosse, estaria arriscado a uma sumária execução. (Era tal a índole da época, que poucos anos mais tarde uma turba londrina, enfurecida pelas propostas de abrandamento das leis penais discriminatórias contra os católicos romanos, queimou distritos da cidade e teve de ser reprimida pela força armada.) Dez dias apenas foram o suficiente para o pai de Gibbon fazer os arranjos necessários e confiar a emenda de seu erradio primogênito a um certo M. Pavillard, ministro calvinista de Lausanne, Suíça. Gibbon chegou a Lausanne no fim de junho de 1753, "uma figura esguia, de baixa estatura e cabeça grande", assim o descreveu Pavillard, "alegando e defendendo com grande habilidade os melhores argumentos jamais usados em favor do papado".

Em sua autobiografia, escrita anos depois, Gibbon bendiz sua "revolta infantil contra a religião de minha própria pátria"; de outro modo, aqueles cinco maravilhosos anos em Lausanne ele os teria passado "encharcado de vinho do Porto e preconceitos, entre os monges de Oxford". A bênção estava sem dúvida bem encoberta à época. Via-se num país estrangeiro, sem amigos, alvo da censura da família, pensionista de um homem avarento, mal alimentado e mal alojado pela não menos sovina esposa de Pavillard, e carente de roupas bem como de dinheiro para os gastos. Aumentava-lhe o isolamento sua quase total ignorância do francês.

Felizmente M. Pavillard não era um carcereiro comum. Dando-se conta imediatamente de que seu estranho tutelado não se deixava intimidar por coisa alguma, falava quando Gibbon sentia desejo de falar, respeitava-lhe o silêncio e o encorajava com brandura a descobrir seu próprio caminho de volta à ortodoxia protestante. Isso ocorreu no dia de Natal de 1754, quando Gibbon recebeu o sacramento na Igreja calvinista de Lausanne. Mas não existe volta completa. A despeito das severas acusações de irreligião que lhe foram assacadas desde o aparecimento do primeiro volume de Declínio e queda *(o irascível Boswell chamou-o de "títere incréu"), Gibbon chegou em Lausanne à filosofia religiosa da qual nunca se afastou — um ceticismo moderado muito propenso a acei-*

tar a existência de uma Deidade, mas sem nenhuma estipulação acerca dos mecanismos precisos de atuação da Vontade Divina.

O que é mais importante, Pavillard, como homem de certa erudição e gosto, ensinou o jovem estudante a metodizar seus estudos, sem lhe refrear o âmbito de interesses. Por exemplo, em 1756, Gibbon decidiu recapitular todos os clássicos latinos — historiadores, poetas, oradores e filósofos —, desde Plauto e Salústio até "o declínio da língua e do Império de Roma"; em catorze meses completou a empreitada. Com a ajuda de Pavillard, dispôs-se a aprender grego, e leu metade da Ilíada e grande parte da obra de Heródoto e Xenofonte antes de deixar essa tarefa de lado, para concluí-la mais tarde. Suas leituras nada tinham de superficiais. Tomava notas abundantes, embora concordasse com o dr. Johnson em que "aquilo que se lê duas vezes é mais bem lembrado do que aquilo que se copia". Antes de iniciar a leitura de um novo livro, ele avaliava cuidadosamente "tudo quanto eu sabia ou acreditava saber ou pensava do assunto"; terminada a leitura, fazia uma espécie de balancete intelectual para calcular seu lucro líquido.

Gibbon aprendeu mais do que os clássicos naqueles cinco anos em Lausanne. Adquiriu tal fluência no francês que sua primeira obra publicada foi escrita nesse idioma, assim como o foram suas últimas palavras no leito de morte. (Para aperfeiçoar o francês e o latim, ele traduzia Cícero para o francês, deixava-o de lado durante algum tempo, traduzia-o de volta para o latim e então comparava o resultado com o original.) Deu começo a uma amizade com "o homem mais extraordinário da época", Voltaire; e tomou-se de tal gosto pelo teatro francês que ele "talvez moderasse minha idolatria pelo gênio gigantesco de Shakespeare, a qual nos é inculcada desde a infância como o primeiro dever de um inglês". Em Lausanne Gibbon encontrou também os dois amigos mais leais de toda a sua vida: Georges Deyverdun, um jovem suíço com quem montaria em Lausanne um alojamento de solteiros anos mais tarde; e J. B. Holroyd (o futuro lorde Sheffield), que se tornou seu testamenteiro literário.

Foi então, outrossim, que ficou completamente apaixonado, pela primeira e última vez. Suzanne Curchod era a formosa e inteligente filha de um ministro calvinista da aldeia francesa de Crassy, próxima de Lausanne. Dentro de poucos meses os dois jovens, na flor de *seus vinte anos, estavam trocando visitas e cartas ardentes; e, quando Gibbon deixou Lausanne em abril de 1758 para regressar à Inglaterra, seu principal objetivo era obter consentimento do pai para o casamento.*

Não era esse porém seu único propósito. O pai de Gibbon se casara de novo, e o filho tinha vislumbres de uma nova progênie deserdando-o de um patrimônio já minguante. (Significativamente, o pai não lhe havia escrito nada acerca do segundo casamento.) Mas quando sua madrasta se revelou uma pessoa afetuosa e amável — sem perspectivas imediatas de procriar —, Gibbon se restringiu à questão de mlle. Curchod. Mas o pai se manteve inflexível, e era ele quem tinha nas mãos os cordões da bolsa. Gibbon relata o resultado com envergonhado laconismo: "Suspirei como amante, obedeci como filho". Expulsou para sempre (segundo pensava) Suzanne Curchod de sua vida e tornou-se o circunspecto solteirão predileto de todas as senhoras, mas íntimo de poucas, se tanto.

Nos meses seguintes (o psicanalista talvez detectasse aqui uma sublimação) ele escreveu um pequeno e notável livro em francês, o Essai sur l'étude de la littérature *[Ensaio sobre o estudo da literatura]. A ferramenta deve ser sempre mais afiada e mais precisa do que a operação que executa, e o* Essai *de Gibbon é o único lugar onde ele exibe, ainda que de maneira precoce, as ferramentas de seu ofício.*

Para demonstrar que uma apreciação crítica satisfatória dos clássicos exige um exaustivo conhecimento da época em que eles viveram, o surpreendente ensaísta de apenas 21 anos de idade sugeria que Virgílio escreveu suas Geórgicas *por encomenda de Augusto César, para inculcar nos indisciplinados veteranos da guerra civil os primores da agricultura.*

> *Desse prisma, Virgílio não deve mais ser considerado apenas um escritor ocupado em descrever as atividades da vida rural, mas um outro Orfeu a tanger a lira para apaziguar a ferocidade dos selvagens e uni-los pelos vínculos pacíficos da vida social. Suas* Geórgicas *produziram de fato esse admirável efeito. Os veteranos de sua época aos poucos se conformaram com uma vida calma e passaram sem distúrbios os trinta anos que Augusto levou para*

constituir, não sem grande dificuldade, um fundo militar para pagar-lhes em dinheiro.

No tocante à compreensão da História em geral:

Entre a multidão de fatos históricos, alguns existem, e são de longe a maioria, que nada mais provam além de sua condição de fatos. Há outros que podem ser úteis para chegar-se a uma conclusão parcial, por via da qual o filósofo fica capacitado a julgar os motivos de determinada ação ou algumas das características particulares de uma personalidade; tais fatos dizem respeito apenas a elos individuais de uma cadeia. Aqueles cuja influência se estende pelo sistema todo e que estão correlacionados de modo tão íntimo a ponto de imprimir movimento às molas de ação são muito raros; e ainda mais raro é encontrar um gênio que saiba distingui-los em meio ao vasto caos de acontecimentos a que estão confundidos para considerá-los em si, desentranhados do restante.

Se detectar e avaliar esses fatos são as verdadeiras tarefas do historiador crítico, o ponto mais alto de sua arte é compreender o irracional da história humana.

Vemos que mesmo os espíritos mais isentos de preconceitos não se podem livrar inteiramente deles. Suas ideias têm um ar de paradoxos, e percebemos, pelas cadeias rompidas, que eles as desgastaram. [...] Devemos, pois, não apenas reconhecer mas sentir a força do preconceito; devemos aprender a jamais nos espantar de seu aparente absurdo e a suspeitar com frequência da verdade daquilo que parece dispensar confirmação. Confesso que gosto de ver os raciocínios dos homens assumirem um certo colorido dos preconceitos por eles nutridos; de examinar os que se sentem temerosos de deduzir, mesmo de princípios estimados justos, conclusões que sabem ser logicamente exatas. Gosto de detectar os que detestam num bárbaro aquilo que admirariam num grego, e que à mesma história chamariam ímpia se escrita por um gentio mas sagrada se composta por um judeu.

À altura em que saiu publicado o Essai, *em 1761 (foi bem recebido no continente, mas uma tradução inglesa passou quase despercebida), Gibbon ocupava havia mais de um ano um posto de todo inverossímil — o de capitão da milícia de Hampshire. Pois a Inglaterra se achava então em guerra e estivera em perigo de ser invadida, perigo que logo desapareceu. Superficialmente, os anos que vão de maio de 1760 a dezembro de 1762 são os menos produtivos da maturidade de Gibbon. Mas ele aprendeu muito acerca de homens em ambientes bravios, e nada mais pôde desviá-lo desde então de seus estudos. Ademais, observa ele ironicamente que "a disciplina e as evoluções de um batalhão moderno me deram uma noção mais clara do que fosse a falange e a legião; e o capitão dos granadeiros de Hampshire (o leitor pode sorrir) não foi inútil para o historiador do Império Romano".*

*Como recompensa por seu bom comportamento, o pai de Gibbon acedeu ao plano acalentado pelo filho de uma longa excursão pela Europa. Menos de um mês após a desmobilização do batalhão, estava ele no continente e, ao cabo de breve estada em Paris, continuou viagem até Lausanne — onde deu com Suzanne Curchod. Ao que parece, ela continuava a entreter esperanças de que, a despeito do rompimento formal entre eles, o casamento fosse ainda possível. Os amigos de Suzanne ficaram exasperados com a frieza de Gibbon e pediram a Rousseau que falasse com o rapaz, mas Rousseau não quis interferir, sob a alegação de que ele era frio demais para seu gosto ou para a felicidade de Suzanne. Rousseau estava incomodamente perto da verdade. Pouco depois Suzanne Curchod se tornou mme. Necker, a esposa do grande ministro das finanças da França, que convocou a sessão dos Estados Gerais deflagradora da Revolução Francesa; e sua filha foi mme. de Staël. O que estava faltando a Gibbon era coragem, não gosto.**

Mas ele já tinha um outro amor, de que se acercava a passo lento

* Havia evidentemente ocasiões em que Gibbon aspirava a ambas. Após visitar os Necker em Paris, alguns anos mais tarde, escreveu ele a seu amigo lorde Sheffield: "Ela me tem afeto, e seu mando se mostra particularmente cortês. Poderiam acaso insultar-me de maneira mais cruel? Convidar-me a cear todas as noites; ir para a cama e deixar-me a sós com a esposa — que segurança mais impertinente! É tornar inofensivo de todo um velho amante".

e tímido, como que a prolongar os prazeres da antecipação. Demorou-se quase um ano em Lausanne antes de prosseguir até a Itália e, no inverno de 1764, alcançar finalmente Roma. Sua autobiografia narra com eloquência "as fortes emoções que me agitavam o espírito quando pela primeira vez me acerquei da cidade eterna e nela entrei"; ali "vários dias de embriaguez foram perdidos ou desfrutados antes de eu poder dedicar-me a uma fria e minuciosa investigação". Mas ainda mais persuasiva é a carta reservada que endereçou ao pai nessa ocasião:

> Já encontrei tal cabedal de entretenimento para um espírito em parte preparado para isso por uma convivência com os romanos, que me sinto realmente quase como em sonho. Quaisquer ideias que os livros nos possam ter dado da grandeza desse povo, seus relatos do mais florescente estado de Roma ficam infinitamente aquém do espetáculo de suas ruínas. Estou convencido de que nunca existiu antes uma nação assim, e espero, pela felicidade da humanidade, que nunca volte a existir de novo.

Com a precisão que lhe era característica, Gibbon anota o momento exato em que nasceu a ideia de sua história: "Foi em Roma, a 15 de outubro de 1764, enquanto eu estava sentado a cismar entre as ruínas do Capitólio e os monges descalços cantavam as vésperas no Templo de Júpiter, que a ideia de relatar o declínio e a queda da cidade pela primeira vez me veio à mente". Observa ele, contudo, que a ideia estava originalmente limitada apenas à cidade, e só mais tarde se ampliou até incluir o Império — não sendo essa a última vez em que Declínio e queda teve seu escopo alargado antes de concluir-se.

Isto é, no todo, demasiado preciso. Edward Gibbon não escreveu sua história porque lhe aconteceu visitar Roma em 1764 ou porque (conforme assinala alhures) treze anos antes havia topado com um exemplar da History of the later Roman Empire [História do Império Romano em seu período final], de Eachard. Em retrospecto, quase tudo quanto ele jamais fizera apontava sempre para uma só direção. Sua carta mais antiga que chegou até nós, escrita na idade de treze anos, registra que "depois da Igreja e em nossa volta para casa contemplamos as ruínas de um antigo acampamento que me agradaram enormemente". Suas leituras vorazes, mesmo durante o período do serviço militar, pareciam voltadas para um único fim. (Então, seu exemplar de Horácio "estava sempre no meu bolso e amiúde em minha mão"; e foi por essa época que ultimou seu anterior propósito de estudar grego.) Como D. M. Low observa com muita justeza em sua excelente biografia de Gibbon, um acaso vale tanto quanto outro e, "por um ou outro canal, o rio em cheia deve achar seu caminho até os terrenos que lhe cabe inundar e fertilizar".

Os cinco anos que se seguiram ao regresso de Gibbon da Itália, no verão de 1765, dividiram-se entre Londres e Putney e foram gastos numa série de atividades aparentemente sem propósito. Ele principiou a escrever uma história da república suíça, depois a deixou de lado; auxiliou seu amigo Deyverdun a compilar um retrospecto da literatura britânica a ser publicado em francês, no continente; editou anonimamente um polêmico e breve ensaio intitulado Critical observations on the sixth book of the "Eneida" [Observações críticas acerca do livro sexto da Eneida]. Mas principalmente se agastou com sua continuada dependência do pai (Gibbon estava ultrapassando os trinta). Mesmo a morte do pai em fins de 1770 não o libertou de imediato: mais de dois anos foram gastos em pôr alguma ordem no emaranhado dos bens da família, para que ele pudesse por fim manter-se com relativa estabilidade numa casa de sua propriedade no número 7 da Bentinck Street, em Londres.

O vinho da independência pessoal produziu o primeiro volume de Declínio e queda em tempo assaz breve, mas o mundo exterior, àquela altura, via apenas o novo fenômeno de Gibbon, o homem de sociedade. Ele o era por seus próprios esforços, já que não possuía nem a fortuna nem um nome de família capaz de lhe garantir automaticamente uma posição social. No entanto, conseguiu abrir caminho no que foi certamente um dos mais brilhantes círculos literários da história inglesa.

Sua posição socioliterária é adequadamente documentada por sua eleição, mais de um ano antes do aparecimento do primeiro volume de Declínio e queda, para o famoso Clube Literário fundado por Samuel Johnson em 1765. Além de Johnson, durante os anos de participação ativa de Gibbon, dele faziam parte: Boswell, inimigo de Gibbon; sir Joshua Reynolds, o pintor; Oliver Goldsmith; Edmund Burke; David

Garrick, o ator; o grande estadista da oposição Charles Fox; o político--dramaturgo Richard Sheridan; o amigo dedicado de Gibbon, Adam Smith. Evidentemente, o círculo de relações sociais e literárias de Gibbon estendia-se muito além do clube.

*Uma cadeira no Parlamento era um atributo desejado por todo homem de sociedade; Gibbon conseguiu a sua em 1774, com a ajuda de um primo abastado, e permaneceu como membro do Parlamento, sem jamais ter feito um discurso, durante os oito anos mais produtivos de sua vida. De modo geral, apoiou o governo, embora passasse ocasionalmente para a oposição no tocante a uma questão crítica como a americana. (Nos primórdios de 1775 ele estava "convencido de que temos tanto o direito quanto a força de nosso lado", mas em fins de 1777 não trepidava em dizer: "Que lamentável papel parece que estamos fazendo na América!".) Sua insubordinação foi contudo eventualmente desencorajada por sua designação para a Junta de Comércio e Colonização, uma sinecura em que se manteve por cerca de três anos à razão de 750 libras esterlinas por ano.**

Ao longo de toda a sua vida adulta, Gibbon foi um alvo dolorosamente fácil para as zombarias. A maioria das descrições pessoais dele remonta a seus últimos anos, quando a fama lhe permitia cultivar livremente suas fraquezas. Todavia, tão pronunciadas eram elas que devem ter-se ostensivamente evidenciado mesmo nos primeiros anos de sua independência londrina. Já começava ele então a mostrar o princípio de uma corpulência que se tornaria obesidade; e num homem de ossatura franzina, com provavelmente menos de um metro e meio de altura, um quilo de peso a mais dava a impressão de vários. Seu modo

* Os versos anônimos a seguir, possivelmente escritos por Charles Fox, foram postos a circular quando da nomeação de Gibbon: "Nosso rei Jorge, por temer/ Que Gibbon fosse descrever/ O declínio do império inglês,/ Arranjou--lhe uma sinecura/ Para, de maneira segura,/ Lhe calar a pena de vez./ Mas a cautela foi em vão:/ Deste reinado é maldição/ Projeto algum jamais se impor;/ Embora ele nada escrevesse,/ O curso do declínio lê-se/ Já no exemplo do historiador./ Seu livro é um quadro sombrio/ Da corrupção que destruiu/ A grandiosa Roma imperial;/ E seu gordo estipêndio prova/ Que a corrupção tampouco é nova/ Em sua Inglaterra natal".

de vestir-se era, a princípio, elegante: um observador, narrando um encontro de juventude com Gibbon, recorda-o trajado "num fato de veludo florido, com bolsa e espada" — fato esse que parecia "um tanto exagerado, talvez, em se considerando sua pessoa".

O mesmo observador prossegue dizendo que Gibbon condescendera

> *uma ou duas vezes, durante o serão, em falar comigo; o grande historiador mostrava-se alegre e brincalhão, adequando o assunto da palestra à capacidade do rapaz; mas [...], não obstante, seu jeito maneiroso se fazia notar quando tamborilava de leve sobre a caixa de rapé e sorria afetadamente; afeiçoava outrossim suas frases com o mesmo ar de civilidade que usaria conversando com adultos. Sua boca, melíflua como a de Platão, era um buraco redondo quase no centro do rosto.*

Ou considere-se esta descrição de uma "palestra" com Gibbon:

> *Não havia nenhum intercâmbio de ideias, pois ninguém tinha oportunidade de replicar, tão volúvel, tão variável era seu modo de discorrer, o qual consistia em agudezas, anedotas e lances epigramáticos mais ou menos apropositados, e todos agradavelmente expressos de uma maneira afrancesada que lhes dava sabor assaz picante; mas eram ao mesmo tempo tão soltos e desconexos que, conquanto cada um separadamente fosse divertido ao extremo, a atenção de seus ouvintes por vezes esmorecia antes de ele exaurir todos os seus recursos.*

Gibbon parece ter se mostrado muito relutante em discutir sua história naqueles anos em que ele escrevia o primeiro volume. Suas cartas muito raramente a mencionam, e ele não contou à madrasta exatamente do que se ocupava antes de seu livro estar praticamente pronto para o tipógrafo. Seus conhecidos de Londres talvez soubessem que estava empenhado em algum projeto histórico, mas eram também literatos, ocupados com seus próprios e ambiciosos planos. Antes da publicação do livro, não tinham motivo algum de supor que o homenzinho gorducho de cabelos ruivos, voz aguda, roupas extravagantes e maneiras absurdamente afetadas estivesse escrevendo a maior história jamais editada em qualquer das línguas da humanidade.

II

Uma anedota possivelmente apócrifa conta que, quando Gibbon apresentou o segundo volume de Declínio e queda *ao duque de Gloucester, este exclamou bem-humoradamente: "Mais um danado de um livro grosso e volumoso! Sempre a rabiscar, rabiscar, rabiscar, não, senhor Gibbon?". A reação do duque (que é também a razão desta edição) toca inadvertidamente um dos pontos altos da história de Gibbon — seu enorme campo de abrangência. Ela focaliza não apenas Roma desde os tempos dos primeiros e "virtuosos" imperadores até a extinção do Império do Ocidente. Inclui igualmente o Império do Oriente, que sobreviveu por outros mil anos; todos os povos e nações, tanto civilizados quanto bárbaros, que confinavam com o Império Romano; o surgimento do maometanismo; o Sacro Império Romano; as Cruzadas — em suma, toda a história do Ocidente (bem como do Oriente, onde tivesse afetado significativamente a do Ocidente) de 100 a 1500 d.C. Pois Gibbon corretamente supunha que eram partes de um grande processo interligado. Conquanto tivesse acusado a si mesmo de demonstrar por vezes "minuciosa e supérflua diligência", pode certamente ser perdoado de consagrar 3 mil páginas a 1400 anos de história ocidental.*

Os ingleses dão o melhor de si ao pôr por escrito a palavra falada, e o estilo de Gibbon provém das mesmas nascentes que deram à literatura inglesa sua mais alta preeminência no terreno da arte dramática e da poesia. Isso pode parecer estranho em relação a um homem que durante oito anos se manteve mudo no recinto do Parlamento. Mas, embora admitisse ter redigido três vezes o primeiro capítulo de seu livro, e duas o segundo, seu método habitual de composição era "vazar um longo parágrafo num único molde, pô-lo à prova do ouvido, guardá-lo na memória, mas suspender qualquer gesto da pena até ter dado à minha obra o derradeiro polimento". Daí a esplêndida sonoridade da frase gibboniana, que nos ecoa no ouvido mesmo quando lida em silêncio.

O próprio Gibbon confessava ter detectado certas variações de esti-

lo entre os seis volumes em que a obra foi originariamente publicada. Considerava o primeiro "algo tosco e trabalhado", o segundo e o terceiro "amadurecidos na fluência [e] *correção"; nos últimos três, porém, em sua maior parte escritos em Lausanne, temia ele "ter podido ser seduzido pela facilidade de minha pena, e o hábito constante de falar numa língua e escrever em outra pode ter me infundido certa mistura de idiomatismos gálicos".*

É possível, mas muito a custo, que um leitor meticuloso possa concordar com ele. Com apenas pequenas variações de frequência, páginas, parágrafos e frases cintilantes são encontrados sistematicamente ao longo de toda a obra. Não se trata de uma simples questão de estilo. É também uma questão de finura de espírito, de palavras cuidadosamente escolhidas, de apartes sardônicos, de um ocasional pendor para o picante que levou Philip Guedalla a observar ter Gibbon vivido a maior parte de sua vida sexual nas notas de rodapé. E é acima de tudo uma questão de profunda familiaridade com o assunto e de completa imersão nele: quando Gibbon situa algo "além dos Alpes", quer sempre dizer algo além dos Alpes desde Roma ou Constantinopla, não desde Londres ou Lausanne.

No entanto, amplitude de abrangência e vigor de estilo não lhe teriam dado um público constante em sucessivas gerações de leitores se lhe faltasse a compacta integridade subjacente. Ele se afeiçoava à descrição passional — as personalidades que retratava eram altivas, audazes, matreiras, crédulas, covardes etc. — e nutria preconceitos e crenças muito sólidos. Deliciava-se, por exemplo, em revelar as deficiências de alguma figura dúbia da Igreja antiga. Mas por trás disso estava o calmo historiador ministrando uma boa dose de repreensão a seu imperador favorito, Juliano, e louvando, até a beira do panegírico, santo Atanásio de Alexandria. Numa época em que era moda sustentar que a função do historiador era apontar para uma moralidade instrutiva, Gibbon não se dispunha a provar coisa alguma. Ademais, à diferença de certos historiadores cuja estudada imparcialidade parece não passar de uma cortina, suas predileções estão sempre à vista. Em Gibbon não há truques escondidos dentro da manga.

Raras vezes exerceu um autor tão intensa atração sobre seus inimigos, que gastaram anos de paciente erudição esquadrinhando a sólida *estrutura de* Declínio e queda. *Uma edição muito usada foi a organizada e anotada pelo deão Milman, da Catedral de São Paulo, que caracterizou a obra como "um atrevido e sorrateiro ataque à cristandade". Outra edição, talvez a mais largamente lida nos Estados Unidos, preparou-a um certo Oliphant Smeaton, um figurão vitoriano que tenta morder os calcanhares de Gibbon ao longo de 3 mil páginas de uma maneira que lembra um pequeno e lesto cão rateiro num campo de parada. Outro respeitável vitoriano, que atendia pelo cativante nome de Birkbeck Hill e que organizou um volume das memórias de Gibbon, mostrou-se chocado com "a indecência de sua linguagem" e com sua "fria e erudita obscenidade". E o próprio Thomas Bowdler, cujo nome passou ao inglês corrente na expressão* "bowdlerized",* *preparou uma edição especial de* Declínio e queda *expurgada de todo o material religioso.*

Talvez a mais competente avaliação da real estatura de Gibbon tenha sido feita pelo grande especialista de Cambridge, J. B. Bury, que organizou a melhor edição de Declínio e queda *e escreveu também uma hoje clássica* History of Greece [*História da Grécia*]. *Adverte o professor Bury que, no tocante a uma descrição pormenorizada da teologia e das instituições cristãs mais remotas, "nem o historiador nem o homem de letras subscreverão, sem mil reservas, os capítulos teológicos de* Declínio e queda"; *todavia as mais exaustivas investigações subsequentes "nem modificaram de modo substancial nem infirmaram o acerto" do tema demoradamente desenvolvido por Gibbon, de a destruição do Império Romano se ter constituído num triunfo conjunto da barbárie e do cristianismo. As formidáveis pesquisas do grande historiador alemão Mommsem e de sua escola tornaram um tanto obsoleto o retrato traçado por Gibbon dos primórdios do Império; "mas por outro lado sua admirável descrição da passagem do principado à monarquia absoluta, e o sistema de Diocleciano e Constantino, continua a ser plenamente válida". E Bury quase se sente tentado a rejubilar-se de Gibbon ter-se grandemente apoiado numa fonte hoje desacreditada para sua descrição de Maomé e dos primórdios da expansão maometana,*

* Diz-se, em inglês, de uma obra expurgada de expressões ou trechos considerados obscenos. (N. T.)

uma vez que os capítulos de Declínio e queda daí resultantes "bastariam por si sós para garantir-lhe perpétua fama literária".

Mais grave é a desdenhosa caracterização do período final do Império do Ocidente como "uma invariável narrativa de fraqueza e miséria" condenada por Bury como "um dos juízos mais inverídicos e mais impressivos jamais pronunciados por um historiador refletido". E Gibbon mostrou-se "patentemente insatisfatório" em sua descrição dos povos e reinos eslavônicos dentro e fora do Império do Oriente. No conjunto, porém, o próprio Gibbon ficaria satisfeito com o veredicto final do professor Bury:

> O fato de Gibbon estar ultrapassado em muitos pormenores, e em certos setores de importância, significa apenas que nós e nossos pais não vivemos num mundo de todo incompetente. Mas no principal ele ainda é nosso mestre, acima e além de toda "ultrapassagem". Seria ocioso insistir nas óbvias qualidades que lhe asseguram imunidade da sorte comum dos historiógrafos — tais como a destemida e acurada medida de seu avanço através das épocas históricas; sua visão precisa e seu tato no manejo da perspectiva; suas discretas reservas em matéria de juízos e seu ceticismo tempestivo; a imortal afetação de seu jeito inimitável. Em virtude de tais superioridades, ele pode desafiar o perigo com que a atividade de seus sucessores irá sempre ameaçar as notabilidades do passado.

III

Gibbon se tornou imediatamente famoso com a publicação do primeiro volume de Declínio e queda em fevereiro de 1776. Contudo, somente após a compleição total da obra (o segundo e o terceiro volumes apareceram em 1781; os últimos três em 1788) recebeu ele talvez seus dois mais impressionantes cumprimentos. Foi então que Adam Smith (cujo A riqueza das nações havia sido publicado em 1776) escreveu que, "pela universal aquiescência de todos os homens de gosto e saber que conheço ou com os quais me correspondo", Declínio e queda "coloca você bem à frente de toda a tribo literária atualmente existente na Europa". E no mais famoso espetáculo público da época, quando as pessoas pagavam cinquenta guinéus para conseguir um lugar de visitante, Richard Sheridan denunciou o mau procedimento de Warren Hastings na Índia dizendo que "nada comparável, em matéria de criminalidade, poderá ser encontrado na história antiga ou moderna, nos períodos corretos de Tácito ou na página luminosa de Gibbon". Na verdade, Sheridan sustentou mais tarde — talvez para afligir a vaidade do homenzinho — que havia dito "copiosa", não "luminosa". Mas numa circunstância tal que a simples menção era quanto bastava.

Declínio e queda suscitou outrossim muito rancor teológico contra Gibbon, especialmente seus famosos capítulos 15 e 16 (veja pp. 507 e 546), que eram os capítulos finais do primeiro volume. (Mais tarde, em 1776, Gibbon escreveu a sua madrasta que estava muito bem, "creio eu incólume em meio a um canhoneio furioso quanto o que se voltou contra Washington".) Sua única reação pública, em resposta a um panfleto escrito por um certo H. E. Davis, foi publicar *A vindication of some passages in the fifteenth and sixteenth chapters* [Uma defesa de algumas passagens dos capítulos décimo quinto e décimo sexto]; daí por diante manteve um discreto e no geral eficaz silêncio. Mas em sua autobiografia observa que, caso tivesse previsto o efeito deles sobre "o devoto, o tímido e o prudente", poderia ter se sentido tentado a abrandar os capítulos em questão.

O restante da vida de Gibbon pode ser narrado em poucas palavras. A queda do governo de lorde North na primavera de 1782 acarretou o fim da Junta de Comércio e, com ela, do estipêndio de 750 libras esterlinas, que tornava possível a Gibbon viver em Londres. No ano seguinte ele se recolheu em Lausanne, onde passou a partilhar uma bela casa com seu amigo Deyverdun; ali vivia suntuosamente, tornava-se cada vez mais gordo e era afligido com crescente frequência por severos ataques de gota; discutia com Deyverdun acerca de qual dos dois deveria casar-se (cada um deles escolhia o outro); continuava sendo o favorito da sociedade de Lausanne; e se fazia a cada dia mais brando e mais filosófico. "Nunca fui um patriota muito ardoroso", escreveu a seu amigo lorde Sheffield em 1785, "e me torno mais e mais, conforme o tempo passa, um Cidadão do Mundo. As competições *pelo poder e pelo lucro em Westminster ou St. James, e os nomes de Pitt e Fox, me interessam menos que os de César e Pompeu".*

Pois ainda havia estudo e trabalho a fazer para completar a grande tarefa.

> *Foi no dia, ou melhor, na noite de 27 de junho de 1787, entre as 23 e as 24 horas, que escrevi as últimas linhas da última página, num pavilhão do meu jardim. Após depor a pena, dei várias voltas por um* berceau *ou passeio sombreado de acácias, de onde se tem uma vista do campo, do lago e das montanhas. O ar estava temperado, o céu sereno, as águas refletiam a lua argentina e a natureza toda era silêncio. Não vou esconder minhas primeiras emoções de júbilo pela reconquista de minha liberdade e, talvez, pelo estabelecimento da fama. Mas meu orgulho foi logo abatido, e uma melancolia sóbria se me espalhou pela mente, à ideia de que eu havia me despedido em definitivo de um velho e agradável companheiro, e que qualquer que pudesse ser o futuro de meu* History, *a vida do historiador tem por força de ser breve e precária.*

O término de Declínio e queda *esvaziou-lhe a vida. Por algum tempo ele parece ter sido sustentado por suas crescentes apreensões com a Revolução Francesa. Advertiu lorde Sheffield de que, "se você não resistir ao espírito de inovação logo à primeira tentativa, se permitir a mínima e mais capciosa mudança em nosso sistema parlamentar, estará perdido". E o prazer com que acolheu a publicação de* Reflections on the revolutions in France [*Reflexões sobre a revolução em França*], *de Burke, levaram-no a escrever, exultante: "Admiro-lhe a eloquência, aprovo-lhe a política, adoro-lhe o cavalheirismo e posso até perdoar-lhe a superstição". Todavia, o respeito do velho historiador pelos fatos ainda estava presente. Ao passar em 1793 pelas proximidades de Mainz (Mogúncia), onde as forças prussianas e austríacas assediavam os franceses, observou que "os franceses lutam com uma coragem digna de uma causa melhor" e que a artilharia deles era admirável.*

Mas ser observador dispéptico mesmo de uma grande revolução não é substituto adequado para o trabalho de todos os dias. Por isso em 1793 ele escreveu confidencialmente a lorde Sheffield que estava pen-

sando numa série de esboços biográficos de ingleses eminentes, a começar de Henrique VIII, pelo que gostaria que lorde Sheffield perguntasse a certo livreiro de Pall Mall se uma obra desse tipo escrita, por exemplo, no estilo de Gibbon não poderia ganhar os favores da popularidade. Se o livreiro mordesse a isca, continuava Gibbon, então Sheffield deveria responder-lhe nos seguintes termos: "Receio, senhor Nichols, vá ser muito difícil conseguirmos que meu amigo se dedique a uma obra de tal magnitude. Gibbon é idoso, rico e preguiçoso. No entanto, caso o senhor queira, pode fazer uma tentativa, e se tem ideia de escrever para Lausanne (pois não sei quando ele voltará à Inglaterra), eu me encarregarei de fazer a proposta chegar-lhe às mãos".

A triste verdade no tocante a esse projeto, dizia Gibbon explicativamente, era a de que "meus hábitos de trabalho estão de tal modo prejudicados que reduzi meu tempo de estudo à negligente diversão das horas da manhã, cuja repetição acabará por me levar aos poucos ao fim de minha existência. Por essa mesma razão não ficarei nem um pouco pesaroso de comprometer-me numa generosa empresa diante da qual não poderei honrosamente recuar". É sempre um problema saber qual o mais trágico, malograr ou ser bem-sucedido no realizar uma grande ambição.

Gibbon morreu em janeiro de 1794, com a idade de 56 anos, em Londres, durante uma visita motivada pelo falecimento da esposa de lorde Sheffield. A causa de sua morte foi uma assaz avantajada hidrocele, ou acumulação de fluido na área do escroto, possivelmente complicada por uma hérnia. Tal condição parece ter se manifestado, em grau menor, ao longo de toda a sua vida adulta, pois aos 24 anos teve de consultar-se com um cirurgião por causa dela. O cirurgião insistiu com Gibbon em que voltasse para tratamento, mas ele nunca o fez.

IV

Ao preparar esta versão concisa de Declínio e queda, *procurei dar-lhe um seguimento narrativo usando o máximo possível dos tijolos de Gibbon e o mínimo possível de minha própria argamassa. Do ponto de vista quantitativo, as páginas que se seguem consistem em cerca de 96% de Gibbon e 4% de Saunders. Mas o leitor tem o direito de saber quais as técnicas por que se efetuou a condensação. São quatro:*

1. Todos os capítulos desta edição, menos o último, foram tirados da primeira metade de Declínio e queda — grosso modo, *da época dos Antoninos até o fim do Império do Ocidente. (O último capítulo se compõe de breves excertos da segunda metade, selecionados em função de seu mérito literário e do interesse geral.) Isso coincide com a definição geral do Império Romano, e o próprio Gibbon considerou seriamente a alternativa de terminar sua história nesse ponto. Somente por meio dessa limitação de abrangência foi possível sonhar em nos mantermos nos limites de um único volume em brochura.*

2. Dentro de tais limites mais estritos, mostrou-se ainda factível omitir certos capítulos em sua totalidade sem causar dano sério, espero eu, ao fio da narrativa de Gibbon. Alguns desses capítulos omitidos (tais como os capítulos 8 e 11 do texto original, consagrados a informações complementares acerca da Pérsia e da Germânia, respectivamente) não fazem parte integral da narrativa básica e podiam ser eliminados, assinalando-se com apenas uma nota de rodapé a sua omissão. Outros, contendo matéria essencial à compreensão de capítulos ulteriores, foram por mim resumidos em passagens em itálico de algumas páginas de extensão. Nesses resumos, esforcei-me, claro está, por seguir fielmente a forma e o espírito do original e procurei guardar-lhes um pouco do sabor por via de uma generosa aspersão de citações.

3. Dentro de capítulos que, a não ser por isto, aqui figuram em sua totalidade, breves passagens que vão de um parágrafo a uma página foram ocasionalmente julgadas dispensáveis. (O próprio Gibbon se dera conta dessa possibilidade ao sugerir que os capítulos 15 e 16 "poderiam ser condensados, sem nenhuma perda de fatos ou juízos".) Onde tais omissões não afetem a continuidade interna do capítulo, elas são assinaladas apenas por uma nota de rodapé, que menciona igualmente a natureza do material omitido. Em todos os outros casos, a passagem omitida aparece condensada na parte em itálico do texto.

4. Quase um quarto do texto original de Declínio e queda *consiste em notas de rodapé que com propriedade D. M. Low chama de "conversa de mesa de jantar" de Gibbon. Quase todas elas tiveram de ser sacrificadas, mas só mesmo um aficionado de Gibbon compreen-*

derá o pesar causado pela necessidade dessa eliminação, e quão difícil foi escolher as poucas que poderiam ficar. (As notas de rodapé são do próprio Gibbon, a menos que haja indicação em contrário.) Não posso dizer que tivesse obedecido a qualquer regra rigorosa ao decidir quais as que ficariam. Algumas pareciam necessárias à compreensão dos trechos do texto a que dizem respeito; outras ilustravam as contínuas queixas de Gibbon contra os preconceitos, ignorância e estupidez dos antigos autores a que teve de recorrer como fontes; e eu certamente tentei manter todas aquelas notas cujo caráter picante fosse de molde a desagradar a Thomas Bowdler ou Birkbeck Hill.

Ademais, tomei a liberdade de revisar a pontuação e a paragrafação de Gibbon ao longo de todo o texto. Pelos padrões de hoje, o leitor teria todo o direito de se queixar de que Gibbon usava pontuação demais e parágrafos de menos.

Uma última palavra. Declínio e queda do Império Romano *tem sempre algo de especial para cada um de seus leitores, assim como o teve para mim. Na conclusão do segundo capítulo, na qual discute a literatura e a erudição romanas na época dos Antoninos, observa Gibbon que "uma nuvem de críticos, compiladores e comentadores escurecia a face do saber". Repetidas vezes tive um estremecimento diante dessas palavras enquanto preparava esta edição, e minha única justificativa de merecer o perdão de Gibbon reside no que estou tentando fazer. Este livro visa a dar ao leitor tão só um antegosto de Gibbon, na esperança de que ele saia daqui decidido a tornar-se um glutão.*

Dero A. Saunders
Março de 1952

1

(98-180 d.C.)
A extensão e o poderio militar do Império na época dos Antoninos

NO SEGUNDO SÉCULO DA ERA CRISTÃ, o império de Roma abrangia a mais bela parte da terra e o segmento mais civilizado da humanidade. As fronteiras daquela vasta monarquia eram guardadas por antigo renome e disciplinada bravura. A influência branda mas eficaz das leis e dos costumes havia gradualmente cimentado a união das províncias. Seus pacíficos habitantes desfrutavam até o ponto de abuso os privilégios da opulência e do luxo. A imagem de uma constituição livre era mantida com decoroso respeito: o Senado romano parecia estar investido de autoridade soberana e delegava aos imperadores romanos todos os poderes executivos de governo. Durante um ditoso período de mais de oitenta anos, a administração pública foi gerida pela probidade e aptidões de Nerva, Trajano, Adriano e os dois Antoninos. É propósito deste e dos dois capítulos subsequentes descrever a prosperidade do Império sob esses imperadores e posteriormente deduzir, a partir da morte de Marco Antonino, as circunstâncias mais importantes do declínio e da queda do dito Império, uma revolução que será para sempre lembrada e cujos efeitos são ainda sentidos pelas nações da terra.

As principais conquistas dos romanos foram feitas durante a República; e os imperadores, na maior parte dos casos, contentaram-se com preservar os domínios adquiridos em consequência da política do Senado, da ativa emulação dos cônsules e do entusiasmo marcial do povo. Os sete primeiros séculos assistiram a uma rápida sucessão de triunfos; caberia a Augusto, todavia, pôr de lado o ambicioso projeto de dominação do mundo todo e introduzir, nos conselhos públicos, um espírito de moderação. Predisposto à paz por seu temperamento e condição, foi-lhe fácil descobrir que Roma, na sobranceira posição em que então se encontrava, tinha muito mais a temer que esperar de uma aventura armada; e que levar a cabo guerras remotas se tornava uma empresa a cada dia mais difícil, de êxito mais do que duvidoso, além de a posse se demonstrar tanto mais precária quanto menos vantajosa. A experiência de Augusto deu peso a essas sadias reflexões e o convenceu eficazmente de que, pelo prudente vigor de seus juízos, seria fácil obter todas as concessões que a segurança ou a dignidade de Roma pudessem exigir dos bárbaros mais temíveis. Em vez de expor sua própria pessoa e suas legiões às setas dos partos, conseguiu ele, por via de um honroso tratado, a devolução dos estandartes e dos prisioneiros que haviam sido capturados quando da derrota de Crasso.*

Nos primórdios de seu reinado, seus generais tentaram a conquista da Etiópia e da Arábia Feliz (Iêmen). Avançaram 1600 quilômetros ao sul do trópico, mas o clima tórrido não tardou a repelir os invasores e a proteger os nada belicosos nativos daquelas remotas regiões. Os países setentrionais da Europa dificilmente justificavam o dispêndio e o esforço de conquista. As florestas e os pântanos da Germânia eram ocupados por uma raça de bárbaros animosos que desprezavam a vida carente de liberdade; e, embora parecessem ceder, ao primeiro ataque, ante a superioridade do poderio romano, logo conseguiram, mercê de um extraordinário gesto de desespero, recuperar sua independência e lembrar Augusto das vicissitudes da

* Marco Licínio Crasso (*c.* 115-53 a.C.): político romano que fez parte do primeiro triunvirato, ao lado de Pompeu e Júlio César; quando governador da Síria, combateu os partos, tendo sido derrotado e assassinado por eles. Sobre os partos, ver nota complementar à p. 38. (N. T.)

fortuna.[1] Quando esse imperador morreu, seu testamento foi lido em público no Senado. Deixava ele como valioso legado a seus sucessores a recomendação de confinarem o Império àqueles limites que a Natureza parecia ter-lhe estabelecido como baluartes e fronteiras permanentes: a oeste, o oceano Atlântico; o Reno e o Danúbio ao norte; o Eufrates a leste; e, para o sul, os desertos arenosos da Arábia e da África.

Felizmente, para descanso da humanidade, o sistema comedido recomendado pela sabedoria de Augusto foi adotado pelos temores e vícios de seus sucessores imediatos. Empenhados na busca do prazer ou no exercício da tirania, os primeiros Césares raramente se mostravam às tropas ou às províncias; tampouco estavam dispostos a permitir que os triunfos negligenciados por *sua* indolência fossem usurpados pelo comando e bravura de seus lugares-tenentes. O renome militar de um súdito era considerado insolente usurpação da prerrogativa imperial, pelo que se tornava dever, tanto quanto interesse, de todo general romano guardar as fronteiras confiadas a sua vigilância sem aspirar a conquistas que se poderiam demonstrar não menos fatais a ele próprio que aos bárbaros vencidos.

O único acréscimo que o Império Romano recebeu durante o primeiro século da era cristã foi a província da Britânia. Nesse único caso, os sucessores de César e de Augusto foram persuadidos a seguir antes o exemplo daquele que o preceito deste. Por estar próxima da costa da Gália, a Britânia era um convite às armas; a prazenteira, conquanto duvidosa atração de uma pesca de pérolas espicaçava-lhes a avareza,[2] e como a Britânia era vista sob

[1] Quando do massacre de Varo* e de suas três legiões, Augusto não recebeu as infaustas notícias com a firmeza e a serenidade que seriam esperadas de seu caráter. [As notas de rodapé são de Gibbon, a menos que haja indicação em contrário.]

* Públio Quintílio Varo (m. 9 d.C.): general romano que, derrotado pelos germanos comandados por Armínio, cometeu suicídio. (N. T.)

[2] O próprio César oculta esse motivo ignóbil, que é no entanto mencionado por Suetônio. As pérolas britânicas revelaram-se porém de pouco valor devido a sua cor escura, plúmbea.

o aspecto de um mundo distinto e insulado, sua conquista mal se constituía exceção ao sistema geral de medidas continentais. Ao cabo de uma guerra de cerca de quarenta anos, empreendida pelo mais obtuso, continuada pelo mais dissoluto e concluída pelo mais tímido de todos os imperadores, a maior parte da ilha foi submetida ao jugo romano.[1] As diversas tribos de bretões tinham bravura mas não comando; amor pela liberdade mas não espírito de união. Tomavam armas com selvagem arrebatamento; depunham-nas ou voltavam-nas umas contra as outras com selvagem inconstância; e enquanto lutaram separadamente, foram subjugadas uma após outra. Nem a coragem de Caratáco,* nem o desespero de Boadiceia,** nem o fanatismo dos druidas puderam evitar a escravização de seu país ou resistir ao firme avanço dos generais do Império, que preservavam a glória nacional enquanto o trono era desonrado pelo mais fraco ou pelo mais corrupto dos homens. Na mesma época em que, confinado em seu palácio, Domiciano experimentava terrores iguais aos que inspirava, suas legiões, sob o comando do virtuoso Agrícola,*** derrotavam as forças coligadas dos caledônios**** ao pé do monte Grápio; e sua armada, aventurando-se a explorar uma rota desconhecida e perigosa, ostentava as armas romanas por toda a volta da ilha. A conquista da Britânia era dada como já consumada, e Agrícola tinha em mira completar e consolidar seu êxito submetendo, sem maior dificuldade, a Irlanda, para o que, a seu ver, bastaria uma legião e algumas tropas auxiliares. A ilha ocidental poderia ser convertida numa possessão valiosa, e os bretões suportariam as

[1] Cláudio, Nero e Domiciano.

* Chefe guerreiro dos bretões que floresceu em 50 d.C.; lutou nove anos contra os romanos, que acabaram por vencê-lo, capturá-lo e levá-lo para Roma, onde o imperador Cláudio lhe poupou a vida. (N. T.)

** Rainha britânica dos icenos, tribo da região de Norfolk, que chefiou a revolta contra os romanos e se envenenou em 62 d.C., ao saber-se derrotada por eles. (N. T.)

*** Cneio Júlio Agrícola (*c.* 37-93 d.C.): general romano, governador e pacificador da Britânia, sogro do grande historiador Tácito. (N. T.)

**** Caledônia era o antigo nome da Escócia. (N. T.)

cadeias com menos relutância se a esperança e o exemplo da liberdade lhes fossem tirados de diante dos olhos em toda parte.

Todavia, o alto mérito de Agrícola logo fez que o destituíssem do governo da Britânia, frustrando para sempre esse judicioso conquanto vasto plano de conquista. Antes de partir, o prudente general havia tomado providências no sentido de garantir a segurança e o domínio da ilha. Observara que ela estava como que dividida em duas partes desiguais por golfos opostos, ou, como são hoje conhecidos, pelos esteiros da Escócia. Ao longo do estreito intervalo de cerca de sessenta quilômetros dispusera Agrícola uma linha de postos militares, a qual foi posteriormente fortificada, no reinado de Antonino Pio, por um reparo de turfa erguido sobre alicerces de pedra. Esse muro de Antonino, a pequena distância das modernas cidades de Edimburgo e Glasgow, ficou estabelecido como o limite da província romana. Os caledonianos nativos mantiveram, na extremidade norte da ilha, sua bravia liberdade, que deviam não menos a sua pobreza que a sua bravura. As incursões que empreendiam eram repelidas e castigadas, mas o país deles nunca foi dominado. Os senhores dos climas mais amenos e mais prósperos do mundo voltavam as costas com desprezo aos melancólicos outeiros batidos por tormentas de inverno, aos lagos ocultos sob uma névoa azulada e às frias e ermas charnecas onde cervos da floresta eram caçados por bandos de bárbaros desnudos.

Tal era a situação das fronteiras romanas e tais os princípios da política imperial desde a morte de Augusto até a ascensão de Trajano. Esse virtuoso e ativo monarca havia recebido a educação de um soldado e possuía o talento de um general. O pacífico sistema de seus predecessores foi interrompido por cenas de guerra e de conquista, e as legiões, após um longo intervalo, viram um imperador militar a comandá-las. As primeiras investidas de Trajano foram contra os dácios,* o mais belicoso dos povos, que viviam além-Danúbio e que, durante

* Ver nota complementar à p. 226. (N. T.)

o reinado de Domiciano, tinham afrontado impunemente a majestade de Roma. A seu vigor e impetuosidade de bárbaros acrescentavam um desprezo pela vida que advinha de uma crença ardente na imortalidade e na transmigração da alma. Decébalo, o rei dácio, provou ser ele próprio um adversário não indigno de Trajano; não desesperou de sua estrela e da de seu povo enquanto não exauriu, conforme o reconheceram seus inimigos, todos os recursos de bravura e de habilidade. Essa guerra memorável, salvo por uma brevíssima suspensão de hostilidades, durou cinco anos; como o imperador podia lançar mão, sem restrições, de todo o poderio do Estado, terminou pela submissão absoluta dos bárbaros. A nova província da Dácia, que se constituía numa segunda exceção ao preceito de Augusto, tinha cerca de 2 mil quilômetros de circunferência. Suas fronteiras naturais eram o Dniester, o Theiss ou Tibiscus,* o Danúbio inferior e o mar Euxino (mar Negro). Os vestígios de uma estrada militar podem ainda ser rastreados desde as margens do Danúbio até as vizinhanças de Bendery,** uma localidade famosa na história moderna, e a atual fronteira dos impérios turco e russo.

Trajano ambicionava fama, e enquanto a humanidade continuar a prodigalizar mais aplausos a seus destruidores do que a seus benfeitores, a sede de glória militar continuará a ser sempre o vício das personalidades mais enaltecidas. Os encômios a Alexandre, transmitidos por uma enfiada de poetas e historiadores, haviam acendido uma perigosa emulação no espírito de Trajano. Tal como ele, o imperador romano levou a cabo uma expedição contra as nações do Oriente, mas lamentando, suspiroso, que sua idade avançada quase não lhe desse esperanças de igualar o renome do filho de Filipe. No entanto, o êxito de Trajano, embora efêmero, foi rápido e ilusório.

* Atualmente conhecido como Tisza, um rio que nasce nas montanhas dos Cárpatos e deságua no Danúbio. (N. O.)

** Cidade da Moldávia onde Carlos XII, rei da Suécia, foi feito prisioneiro pelos turcos em 1713. (N. T.)

Os degenerados partos,* quebrantados por discórdia intestina, fugiram ante o avanço de seus exércitos. Ele desceu o rio Tigre triunfalmente, desde as montanhas da Armênia até o golfo Pérsico. Alcançou a honra de ser o primeiro, tanto quanto o último, dos generais romanos que jamais singraram aquele mar remoto. Seus navios de guerra assolavam as costas da Arábia, e ele se iludia, fatuamente, de que se estava aproximando dos confins da Índia. Todo dia recebia o Senado atônito a notícia de que novas tribos e novas nações lhe reconheciam a soberania. Era informado de que os reis de Bósforo, Cólquida,** Ibéria, Albânia, Osroene e mesmo o próprio monarca parto haviam aceitado seus diademas das mãos do imperador; de que as tribos independentes das colinas medas e carducas lhe haviam implorado a proteção; e de que as ricas nações da Armênia, da Mesopotâmia e da Assíria estavam reduzidas à condição de províncias. A morte de Trajano logo veio porém anuviar a esplêndida perspectiva; e era muito de temer que tantas nações distantes se livrassem do jugo a que não estavam acostumadas logo que não as contivesse mais a mão poderosa que o tinha imposto.

Havia uma antiga tradição de que quando o Capitólio foi fundado por um dos reis romanos, o deus Término (que imperava sobre as divisas e era representado, de acordo com o costume daquela época, por uma grande pedra) fora a única das divindades inferiores a recusar-se a ceder seu lugar ao próprio Júpiter. Dessa obstinação tiraram os augures a favorável inferência de ela se constituir em seguro presságio de que as fronteiras do poder romano jamais recuariam. Ao longo de épocas sucessivas, a predição, como costuma acontecer, contribuiu para seu próprio cumprimento. Mas conquanto

* Antigo povo oriundo da Cítia, antiga região do nordeste da Europa, entre os rios Danúbio e Don, e ao norte do mar Negro; os partos se estabeleceram ao sul da Hircânia, antiga região no Nordeste do Irã, onde constituíram um reino poderoso, que durou de cerca de 250 a.C. a 224 d.C.; apesar de seus esforços, o imperador Trajano não os conseguiu submeter. (N. T.)

** Antiga região da Ásia Menor, na costa oriental do Ponto Euxino (mar Negro). (N. T.)

Término tivesse resistido à majestade de Júpiter, submeteu-se à autoridade do imperador Adriano. A renúncia a todas as conquistas orientais de Trajano foi a primeira medida de seu reinado. Ele restituiu aos partos o direito de eleger um soberano independente, retirou as guarnições romanas das províncias da Armênia, da Mesopotâmia e da Assíria e, em conformidade com o preceito de Augusto, mais uma vez instituiu o Eufrates como a fronteira do Império. A censura, que critica os atos públicos e os motivos privados dos príncipes, atribuiu à inveja uma conduta que se poderia atribuir à prudência e à moderação de Adriano. A índole mutável desse imperador, alternadamente capaz dos mais mesquinhos e dos mais generosos sentimentos, poderia tornar algo verossímil a suspeita. Dificilmente lograria ele, no entanto, dar maior destaque à superioridade de seu antecessor do que se confessando, dessa maneira, não estar à altura da tarefa de defender as conquistas de Trajano.

O espírito marcial e ambicioso deste fazia um contraste deveras singular com a moderação de seu sucessor. A incessante atividade de Adriano não é menos notável quando comparada à branda tranquilidade de Antonino Pio. A vida daquele foi uma quase perpétua viagem, e como ele possuía os variados talentos do soldado, do estadista e do erudito satisfazia a curiosidade no desempenho de seus deveres. Indiferente às mudanças de estação e clima, caminhava a pé e de cabeça descoberta pelas neves da Caledônia e pelas planícies escaldantes do alto Egito; não havia província do Império que, no curso de seu reinado, não tivesse sido honrada com a presença do monarca. Mas a vida tranquila de Antonino Pio decorreu no seio da Itália, e, durante os 23 anos em que dirigiu a administração pública, as mais longas jornadas desse príncipe benévolo não excederam a distância que vai de seu palácio em Roma ao retiro de sua vila lanuvina.

Não obstante tal diferença de conduta pessoal, o sistema geral de Augusto foi igualmente adotado e uniformemente seguido por Adriano e pelos dois Antoninos. Eles persistiram no propósito de manter a dignidade do Império sem tentar alargar-lhe os limites. Recorriam a todo e qualquer expediente honroso para aliciar a amizade dos bárbaros e esforçavam-se por convencer a humanidade de que o poder romano, posto acima da tentação de conquista, era movido tão só pelo amor à ordem e à justiça. Durante um longo período de 43 anos, os virtuosos esforços deles tiveram bom êxito e, se excetuarmos algumas ligeiras hostilidades que serviram para adestrar as legiões de fronteira, os reinados de Adriano e de Antonino Pio oferecem a clara perspectiva de uma paz universal. A fama de Roma merecia acatamento de parte das mais remotas nações da terra. Os bárbaros mais ferozes submetiam amiúde suas diferenças ao arbítrio do imperador; e um historiador contemporâneo nos informa de que vira ser recusada, a embaixadores que a vieram solicitar, a honra de serem admitidos à categoria de súditos.

O terror das armas romanas dava peso e dignidade à moderação dos imperadores. Eles preservavam a paz mediante uma constante preparação para a guerra; e, ao mesmo tempo que regulavam sua conduta pelos ditames da justiça, anunciavam às nações de seus confins que estavam tão pouco dispostos a suportar quanto a cometer uma injúria. A força que Adriano e o Antonino mais velho se haviam contentado em apenas exibir foi empregada contra os partos e os germanos pelo imperador Marco Aurélio. As hostilidades dos bárbaros suscitaram o ressentimento desse filosófico monarca, e na busca de uma justa reparação ele e seus generais alcançaram muitas vitórias notáveis tanto no Eufrates quanto no Danúbio. A organização das forças militares do Império Romano, que de tal modo lhe asseguravam ou a tranquilidade ou o êxito, vai tornar-se agora o objeto, adequado e importante, de nossa atenção.

Nas épocas mais singelas da República, o uso das armas ficava reservado àquelas classes de cidadãos que tinham um país para amar, uma propriedade a defender e alguma participação na feitura das leis que eram de seu interesse e de sua obrigação manter. Mas à medida que se foi perdendo a liberdade pública pelo alargamento das conquistas, a guerra se aperfeiçoou gradualmente numa arte e se degradou em negócio. As próprias legiões, ao tempo em que eram recrutadas nas províncias mais remotas, deviam supostamente consistir em cidadãos romanos. Tal distinção, de modo geral, era considerada ou como uma qualificação legal ou como uma recompensa justa para o soldado; todavia, maior atenção se dava ao mérito essencial da idade, do vigor físico e da estatura militar. Em todos os recrutamentos avultava uma justificada preferência pelos climas do norte em relação aos do sul; a classe de homens mais adequados para o exercício das armas era antes buscada nos campos que nas cidades, e com muito boa razão se supunha que as rudes ocupações de ferreiro, carpinteiro e caçador dariam a seus praticantes mais vigor e intrepidez do que os ofícios sedentários a serviço do luxo. Apesar de todas as qualificações de propriedade terem sido deixadas de lado, os exércitos dos imperadores romanos eram não obstante comandados, na maior parte dos casos, por oficiais de nascimento e educação liberal; os soldados rasos, como as tropas mercenárias da Europa moderna, recrutavam-se contudo entre as camadas mais baixas e com muita frequência mais crapulosas da sociedade.

A virtude pública conhecida entre os antigos pelo nome de patriotismo advém de uma firme consciência de nosso interesse próprio na preservação e prosperidade de um governo livre do qual sejamos membros. Um sentimento desses, que havia tornado quase invencíveis as legiões da República, só podia causar fraquíssima impressão nos servidores mercenários de um príncipe despótico, pelo que se tornou necessário compensar tal deficiência com outros motivos de natureza diversa, mas não menos convincente — honra e religião. O camponês ou o artífice se imbuía do útil preconceito de que fora promovido à honrosa profissão das armas, na qual seu posto e sua reputação dependeriam de seu próprio valor; e conquanto a intrepidez de um soldado raso escapasse comumente à atenção da fama, seu comportamento podia por vezes trazer glória ou desonra à companhia, à legião ou mesmo ao exército a cuja reputação estivesse ligado. Quando de seu ingresso no serviço militar, via-se ele obrigado a um juramento que se revestia de toda a solenidade.

Jurava jamais desertar de seu estandarte, curvar a própria vontade às ordens de seus chefes e sacrificar a vida pela segurança do imperador e do Império. A lealdade das tropas romanas a seus estandartes era inspirada pela influência conjunta da religião e da honra. A águia dourada que rebrilhava à testa da legião tornava-se objeto de sua mais funda devoção; era considerado tão ímpio quão ignominioso o abandono dessa insígnia sagrada numa hora de perigo. Tais motivos, cuja força advinha da imaginação, eram reforçados por temores e esperanças de natureza mais substancial. Soldo regular, donativos ocasionais e uma recompensa fixa após o devido tempo de serviço aliviavam as durezas da vida militar,[1] ao passo que, de outro lado, era impossível escapar à mais severa das punições por covardia ou desobediência. Os centuriões estavam autorizados a castigar com espancamento, os generais tinham o direito de punir com a morte; era uma máxima inflexível da disciplina romana que um bom soldado tinha muito mais a temer de seus oficiais que do inimigo. Por via de tais louváveis recursos, o valor das tropas imperiais alcançou um grau de firmeza e docilidade que as paixões impetuosas e irregulares dos bárbaros jamais poderiam alcançar.

No entanto, os romanos eram tão sensíveis à imperfeição do valor quando não secundado pela destreza e pela prática que, em sua língua, o nome "exército" deriva da palavra usada para designar exercício. Os exercícios militares eram o objeto mais relevante e contínuo de sua disciplina. Os recrutas e os soldados novos recebiam adestramento constante de manhã e à tarde; nem a idade nem o conhecimento serviam de desculpa para eximir os veteranos da repetição diária daquilo que já haviam aprendido completamente. Grandes telheiros eram erguidos nos quartéis de inverno das tropas para que suas úteis lidas não

[1] O imperador Domiciano elevou a doze moedas de ouro o estipêndio anual dos legionários, o que, em seu tempo, equivalia a cerca de dez de nossos guinéus. Ao fim de vinte anos de serviço, o veterano recebia 3 mil denários (cerca de cem libras esterlinas) ou uma porção equivalente de terra. A paga e as vantagens dos guardas eram em geral o dobro daquelas das legiões.

sofressem nenhuma interrupção mesmo na mais tempestuosa das quadras; tinha-se outrossim o cuidado de prover, para tal imitação de guerra, armas com o dobro do peso das usadas na ação real. Não é propósito desta obra entrar na descrição pormenorizada dos exercícios romanos. Diremos apenas que compreendiam quanto pudesse conferir vigor ao corpo, atividade aos membros ou graça aos movimentos. Os soldados eram diligentemente instruídos a marchar, correr, saltar, nadar, carregar grandes pesos; manejar qualquer espécie de arma que fosse usada para ataque ou defesa, quer no combate à distância, quer na luta corpo a corpo; fazer variadas evoluções; e mover-se ao som de flautas na dança pírrica ou marcial. Em tempos de paz, as tropas romanas se familiarizavam com as práticas de guerra, e com propriedade observa um antigo historiador que contra elas lutara ser o derramamento de sangue a única circunstância que diferenciava um campo de batalha de um campo de exercícios. Os generais mais capazes, e os próprios imperadores, tinham por norma encorajar tal preparação militar por sua presença e exemplo; sabemos que Adriano, tanto quanto Trajano, frequentemente condescendia em instruir os soldados inexperientes, em premiar os diligentes e às vezes em disputar com eles torneios de destreza ou força. No reinado desses monarcas, a ciência da tática foi cultivada com sucesso, e enquanto o Império logrou manter seu vigor, sua instrução militar era respeitada como o modelo mais perfeito da disciplina romana.*

Tentamos explicar o espírito que moderou e a força que apoiou o poder de Adriano e dos Antoninos. Tentaremos agora, com clareza e precisão, descrever as províncias outrora unidas sob a soberania deles mas atualmente divididas em tantos Estados independentes e hostis.

A Hispânia, na extremidade ocidental do Império da Europa, e do mundo antigo, preservou em todas as épocas os mesmos

* Omitiu-se aqui a precisa descrição feita por Gibbon da composição, do armamento, das táticas etc. das forças romanas. (N. O.)

limites naturais: os montes Pireneus, o Mediterrâneo e o oceano Atlântico. Essa grande península, hoje em dia tão desigualmente dividida entre dois soberanos, foi repartida por Augusto em três províncias, a lusitana, a bética e a tarragonesa. O reino de Portugal ora abrange a região belicosa da Lusitânia, e a perda sofrida por aquela, do lado leste, é compensada por um acréscimo de território ao norte. Os limites de Granada e Andaluzia correspondem aos da antiga Bética. O restante da Hispânia, Galícia e Astúrias, Biscaia e Navarra, Leão e as duas Castelas, Múrcia, Valência, Catalunha e Aragão, contribuíram todas para formar o terceiro e mais importante dos governos romanos, que recebeu de sua capital o nome de província de Tarragona. Dos bárbaros nativos, os celtíberos eram os mais poderosos, ao passo que os cantábrios e os asturianos se demonstravam os mais obstinados. Confiantes na fortaleza de suas montanhas, foram os últimos a se curvar às armas de Roma e os primeiros a sacudir o jugo árabe.

A antiga Gália, que abrangia toda a região entre os Pireneus, os Alpes, o Reno e o oceano, tinha extensão maior que a da França moderna. Aos domínios dessa poderosa monarquia devemos acrescentar os ducados de Savoia, os cantões da Suíça, os quatro eleitorados do Reno e os territórios de Liège, Luxemburgo, Hainault, Flandres e Brabante. Quando Augusto outorgou lei às conquistas de seu pai, introduziu na Gália uma divisão igualmente adaptada ao avanço das legiões, ao curso dos rios e às principais distinções nacionais, que compreendiam outrora mais de uma centena de Estados independentes. O litoral do Mediterrâneo, Languedoc, Provença e Delfinado receberam sua denominação provincial da colônia de Narbona. O governo da Aquitânia estendia-se dos Pireneus ao Loire. A região entre o Loire e o Sena era chamada de Gália Céltica e logo tomou emprestada uma nova denominação à célebre colônia de Lugdunum ou Lyon. A Bélgica ficava para além do Sena e em épocas mais antigas era limitada apenas pelo Reno; todavia, um pouco antes da época de César, os germanos, abusando de sua superioridade em matéria de bravura, haviam ocupado grande parte do território belga. Os conquistadores romanos aproveitaram pressurosamente circunstância tão lisonjeira, e a fronteira gaulesa do Reno, desde Basileia até Leiden, recebeu os nomes pomposos de Alta e Baixa Germânia. Tais eram, no reinado dos Antoninos, as seis províncias da Gália: a narbonense, a aquitânica, a céltica ou lionesa, a belga e as duas germânicas.

Já tivemos ocasião de mencionar a conquista da Britânia e fixar os limites da província romana naquela ilha. Compreendia toda a Inglaterra, Gales e as Terras Baixas da Escócia até Dumbarton e Edimburgo. Antes de ter perdido sua liberdade, a Britânia estava dividida irregularmente entre trinta tribos de bárbaros, das quais as mais importantes eram as dos belgas no oeste, os brigantes no norte, os silures na Gales do Sul e os icenos em Norfolk e Suffolk. Tanto quanto nos é dado rastrear ou atribuir semelhanças de costumes e língua, a Hispânia, a Gália e a Britânia eram habitadas pela mesma raça animosa de selvagens. Antes de se submeter às armas romanas, disputaram amiúde o campo de batalha e amiúde renovaram a porfia. Após sua submissão, constituíram a divisão ocidental das províncias europeias, que se estendiam das colunas de Hércules até o muro de Antonino, e da foz do Tejo até as nascentes do Reno e do Danúbio.

Antes da conquista romana, a região hoje chamada Lombardia não era considerada parte da Itália. Havia sido ocupada por uma forte colônia de gálios que, estabelecendo-se nas ribanceiras do Pó, desde o Piemonte até a Romanha, levaram suas armas e difundiram seu nome dos Alpes aos Apeninos. Os ligurianos habitavam a costa rochosa que hoje forma a república de Gênova. Veneza não havia ainda nascido, mas os territórios desse Estado que fica a leste do Ádige eram povoados pelos venezianos. A parte mediana da península que ora constitui o ducado da Toscana e o Estado eclesiástico formavam a antiga sede dos etruscos e úmbrios, aos primeiros dos quais deve a Itália os rudimentos iniciais de vida civilizada. O Tibre corria ao pé das sete colinas de Roma e a região dos sabinos, dos latinos e dos volscos, desde esse rio até as fronteiras de Nápoles, era o teatro de suas vitórias incipientes. Nesse chão célebre os primeiros cônsules fizeram jus a triunfos, seus sucessores o enfeitaram de vilas e a posteridade *deles* ali erigiu conventos. Cápua e Campânia mantinham a posse do território contíguo a Nápoles; o restante do reino habitavam-no muitas nações guerreiras, os marsos, os samnitas, os apulianos e os lucanos, tendo sido a faixa costeira coberta de florescentes colônias gregas. Cumpre-nos assinalar que quando Augusto dividiu a Itália em onze regiões, anexou a pequena província de Ístria à sede da soberania romana.

As províncias europeias de Roma estavam protegidas pelo curso do Reno e do Danúbio. O último desses pujantes cursos d'água, que nasce à distância de apenas 48 quilômetros do outro, percorre mais de 2 mil quilômetros, em sua maior parte no rumo sudeste, recolhe o tributo de sessenta rios navegáveis e por fim deságua, por seis bocas, no Euxino, que mal parece à altura de tamanha acessão de águas. As províncias do Danúbio cedo receberam a denominação geral de Ilíria, ou fronteira ilírica, sendo consideradas as mais belicosas do Império; entretanto, merecem ser consideradas mais pormenorizadamente sob os nomes de Récia, Nórica, Panônia, Dalmácia, Dácia, Mésia, Trácia, Macedônia e Grécia.

A província da Récia, que logo extinguiu o nome dos vindélicos, estendia-se do topo dos Alpes às ribas do Danúbio, das nascentes deste até a confluência com o Inn. A maior parte da região plana é vassala do eleitor da Bavária; a cidade de Augsburgo está sob a proteção da Constituição do Império Germânico; os grisões estão a salvo em suas montanhas e a região do Tirol figura entre as numerosas províncias da casa da Áustria.

A vasta extensão de território compreendida entre o Inn, o Danúbio e o Sava — Áustria, Estíria, Caríntia, Carníola, a baixa Hungria e a Eslavônia — era conhecida dos antigos pelos nomes de Nórica e Panônia. Em seu estado original de independência, seus ferozes habitantes estavam intimamente ligados. Sob o governo romano frequentemente se uniam e ainda permanecem patrimônio de uma única família. Hoje contêm a residência de um príncipe germânico, que se denomina a si próprio imperador dos romanos, e forma o centro bem como o baluarte do poderio austríaco. Não será descabido observar que, se excetuarmos a Boêmia, a Morávia, as fronteiras setentrionais da Áustria e uma parte da Hungria entre o Theiss e o Danúbio, todos os demais domínios da casa da Áustria estão compreendidos dentro dos limites do Império Romano.

A Dalmácia, a que melhor caberia o nome de Ilíria, era um longo e estreito trato de terra que se estendia entre o Sava e o Adriático. A parte melhor da costa, que ainda conserva sua antiga denominação, é uma província do Estado veneziano e a sede da pequena república de Ragusa. As partes interiores assumiram os nomes eslavônicos de Croácia e Bósnia; aquela obedece ao governo austríaco, esta a um paxá turco; contudo, a região inteira está infestada de tribos de bárbaros cuja selvagem independência marca irregularmente o duvidoso limite entre o poderio cristão e o maometano.

Após ter recebido as águas do Theiss e do Sava, o Danúbio adquiriu, pelo menos entre os gregos, o nome de Ister. Ele dividia outrora a Mésia da Dácia, esta última sendo, como vimos, uma conquista de Trajano e a única província além-rio. Se perguntarmos do estado atual de tais regiões, verificaremos que, na mão esquerda do Danúbio, Temesvar e Transilvânia foram anexadas, após muitas revoluções, à coroa da Hungria, ao passo que os principados da Moldávia e da Valáquia reconhecem a supremacia da Porta otomana. À mão direita do Danúbio, a Mésia, que durante a Idade Média foi dividida nos reinos bárbaros da Sérvia e da Bulgária, unificou-se de novo sob a escravização turca.

A denominação de Rumélia, ainda atribuída pelos turcos a extensas regiões da Trácia, da Macedônia e da Grécia, preserva a lembrança de seu antigo Estado sob o Império Romano. No tempo dos Antoninos, as regiões marciais da Trácia, das montanhas de Hemus e Ródope ao Bósforo e o Helesponto, haviam assumido a forma de uma província. Não obstante a mudança de senhores e de religião, a nova cidade de Roma, fundada por Constantino às margens do Bósforo, permaneceu sendo desde então a capital de uma grande monarquia. O reino da Macedônia, que sob Alexandre ditou leis à Ásia, obteve vantagens mais sólidas da política dos dois Filipes, e com suas dependências do Épiro e da Tessália estendeu-se do mar Egeu ao mar Jônico. Quando meditamos na fama de Tebas e Argos, de Esparta e de Atenas, mal conseguimos nos persuadir de que tantas repúblicas imortais da antiga Grécia se perderam numa única província do Império Romano, que, dada a superior influência da liga acaica, era usualmente chamada de província de Acaia.

Tal era a situação da Europa sob os imperadores romanos. As províncias da Ásia, sem exceção das transitórias conquistas de Trajano, estão todas compreendidas dentro dos limites do domínio turco. Todavia, em vez de aceitar as arbitrárias divisões do despotismo e da ignorância, será mais seguro, assim como mais agradável para nós, observarmos as indeléveis características da natureza. O nome de Ásia Menor é dado, com certa propriedade, à península que, confinada entre o Euxino e o Mediterrâneo, avança desde o Eufrates rumo à Europa. Sua região mais extensa e mais florescente, a oeste do monte Tauro e do rio Halys,* foi nobilitada pelos romanos com o título privativo de Ásia. A jurisdição dessa província estendia-se às antigas monarquias de Troia, Lídia e Frígia, às regiões marítimas dos panfilienses, lícios e cários, e às colônias gregas da Jônia, que nas artes, embora não nas armas, rivalizavam em glória com a pátria-mãe. Os reinos da Bitínia e do Ponto dominavam o lado norte da província, de Constantinopla a Trebizonda. No lado oposto, a província da Cilícia rematava nas montanhas da Síria; a região interiorana, separada da Ásia romana pelo rio Halys, e da Armênia pelo Eufrates, havia formado outrora o reino independente da Capadócia. Aqui devemos observar que a costa setentrional do Euxino, além de Trebizonda na Ásia e além do Danúbio na Europa, reconhecia a soberania dos imperadores e aceitava das mãos deles ou príncipes tributários ou guarnições romanas. Budzak, a

* Conhecido hoje como Kizilirmak, um rio que nasce na Turquia central e deságua no mar Negro. (N. O.)

Tartária Krim, a Circássia e a Mingrélia são as denominações modernas desses países selváticos.

Sob os sucessores de Alexandre, a Síria foi a sede dos selêucidas, que reinaram sob a Ásia Superior até a revolta bem-sucedida dos partos ter-lhes confinado os domínios da região entre o Eufrates e o Mediterrâneo. Quando a Síria se tornou vassala dos romanos, constituiu-se na fronteira oriental de seu império; em sua latitude extrema, essa província não conheceu outros limites que não as montanhas da Capadócia, ao norte, e ao sul os confins do Egito e do mar Vermelho. A Fenícia e a Palestina estiveram ora anexadas à jurisdição da Síria, ora separadas dela. A primeira era um litoral estreito e rochoso, a última um território pouco superior a Gales, quer em extensão, quer em fertilidade. No entanto, a Fenícia e a Palestina viverão para sempre na memória da humanidade já que a América tanto quanto a Europa receberam o alfabeto de uma e a religião de outra. Um deserto de areia destituído de árvores e de água margeia a incerta fronteira da Síria desde o Eufrates até o mar Vermelho. A vida nômade dos árabes estava inseparavelmente ligada a sua independência e sempre que, em alguns lugares menos áridos que o restante do país, aventuravam-se a estabelecer qualquer forma de povoamento sedentário, logo se tornavam súditos do Império Romano.

Os geógrafos da Antiguidade hesitavam com frequência quanto à porção do globo em que deveriam situar o Egito. Por sua localização, esse famoso reino está incluso dentro da imensa península da África; todavia, só é acessível pelo lado da Ásia, a cujas revoluções o Egito humildemente obedeceu em quase todos os períodos da História. Um prefeito romano sentou-se no esplêndido trono dos Ptolomeus, e o cetro de ferro dos mamelucos* ora está nas mãos de um paxá turco. O Nilo corre pelo país abaixo,

* Dinastia de sultões do Egito fundada em 1250 d.C. por um emir descendente dos escravos trazidos para o Egito por califas do século X d.C.; os mamelucos ali reinaram até 1811. (N. T.)

cerca de oitocentos quilômetros desde o trópico de Câncer até o Mediterrâneo, e marca em ambas as margens uma faixa de fertilidade de acordo com a medida de suas inundações. Cirene, situada a oeste e ao longo da costa marítima, foi a princípio uma colônia grega, depois uma província do Egito, e ora está perdida no deserto de Barca.

De Cirene até o oceano, a costa da África se estende por cerca de 2400 quilômetros; acha-se no entanto tão comprimida entre o Mediterrâneo e o Saara ou deserto de areia, que sua largura raramente excede 130 ou 160 quilômetros. Os romanos consideravam sua parte oriental como a província mais peculiar e mais caracteristicamente africana. Até a instalação de colônias fenícias, essa região fértil era habitada pelos líbios, os mais selvagens dos humanos. Sob a jurisdição imediata de Cartago, tornou-se o centro do comércio e do império; a república de Cartago degenerou hoje nos débeis e desorganizados Estados de Trípoli e Túnis. O governo militar de Argel oprime a vasta região da Numídia, outrora unificada sob Massanissa* e Jugurta;** no tempo de Augusto, porém, os limites da Numídia retraíram-se e pelo menos dois terços do país concordaram com o nome de Mauritânia e o epíteto de Cesarina. A verdadeira Mauritânia, ou país dos mouros, chamada de Tingitânia por causa da antiga cidade de Tingi (ou Tânger), é hoje representada pelo reino moderno de Fez. Salé, à beira do oceano, de longa data infamada por suas depredações de pirataria, era referida pelos romanos como o ponto extremo de seu domínio e quase de sua geografia. Uma cidade por eles fundada pode ainda ser vista perto de Mequinez, a residência do bárbaro a quem condescendemos em chamar imperador do Marrocos; não parece contudo que seus domínios mais meridionais, o próprio Marrocos e Segelmessa, estivessem jamais compreendidos dentro da provín-

* Príncipe numídico aliado de Roma cujas pilhagens em 151 a.C. incitaram os cartagineses à retaliação, forçando Roma a declarar novamente guerra a Cartago, a chamada Terceira Guerra Púnica. (N. T.)

** Ver nota complementar à p. 434. (N. T.)

cia romana. As partes ocidentais da África são atravessadas pelas ramificações do monte Atlas, nome tão baldadamente celebrado pela fantasia dos poetas, mas que hoje se difundiu pelo imenso oceano que se estende entre o velho e o novo continente.[1]

Tendo assim concluído o circuito do Império Romano, podemos observar que a África está separada da Hispânia por um estreito exíguo, de cerca de vinte quilômetros, através do qual o Atlântico flui para o Mediterrâneo. As colunas de Hércules, tão famosas entre os antigos, eram duas montanhas que pareciam ter sido separadas uma da outra por alguma convulsão dos elementos; no sopé da montanha europeia, está hoje instalada a fortaleza de Gibraltar. Toda a extensão do mar Mediterrâneo, suas costas e ilhas, era abrangida pelo domínio romano. Das ilhas maiores, as duas Baleares, que tiraram os nomes de Majorca e Minorca de seus respectivos tamanhos, estão sujeitas, aquela à Espanha, esta à Grã-Bretanha. É mais fácil lamentar do que descrever a condição atual da Córsega. O título de reis da Sardenha e da Sicília foi assumido por dois soberanos italianos. As armas turcas subjugaram Creta ou Cândia, bem como Chipre e a maioria das ilhas menores da Grécia e da Ásia, enquanto o pequeno rochedo de Malta continua a desafiar-lhes o poderio, alcançando, sob o governo de sua ordem militar, a fama e a opulência.

Essa longa enumeração de províncias, cujos fragmentos formaram tantos reinos poderosos, quase nos poderia levar a esquecer a vaidade ou ignorância dos antigos. Ofuscados pelo vigoroso ímpeto, a força irresistível e a moderação real ou fingida dos imperadores, permitiram-se menosprezar e às vezes esquecer os países distantes que haviam sido deixados entregues à fruição de uma bárbara independência; gradualmente usurparam o direito de confundir a monarquia romana com o globo ou a Terra. A índole, porém, bem como a ciência do historiador moderno, exige linguagem mais sóbria e acurada. Pode ele dar

[1] M. de Voltaire, sem nenhum apoio de fatos ou de probabilidade, generosamente outorgou as ilhas Canárias ao Império Romano.

uma imagem mais justa da grandeza de Roma como observar que o Império tinha acima de 3 mil quilômetros de largura, desde o muro de Antonino e os limites setentrionais da Dácia até o monte Atlas e o trópico de Câncer; que seu comprimento era de mais de 4800 quilômetros, do oceano ocidental ao Eufrates; que estava situado na parte mais bela da zona temperada, entre 24 e 56 graus de latitude norte; e que se supunha medisse mais de 4,1 milhões de quilômetros quadrados de terra, em sua maior parte fértil e bem cultivada.

2

Da unidade e prosperidade interna do Império Romano na época dos Antoninos

NÃO É APENAS PELA RAPIDEZ ou extensão de suas conquistas que devemos estimar a grandeza de Roma. O soberano dos desertos russos reina sobre uma porção mais vasta do globo. No sétimo verão após sua travessia do Helesponto, Alexandre plantou os troféus macedônicos nas ribas do Hyphasis. Em menos de um século o irresistível Gêngis e os príncipes mongóis de sua raça espalharam suas cruéis devastações e estenderam seu transitório império desde o mar da China até os confins do Egito e da Germânia. Entretanto, o firme edifício do domínio romano foi erguido e preservado pela sabedoria dos tempos. As obedientes províncias de Trajano e dos Antoninos estavam unidas pelas leis e adornadas pelas artes. Podiam ocasionalmente sofrer os desmandos e as injustiças da autoridade delegada; o princípio geral de governo era contudo prudente, simples e benéfico. Podiam cultuar a religião de seus antepassados, ao mesmo tempo que, no tocante a honras e vantagens cívicas, eram promovidas, por graus equitativos, até a igualdade com seus conquistadores.

A política dos imperadores e do Senado, no que respeitava à religião, era felizmente secundada pela opinião do setor esclarecido e pelos hábitos do setor supersticioso de seus súditos. As várias formas de culto que vigoravam no mundo romano eram todas consideradas pelo povo como igualmente verdadeiras, pelo filósofo como igualmente falsas e pelo magistrado como igualmente úteis. E assim a tolerância promovia não só a mútua indulgência como a concórdia religiosa.

A superstição popular não era acirrada por nenhuma mescla de rancor teológico nem acorrentada tampouco pelas cadeias de qualquer sistema especulativo. O politeísta devoto, embora afetivamente apegado a seus ritos nacionais, admitia, com fé implícita, as diferentes religiões da terra. O medo, a gratidão e a curiosidade, um sonho ou um augúrio, uma perturbação singular ou uma longa viagem, perpetuamente o predispunham a multiplicar os artigos de sua crença ou ampliar a lista de seus protetores. A rala textura da mitologia pagã era entretecida de materiais variados mas não discordantes dela. Tão logo se permitiu a sábios e heróis que tinham vivido ou morrido para o bem de seu país serem exaltados a uma posição de poder e imortalidade, universalmente se lhes reconheceu o direito, se não à adoração, pelo menos à reverência de todos os homens. As deidades de milhares de bosques e de milhares de rios podiam exercer em paz sua respectiva influência local; o romano que procurava aplacar a ira do Tibre podia zombar do egípcio que fazia sua oferenda ao gênio benfazejo do Nilo. Os poderes visíveis da Natureza, os planetas e os elementos eram os mesmos por todo o universo. Os invisíveis governantes do mundo moral foram inevitavelmente vazados num molde fictício e alegórico semelhante. Cada virtude e cada vício adquiria seu representante divino, cada arte e ofício, seu patrão, cujos atributos, nas mais distantes épocas e países, derivavam uniformemente do caráter de seus devotos peculiares. Uma república de deuses de temperamentos e interesses que tais exigia, em qualquer sistema, a mão moderadora de um magistrado supremo, o qual, por via do progresso do saber e da lisonja, foi gradualmente investido das sublimes perfeições de um Pai Eterno e de um Monarca Onipotente. Era tal o espírito conciliador da Antiguidade que as nações atentavam menos na diferença que na semelhança de seus cultos religiosos. O grego, o romano e o bárbaro, ao se encontrar diante de seus respectivos altares, facilmente se persuadiram de que, sob diferentes nomes e com diversas cerimônias, adoravam as mesmas deidades. A elegante mitologia de Homero deu uma forma bela e quase regular ao politeísmo do mundo antigo.[1]

Os filósofos da Grécia deduziam sua moral antes da natureza do homem que da de Deus. Meditavam contudo na Natureza Divina como um tema assaz curioso e importante de especulação, e em suas profundas indagações punham à mostra o vigor e a debilidade do entendimento humano. Das quatro escolas mais célebres, os estoicos e os platônicos forcejavam por reconciliar os interesses conflitantes da razão e da piedade. Deixaram-nos as provas mais sublimes da existência e das perfeições da causa primeira; todavia, como lhes era impossível conceber a criação da matéria, o artesão na filosofia estoica não era suficientemente distinguido de sua obra, ao passo que o Deus espiritual de Platão e de seus discípulos semelhava, contrariamente, mais uma ideia que uma substância. As opiniões dos acadêmicos e dos epicuristas eram de índole menos religiosa, mas, enquanto a modesta ciência dos primeiros os induzia à dúvida, a positiva ignorância dos últimos os incitava a negar a providência de um Regente Supremo. O espírito de indagação, instigado pela emulação e apoiado na liberdade, havia dividido os mestres públicos de filosofia numa porção de seitas antagônicas; no entanto, a cândida juventude que acorria de todas as partes a Atenas e outros centros de cultura do Império Romano era de igual modo ensinada por todas as escolas a rejeitar e desprezar a religião da turba. De fato, como seria possível a um filósofo aceitar como verdades divinas as ociosas fábulas dos poetas e as incoerentes tradições da Antiguidade ou então adorar como deuses aqueles seres imperfeitos que ele deveria ter desprezado como homens! Contra tais indignos adversários Cícero condescendia em empregar as armas da razão e da eloquência, mas a sátira de Luciano era uma arma muito mais adequada e eficiente. Podemos estar certos de que um escritor versado nas coisas

[1] Após um ou dois séculos, os próprios gauleses aplicaram a seus deuses os nomes de Mercúrio, Marte, Apolo etc.

do mundo jamais se aventuraria a expor os deuses de seu país ao ridículo público caso já não fossem eles objeto de secreto desprezo entre as classes esclarecidas e refinadas da sociedade.

Não obstante a irreligião de bom-tom que vigorava na época dos Antoninos, tanto os interesses dos sacerdotes quanto a credulidade do povo eram suficientemente respeitados. Em seus escritos e em sua conversação, os filósofos da Antiguidade afirmavam a dignidade e a independência da razão, porém conformavam-se, em seus atos, aos ditames da lei e do costume. Encarando com um sorriso de piedade e indulgência os variados erros do vulgo, praticavam diligentemente as cerimônias de seus maiores, frequentavam devotamente os templos dos deuses e, condescendendo por vezes em assumir um papel no teatro da superstição, ocultavam os sentimentos de um ateu por sob as vestes sacerdotais. Raciocinadores desse tipo dificilmente se mostram propensos a altercar no tocante a suas respectivas maneiras de fé ou de culto. Era-lhes indiferente a forma que a insensatez da turba escolhesse assumir, e com o mesmo desprezo íntimo e a mesma reverência exterior aproximavam-se dos altares do Júpiter líbio, olímpico ou capitolino.

Não é fácil conceber que motivos fizeram um espírito de perseguição introduzir-se nos conselhos romanos. Como os próprios magistrados eram filósofos, não podiam estar sendo impelidos por fanatismo cego, ainda que sincero; e as escolas de Atenas haviam dado as leis ao Senado. Não podiam estar sendo instigados por ambição ou cupidez, já que os poderes temporal e eclesiástico estavam unidos nas mesmas mãos. Os pontífices eram escolhidos entre os senadores mais ilustres, sendo o posto de supremo pontífice constantemente exercido pelos próprios imperadores. Eles estavam cônscios do valor e das vantagens da religião coligada ao governo civil. Encorajavam os festivais que humanizavam os costumes do povo. Manejavam as artes divinatórias como um cômodo instrumento político e respeitavam como o mais firme dos vínculos sociais a útil convicção de que nesta ou numa vida futura o crime de perjúrio será inevitavelmente punido pelos deuses vingadores. Do mesmo modo como reconheciam as vantagens gerais da religião, estavam convictos de que os diversos tipos de culto contribuíam igualmente para os mesmos salutares propósitos e de que em cada país a forma de superstição que recebera a sanção do tempo e da experiência era a mais bem adaptada a seu clima e a seus habitantes. A cupidez e o bom gosto muito amiúde esbulhavam as nações vencidas das elegantes estátuas de seus deuses e dos ricos ornamentos de seus templos; todavia, no exercício da religião que tinham recebido de antepassados, podiam elas sempre contar com a indulgência ou até mesmo a proteção de seus conquistadores romanos. A província da Gália parece — apenas parece — ser uma exceção dessa universal tolerância. Valendo-se do especioso pretexto de abolir os sacrifícios humanos, os imperadores Tibério e Cláudio extinguiram a perigosa autoridade dos druidas, muito embora os próprios sacerdotes, seus deuses e altares, tivessem subsistido em pacífica obscuridade até a destruição final do paganismo.

Roma, a capital de uma grande monarquia, vivia o tempo todo repleta de súditos e forasteiros das várias partes do mundo, aos quais era facultado introduzir e cultivar as superstições favoritas de seus países de origem. Cada cidade do Império estava justificada no empenho de manter a pureza de suas antigas cerimônias, e o Senado romano, fazendo uso do privilégio comum, intervinha por vezes a fim de deter tal inundação de ritos estrangeiros. As crendices egípcias, de todas as mais desprezíveis e abjetas, eram frequentemente proibidas; os templos de Serápis e Ísis foram demolidos, e seus idólatras banidos de Roma e da Itália. Mas o ardor do fanatismo triunfou dos débeis e frios esforços repressivos. Os exilados regressavam, os prosélitos se multiplicavam, os templos foram restaurados com esplendor ainda maior, e Ísis e Serápis assumiram finalmente seu lugar entre as deidades romanas. Em verdade, tal indulgência não discrepava das velhas máximas de governo. Nas épocas mais castas da República, Cibele e Esculápio haviam sido convidados por embaixadas solenes, e vigorava o costume de engodar os protetores de cidades sitiadas com a promessa de honras especiais, superiores àquelas com que eram distinguidos em sua terra natal. Roma se tornou aos poucos o templo comum de seus súditos, e a liberdade da cidade era estendida a todos os deuses da Humanidade.

A mesquinha política de preservar de qualquer contaminação estrangeira a pureza de sangue dos cidadãos antigos atalhara a prosperidade e apressara a ruína de Atenas e Esparta. O espírito sôfrego de Roma sacrificou a vaidade à ambição e julgou mais prudente e mais honroso adotar como seus o mérito e a virtude onde quer que se encontrassem, entre escravos ou forasteiros, inimigos ou bárbaros. Durante o período mais florescente da República ateniense, o número de cidadãos decresceu gradualmente de 30 mil a 21 mil. Se, ao contrário, estudarmos o desenvolvimento da República romana, verificaremos que, malgrado as constantes demandas das guerras e das colônias, os cidadãos que, no primeiro censo de Sérvio Túlio, não ultrapassavam os 83 mil, multiplicaram-se antes do início da guerra social até chegar a 463 mil homens em condições de tomar armas no serviço de sua pátria. Quando os aliados de Roma exigiram idêntico quinhão de honras e privilégios, o Senado preferiu então a sorte das armas a uma concessão ignominiosa. Os samnitas e os lucanos sofreram uma punição severa por sua temeridade, mas os demais Estados italianos, conforme foram sucessivamente reassumindo seus deveres, ganharam admissão ao seio da República e logo contribuíam para a ruína da liberdade pública. Num governo democrático, os cidadãos exercem os poderes de soberania; se esses poderes forem outorgados a uma multidão insubmissa, serão a princípio malbaratados e mais tarde se perderão. Mas quando as assembleias populares foram suprimidas pela administração dos imperadores, os conquistadores se distinguiam das nações vencidas apenas como a primeira e mais honrosa classe de súditos, e seu crescimento, por rápido que fosse, não estava mais exposto aos mesmos perigos. No entanto, os príncipes mais avisados que adotaram as máximas de Augusto defendiam com o maior cuidado a dignidade do nome romano e difundiam o direito de cidadania com prudente liberalidade.

Até os privilégios dos romanos serem progressivamente estendidos a todos os habitantes do Império, preservou-se uma distinção importante entre a Itália e as províncias. A primeira era considerada o centro da unidade pública e a base firme da organização imperial. A Itália pretendia-se o berço ou pelo menos a residência dos imperadores e do Senado. Os bens dos italianos estavam isentos de impostos, suas pessoas, da jurisdição arbitrária dos governadores. Suas corporações municipais, formadas segundo o perfeito modelo da capital, estavam incumbidas, sob a vigilância imediata do poder supremo, da execução das leis. Do sopé dos Alpes à extremidade da Calábria todos os naturais da Itália eram cidadãos natos de Roma. As distinções parciais entre eles se obliteraram, e eles insensivelmente se fundiram numa grande nação, unificada pela língua, pelos costumes e pelas instituições civis, que tinha o peso de um poderoso império. A República se ufanava de sua política generosa e era amiúde recompensada pelo mérito e pelos serviços de seus filhos adotivos. Houvesse ela sempre restringido a distinção de romano às antigas famílias dentro dos muros da cidade, esse nome imortal teria sido privado de alguns de seus mais nobres ornamentos. Virgílio era natural de Mântua; Horácio estava propenso a hesitar em considerar-se apuliano ou lucano; em Pádua, um historiador [Tito Lívio] foi julgado digno de registrar a majestosa série das vitórias romanas. A família patriótica dos Catões proveio de Túsculo; e a cidadezinha de Arpino se arrogava a dupla honra de ter produzido Mário e Cícero, o primeiro dos quais fez jus ao título, após Rômulo e Camilo, de terceiro fundador de Roma, enquanto o último, tendo salvo sua pátria das maquinações de Catilina, capacitou-a a disputar com Atenas a palma da eloquência.

As províncias do Império (tal como foram descritas no capítulo precedente) estavam destituídas de força pública ou liberdade constitucional. Na Etrúria, na Grécia e na Gália, o primeiro cuidado do Senado foi dissolver aquelas perigosas confederações que ensinavam aos homens que, assim como as armas romanas triunfavam pela divisão, a elas se poderia resistir pela união. Os príncipes, aos quais ostentação de gratidão ou generosidade permitia manter por algum tempo um cetro precário, eram apeados de seus tronos tão logo cumpriam a tarefa que lhes cabia de afeiçoar ao jugo as nações vencidas. Os Estados e cidades livres que abraçavam a causa de Roma eram recompensados com uma aliança nominal e acabavam por mergulhar aos poucos numa verdadeira servidão. Os ministros do Senado e dos imperadores exerciam em toda parte a autoridade pública, a qual era absoluta e sem nenhum controle. Mas as mesmas máximas salutares que haviam assegurado a paz e a obediência da Itália foram estendidas às mais distantes conquistas. Uma nação de romanos se formou gradualmente nas províncias mercê do duplo expediente de estabelecer colônias e admitir os provincianos mais fiéis e merecedores da cidadania de Roma.

"Onde quer que os romanos conquistem, aí se fixam" é uma observação muito justa de Sêneca confirmada pela História e pela experiência. Os naturais da Itália, seduzidos pelo prazer ou pelo interesse, se apressavam a desfrutar as vantagens da vitória; e cabe observar que cerca de quarenta anos após a submissão da Ásia 80 mil romanos foram trucidados num só dia por ordem cruel de Mitridates.* Esses exilados voluntários ocupavam-se em sua maioria do comércio, da agricultura e do arrendamento de impostos. Todavia, depois de os imperadores tornarem permanentes as legiões, as províncias passaram a ser habitadas por uma raça de soldados; e os veteranos, quer recebessem a recompensa de seus serviços em terra ou em dinheiro, fixavam-se habitualmente com suas famílias no país onde haviam honrosamente passado a juventude. Pelo Império todo, mas mais especialmente nas partes ocidentais, as regiões mais férteis e os lugares mais adequados eram reservados para o estabelecimento de colônias, algumas das quais tinham natureza civil e outras militar.

* Sexto imperador do nome; cognominado o Grande (*c.* 131-63 a.C.), reinou sobre o antigo Ponto e foi inimigo acérrimo dos romanos, aos quais venceu em duas guerras, tendo sido vencido na terceira por Lúculo. (N. T.)

Em seus costumes e em sua política interna, as colônias eram uma imagem perfeita de sua grande pátria-mãe; e, como logo se tornavam caras aos naturais pelos laços de amizade e aliança, difundiram de modo efetivo o respeito pelo nome romano e o desejo, raras vezes desapontado, de partilhar-lhe no devido tempo as honras e as vantagens. As cidades autônomas insensivelmente se igualaram na eminência e no esplendor às colônias; e no reinado de Adriano se discutia qual das condições era preferível, se a das sociedades que tinham surgido do seio de Roma ou a das que nele tinham sido recebidas. O direito do Lácio, como era chamado, conferia às cidades a que fora outorgado privilégios especiais. Somente quando expirava seu mandato é que os magistrados assumiam a condição de cidadãos romanos; entretanto, como tais cargos eram anuais, em poucos anos haviam cumprido o circuito das principais famílias. Os provincianos a quem se permitia prestar serviço militar nas legiões, os que exerciam algum cargo civil — todos, em suma, que desempenhassem qualquer função pública ou demonstrassem talentos pessoais, eram contemplados com uma dádiva cujo valor ia continuamente diminuindo devido à crescente liberalidade dos imperadores. Contudo, mesmo na época dos Antoninos, quando o direito de cidadania foi conferido ao maior número de seus súditos, ele ainda se fazia acompanhar de vantagens muito sólidas. Com esse título, o grosso das pessoas adquiria o benefício das leis romanas, particularmente dos atraentes artigos que diziam respeito a casamento, testamento e herança, e o caminho da fortuna estava aberto a quantos tivessem suas pretensões secundadas pela proteção ou pelo mérito. Os netos dos gauleses que haviam sitiado Júlio César em Alésia comandavam legiões, governavam províncias e eram admitidos ao Senado de Roma. Sua ambição, em vez de perturbar a tranquilidade do Estado, estava intimamente ligada à segurança e à grandeza deste.

Tão sensíveis eram os romanos à influência da língua sobre os costumes nacionais que punham o maior empenho em estender, com o avanço de suas armas, o uso da língua latina. Os antigos dialetos da Itália, o sabino, o etrusco e o veneziano, caíram em esquecimento; nas províncias, porém, o Oriente se mostrava menos dócil do que o Ocidente à voz de seus preceptores vitoriosos. Essa diferença óbvia marcava as duas partes do Império com uma distinção de cores que, encoberta em certa medida durante o esplendor meridiano da prosperidade, se tornou aos poucos mais visível quando as sombras da noite começaram a baixar sobre o mundo romano. Os países ocidentais se civilizavam pelas mesmas mãos que os subjugaram. Tão logo os bárbaros eram reduzidos à obediência, suas mentes se abriam a todas as novas impressões de conhecimento e boas maneiras. A língua de Virgílio e Cícero, ainda que com alguma inevitável mistura de corrupção, era universalmente adotada na África, na Hispânia, na Gália, na Britânia e na Panônia, a ponto de só nas montanhas ou entre os camponios se preservarem leves traços dos idiomas púnico ou céltico. A educação e o estudo insensivelmente infundiam nos naturais desses países sentimentos romanos, e a Itália ditava modas tanto quanto leis a seus provincianos latinos. Eles solicitavam com mais ardor, e obtinham com maior facilidade, a cidadania e as honras do Estado, fortaleciam a dignidade nacional das letras[1] e nas armas, e finalmente, na pessoa de Trajano, produziram um imperador que os Cipiões não teriam renegado como seu compatriota.

A situação dos gregos era muito diferente da dos bárbaros. De há muito que se haviam civilizado e corrompido. Tinham bom gosto demais para renunciar a sua língua e demasiada vaidade para adotar quaisquer instituições estrangeiras. Conservando ainda os preconceitos de seus antepassados depois de lhes terem perdido as virtudes, afetavam desprezar as maneiras impolidas dos conquistadores romanos, enquanto estes se viam compelidos a respeitar-lhes a superioridade do saber e da capacidade.[2] Tampouco se confinava a influência da língua e dos sentimentos gre-

[1] Só a Hispânia produziu Columela, os Sênecas, Lucano, Marcial e Quintiliano.

[2] Creio que, de Dionísio a Libânio, não há um só crítico grego que mencione Virgílio ou Horácio. Parecem ignorar que os romanos possuíam bons escritores.

gos aos acanhados limites daquele outrora celebrado país. O império deles, através do progresso das colônias e da conquista, se difundira desde o Adriático até o Eufrates e o Nilo. A Ásia estava coberta de cidades gregas, e o longo reinado dos soberanos macedônios causara uma revolução silenciosa na Síria e no Egito. Em suas cortes pomposas, esses príncipes uniam a elegância de Atenas ao luxo do Oriente, e o exemplo da corte era imitado, a humilde distância, pelas camadas mais altas de seus súditos. Tal era a divisão geral do Império Romano entre as línguas latina e grega. A estas podemos acrescentar uma terceira distinção para o conjunto dos naturais da Síria e especialmente do Egito. O uso de seus antigos dialetos, segregando-os do comércio e da humanidade, impedia o desenvolvimento desses bárbaros. A indolente efeminação dos primeiros os expunha ao desprezo, a taciturna ferocidade dos últimos suscitava a aversão dos conquistadores. Essas nações se haviam rendido ao domínio romano, mas pouco desejavam ou mereciam a cidadania de Roma; e é de notar que mais de 230 anos decorreram após a ruína dos Ptolomeus até um egípcio ser admitido ao Senado romano.

É uma observação cediça, mas justa, a de que Roma vitoriosa foi subjugada ela própria pelas artes da Grécia. Aqueles autores imortais que ainda suscitam a admiração da Europa moderna não tardaram a tornar-se objeto favorito de estudo e imitação na Itália e nas províncias ocidentais. Às elegantes diversões dos romanos não era consentido porém interferir com as sensatas máximas de sua política. Conquanto reconhecessem os amavios do grego, sustentavam a dignidade da língua latina, e o uso exclusivo dela foi inflexivelmente mantido na administração do governo civil e militar.[1] As duas línguas exerciam ao mesmo tempo jurisdições separadas através do Império, aquela como o idioma natural da ciência, esta como o dialeto legal das transações públicas. Os que uniam as letras aos negócios eram

[1] O imperador Cláudio privou de seus direitos um grego eminente porque ele não compreendia latim.

igualmente versados em ambas, sendo quase impossível encontrar em qualquer província um súdito romano de educação liberal a quem fossem estranhas as línguas grega e latina.

Por via de instituições que tais, as nações do Império se fundiram aos poucos ao nome e ao povo romano. No entanto restava ainda, no centro de cada província e de cada família, homens de desditosa condição que aguentavam o peso, sem partilhar os benefícios, da sociedade. Nas nações independentes da Antiguidade, os escravos domésticos estavam expostos aos rigores brutais do despotismo. O perfeito estabelecimento do Império Romano foi precedido de épocas de violência e de rapina. Os escravos consistiam, na maior parte, em cativos bárbaros, capturados aos milhares no azar da guerra, comprados a preço vil,[1] habituados a uma vida de independência e impacientes de romper os grilhões, assim como de vingar-se deles. Contra tais inimigos internos, cujas desesperadas insurreições mais de uma vez levaram a República à beira da destruição, os regulamentos mais severos e o tratamento mais cruel pareciam quase justificados pela lei magna da autopreservação. Mas quando as principais nações da Europa, da Ásia e da África se unificaram sob as leis de um só soberano, a fonte de suprimentos estrangeiros passou a fluir com muito menos abundância e os romanos ficaram reduzidos ao método mais brando, porém mais tedioso, da propagação. Em suas famílias numerosas, e particularmente em suas propriedades rurais, encorajavam o casamento de escravos. Os sentimentos naturais, os hábitos da educação e a posse de alguma espécie de propriedade dependente aliviavam as durezas da servidão. A vida de um escravo se tornou objeto de maior valor, e embora a felicidade dele dependesse ainda do temperamento e das condições de seu amo, a humanidade deste, em vez de se restringir pelo temor, foi encorajada pela consciência de seu interesse próprio. O progresso dos costumes acelerou-se

[1] No acampamento de Lúculo, um boi era vendido por um dracma e um escravo, por quatro dracmas, ou cerca de três xelins.

pela virtude ou pela política dos imperadores, e os éditos de Adriano e dos Antoninos estenderam a proteção das leis à parte mais abjeta do gênero humano. O direito de vida e morte sobre os escravos, poder havia muito exercido e amiúde abusivamente, foi retirado de mãos privadas e reservado apenas aos magistrados. Aboliram-se as prisões subterrâneas e, por queixa justa de tratamento intolerável, o escravo injuriado obtinha ou a liberdade ou um amo menos cruel.

A esperança, conforto melhor de nossa imperfeita condição, não era negada ao escravo romano; e caso ele tivesse alguma oportunidade de tornar-se útil ou agradável, poderia muito naturalmente esperar que a diligência ou a fidelidade de uns poucos anos fosse recompensada com o inestimável dom da liberdade. A benevolência do amo era com tanta frequência espicaçada pelos estímulos mais vis da vaidade e da cupidez que as leis verificaram ser necessário antes restringir do que encorajar uma profusa e indiscriminada liberalidade capaz de degenerar em perigoso abuso. Era uma máxima da jurisprudência antiga a de que, [como] um escravo não tinha pátria própria, adquiria, ao ser libertado, ingresso à sociedade política de que seu amo fosse membro. As consequências dessa máxima teriam prodigalizado, aviltando-os, os privilégios da cidadania romana a uma turba reles e promíscua. Cuidou-se portanto de estabelecer algumas exceções oportunas; tão honrosa distinção ficou confinada àqueles escravos que, por causas justas e com a aprovação do magistrado, merecessem receber uma solene e legal manumissão. Mesmo esses libertos escolhidos obteriam apenas os direitos privados de cidadão, ficando rigorosamente excluídos das honras civis ou militares. Qualquer que pudesse ser o mérito ou a fortuna de seus filhos, *eles* seriam considerados de igual modo indignos de uma cadeira no Senado; tampouco se permitia que os traços de uma origem servil se obliterassem antes da terceira ou da quarta geração. Sem destruir as distinções hierárquicas, uma distante perspectiva de liberdade e honras era oferecida mesmo àqueles que o orgulho e o preconceito quase desdenhavam contar na espécie humana.

Propôs-se, a certa altura, discriminar os escravos por via da peculiaridade de seus hábitos; percebeu-se com justeza, porém, que poderia haver certo perigo em torná-los cônscios de seu próprio número. Sem interpretar rigorosamente ao pé da letra as designações vagas de legiões e miríades, podemos aventurar-nos a estimar que a proporção de escravos avaliados como propriedade era mais considerável do que a de servos computáveis tão só como despesa. Os jovens de gênio promissor eram instruídos nas artes e nas ciências, sendo seu preço de venda determinado pelo grau de suas capacidades e talentos. Quase todas as profissões, tanto liberais[1] quanto mecânicas, poderiam ser encontradas na criadagem de um senador opulento. Os recursos de pompa e sensualidade ultrapassavam de muito a concepção moderna de luxo. Era do interesse do mercador ou do fabricante muito mais comprar do que contratar seus trabalhadores, e no campo os escravos eram utilizados como o mais barato e diligente dos instrumentos agrícolas. Para confirmar a observação geral e pôr em destaque a multidão de escravos, poderíamos citar alguns exemplos específicos. Descobriu-se, numa ocasião assaz funesta, que quatrocentos escravos eram mantidos num único palácio de Roma.[2] Número igual de quatrocentos escravos pertencia a uma propriedade rural de que uma viúva africana, de condição muito particular, abriu mão em favor de seu filho, ao passo que reservava para si um quinhão bem maior de propriedade. Um liberto, no reinado de Augusto, conquanto sua fortuna tivesse sofrido grandes perdas nas guerras civis, deixou ao morrer 3600 juntas de bois, 250 mil cabeças de gado miúdo e, o que quase se incluía na descrição de gado, 4116 escravos.

O número de súditos que reconheciam as leis de Roma, entre cidadãos, provincianos e escravos, não pode ser fixado com o grau de precisão que a importância do assunto mereceria. Sabe-se que quando o imperador Cláudio exercia o cargo de

[1] Muitos dos médicos romanos eram escravos.

[2] Foram todos executados por não terem evitado a morte de seu amo.

censor, chegou a uma estimativa de 6 945 000 cidadãos romanos que, mais a proporção de suas mulheres e crianças, devia somar cerca de 20 milhões de almas. A multidão de súditos de categoria inferior era incerta e flutuante. Mas, após ponderar-se com atenção toda circunstância capaz de influenciar a estimativa, parece provável que na época de Cláudio o número de provincianos era o dobro do de cidadãos, de ambos os sexos e de todas as idades, sendo o número de escravos pelo menos igual ao de habitantes livres do mundo romano. A soma total desse cálculo imperfeito chegaria a cerca de 120 milhões de pessoas, uma população cujo número excede à da Europa moderna e forma a mais numerosa sociedade jamais unificada sob o mesmo sistema de governo.

A paz e a unidade internas eram as consequências naturais da política moderada e compreensiva adotada pelos romanos. Se voltarmos os olhos para as monarquias da Ásia, veremos o despotismo no centro e a fraqueza nas extremidades, a cobrança de impostos ou a administração de justiça reforçadas pela presença de um exército, bárbaros hostis estabelecidos no coração do país, sátrapas hereditários usurpando o domínio das províncias e súditos propensos à rebelião embora incapazes de desfrutar a liberdade. No mundo romano, porém, a obediência era uniforme, voluntária e permanente. As nações vencidas, fundidas num só e grande povo, renunciavam à esperança, até mesmo ao desejo, de retomar sua independência, e mal consideravam sua própria existência como distinta da existência de Roma. A autoridade estabelecida dos imperadores se difundia sem esforço por toda a vasta extensão de seu domínio e era exercida com a mesma facilidade tanto às margens do Tâmisa ou do Nilo quanto do Tibre. As legiões destinavam-se a combater o inimigo público, e o magistrado civil raras vezes solicitava a ajuda de força militar. Nesse estado de segurança generalizada, o lazer bem como a opulência do príncipe e do povo estavam devotados ao aperfeiçoamento e embelezamento do Império Romano.

Dos inúmeros monumentos arquitetônicos construídos pelos romanos, quantos escaparam à notícia da História, quão poucos resistiram aos estragos do tempo e da barbárie! E todavia mesmo as ruínas majestosas ainda espalhadas pela Itália e pelas províncias bastariam para provar que tais países foram outrora a sede de um poderoso e refinado império. Só sua grandeza, ou beleza, já mereceriam nossa atenção; elas se tornam no entanto mais interessantes em função de duas circunstâncias importantes que ligam a deleitosa história das artes à história mais utilitária dos costumes humanos. Muitas dessas obras foram erguidas às custas da iniciativa privada e quase todas visavam ao benefício público.

É natural supor que o maior número de edifícios romanos de vulto foi erguido por imperadores que tinham a seu dispor ilimitados recursos de homens e de dinheiro. Augusto costumava jactar-se de que encontrara sua capital feita de alvenaria e a deixara feita de mármore. A estrita economia de Vespasiano foi a fonte de sua magnificência. As obras de Trajano trazem a marca de seu gênio. Os monumentos públicos com que Adriano ornou cada província do Império foram executados não só sob suas ordens mas também sob sua imediata supervisão. Ele próprio era um artista e amava as artes, que glorificavam a monarquia. Os Antoninos também encorajaram as artes que contribuíam para a felicidade do povo. Ainda que fossem os primeiros, os imperadores não eram os únicos arquitetos de seus domínios. Imitavam-lhes o exemplo seus principais súditos, que não temiam declarar ao mundo terem espírito capaz de conceber e riqueza capaz de levar a cabo os mais nobres empreendimentos. Mal havia a altiva estrutura do Coliseu sido ofertada a Roma quando edifícios de menor porte, é verdade, mas da mesma estrutura e materiais, foram erguidos nas cidades de Cápua e Verona, para seu uso e a suas expensas. A inscrição da estupenda ponte de Alcântara atesta que ela foi edificada por sobre o Tejo graças à contribuição de algumas comunidades lusitanas. Quando Plínio* esteve à

* Cognominado o Novo (61 ou 62-*c.* 113 d.C.), era sobrinho de Plínio, o Velho, célebre naturalista romano; esse sobrinho, que também foi escritor, ocupou altos cargos na administração romana, inclusive o de governador da Bitínia. (N. T.)

frente do governo da Bitínia e do Ponto, províncias de modo algum as mais abastadas do Império, verificou estarem as cidades sob sua jurisdição competindo entre si na construção de obras úteis e ornamentais que pudessem merecer a curiosidade dos forasteiros ou a gratidão de seus cidadãos. Cabia ao procônsul* atender-lhes as deficiências, orientar-lhes o gosto e por vezes moderar-lhes a emulação. Os opulentos senadores de Roma e das províncias consideravam uma honra, e quase uma obrigação, incrementar o esplendor de sua época e de sua pátria; e a influência da moda supria amiúde a falta de gosto ou de generosidade. Entre grande número desses benfeitores privados podemos destacar Herodes Ático, um cidadão ateniense que viveu na época dos Antoninos. Qualquer que pudesse ter sido o motivo de sua conduta, sua magnificência estava à altura da dos maiores reis.

A família de Herodes, pelo menos após ter sido favorecida pela fortuna, descendia em linha reta de Címon** e Milcíades, Teseu e Cécrope,*** Éaco**** e Júpiter. Todavia, a posteridade de tantos deuses e heróis decaiu até o mais abjeto dos estados. O avô de Herodes havia padecido às mãos da justiça, e Júlio Ático, seu pai, teria terminado a vida em pobreza e ignomínia caso não houvesse descoberto um imenso tesouro enterrado sob uma velha casa, últimos restos de seu patrimônio. Em conformidade com a lei severa, o imperador poderia ter reclamado seus direitos; por via de uma confissão franca, o prudente Ático evitou a intromissão de informantes. Mas o equitativo Nerva, que então ocupava o trono, recusou-se a aceitar qualquer parte do tesouro e ordenou-lhe que usasse sem escrúpulos aquele presente da fortuna. O cauteloso ateniense insistiu ainda em

* Antigo magistrado romano incumbido do governo de uma província. (N. T.)

** Generalíssimo ateniense (m. 449 a.C.), filho de Milcíades, que vencera os persas em Maratona; além de tê-los também combatido, Címon fundou e organizou o império marítimo de Atenas. (N. T.)

*** Herói pelásgico, primeiro rei da Ática e fundador de Atenas, de quem os gregos teriam aprendido a agricultura. (N. T.)

**** Na mitologia grega, um dos três juízes do Hades ou Inferno. (N. T.)

que o tesouro era demasiado grande para um súdito e que não sabia como *usá-lo*. "*Abuse dele, então*", replicou o monarca com uma rabugice bonacheira, "*pois é todo seu.*" Muitos hão de ser da opinião de que Ático obedeceu ao pé da letra as últimas recomendações do imperador, visto ter despendido a maior parte de sua fortuna, que foi muito aumentada por um casamento vantajoso, em favor do público. Ele havia obtido para seu filho Herodes a prefeitura de cidades livres da Ásia; e o jovem magistrado, observando que a vila de Troas tinha um suprimento deficiente de água, conseguiu da munificência de Adriano trezentas miríades de dracmas (cerca de 100 mil libras) para a construção de um novo aqueduto. Porém, o custo de execução da obra chegou a mais do dobro do estimado, e os funcionários da receita começaram a resmungar, até o generoso Ático calar--lhes as queixas requerendo que lhe fosse permitido assumir o total das despesas adicionais.

Os mais capazes preceptores da Grécia e da Ásia haviam sido convidados, por meio de paga generosa, a dirigir a educação do jovem Herodes. O pupilo deles logo se tornou um orador de fama, em conformidade com a infrutífera retórica daquela época, que, confinando-se às escolas, desdenhava frequentar o Foro e o Senado. Ele foi distinguido com o consulado* em Roma; a maior parte de sua vida, porém, passou-a num retiro filosófico em Atenas e em suas vilas circunvizinhas, permanentemente rodeado de sofistas, que reconheciam sem relutância a superioridade de um rival abastado e generoso. Os monumentos de seu gênio pereceram, [mas] algumas ruínas de vulto ainda preservam a fama de seu gosto e munificência, [e] viajantes modernos mediram os remanescentes do estádio por ele construído em Atenas. Tinha 180 metros de comprimento; fora construído inteiramente de mármore branco e era capaz de conter a maioria do povo; sua construção levou quatro anos,

* Na antiga República romana, a dignidade de cônsul ou magistrado supremo; ver a propósito p. 89. (N. T.)

quando Herodes presidia os jogos atenienses. À memória de sua esposa Regila dedicou ele um teatro que dificilmente encontrava igual no Império; nenhuma outra madeira a não ser cedro, caprichosamente esculpido, foi usada em todas as partes do edifício. O Odêio, concebido por Péricles para apresentações musicais e ensaios de novas tragédias, havia sido um troféu da vitória das artes sobre a grandeza bárbara, de vez que o vigamento usado na construção consistia principalmente em mastros dos navios persas. Não obstante os reparos efetuados naquele antigo edifício por um rei da Capadócia, ele tornou a se deteriorar. Herodes restaurou-lhe a beleza e magnificência de outrora. Tampouco se confinava a liberalidade desse ilustre cidadão aos muros de Atenas. Os mais esplêndidos ornamentos aplicados ao Templo de Netuno no istmo, um teatro em Corinto, um estádio em Delfos, um balneário nas Termópilas e um aqueduto em Canúsio, na Itália, não chegaram a exaurir-lhe as riquezas. O povo de Épiro, Tessália, Euboeia, Beócia e Peloponeso recebeu-lhe os favores, e muitas inscrições em cidades da Grécia e da Ásia agradecidamente nomeiam Herodes Ático como seu patrono e benfeitor.

Nas repúblicas de Atenas e Roma, a modesta simplicidade das casas particulares anunciava a igualdade de cidadania, enquanto a soberania do povo estava representada nos majestosos edifícios destinados a uso público; o espírito republicano não foi de todo extinto pela introdução da opulência e da monarquia. Era nas obras em prol da honra e do bem-estar nacionais que os imperadores de maior virtude escolhiam mostrar sua magnificência. O dourado palácio de Nero suscitou uma justa indignação, mas a vasta extensão de terreno usurpada por seu luxo egoísta foi ocupada de modo mais nobre, nos reinados ulteriores, pelo Coliseu, pelas termas de Tito, pelo pórtico de Cláudio e pelos templos dedicados à deusa da Paz e ao gênio de Roma. Tais monumentos de arquitetura, propriedade do povo romano, eram adornados com as mais belas produções da pintura e escultura gregas, sendo que no Templo da Paz uma biblioteca muito seleta estava ao dispor da curiosidade dos doutos.

A pequena distância dali ficava o Foro de Trajano. Rodeava-o um pórtico imponente, na forma de quadrângulo, em que quatro arcos triunfais constituíam a nobre e espaçosa entrada; no centro se erguia uma coluna de mármore cuja altura de 33 metros denotava a elevação da colina de onde havia sido talhada. Essa coluna, que ainda subsiste em sua antiga beleza, mostrava uma representação fiel das vitórias dácias* de seu fundador. O soldado veterano contemplava ali a história de suas próprias campanhas e, levado pela fácil ilusão da vaidade nacional, o cidadão pacífico se associava igualmente às honras do triunfo.

Todos os outros recantos da capital e das províncias do Império eram embelezados pelo mesmo espírito liberal de magnificência pública, repletos que estavam de anfiteatros, teatros, templos, pórticos, arcos triunfais, balneários e aquedutos, todos a seu modo benéficos à saúde, à devoção e aos prazeres dos mais modestos cidadãos. Dessas construções, as mencionadas por último merecem especial atenção de nossa parte. A audácia do projeto, a solidez da execução e os usos a que se destinavam colocam os aquedutos entre os mais nobres monumentos do gênio e do poderio romanos. Os aquedutos da capital reivindicam uma justa proeminência; contudo, o viajante curioso que, sem a luz da História, examinasse os de Espoleto, de Metz ou de Segóvia, muito naturalmente concluiria que haviam sido residência de algum poderoso monarca. Os ermos da Ásia e da África cobriram-se outrora de florescentes cidades cuja numerosa população e até mesmo a existência dependiam de tais suprimentos artificiais de um perene fluxo de água fresca.

Orçamos o número de habitantes e analisamos as obras públicas do Império Romano. A consideração da quantidade e da magnitude de suas cidades servirá agora para confirmar aquela e multiplicar esta. Talvez não seja desvalioso trazer à colação alguns exemplos isolados relativos ao mesmo assunto, sem esquecer porém que, por força da vaidade das nações e da

* Ver p. 46 e nota complementar à p. 226.

pobreza da linguagem, a vaga denominação de cidade tem sido indiferentemente aplicada tanto a Roma quanto a Laurento. Diz-se que a Itália *Antiga* continha 1197 cidades; e qualquer que seja a época da Antiguidade a que se aplique a expressão, não há motivo para supor que o país fosse menos populoso na época dos Antoninos que na de Rômulo. Os pequenos Estados do Lácio estavam contidos dentro da metrópole do Império, por cuja superior influência haviam sido atraídos. Aquelas regiões da Itália que por tanto tempo definharam sob a tirania indolente de sacerdotes e vice-reis haviam sido afligidas tão só pelas calamidades mais toleráveis da guerra; e os primeiros sintomas de decadência que experimentaram foram largamente compensados pelos rápidos progressos da Gália Cisalpina. O esplendor de Verona pode ser rastreado em suas ruínas; no entanto, Verona era menos célebre do que Aquileia ou Pádua, Milão ou Ravena.

O espírito de progresso cruzara os Alpes e fora sentido até mesmo nas florestas da Britânia, que eram aos poucos desbastadas a fim de abrir um espaço livre para a construção de habitações adequadas e elegantes. York era a sede do governo; Londres já se havia enriquecido com o comércio, e Bath se celebrizara pelos efeitos salutares de suas águas medicinais. A Gália podia ufanar-se de suas 1200 cidades; embora nas partes setentrionais muitas delas, sem excetuar a própria Paris, fossem pouco mais do que rudes e imperfeitas comunas de um povo em ascensão, as províncias meridionais imitavam a opulência e a elegância da Itália. Muitas eram as cidades da Gália — Marselha, Arles, Nimes, Narbona, Tolosa, Bordeaux, Autun, Viena, Lyon, Langres e Treves — cuja antiga condição podia comparar-se, talvez até vantajosamente, com seu estado atual. No tocante à Hispânia, esse país floresceu como província e decaiu como reino. Exaurido pelo abuso de seu poderio, pela América e pela superstição, seu orgulho talvez ficasse perplexo se lhe exigíssemos a lista das 360 cidades que Plínio exibiu no reinado de Vespasiano.

Trezentas cidades africanas haviam outrora reconhecido a autoridade de Cartago, não sendo verossímil que o número delas diminuísse sob a administração dos imperadores. A própria

Cartago renasceu com novo esplendor de suas cinzas e, tanto quanto Cápua e Corinto, logo recobrou todas as vantagens que se podem separar da soberania independente. As províncias do Oriente apresentam um contraste entre a magnificência romana e a barbárie turca. As ruínas da Antiguidade espalhadas por campos sem cultivo e atribuídas pela ignorância a poderes mágicos, mal oferecem um abrigo ao campônio oprimido ou ao árabe errante. No reinado dos Césares, a Ásia propriamente dita contava quinhentas cidades populosas, enriquecidas de todos os dons da Natureza e adornadas de todos os refinamentos da arte. Onze cidades da Ásia disputaram em tempos idos a honra de consagrar um templo a Tibério, e os méritos de cada uma foram examinados pelo Senado. Este rejeitou quatro delas por não estarem à altura do encargo, entre as quais Laodiceia, cujo esplendor ainda ressalta de suas ruínas. Laodiceia arrecadava uma receita assaz considerável de seus rebanhos de carneiros, célebres pela excelência da lã, e havia recebido, pouco antes do concurso, um legado de cerca de 400 mil libras que lhe fora deixado em testamento por um cidadão generoso. Se tal era a pobreza de Laodiceia, qual não deveria ter sido a riqueza daquelas cidades cuja pretensão parecia preferível, particularmente Pérgamo, Esmirna e Éfeso, que por tanto tempo disputaram entre si a primazia na Ásia. As capitais da Síria e do Egito tinham categoria ainda superior no Império; Antioquia e Alexandria olhavam com desdém uma multidão de cidades dependentes e se dobravam com relutância à majestade da própria Roma.

Todas essas cidades estavam ligadas entre si e à capital por estradas públicas que, a partir do Foro de Roma, atravessavam a Itália, difundiam-se pelas províncias e iam terminar somente nas fronteiras do Império. Se calcularmos cuidadosamente a distância do muro de Antonino a Roma e dali a Jerusalém, verificaremos que a grande rede de comunicação do noroeste ao sudeste do Império alcançava a extensão de 4800 milhas romanas.* As

* Cerca de 3740 milhas inglesas [6018 quilômetros]. (N. O.)

estradas públicas eram acuradamente divididas por marcos miliários e se estendiam em linha reta de uma cidade a outra, sem muito respeito pelos obstáculos da natureza ou da propriedade privada. Perfuravam-se as montanhas e arcos audazes franqueavam os rios mais largos e mais caudalosos. A parte mediana da estrada erguia-se num terraço que dominava a região adjacente; consistia em várias camadas de areia, cascalho e argamassa e era pavimentada com pedras grandes e, em lugares próximos da capital, com granito.

Tal era a sólida construção das estradas reais romanas, cuja firmeza não cedeu de todo ao desgaste de quinze séculos. Uniam os súditos das mais distantes províncias num intercâmbio fácil e familiar, mas seu objetivo primeiro era facilitar as marchas das legiões; a nenhum país se considerava completamente subjugado enquanto todas as suas partes não estivessem acessíveis às armas e à autoridade do conquistador. A vantagem de receber prontas informações e de transmitir com rapidez suas ordens induziu os imperadores a estabelecer por todos os seus extensos domínios estações de posta regulares. Casas eram edificadas por toda parte à distância de apenas oito ou nove metros uma da outra; cada uma delas era constantemente provida de quarenta cavalos e com a ajuda dessas mudas era fácil viajar uma centena de quilômetros por dia ao longo das estradas romanas. Facultava-se o uso de estações de posta àqueles que as requisitassem por mandado imperial; conquanto originariamente destinadas ao serviço público, por vezes se condescendia fossem utilizadas para os negócios ou conveniências de cidadãos particulares. As comunicações do Império Romano não eram menos livres e desimpedidas por mar do que por terra. As províncias circundavam e fechavam o Mediterrâneo; e a Itália, com sua forma de imenso promontório, avançava até o meio desse grande lago. As costas italianas carecem no geral de ancoradouros seguros, mas a indústria humana cuidou de corrigir as deficiências da natureza: o porto artificial de Óstia, particularmente, situado na foz do Tibre e mandado construir pelo imperador Cláudio, foi um útil monumento da grandeza romana. Desde esse porto, distante apenas 26 quilômetros da capital, uma brisa favorável frequentemente conduzia os navios em apenas sete dias até as colunas de Hércules e em nove ou dez até Alexandria, no Egito.

Quaisquer que sejam os males imputados pela razão ou pela retórica aos impérios extensos, o poderio de Roma trouxe algumas consequências benéficas à humanidade; e a mesma liberdade de intercâmbio que disseminou os vícios difundiu igualmente os melhoramentos da vida social. Nas épocas mais remotas da Antiguidade, o mundo estava dividido de forma desigual. O Oriente detinha a posse imemorial das artes e do luxo, ao passo que o Ocidente era habitado por bárbaros rudes e belicosos, os quais ou desdenhavam a agricultura ou a desconheciam totalmente. Sob a proteção de um governo estável, a produção de climas mais propícios e a indústria de nações mais civilizadas se foram gradualmente introduzindo nos países ocidentais da Europa, cujos naturais se viram encorajados a, por via de um comércio franco e lucrativo, multiplicar esta e aperfeiçoar aquela. Seria quase impossível enumerar todos os artigos dos reinos animal e vegetal sucessivamente importados pela Europa da Ásia e do Egito; não será porém indigno da respeitabilidade e muito menos da utilidade de uma obra histórica tocar de passagem em algumas de suas principais rubricas.

I. Quase todas as flores, ervas e frutos que prosperam em nossos jardins e pomares europeus são de origem estrangeira, circunstância denunciada em muitos casos por seus nomes. A maçã era nativa da Itália, e os romanos, depois de terem experimentado o sabor mais suculento do damasco, do pêssego, da romã, da cidra e da laranja, contentaram-se com aplicar a todas essas novas frutas a denominação comum de maçã,* discriminando-as entre si pelo epíteto adicional de seu país de origem.

II. Nos tempos homéricos, a vinha silvestre abundava na ilha da Sicília e muito provavelmente no continente vizinho, mas não

* Em italiano *mela*, de onde derivam *melagrana*, "romã", *melarancia*, "laranja" etc. (N. T.)

era domesticada pelo cuidado nem tampouco fornecia uma bebida alcoólica grata ao paladar de seus selvagens habitantes. Mil anos mais tarde, podia a Itália jactar-se de que, dos oitenta vinhos mais generosos e afamados, além de dois terços eram produzidos por seu solo. Tal dádiva foi logo transmitida à província narbonense da Gália; entretanto, era tão intenso o frio ao norte dos Cevennes* que, na época de Estrabão,** se julgava impossível produzir uvas naquelas partes. Mas essa dificuldade foi sendo aos poucos vencida, e há alguma razão para acreditar que os vinhedos da Borgonha remontam à época dos Antoninos. No mundo ocidental, a oliveira acompanhou a marcha da paz, de que era considerada o símbolo. Dois séculos após a fundação de Roma, tanto a Itália quanto a África desconheciam essa planta tão útil; ela se naturalizou nos ditos países, e por fim chegou até o coração da Hispânia e da Gália. A tímida abusão dos antigos, de que ela exigia certo grau de calor e só podia florescer na proximidade do mar, foi sendo gradualmente desacreditada pelo trabalho e pela experiência. O cultivo do linho, trazido do Egito para a Gália, enriqueceu o país todo, conquanto pudesse ter empobrecido as terras em que era semeado.

III. O uso de pastagens artificiais se tornou conhecido dos granjeiros da Itália e das províncias, particularmente de Lucerna, cujo nome e origem vêm da Média.*** A garantia de suprimento de alimentação salutar e abundante para o gado durante o inverno aumentou de muito o número de rebanhos e manadas, os quais por sua vez contribuíram para a fertilidade do solo. A todos esses avanços se pode acrescentar uma assídua atenção às minas e à atividade da pesca que, com empregar abundante mão de obra, serviu para acrescer os prazeres dos ricos e a subsistência dos pobres. O elegante tratado de Columela descreve

* Parte da vertente oriental do Maciço Central da França. (N. T.)

** Grande geógrafo grego (*c.* 58 a.C.-*c.* 25 d.C.). (N. T.)

*** Antiga região da Ásia (onde hoje se situa parte do Irã e do Azerbaijão) que tinha por capital Ecbátana; seus habitantes, os medas, eram tidos por doutos em astronomia e artes mágicas; Ciro, o Grande, anexou a Média à Pérsia. (N. T.)

o adiantamento da agricultura espanhola durante o reinado de Tibério; deve-se observar que as carestias que tão frequentemente afligiam as repúblicas novas nunca ou quase nunca foram sentidas no vasto império de Roma. A escassez acidental de qualquer província isolada era imediatamente aliviada pela abundância de suas vizinhas mais afortunadas.

A agricultura é o fundamento da manufatura, de vez que os produtos da natureza são a matéria-prima da arte. No Império Romano, o trabalho das pessoas diligentes e engenhosas era variado mas incessantemente utilizado a serviço dos ricos. Em seu vestuário, em sua mesa, em suas casas e em seu mobiliário, os favoritos da fortuna combinavam todos os refinamentos da comodidade, da elegância e da pompa, tudo quanto pudesse lisonjear-lhes o orgulho ou satisfazer-lhes a sensualidade. Refinamentos que tais, sob o odioso nome de luxo, têm sido severamente censurados pelos moralistas de todas as épocas, e talvez conviesse mais à virtude, tanto quanto à felicidade da humanidade, que todos possuíssem só as coisas necessárias, não as supérfluas, da vida. Mas na atual condição imperfeita da sociedade, o luxo, conquanto possa advir do vício ou da estultícia, parece ser o único meio capaz de corrigir a desigual distribuição da propriedade. O obreiro diligente e o artífice engenhoso, que não obtiveram quinhão algum na repartição da terra, recebem um tributo voluntário dos proprietários rurais; e estes se veem instigados, por uma questão de interesse, a desenvolver suas propriedades a fim de, com a produção delas, poder adquirir prazeres adicionais. Esse processo, cujos efeitos específicos são perceptíveis em toda sociedade, atuava com vigor muito mais difuso no mundo romano. As províncias teriam sido em pouco exauridas de suas riquezas se as manufaturas e o comércio de artigos de luxo não fossem aos poucos devolvendo aos súditos industriosos as somas que lhes haviam sido extorquidas pelas armas e pela autoridade de Roma. Na medida em que a circulação se confinava aos limites do Império, ela imprimia à máquina política um novo grau de atividade, e suas consequências, por vezes benéficas, não deveriam jamais tornar-se perniciosas.

Mas não é tarefa fácil confinar o luxo aos limites de um império. Os mais remotos países do mundo antigo foram saqueados para suprir a pompa e o refinamento de Roma. As florestas da Cítia* forneciam peles valiosas. O âmbar era trazido por terra das praias do Báltico até o Danúbio, e os bárbaros ficavam assombrados com o preço que recebiam em troca de mercadoria tão inútil. Havia considerável demanda de tapetes babilônicos e outras manufaturas do Oriente, mas o ramo mais importante e malquisto do comércio estrangeiro era o que tinha a ver com a Arábia e a Índia. Todo ano, à altura do solstício de verão, uma frota de 120 navios partia de Myos-hormos, um porto do Egito no mar Vermelho. Com a ajuda periódica das monções, atravessava o oceano em cerca de quarenta dias. A costa do Malabar e a ilha do Ceilão eram o termo usual de sua navegação, e nesses mercados os mercadores dos mais remotos países da Ásia aguardavam-lhe a chegada. O regresso da frota ao Egito era fixado para os meses de dezembro ou janeiro, e tão logo sua preciosa carga tivesse sido transportada no lombo de camelos do mar Vermelho ao Nilo, descendo o rio até Alexandria, era despejada sem tardança na capital do Império.

As mercadorias do tráfico oriental eram esplêndidas e frívolas: seda, uma libra da qual valia uma libra de ouro; pedras preciosas, entre as quais a pérola ocupava o primeiro lugar depois do diamante; e uma porção de substâncias aromáticas consumidas no culto religioso e na pompa dos funerais. Compensava as fadigas e os perigos da viagem um lucro quase inacreditável; tal lucro, porém, se fazia às custas dos súditos romanos, e uns poucos indivíduos enriqueciam em detrimento do público. Como os naturais da Arábia e da Índia se contentavam com os produtos e manufaturas de seus próprios países, a prata, de parte dos romanos, era o principal, se não o único, instrumento de comércio. Uma queixa digna da gravidade do Senado era a de que na aquisição de ornamentos femininos a riqueza do Estado ia irre-

* Ver nota complementar à p. 38, sobre os partos. (N. T.)

mediavelmente parar nas mãos de nações estrangeiras e hostis. Um autor [Plínio] de índole inquiridora mas severa calcula a perda anual como superior a 800 mil libras esterlinas. Tal espécie de descontentamento remoía a sombria perspectiva de uma pobreza iminente. Entretanto, se compararmos a cotação do ouro com a da prata no tempo de Plínio com a fixada no reinado de Constantino, verificaremos ter havido nesse período um aumento assaz considerável. Não há nenhuma razão para supor que o ouro se houvesse tornado mais escasso: é evidente que foi a prata que se tornou mais comum; que qualquer que tivesse sido o montante das exportações indianas e árabes, elas estavam longe de esgotar a riqueza do mundo romano; e que a produção das minas atendia abundantemente às demandas do comércio.

Não obstante a propensão da humanidade a exaltar o passado e depreciar o presente, o estado de calma e prosperidade do Império era calorosamente sentido e francamente confessado tanto pelos provincianos quanto pelos romanos.

> Eles reconheciam que os veros princípios da vida social, das leis, da agricultura e da ciência, inventados primeiramente pela sabedoria de Atenas, haviam sido firmemente implantados pelo domínio de Roma, sob cuja auspiciosa influência os bárbaros mais ferozes se tinham unificado sob um mesmo governo e uma língua comum. Afirmam que, pelo desenvolvimento das artes, a espécie humana se multiplicou a olhos vistos. Celebram a crescente magnificência das cidades, a bela aparência dos campos, cultivados e enfeitados como um imenso jardim, e a longa festa da paz, desfrutada por tantas nações esquecidas de suas antigas animosidades e libertadas da apreensão de futuro perigo.

Quaisquer que sejam as suspeitas suscitadas pelo tom retórico e declamatório que parece animar tais passagens, a substância delas concorda perfeitamente com a verdade histórica.

Era quase impossível que os olhos dos contemporâneos fossem descobrir na felicidade pública as causas latentes da decadência e da corrupção. Essa longa paz e o governo uniforme dos romanos instilaram um lento e secreto veneno nos órgãos vitais do Império. A mente dos homens aos poucos se reduziu ao mesmo nível, a chama do gênio morreu e até mesmo o espírito militar se evaporou. Os naturais da Europa eram denodados e robustos; a Hispânia, a Gália, a Britânia e a Ilíria* supriam as legiões com excelentes soldados e constituíam-se na verdadeira força da monarquia. Elas conservavam seu valor, mas não possuíam mais aquela coragem cívica que é nutrida pelo amor da independência, pelo senso da honra nacional, pela presença do perigo e pelo hábito do comando. Recebiam leis e governadores pela vontade de seu soberano e confiavam sua defesa a um exército mercenário. A posteridade de seus chefes mais intrépidos se contentava com a categoria de cidadãos e súditos. Os espíritos de maiores aspirações recorriam à corte ou ao estandarte dos imperadores; e as províncias desertadas, privadas de união ou força política, insensivelmente decaíam na lânguida indiferença da vida privada.

O amor às letras, quase inseparável da paz e do refinamento, estava em moda entre os súditos de Adriano e dos Antoninos, que eram eles próprios homens cheios de erudição e curiosidade intelectual. Tal amor se difundia por toda a extensão de seu império; as tribos mais meridionais dos bretões tinham adquirido o gosto da retórica; Homero e Virgílio eram traduzidos e estudados às margens do Reno e do Danúbio; e as mais generosas recompensas andavam em busca dos mínimos vislumbres de mérito literário.[1] A física e a astronomia foram ciências cultivadas com êxito pelos gregos; as observações de Ptolomeu e as

* Ver nota complementar à p. 226. (N. T.)

[1] Herodes Ático presenteou o sofista Polemo com mais de 8 mil libras por três discursos. Os Antoninos fundaram uma escola em Atenas na qual professores de gramática, retórica, política e das quatro grandes seitas de filosofia eram mantidos pelo poder público para que instruíssem a juventude. O salário de um filósofo chegava a 10 mil dracmas por ano, entre trezentas e quatrocentas libras anuais. Estabelecimentos semelhantes foram formados em outras grandes cidades do Império.

obras de Galeno são estudadas por aqueles que lhes aperfeiçoaram as descobertas e lhes corrigiram os erros; todavia, se excetuarmos o inimitável Luciano, aquela época de indolência passou sem ter produzido um único autor de gênio original ou que se avantajasse na arte da composição elegante. A autoridade de Platão e Aristóteles, de Zenão e Epicuro, vigorava ainda nas escolas; e os sistemas deles, transmitidos com cega deferência de uma a outra geração de discípulos, frustravam qualquer tentativa generosa de exercer os poderes ou alargar os limites do intelecto humano. Os primores dos poetas e dos oradores, em vez de atiçar uma chama de igual calor, inspiravam apenas frias e servis imitações; ou, se alguém se aventurava a desviar-se desses modelos, desviava-se ao mesmo tempo do bom senso e da propriedade. Para a renascença das letras, o juvenil vigor da imaginação após um longo repouso, a emulação nacional, uma nova religião, novos idiomas e um novo mundo estavam a convocar o gênio da Europa. Mas os provincianos de Roma, disciplinados por uma educação uniforme, de índole artificial e estrangeira, deixavam-se envolver numa competição desigual com aqueles antigos audaciosos que, com expressar seus sentimentos genuínos em sua língua materna, já tinham ocupado todos os lugares de honra. O nome de "poeta" fora quase esquecido, o de "orador" era usurpado pelos sofistas. Uma nuvem de críticos, compiladores e comentadores escurecia a face do saber, e ao declínio do gênio seguiu-se em breve a corrupção do gosto.

O sublime Longino,* que num período algo ulterior e na corte de uma rainha síria preservou o espírito da antiga Atenas, observa e lamenta tal degenerescência dos contemporâneos dele, que aviltavam seus sentimentos, desfibravam seu valor e rebaixavam seus talentos. "Da mesma maneira", diz ele,

* Cássio Longino (*c.* 220-273 d.C.), retórico grego que, após ter ensinado em Atenas, terminou seus dias como conselheiro da rainha Zenóbia de Palmira, cidade-Estado da Síria; durante longo tempo foi confundido com o suposto autor de *Sobre o sublime*, um tratado clássico de estilística; daí o "sublime Longino" a que, numa equivocada transposição metafórica, se refere Gibbon. (N. T.)

como certas crianças permanecem sempre anãs em virtude de seus membros tenros haverem permanecido em confinamento por demais estreito, assim também nossas frágeis mentes, restringidas pelos prejuízos e hábitos de uma justa servidão, se tornam incapazes de expandir-se ou atingir aquela grandeza bem proporcionada que admiramos nos antigos, os quais, vivendo sob um governo popular, escreviam com a mesma liberdade com que agiam.[1]

Essa estatura diminutiva da natureza humana, para levar adiante a metáfora, dia a dia ia baixando do antigo padrão; e o mundo romano estava sendo realmente habitado por uma raça de pigmeus quando os impetuosos gigantes do norte irromperam e corrigiram a raça franzina. Restauraram o espírito viril da liberdade, e ao fim de um período de dez séculos a liberdade se tornou a ditosa progenitora do gosto e da ciência.

[1] Aqui também podemos dizer de Longino: "Seu próprio exemplo robustece todas as suas leis". Em vez de expor seus sentimentos com viril intrepidez, ele apenas os insinua com a maior das cautelas, pondo-os na boca de um amigo e, tanto quanto podemos deduzir de um texto adulterado, afeta refutá-los ele próprio.

3

Da Constituição do Império Romano na época dos Antoninos

A DEFINIÇÃO MAIS ÓBVIA DE MONARQUIA parece ser a de que se trata de um Estado no qual a uma única pessoa, seja qual for o nome que a distinga, incumbe a execução das leis, o controle da fazenda pública e o comando do exército. Todavia, a menos que a liberdade pública seja protegida por guardiães intrépidos e vigilantes, a autoridade de um magistrado tão formidável logo degenera em despotismo. A influência do clero, numa época de superstição, poderia ser útil na defesa dos direitos das pessoas; é tão íntima, porém, a ligação entre o trono e o altar, que raras vezes se viu a bandeira de uma Igreja do lado do povo. Uma nobreza guerreira e um Terceiro Estado obstinado, possuidores de armas, apegados à propriedade e reunidos em assembleias constitucionais, asseguram o único equilíbrio capaz de preservar um Estado constitucional livre dos tentames de um pretendente ao trono.

Todas as barreiras da Constituição romana haviam sido arrasadas pela vasta ambição do ditador, todos os obstáculos extirpados pela mão cruel do triúnviro. Após a vitória de Áccio, o destino do mundo romano passou a depender de Otaviano, cognominado César com a adoção pelo tio, e mais tarde Augusto pela bajulação do Senado. O conquistador estava à frente de 24 legiões veteranas, conscientes de sua própria força e da fraqueza da Constituição, habituadas durante vinte anos de guerra civil a todos os atos de sangue e de violência, e ardentemente devotadas à casa de César, pois somente dela tinham recebido, e esperado, as mais pródigas recompensas. As províncias, havia muito oprimidas pelos ministros da República, almejavam o governo de uma só pessoa que seria o amo, não o cúmplice, desses tiranetes. O povo de Roma, assistindo com secreto prazer à humilhação da aristocracia, queria apenas pão e espetáculos públicos, que lhe eram prodigalizados, um e outros, pela mão liberal de Augusto. Os italianos ricos e cultos, que haviam quase todos abraçado a filosofia de Epicuro, desfrutavam então os favores do conforto e da tranquilidade, e não admitiam que o ditoso sonho fosse interrompido pela lembrança de sua antiga e tumultuosa liberdade. Juntamente com o poder, o Senado perdera a dignidade; muitas das famílias mais nobres se haviam extinguido. Os republicanos de espírito e de talento tinham perecido no campo de batalha ou no exílio. As portas da Assembleia foram escancaradas de propósito para uma turba heterogênea de mais de mil pessoas, que traziam desonra a sua eminência em vez de por ela serem honradas.

A reforma do Senado foi um dos primeiros passos em que Augusto pôs de lado o tirano e se inculcou o pai de sua pátria. Eleito censor, examinou, de comum acordo com seu leal Agripa, a lista de senadores, expulsou alguns poucos membros cujos vícios ou cuja obstinação exigia escarmento público, persuadiu perto de duzentos a evitar o descrédito de uma expulsão por via de uma renúncia voluntária, elevou para cerca de 10 mil libras a renda de qualificação de um senador, criou um número suficiente de famílias patrícias e aceitou para si o honroso título de príncipe do Senado, o qual fora conferido pelos censores aos cidadãos mais eminentes por suas honras e serviços. Ao mesmo tempo, porém, em que assim restaurava a dignidade do Senado, Augusto lhe destruía a independência. Os princípios de uma Constituição livre se perdem irrevogavelmente quando o Poder Legislativo é nomeado pelo Executivo.

Perante uma assembleia de tal modo afeiçoada e preparada, ele pronunciou uma oração estudada que lhe punha à mostra o patriotismo e lhe escondia a ambição.

> Ele lamentava, mas desculpando-a, sua conduta anterior. A piedade filial exigira de suas mãos que tomassem a si a vin-

gança do assassínio do pai; a benevolência de sua própria índole tivera de ceder por vezes às duras leis da necessidade e a uma associação forçada com dois colegas indignos; enquanto Antônio viveu, a República lhe proibiu abandoná-la a um romano degenerado e a uma rainha bárbara. Agora estava finalmente livre para satisfazer seus deveres e suas inclinações. Ele solenemente devolvia ao Senado e ao povo todos os seus antigos direitos, e almejava tão somente misturar-se à massa de seus concidadãos e partilhar das graças que conseguira para sua pátria.

Seria mister a pena de um Tácito (se Tácito tivesse assistido a essa assembleia) para descrever as variadas emoções do Senado — tanto as reprimidas quanto as simuladas. Era perigoso confiar na sinceridade de Augusto; mais perigoso ainda desconfiar dela. As vantagens respectivas de uma monarquia e de uma república tinham dividido amiúde os que sobre elas especulavam; a então grandeza do Estado romano, a corrupção dos costumes e a indisciplina da soldadesca haviam fornecido novos argumentos aos advogados da monarquia; e essas concepções gerais de forma de governo foram outrossim desvirtuadas pelas esperanças e temores de cada indivíduo. Em meio à confusão de sentimentos, a resposta do Senado foi unânime e decisiva. Os senadores se recusavam a aceitar a renúncia de Augusto; conjuravam-no a não desertar a república à qual havia salvado. Após uma decorosa relutância, o matreiro tirano curvou-se às ordens do Senado e consentiu em aceitar o governo das províncias e o comando geral das tropas romanas sob os notórios títulos de *proconsul* e *imperator*. Aceitá-los-ia porém apenas por dez anos. Contava em que já antes do término desse período as chagas da discórdia civil estivessem curadas de todo e a República, devolvida à saúde e ao vigor prístinos, não mais reclamasse a perigosa intervenção de tão excepcional magistrado. A lembrança dessa comédia, várias vezes repetida durante a vida de Augusto, se manteve até as últimas épocas do Império por meio da pompa singular com que os monarcas perpétuos de Roma solenizavam sempre os dez anos de seu reinado.

Sem violar em nada os princípios da Constituição, o general das tropas romanas podia receber e exercer uma autoridade quase despótica sobre os soldados, os inimigos e os súditos da República. No que respeita à soldadesca, os assomos de liberdade haviam, desde os primeiros tempos de Roma, dado lugar às esperanças de conquista e a um senso estrito da disciplina militar. O ditador* ou cônsul tinha o direito de convocar o serviço da juventude romana e de punir uma desobediência obstinada ou covarde com as penalidades mais severas e ignominiosas, eliminando o infrator do rol de cidadãos, confiscando-lhe as propriedades e convertendo-o em escravo vendável. Os mais sagrados direitos de cidadania, confirmados pelas leis de Porciano e Semprônio, eram suspensos pela convocação militar. Em seu acampamento, o general exercia poder absoluto de vida e morte; sua jurisdição não era restringida por quaisquer formas de julgamento ou normas processuais, sendo a execução da sentença imediata e sem recurso. A escolha dos inimigos de Roma era regularmente decidida pela autoridade legislativa. As decisões mais importantes de paz e guerra eram gravemente debatidas no Senado e solenemente ratificadas pelo povo. Mas quando as armas das legiões se distanciaram muito de Roma, os generais assumiram o privilégio de voltá-las contra qualquer povo e da maneira que julgassem mais vantajosa para o benefício público. Era do êxito, e não da justeza, de suas iniciativas que esperavam as honras de um triunfo. Sobre a administração da vitória, especialmente depois de não serem mais controlados por delegados do Senado, exerciam um despotismo sem freios. Quando Pompeu estava no comando do Oriente, premiou seus soldados e aliados, destronou monarcas, dividiu reinos, fundou colônias e distribuiu os tesouros de Mitridates. Em sua volta a Roma, conseguiu, à mercê de um único decreto do Senado e do povo, a ratificação universal de todos os seus atos. Tal era o poder sobre os soldados e sobre os inimigos de Roma que recebiam ou

* Ver nota complementar à p. 511. (N. T.)

assumiam os generais da República. Tornavam-se ao mesmo tempo governadores, ou antes monarcas, das províncias conquistadas, uniam a autoridade militar à civil, administravam tanto a justiça quanto as finanças e exerciam os Poderes Executivo e Legislativo do Estado.

Conforme já se observou no primeiro capítulo desta obra, pode-se ter uma ideia dos exércitos e províncias confiados à autoridade governativa de Augusto. Mas como lhe era impossível comandar pessoalmente as legiões de tantas e tão distantes fronteiras, deu-lhe o Senado autorização, como já dera anteriormente a Pompeu, para delegar a execução de suas vultosas funções a um número adequado de lugares-tenentes. Em graduação e autoridade, esses prepostos não eram, ao que parece, inferiores aos antigos procônsules, mas seu mandato tinha caráter precário e dependente. Estavam à mercê do arbítrio de um superior, a cuja *auspiciosa* influência legalmente se atribuía o mérito de suas ações. Eram os representantes do imperador. Este era, por sua vez, o general da República, e sua jurisdição, tanto civil como militar, se estendia a todas as conquistas de Roma. Dava alguma satisfação ao Senado, todavia, o imperador sempre delegar seu poder a membros do corpo legislativo. Os lugares-tenentes imperiais investiam-se de dignidade consular ou pretoriana; as legiões eram comandadas por senadores, sendo a prefeitura do Egito o único posto de importância confiado a um cavaleiro romano.

Seis dias após ter sido compelido a aceitar tão alto privilégio, Augusto resolveu lisonjear o orgulho do Senado com um fácil sacrifício. Fez saber aos senadores que estes lhe haviam aumentado o poder a um grau que ultrapassava o eventualmente exigido pela triste situação dos tempos. Não lhe consentiram recusar o trabalhoso comando dos exércitos e das fronteiras, mas ele devia insistir em ser-lhe permitido devolver à branda administração de um magistrado civil as províncias mais pacíficas e seguras. Na divisão das províncias, Augusto satisfez seu poder pessoal e a dignidade da República. Os procônsules do Senado, especialmente os da Ásia, da Grécia e da África, ocupavam posição mais honrosa que os lugares-tenentes do imperador, comandantes na Gália ou na Síria. Aqueles eram assistidos por lictores, estes por soldados. Promulgou-se uma lei determinando que, onde o imperador se fizesse presente, seu mandato extraordinário suplantaria a jurisdição ordinária do governador; introduziu-se a praxe de cada nova conquista fazer parte do quinhão imperial; e cedo descobriu-se que a autoridade do *Príncipe*, epíteto favorito de Augusto, era a mesma por todos os rincões do Império.

Em troca dessa concessão imaginária, Augusto obteve um importante privilégio que o tornava senhor de Roma e da Itália. Numa perigosa exceção às antigas máximas, foi autorizado a manter o comando militar, apoiado por um numeroso corpo de guardas, mesmo em tempo de paz e no coração da capital. Seu comando se confinava realmente aos cidadãos engajados no serviço militar por juramento; tal era, porém, a propensão dos romanos para a servidão que o juramento passou a ser voluntariamente feito pelos magistrados, pelos senadores e pela ordem equestre, até a homenagem da lisonja converter-se insensivelmente num solene e anual protesto de fidelidade.

Conquanto considerasse uma força militar como o alicerce mais seguro, Augusto sabiamente a rejeitava como forma assaz odiosa de governo. Era mais agradável a sua índole, bem como a sua política, reinar com os títulos veneráveis da antiga magistratura e habilidosamente congregar, em sua própria pessoa, todos os raios dispersos da jurisdição civil. Dentro de tal concepção, permitiu ao Senado conferir-lhe, por toda a vida, os poderes dos cargos consular e tribunício, os quais foram de igual maneira exercidos por todos os seus sucessores. Os cônsules haviam sucedido o rei de Roma e representavam a dignidade do Estado. Supervisionavam as cerimônias religiosas, recrutavam e comandavam as legiões, davam audiência a embaixadores estrangeiros e presidiam as assembleias do Senado e do povo. Estava-lhes confiada a administração geral das finanças e, embora raramente tivessem vagares para administrar em pessoa a justiça, eram considerados os supremos defensores da lei, da equidade e da paz pública. Essa a sua jurisdição ordinária, mas, sempre que o Senado conferia ao primeiro magistrado poderes de atender à segurança da comunidade, isso o punha acima das leis e ele exercia, na defesa dos direitos comuns, um despotismo temporário.

A condição dos tribunos diferia, em todos os aspectos, da dos cônsules. Sua aparência era modesta e humilde, mas sua pessoa era sagrada e inviolável. A força deles convinha mais para oposição que para ação. Haviam sido criados para defender os oprimidos, absolver culpas, denunciar os inimigos do povo e, quando julgassem necessário, deter, com uma só palavra, a maquinaria toda do governo. Enquanto subsistiu a República, a perigosa influência que cônsules ou tribunos pudessem obter de suas respectivas jurisdições foi diminuída por algumas importantes restrições. Sua autoridade expirava com o ano para o qual haviam sido eleitos; o cargo dos primeiros era dividido entre duas pessoas, o dos segundos entre dez; como se opunham um ao outro em seu interesse privado e público, os conflitos entre eles contribuíam na maior parte dos casos antes para reforçar do que para destruir o equilíbrio da Constituição. Mas quando os poderes consular e tribunício foram unidos e investidos pela vida toda numa só pessoa, quando o general do exército se tornou ao mesmo tempo o ministro do Senado e o representante do povo romano, ficou impossível resistir ao exercício de sua prerrogativa imperial, cujos limites não eram tampouco fáceis de definir.

A essas honrarias acumuladas cedo acrescentou a política de Augusto as esplêndidas e importantes dignidades de supremo pontífice e de censor. A primeira lhe atribuía a administração da religião e a outra, a inspeção legal dos costumes e fortunas do povo romano. Se tantos poderes distintos e independentes não se casassem bem uns aos outros, a complacência do Senado estava pronta a sanar qualquer deficiência por meio das mais amplas e extraordinárias concessões. Os imperadores, bem como os primeiros-ministros da República, eram isentados da alçada e da penalidade de muitas leis inconvenientes; estavam autorizados a convocar o Senado, apresentar várias moções no mesmo dia, recomendar candidatos para os altos cargos do Estado, alargar os limites da cidade, aplicar a receita pública a seu talante, declarar paz e guerra, ratificar tratados; e, por força de uma cláusula assaz abrangente, tinham poderes para executar tudo quanto julgassem vantajoso para o Império e compatível com a majestade dos assuntos privados ou públicos, humanos ou divinos.

Por terem sido atribuídos ao *magistrado imperial* os diversos poderes do governo executivo, os magistrados comuns da República definhavam na obscuridade, sem força e quase sem o que fazer. Os títulos e as formas da antiga administração foram preservados por Augusto com o maior dos cuidados. Investia-se anualmente o número habitual de cônsules, pretores e tribunos com as respectivas insígnias do cargo, e eles continuavam a desempenhar algumas de suas funções mais importantes. Esses cargos ainda atraíam a fátua ambição dos romanos, e os próprios imperadores, embora investidos pela vida toda dos poderes de consulado, aspiravam frequentemente ao título dessa dignidade anual que condescendiam em partilhar com seus concidadãos mais ilustres. Na eleição de tais magistrados, permitia-se ao povo, durante o reinado de Augusto, pôr à mostra todas as inconveniências de uma democracia turbulenta. O astuto monarca, sem revelar o mínimo sintoma de impaciência, humildemente solicitava os sufrágios dos eleitores para si ou para seus amigos e praticava escrupulosamente todos os deveres de um candidato comum. Mas aventuramo-nos a atribuir a seus conselhos a primeira medida do reinado seguinte transferindo as eleições para o Senado. As assembleias populares foram abolidas para sempre e os imperadores livrados de uma multidão perigosa que, mesmo sem restaurar seus privilégios, poderia ter perturbado e quiçá posto em perigo o governo estabelecido.

Com declarar-se os protetores do povo, Mário* e César

* Gaio Mário (157 a.C.-86 a.C.): tribuno da plebe, destacou-se na guerra contra Jugurta (ver nota complementar à p. 434) e chegou ao comando do exército romano, que reorganizou, transformando a antiga milícia de cidadãos num exército profissional cujas recompensas dependiam de seu general; com isso, abriu caminho para o domínio dos generais e, em última instância, para o advento do Império. (N. T.)

tinham subvertido a Constituição de sua pátria. Mas tão logo o Senado foi humilhado e desarmado, verificou-se que uma assembleia de quinhentas ou seiscentas pessoas era um instrumento de domínio muito mais dócil e útil. Foi sobre a dignidade do Senado que Augusto e seus sucessores erigiram seu novo império; e eles afetavam, em todas as ocasiões, adotar a linguagem e os princípios dos patrícios. Na administração de seus próprios poderes consultavam frequentemente o grande conselho nacional e *pareciam* submeter a sua decisão os assuntos mais importantes da paz e da guerra. Roma, a Itália e as províncias internas estavam sujeitas à jurisdição imediata do Senado. No tocante às questões civis, era o Supremo Tribunal de Recursos; no tocante às questões criminais, um tribunal constituído para o julgamento de todos os delitos que fossem cometidos por ocupantes de qualquer cargo público ou que afetassem a paz e a majestade do povo romano. O exercício do poder judicial tornou-se a ocupação mais frequente e mais momentosa do Senado; e as causas importantes defendidas diante dele ofereceram um derradeiro refúgio ao espírito da antiga eloquência. Como conselho de Estado e como corte de justiça, o Senado possuía prerrogativas deveras consideráveis; em sua capacidade legislativa, em que era de supor representava virtualmente o povo, eram-lhe reconhecidos como inerentes os direitos de soberania. Todo poder decorria de sua autoridade, toda lei era ratificada por sua sanção. O Senado se reunia regularmente em três dias fixos de cada mês, as Calendas, as Nonas e os Idos.* Os debates se travavam em clima de decorosa liberdade, e os próprios imperadores, que se orgulhavam do título de senadores, ali tinham assento e votavam em igualdade com seus pares.

Para resumi-lo em poucas palavras: o sistema do governo imperial, tal como instituído por Augusto e mantido por aqueles

* Calendas, Idos e Nonas são, no antigo calendário romano, respectivamente, o primeiro dia de cada mês; o dia 15 de março, maio, julho e outubro, e o dia 13 dos demais meses; e o nono dia antes dos Idos. (N. T.)

soberanos que compreendiam seus próprios interesses e o do povo, pode ser definido como uma monarquia absoluta disfarçada em forças republicanas. Os senhores do mundo romano rodeavam seu trono de trevas, ocultavam sua força irresistível e professavam humildemente ser os ministros responsáveis do Senado, cujos decretos supremos ditavam e obedeciam.

A aparência exterior da corte correspondia às formas de administração. Os imperadores, se excetuarmos os tiranos cuja insensatez caprichosa violava todas as leis da natureza e da decência, desdenhavam pompas e cerimônias que pudessem ofender seus compatriotas sem nada acrescentar ao poder real. Em todas as circunstâncias da vida simulavam confundir-se a seus súditos e com eles mantinham um intercâmbio equitativo de visitas e entretenimentos. Seu vestuário, seu palácio, sua mesa eram apenas condizentes com a posição social de um senador opulento. Sua famulagem, por numerosa ou esplêndida que fosse, compunha-se inteiramente de seus escravos e libertos domésticos.[1] Augusto ou Trajano teriam corado à ideia de incumbir o mais humilde dos romanos dessas tarefas subalternas que, no serviço de casa e de alcova de uma monarquia temperada, são solicitadas com tanto empenho pelos nobres mais altivos da Inglaterra.

A deificação dos imperadores é o único caso em que estes se afastaram de sua prudência e modéstia costumeiras. Os gregos asiáticos foram os primeiros inventores, os sucessores de Alexandre os primeiros objetos desse servil e ímpio modo de adulação. Modo que se transferiu facilmente dos reis para os governadores da Ásia; os magistrados romanos eram muito frequentemente adorados como deidades provinciais, com a pompa de altares e templos, festivais e sacrifícios. Compreende-se que os imperadores não recusassem o que os procônsules haviam aceitado, e as honras divinas que uns e outros recebiam das

[1] Um monarca fraco será sempre governado por seus criados. O poder dos escravos agravava o opróbrio dos romanos, e o Senado cortejava um Palas ou um Narciso. Há possibilidade de um protegido recente tornar-se gentil-homem.

províncias atestavam antes o despotismo que a servidão de Roma. Cedo, porém, os conquistadores imitaram as nações vencidas nas artes da lisonja; e o espírito arrogante do primeiro César aceitou sem nenhuma dificuldade assumir, em vida, um lugar entre as deidades tutelares de Roma.

O temperamento mais brando de seu sucessor declinou de tão perigosa ambição, que nunca mais foi revivida, a não ser pela sandice de Calígula e Domiciano. Augusto consentiu, de fato, que algumas cidades provinciais erigissem templos em sua honra, sob a condição de associarem o culto de Roma com o de seu soberano; ele tolerava a superstição privada da qual pudesse ser o objeto; contentava-se, todavia, em ser reverenciado pelo Senado e pelo povo em sua condição humana e sabiamente deixou a seu sucessor o cuidado de deificá-lo publicamente. Introduziu-se o costume regular de, por ocasião do passamento de todo imperador que não tivesse vivido nem morrido como um tirano, o Senado o colocar no número dos deuses por meio de um decreto solene; as cerimônias de sua apoteose misturavam-se às de seu funeral. Essa profanação legal e insensata, tão detestável a nossos princípios mais estritos, era recebida com apenas alguns resmungos pela natureza indulgente do politeísmo, não como uma instituição religiosa e sim política. Desonraríamos as virtudes dos Antoninos se as comparássemos aos vícios de Hércules ou Júpiter. Mesmo o caráter de César ou Augusto era bastante superior ao das deidades populares. Mas foi infortúnio deles viver numa época ilustrada, em que seus atos haviam sido registrados com uma fidelidade que não permitia a mistura de fábula e mistério exigida pela devoção do vulgo. Tão logo foi a divindade deles instituída por lei, caiu no olvido, sem contribuir em nada para sua fama ou para a dignidade dos monarcas que os sucederam.

Durante o exame do governo imperial mencionamos repetidas vezes seu ardiloso fundador sob o título bem conhecido de Augusto, que no entanto só lhe foi conferido quando o edifício estava quase concluído. O obscuro nome de Otaviano veio-lhe de uma família pobre da cidadezinha de Aricia. Estava maculado com o sangue da proscrição, e ele bem que desejaria, fosse isso possível, apagar qualquer lembrança de sua vida pregressa. O ilustre cognome de César ele o assumira como filho adotivo do ditador, não obstante fosse sensato demais para aspirar a ser confundido ou mesmo comparado com aquele homem extraordinário. Foi proposto no Senado que se dignificasse seu ministro com um novo cognome e, ao fim de uma seriíssima discussão, escolheu-se, entre diversos outros, o de Augusto, como o mais expressivo do caráter de concórdia e santidade que ele invariavelmente ostentava. Augusto era pois uma distinção pessoal, assim como César era uma distinção familiar. A primeira deveria naturalmente ter expirado com o monarca a quem fora conferida, e por mais que a segunda se difundisse por adoção e por linhagens femininas, Nero foi o último príncipe que podia alegar uma pretensão hereditária às normas da linhagem juliana. Todavia, à altura de sua morte, a prática de um século havia ligado inseparavelmente esses títulos à dignidade imperial, títulos preservados por uma longa série de imperadores, romanos, gregos, francos e germânicos, desde a queda da República à época presente. Cedo porém se introduziu uma distinção. O título sagrado de Augusto ficava sempre reservado ao monarca, ao passo que o cognome de César era mais livremente atribuído a seus aparentados; pelo menos a partir do reinado de Adriano, cabia à segunda pessoa do Estado, a qual era considerada herdeira presuntiva do Império.

O terno respeito de Augusto por uma Constituição livre que ele próprio havia destruído só se pode explicar pelo exame atento do caráter desse sutil tirano. Cabeça fria, coração insensível e disposição covarde o haviam induzido a assumir, desde os dezenove anos de idade, a máscara de hipocrisia que nunca mais pôs de lado. Com a mesma mão, e provavelmente com o mesmo estado de espírito, ele assinou a proscrição de Cícero e o perdão de Cina. Suas virtudes, e mesmo seus vícios, eram artificiais; e em conformidade com os diversos ditames de seu interesse, foi a princípio o inimigo, depois o pai do mundo romano. Quando concebeu o ardiloso sistema da autoridade imperial, sua moderação se inspirou em seus temores. Desejava iludir o povo com uma imagem de liberdade civil e os exércitos com uma imagem de governo civil.

A morte de César sempre lhe esteve diante dos olhos. Ele havia prodigalizado riquezas e honrarias a seus seguidores, mas os amigos favoritos de seu tio estavam no número dos conspiradores. A fidelidade das legiões poderia defender-lhe a autoridade contra a rebelião ostensiva, mas a vigilância delas não podia proteger-lhe a pessoa da adaga de um republicano qualquer; e os romanos, que reverenciavam a memória de Bruto,[1] aplaudiriam a imitação de sua virtude. César ocasionara seu fim tanto pela ostentação do poder quanto pelo próprio poder. O cônsul ou o tribuno poderiam ter reinado em paz: o título de rei armara os romanos contra a vida dele. Augusto estava cônscio de que a humanidade é governada por títulos; não se enganou tampouco em sua suposição de que o Senado e o povo se submeteriam à escravidão desde que lhes fosse respeitosamente assegurado desfrutarem ainda de sua antiga liberdade. Um Senado débil e um povo desvigorado condescendiam prazenteiramente à doce ilusão na medida em que fosse sustentada pela virtude ou mesmo pela prudência dos sucessores de Augusto. Era um propósito de autopreservação, não um princípio de liberdade, que animava os conspiradores contra Calígula, Nero e Domiciano. Atacavam a pessoa do tirano sem dirigir seu golpe à autoridade do imperador.

Houve na verdade uma memorável ocasião em que o Senado, após setenta anos de paciência, fez uma tentativa malograda de retomar seus direitos havia tanto esquecidos. Quando o trono vagou com a morte de Calígula, os cônsules reuniram aquele corpo legislativo no Capitólio,* condenaram a memória dos Césares, deram a senha da *liberdade* a umas poucas coortes que

[1] Dois séculos após o estabelecimento da monarquia, o imperador Marco Antonino recomenda o caráter de Bruto como modelo perfeito da virtude romana.

* Ver nota complementar à p. 593. (N. T.)

timidamente aderiram a seu estandarte, e durante 48 horas agiram como chefes independentes de uma república livre. Mas enquanto eles deliberavam, os guardas pretorianos* haviam decidido. O néscio Cláudio, irmão de Germânico,** já se encontrava no acampamento deles, investido na púrpura imperial e preparado para garantir sua eleição pela força das armas. O sonho de liberdade findara, e o Senado despertou para todos os horrores de uma inevitável servidão. Desertada do povo e ameaçada por uma força militar, aquela débil assembleia foi compelida a ratificar a escolha dos pretores*** e a aceitar pressurosamente o benefício de uma anistia que Cláudio teve a prudência de oferecer e a generosidade de cumprir.

A insolência dos exércitos inspirava a Augusto temores de natureza ainda mais alarmante. O desespero dos cidadãos podia apenas tentar o que o poder dos soldados estava pronto a executar a qualquer momento. Quão precária não era a autoridade de Augusto sobre homens aos quais havia ensinado a violar todo dever cívico! Ele lhes ouvira os clamores sediciosos; temia-lhes os momentos mais calmos de reflexão. Uma mudança radical fora conseguida ao preço de enormes recompensas; uma segunda mudança desse tipo poderia duplicá-las. As tropas professavam total fidelidade à casa de César, mas as fidelidades da multidão são caprichosas e inconstantes. Augusto convocou em seu auxílio quanto restasse, naqueles espíritos violentos, de preconceitos romanos; reforçou o rigor da disciplina com a sanção da

* A Guarda Pretoriana, na época republicana de Roma, era a coorte que servia à pessoa de um general; Augusto organizou nove dessas coortes para a proteção da Itália, que não contava com legiões estacionadas em seu território; foram os célebres pretorianos, cujo acampamento se situava no lado norte de Roma e que tiveram papel destacado em várias épocas da história romana. (N. T.)

** César Germânico (15 a.C.-19 d.C.): general romano, sobrinho de Tibério, o qual teria envenenado; destacou-se na guerra contra os germanos; era irmão de Cláudio I e pai de Calígula. (N. T.)

*** Título com que a princípio se designavam em Roma as autoridades executivas; mais tarde, passou a indicar o magistrado incumbido de administrar justiça, primeiro em Roma e depois também nas províncias. (N. T.)

lei; e interpondo a majestade do Senado entre o imperador e o exército, ousadamente lhes exigiu lealdade como primeiro magistrado da República.[1]

Durante um longo período de 220 anos, do estabelecimento desse ardiloso sistema até a morte de Cômodo, os perigos inerentes a um governo militar foram suspensos em grande parte. Raras vezes os soldados eram despertados para a perigosa consciência de seu poderio e da fraqueza da autoridade civil de que poderiam resultar, a qualquer tempo, terríveis calamidades. Calígula e Domiciano foram assassinados em seu palácio por seus próprios criados; as convulsões que agitaram Roma na morte do primeiro se confinaram aos muros da cidade. Mas Nero arrastou o Império todo em sua ruína. No espaço de dezoito meses, quatro príncipes pereceram pela espada e o mundo romano foi sacudido pela fúria dos exércitos em conflito. Excetuando-se essa breve conquanto violenta erupção de indisciplina militar, os dois séculos que se estenderam de Augusto a Cômodo não foram manchados por sangue civil nem perturbados por revoluções. O imperador era eleito pela *autoridade do Senado* e com o *consentimento dos soldados*. As legiões respeitavam seu juramento de fidelidade, e é mister uma minuciosa inspeção dos anais romanos para descobrir três rebeliões insignificantes que foram sufocadas em poucos meses e sem sequer o risco de uma batalha.

Nas monarquias eletivas a vacância do trono é um momento cheio de perigos e discórdias. Os imperadores romanos, desejosos de poupar às legiões *tais intervalos de incerteza* e a tentação de uma escolha irregular, investiam seus sucessores designados de uma soma de poderes atuais grande o bastante para capacitá-los, após a morte dos primeiros, a assumir os restantes poderes sem deixar que o Império percebesse a mudança de senhores. Assim Augusto, depois de todas as suas mais diletas

[1] Augusto restaurou a antiga severidade da disciplina. Findas as guerras civis, aboliu a designação carinhosa de "companheiros-soldados" e a substituiu por "soldados" apenas.

esperanças terem sido arrebatadas por mortes inoportunas, depositou suas últimas esperanças em Tibério: obteve para seu filho adotivo os poderes censório e tribunício e baixou uma lei mercê da qual o futuro monarca era investido de uma autoridade igual a sua própria sobre as províncias e os exércitos. Assim também Vespasiano subjugou o espírito generoso de seu filho primogênito. Tito era adorado pelas legiões orientais, que sob seu comando haviam alcançado pouco tempo antes a conquista da Judeia. Seu poder era temido e suas virtudes, toldadas pela intemperança da juventude, tornavam-lhe os propósitos suspeitos. Em vez de dar ouvidos a tais indignas suspeitas, o prudente monarca associou Tito aos plenos poderes da dignidade imperial, e o filho agradecido sempre se demonstrou o ministro humilde e leal de um pai tão indulgente.

O bom senso de Vespasiano levou-o na verdade a tomar todas as medidas que lhe pudessem confirmar a recente e precária elevação. O juramento militar e a fidelidade das tropas ao nome e à família dos Césares foram consagrados pelos hábitos de uma centena de anos; e conquanto essa linhagem tivesse sido continuada apenas pelo rito fictício da adoção, os romanos ainda reverenciavam, na pessoa de Nero, o neto de Germânico e o sucessor em linha reta de Augusto. Não sem relutância e remorso haviam os guardas pretorianos sido persuadidos a abandonar a causa do tirano. A rápida queda de Galba,* Oto e Vitélio ensinara as tropas a considerar os imperadores como instrumentos da vontade e da permissão *delas*. A origem de Vespasiano era humilde; seu avô fora soldado raso, seu pai um pequeno funcionário da receita; seu próprio mérito o elevara, em idade avançada, ao trono do Império; tal mérito, porém, era mais prestadio do que brilhante, e suas virtudes eram desonradas por uma severa e até mesmo sórdida parcimônia. Um príncipe que

* Hábil soldado proclamado imperador após a morte de Nero (61 d.C.), mas logo depois morto numa rebelião por Oto, que ocupou o trono até ser derrotado por Vitélio em 69 d.C., o qual acabou sendo morto por sua vez pelas tropas de Vespasiano. (N. T.)

tal consultava seus verdadeiros interesses ao associar a si um filho cujo caráter mais brilhante e mais amável fosse de molde a desviar a atenção pública da origem obscura para as glórias futuras da casa flaviana. Sob a branda administração de Tito, o mundo romano desfrutou de felicidade passageira, e sua estremecida memória serviu para acobertar, mais de quinze anos depois, os vícios de seu irmão Domiciano.*

Mal havia aceitado a púrpura dos assassinos de Domiciano, Nerva** descobriu que sua tenra idade não lhe possibilitava refrear a torrente de desordens públicas que se haviam multiplicado sob a longa tirania de seu predecessor. Sua disposição moderada merecia o respeito das pessoas de bem, mas os romanos degenerados precisavam de uma personalidade mais vigorosa, cuja justiça infundisse terror nos culpados. Embora tivesse vários parentes, ele fixou sua escolha num estranho. Adotou Trajano, que contava então cerca de quarenta anos e comandava um poderoso exército na Baixa Germânia; imediatamente, através de um decreto do Senado, declarou-o seu colega e sucessor no Império. É sinceramente de lamentar que, enquanto nos fatiga a nauseante relação dos crimes e loucuras de Nero, estejamos reduzidos a compilar as ações de Trajano dos vislumbres de um resumo ou da luz duvidosa de um panegírico. Subsiste contudo um panegírico que se coloca muito além da suspeita de lisonja. Cerca de 250 anos após a morte de Trajano, o Senado, ao lançar as costumeiras aclamações pela elevação de um novo imperador, fez votos de que ele pudesse ultrapassar a felicidade de Augusto e a virtude de Trajano.

Não é difícil acreditar que o pai da pátria hesitasse em confiar o poder soberano a uma personalidade vária e duvidosa como

* Imperador romano (51-96 d.C.) cuja obsessão da lei e da ordem o converteu num déspota que foi mandado matar pela própria esposa. (N. T.)

** Nerva (*c.* 30-98 d.C.): imperador romano que sucedeu Domiciano por escolha do Senado; em seu brando governo, os cristãos foram tolerados; incapaz de dominar a Guarda Pretoriana, Nerva adotou Trajano, a quem entregou o trono. (N. T.)

seu parente Adriano. Nos últimos momentos de Trajano, as manhas da imperatriz Plotina ou lhe fixaram a irresolução ou audazmente deram a entender uma adoção fictícia, cuja verdade não podia ser contestada com segurança, e Adriano foi pacificamente reconhecido como sucessor legal de Trajano. Sob seu reinado, conforme já foi dito, o Império floresceu em paz e prosperidade. Ele encorajou as artes, reformou as leis, assegurou a disciplina militar e visitou pessoalmente todas as suas províncias. Seu gênio vasto e ativo se avinha igualmente bem com as mais largas perspectivas e com os mínimos detalhes da política e da administração. Mas as paixões que lhe dominavam a alma eram a curiosidade e a vaidade. Conforme uma ou outra prevalecesse, ou fosse atraída por diferentes objetos, Adriano se revelava ora um excelente monarca, ora um sofista ridículo e um tirano ciumento. O teor geral de sua conduta era louvável pela equidade e moderação. Todavia, nos primeiros dias de seu reinado, condenou à morte quatro senadores consulares, seus inimigos pessoais e homens que haviam sido julgados dignos desse alto poder; outrossim, no fim da vida, o tédio de uma enfermidade dolorosa o tornou irritadiço e cruel. O Senado não sabia se devia condecorá-lo um deus ou um tirano; e as honras decretadas em sua memória foram outorgadas às preces do piedoso Antonino.

O capricho de Adriano influenciou a escolha de seu sucessor. Depois de revolver na mente diversos homens de mérito assinalado, a quem estimava e odiava, adotou Elio Vero, um jovial e voluptuoso fidalgo cuja beleza incomum o recomendava ao amante de Antínoo.[1] Mas enquanto Adriano se comprazia em seu próprio aplauso e nas aclamações dos soldados, que distinguira com um imenso donativo a fim de assegurar-lhes o consentimento, o novo César lhe foi arrebatado dos braços por uma morte inoportuna. Deixara um único filho. Adriano recomen-

[1] A deificação de Antínoo, suas medalhas, estátuas, templos, cidade, oráculos e constelação são bem conhecidos e desonram ainda hoje a memória de Adriano. Podemos no entanto observar que, dos quinze primeiros imperadores, Cláudio foi o único cujo gosto em matéria de amor era de todo correto.

dou o menino à gratidão dos Antoninos. Ele foi adotado por Pio e, com a elevação de Marco, investido de igual quinhão de poder soberano. Entre os muitos vícios deste Vero mais jovem havia uma virtude: a respeitosa veneração por seu colega mais judicioso, a quem ele de bom grado abandonou as tarefas mais rudes do mando. O filosófico imperador dissimulou-lhe as loucuras, lamentou-lhe a morte prematura e lançou um véu decoroso sobre sua memória.

Tão logo a paixão de Adriano se viu satisfeita ou desapontada, ele decidiu fazer jus à gratidão da posteridade colocando no trono romano uma pessoa do mais elevado mérito. Seu olho perspicaz facilmente descobriu um senador de uns cinquenta anos de idade, impecável em todas as situações da vida, e um jovem de dezessete cujos anos maduros faziam prever o florescimento de todas as virtudes. O mais idoso deles foi declarado filho e sucessor de Adriano sob a condição, porém, de adotar imediatamente o mais jovem. Os dois Antoninos (pois é deles que estamos falando) governaram o mundo romano durante 42 anos com o mesmo invariável espírito de sabedoria e virtude. Embora tivesse dois filhos, Pio preferiu o bem-estar de Roma aos interesses de sua família; deu sua filha Faustina em casamento ao jovem Marco, obteve do Senado poderes tribunício e proconsular, e com nobre desprendimento, ou melhor, ausência de inveja, associou-o a todos os encargos do governo. Marco, por outro lado, venerava o caráter de seu benfeitor, amava-o como pai, obedecia-lhe como seu soberano e, quando ele se foi, regrou sua administração pelo exemplo e pelas máximas de seu predecessor. O reinado conjunto de ambos foi possivelmente o único período da História em que a felicidade de um grande povo se constituiu no único objetivo do governo.

Tito Antonino Pio foi com justiça cognominado de segundo Numa.* O mesmo amor à religião, à justiça e à paz era a carac-

* Numa Pompílio foi um rei lendário de Roma, sucessor de Rômulo e tido como fundador das instituições religiosas da cidade. (N. T.)

terística distintiva de ambos os monarcas. Mas a situação do último oferecia um campo muito mais vasto para o exercício dessas virtudes. Numa só conseguiu impedir algumas povoações vizinhas de saquearem as searas umas das outras. Antonino difundiu a ordem e a tranquilidade por sobre a maior parte da terra. Seu reinado se distinguiu pela rara particularidade de fornecer pouquíssimos elementos à História, que pouco mais é, na verdade, do que o registro dos crimes, das loucuras e dos infortúnios da humanidade. Na vida privada, ele era um homem afável e bondoso. À natural simplicidade de sua virtude era estranha qualquer vaidade ou afetação. Desfrutava com moderação as vantagens de sua fortuna e os inocentes prazeres da vida social;[1] e a benevolência de sua alma se mostrava numa jovial serenidade de temperamento.

A virtude de Marco Aurélio Antonino era de espécie mais severa e mais afanosa, colheita bem merecida de muitas e doutas comparações, de muitas e pacientes leituras, de muitas e noturnas elucubrações. Na idade de doze anos abraçou o rígido sistema dos estoicos, que lhe ensinou a sujeitar o corpo ao espírito, as paixões à razão; a considerar a virtude como o único bem, o vício como o único mal, todas as coisas exteriores como coisas sem importância. Suas meditações, compostas no tumulto de um acampamento militar, chegaram até nós, e ele até mesmo condescendeu em dar aulas de filosofia de uma maneira mais pública do que a quiçá condizente com a modéstia de um sábio ou a dignidade de um imperador. Mas sua vida foi o mais nobre comentário aos preceitos de Zenão. Era severo consigo mesmo, indulgente com as imperfeições alheias, justo e caritativo com todos. Lamentou Avídio Cássio, que provocara uma rebelião na Síria, ter-lhe roubado, por uma morte voluntária, o prazer de converter um inimigo em amigo; e provou a sinceridade desse sentimento acalmando a severidade do Senado contra os partidários do traidor. Detestava a guerra como

[1] Ele gostava muito de teatro e não era insensível aos encantos do belo sexo.

a desgraça ou a calamidade do gênero humano, mas, quando a necessidade de uma defesa justa lhe exigiu tomar armas, não titubeou em expor sua própria pessoa a oito campanhas de inverno nas gélidas ribanceiras do Danúbio, cuja severidade acabou se demonstrando fatídica a sua constituição débil. A memória de Marco Antonino foi reverenciada por uma posteridade agradecida, e mais de um século após sua morte muitas eram as pessoas que lhe guardavam a imagem entre as dos deuses láricos.*

Se fosse mister determinar o período da história do mundo durante o qual a condição da raça humana foi mais ditosa e mais próspera, ter-se-ia sem hesitação de apontar a que se estende da morte de Domiciano até a elevação de Cômodo. A vasta extensão do Império Romano era governada pelo poder absoluto sob a inspiração da virtude e da sabedoria. Os exércitos foram contidos pela mão branda mas firme de quatro imperadores sucessivos cujo caráter e autoridade suscitavam respeito involuntário. As formas da administração civil, cuidadosamente preservadas por Nerva, Trajano, Adriano e os Antoninos, justificavam a imagem de liberdade em que eles se compraziam, considerando-se ministros responsáveis perante as leis. Tais príncipes mereceriam a honra de restaurar a República, tivessem os romanos de sua época sido capazes de desfrutar uma liberdade racional.

Os esforços desses monarcas foram liberalmente pagos pela enorme recompensa que lhes acompanhou de perto o êxito; pelo honesto prêmio da virtude e pelo requintado prazer de contemplar a felicidade geral de que eram os autores. Uma justa mas melancólica reflexão amargurava contudo o mais nobre dos deleites humanos. Devem eles ter se lembrado amiúde de quão instável não é a felicidade que dependa do caráter de um único homem. Aproximava-se talvez o momento fatal de algum jovem

* Na religião romana, os *lares* eram espíritos malignos ou benignos; estes últimos, cultuados nas lareiras domésticas, se incumbiam de proteger a casa e seus habitantes, sendo invocados em determinados dias do mês e em ocasiões especiais, como nos casamentos. (N. T.)

libertino ou de algum tirano ciumento abusar, até destruí-lo, desse poder absoluto que haviam exercido em benefício de seu povo. As restrições ideais do Senado e das leis poderiam servir para pôr à mostra as virtudes, mas nunca para corrigir os vícios do imperador. A força militar era um cego e irresistível instrumento de opressão; e a corrupção dos costumes romanos forneceria sempre aduladores ávidos de aplaudir e ministros ávidos de servir o temor ou a avareza, a lascívia ou a crueldade de seus amos.

Tão sombrias apreensões já haviam sido justificadas pela experiência dos romanos. Os anais dos imperadores oferecem um vigoroso e variado retrato da natureza humana que em vão buscaríamos entre as duvidosas e heterogêneas personagens da história moderna. Na conduta daqueles monarcas podemos retraçar as linhas extremas do vício e da virtude, da mais exaltada perfeição e da mais vil degenerescência de nossa própria espécie. A idade áurea de Trajano e dos Antoninos fora precedida por uma idade de ferro. É quase supérfluo enumerar os indignos sucessores de Augusto. Seus vícios sem paralelo e o esplêndido teatro em que atuaram os salvaram do esquecimento. O sombrio e implacável Tibério, o furioso Calígula, o débil Cláudio, o depravado e cruel Nero, o bestial Vitélio[1] e o tímido e desumano Domiciano estão condenados à perene ignomínia. Durante oitenta anos (com a só exceção do breve e duvidoso intervalo do reinado de Vespasiano), Roma gemeu sob uma tirania ininterrupta, que exterminou as antigas famílias da República e foi fatal a quase todas as virtudes e talentos surgidos nesse desditoso período.

Sob o reinado de tais monstros, a escravidão dos romanos se fazia acompanhar de duas circunstâncias peculiares, uma ocasionada por sua antiga liberdade, a outra por suas extensas conquis-

[1] Vitélio consumiu, apenas em alimentação, no mínimo 6 milhões em nosso dinheiro e isso em cerca de sete meses. Não é fácil referir-lhe os vícios com dignidade ou sequer com decência. Tácito o chama justificadamente de porco, mas fá-lo substituindo uma palavra grosseira por uma bela imagem.

tas, que lhes tornavam a situação ainda mais desgraçada que a das vítimas de tirania em qualquer outra época ou país. Dessas causas decorriam: I, a delicada sensibilidade dos sofredores; e, II, a impossibilidade de escapar das mãos do opressor.

I. Quando a Pérsia era governada pelos descendentes de Sefi, uma linhagem de príncipes cuja crueldade desumana frequentemente lhes manchou o divã, a mesa e o leito com o sangue de suas favoritas, registrou-se o dito de um jovem fidalgo que nunca se afastava da presença do sultão sem antes certificar-se se sua cabeça ainda lhe estava sobre os ombros. A experiência cotidiana poderia quase justificar o ceticismo de Rustan. No entanto, a espada fatal, suspensa sobre sua cabeça por um só fio, não parecia perturbar o sono nem interromper a tranquilidade dos persas. Um franzir de cenho do monarca, ele bem o sabia, poderia igualá-lo ao pó; mas um raio ou uma apoplexia poderiam ser igualmente fatais; e competia ao sábio esquecer as calamidades inevitáveis da vida humana no desfrute do momento fugidio. Ele era honrado com o título de escravo do rei; fora talvez comprado de pais obscuros numa região que jamais conhecera; e desde a infância havia sido educado na severa disciplina do serralho. Seu nome, sua fortuna, suas honrarias eram o dom de um amo que poderia, sem injustiça, retomar o que outorgara. A compreensão de Rustan, se alguma possuía, só servia para confirmar seus hábitos pelos preconceitos. A língua que falava não lhe oferecia palavras para designar outra forma de governo que não fosse a monarquia absoluta. A história do Oriente informava-o de que essa sempre havia sido a condição da humanidade. O Corão e os intérpretes desse livro divino inculcavam-lhe que o sultão era descendente do profeta e vice-rei do céu, que a paciência era a primeira virtude de um muçulmano e a obediência ilimitada o principal dever de um súdito.

O espírito dos romanos não estava tão preparado para a escravidão. Oprimidos pelo peso de sua própria corrupção e da violência militar, durante longo tempo os romanos preservaram os sentimentos, ou pelo menos as ideias, de seus antepassados livres de nascimento. A educação de Helvídio e Thrasea,* de Tácito e Plínio, era a mesma de Catão e Cícero. Dos filósofos gregos haviam assimilado as mais justas e generosas noções acerca da dignidade da natureza humana e da origem da sociedade civil. A história de sua própria pátria lhes havia ensinado reverenciar uma república livre, virtuosa e triunfante; a aborrecer os crimes bem-sucedidos de César e de Augusto; e a desprezar intimamente aqueles tiranos aos quais adoravam com a mais abjeta adulação. Na qualidade de magistrados e senadores, eram admitidos ao grande conselho que outrora ditara leis à terra, cujo nome ainda dava uma sanção aos atos do monarca e cuja autoridade com tanta frequência se prostituía aos propósitos mais vis da tirania. Tibério e aqueles outros imperadores que lhe adotaram as máximas empenhavam-se em mascarar seus homicídios com as formalidades da justiça, e talvez sentissem secreto prazer em fazer do Senado seu cúmplice tanto quanto sua vítima. Por essa assembleia o último dos romanos foi condenado por crimes imaginários e por virtudes reais. Seus infames acusadores assumiram a linguagem de patriotas independentes que acusassem um cidadão perigoso perante o tribunal de sua pátria; e tal serviço público foi premiado com riquezas e honrarias. Os juízes servis fingiam afirmar a majestade da República, violada na pessoa de seu primeiro magistrado, cuja clemência se excediam em aplaudir ao mesmo tempo que tremiam a mais não poder ante sua inexorável e iminente crueldade.[1] O tirano lhes contemplava a baixeza com justificado desprezo e lhes enfrentava os secretos sentimentos da execração com sincero e declarado rancor a todo o corpo senatorial.

* Helvídio era genro de Thrasea, o qual, senador proeminente na época de Nero, chefiou contra este a oposição estoica e republicana; acusados de deslealdade, Thrasea foi induzido a suicidar-se e Helvídio, banido de Roma. (N. T.)

[1] Depois de a virtuosa e infortunada viúva de Germânico ter sido executada, Tibério recebeu os agradecimentos do Senado por sua clemência. Ela não tinha sido garroteada em público nem seu corpo fora arrastado por meio de um gancho até as Escadas dos Gemidos, onde eram expostos os cadáveres dos malfeitores comuns.

II. A divisão da Europa numa porção de Estados independentes, ligados no entanto uns aos outros por grande parecença de religião, língua e costumes, teve as mais benéficas consequências para a liberdade humana. Um tirano moderno, que não encontrasse nenhuma resistência em seu próprio íntimo ou em seu povo, logo sentiria o brando freio do exemplo de seus pares, o temor da censura vigente, o conselho de seus aliados e a apreensão de seus inimigos. O alvo de seu desagrado, escapando aos estreitos limites de seus domínios, facilmente encontraria em clima mais ditoso um refúgio seguro, uma nova fortuna adequada a seu mérito, a liberdade de protestar e talvez os meios de vingar-se. Mas o império dos romanos abrangia o mundo todo e, quando o dito império caiu nas mãos de uma só pessoa, o mundo se transformou numa prisão lúgubre e segura para seus inimigos. O escravo do despotismo imperial, quer fosse condenado a arrastar suas douradas cadeias por Roma e pelo Senado, quer a amargar uma vida de exílio no árido rochedo de Sérifos* ou nas gélidas margens do Danúbio, aceitava seu destino em mudo desespero. Resistir seria fatal, fugir, impossível. Estava cercado de todos os lados por vasta extensão de mar e terra, que jamais poderia vencer sem ser antes descoberto, aprisionado e devolvido a seu irritado senhor. Para além das fronteiras seu olho ansioso não descobriria nada que não fosse o oceano, desertos inóspitos, tribos hostis de bárbaros de costumes selvagens e língua desconhecida, ou reis dependentes que de bom grado comprariam a proteção do imperador com o sacrifício de um fugitivo odioso. "Onde quer que estejas", disse Cícero ao exilado Marcelo, "lembra-te de que estás de igual modo ao alcance do poder do conquistador."

* Uma das Cícladas, ilhas gregas do mar Egeu. (N. T.)

4

(180-248 d.C.)
*A crueldade, as loucuras e o assassínio de Cômodo — Seu sucessor Pertinax é trucidado pelos guardas pretorianos — Venda pública do Império a Dídio Juliano — Triunfo e cruel reinado de Sétimo Severo — A tirania de Caracala e as loucuras de Heliogábalo — Desassossego geral e rápida sucessão de imperadores — Usurpação e jogos seculares de Filipe**

A BRANDURA DE MARCO, que a rígida disciplina dos estoicos não conseguiu erradicar, constituía a parte mais amável e ao mesmo tempo a falha de seu caráter. Seu excelente discernimento era frequentemente iludido pela confiante bondade de seu coração. Homens ardilosos, que estudam as paixões dos príncipes e ocultam suas próprias, acercavam-se dele sob a capa de filosófica santidade e obtinham riquezas e honrarias com fingir desprezá-las. Sua indulgência excessiva para com o irmão, a esposa e o filho ultrapassava os limites da virtude pessoal e se tornava uma injúria pública em face do exemplo e das consequências dos vícios deles.

Faustina, filha de Pio e esposa de Marco, tem sido bastante celebrada por suas aventuras galantes tanto quanto por sua beleza. A grave simplicidade do filósofo não era de molde a atrair a impudica leviandade dela ou a conter aquela ilimitada paixão de

* Capítulos 4 a 7 do original. Não se incluem na condensação os capítulos 7 e 9, que dão informações históricas acerca, respectivamente, da Pérsia e da Germânia — nações destinadas a avultar na história subsequente do Império. (N. O.)

variedade que descobria amiúde mérito pessoal nos seres mais vis. O Cupido dos antigos era, no geral, uma deidade muito sensual; e as proezas amorosas de uma imperatriz, com exigir de sua parte gestos de audácia, raras vezes são suscetíveis de muita delicadeza sentimental. Marco parecia ser o único homem do Império que ignorava ou negligenciava os desregramentos de Faustina, os quais, segundo os preconceitos de cada época, trazem certa desonra ao marido ofendido. Ele nomeou vários dos amantes dela para postos honrosos e lucrativos, e durante uma união de trinta anos deu-lhe invariavelmente provas da mais terna confiança e de um respeito que não terminou com a vida dela. Em suas *Meditações*, agradece aos deuses terem-lhe outorgado uma mulher tão fiel, tão meiga, dotada de tão maravilhosa simplicidade de maneiras. O obsequioso Senado, por fervente solicitação dele, proclamou-a deusa. Ela era representada em seus templos com os atributos de Juno, Vênus e Ceres; e decretou-se que no dia do casamento os jovens de ambos os sexos deveriam pronunciar seus votos perante o altar de sua casta padroeira.

Os vícios monstruosos do filho lançaram uma sombra na pureza das virtudes do pai. Contra Marco levantou-se a objeção de ele ter sacrificado a felicidade de milhões de pessoas por causa de funda afeição por um rapaz indigno e de ter escolhido um sucessor em sua própria família e não na República. Nada, contudo, foi negligenciado pelo pai extremoso e pelos homens de virtude e de saber que ele convocou em seu auxílio para desenvolverem o espírito acanhado do jovem Cômodo, corrigir-lhe os vícios crescentes e torná-lo digno do trono a que fora destinado. Mas o poder dos ensinamentos raras vezes se revela eficaz, a não ser no caso daqueles afortunados temperamentos em que ele se torna quase supérfluo. A desagradável lição de um profundo filósofo era obliterada em seguida pelo cicio de um favorito depravado; e o próprio Marco arruinou os frutos dessa laboriosa educação com admitir o filho, na idade de quinze ou dezesseis anos, à plena participação no poder imperial. Viveu só mais quatro anos depois disso, mas foi o bastante para que se arrependesse de uma apressada decisão que colocou o impetuoso jovem acima do freio da razão e da autoridade.

A maior parte dos crimes que perturbam a paz interna da sociedade é produzida por coerções impostas aos apetites da humanidade pelas necessárias mas desiguais leis da propriedade, que confinam a uns poucos a posse dos objetos cobiçados por muitos. De todas as nossas paixões e apetites, o amor ao poder é o de natureza mais imperiosa e insociável, pois a soberba de um homem exige a submissão da multidão. No tumulto da discórdia civil, as leis da sociedade perdem a força e o lugar delas raramente é preenchido pelas leis da humanidade. O ardor da disputa, a arrogância da vitória, o desespero do êxito, a lembrança de injúrias passadas e o temor de perigos vindouros, tudo contribui para inflamar o espírito e calar a voz da piedade. Por tais motivos, quase todas as páginas da História estão manchadas de sangue civil; os mesmos motivos, porém, não justificam as gratuitas crueldades de Cômodo, que nada mais tinha a desejar e tudo a desfrutar. O idolatrado filho de Marco sucedeu-o (180 d.C.) por entre as aclamações do Senado e dos exércitos; e quando ascendeu ao trono, o afortunado jovem não viu a sua volta nem competidores que eliminar nem inimigos que punir. Nessa tranquila, elevada situação, seria sem dúvida natural que preferisse o amor ao ódio dos homens, as brandas glórias de seus cinco predecessores à sorte ignominiosa de Nero e Domiciano.

No entanto Cômodo não era, como tem sido descrito, um tigre nascido com sede insaciável de sangue humano e capaz desde a infância dos atos mais desumanos. A Natureza o dotara de índole antes fraca do que maldosa. Sua candura e timidez o tornavam escravo de seus subordinados, que lhe foram corrompendo gradualmente o espírito. Sua crueldade, que de começo obedecia aos ditames de outrem, degenerou em hábito e se tornou por fim a paixão dominante de sua alma.

Com a morte do pai, Cômodo se viu às voltas com o comando de um grande exército e a condução de uma guerra difícil contra os quados e os marcomanos.* Os jovens servis e libertinos que Marco havia banido logo reconquistaram seus postos e sua influência sobre o novo imperador. Exageraram as privações e perigos de uma campanha nos países selváticos além-Danúbio e garantiram ao jovem príncipe que o terror de seu nome e das armas de seus lugares-tenentes seria o bastante para completar a conquista dos bárbaros aterrados ou impor condições mais vantajosas do que qualquer conquista. Apelando habilidosamente para os apetites sensuais dele, comparavam a tranquilidade, o esplendor, os refinados prazeres de Roma com o tumulto de um acampamento panônio,** incapaz de oferecer lazeres ou condições de luxo. Cômodo dava ouvidos aos agradáveis conselhos; e, enquanto hesitava entre suas próprias inclinações e o respeitoso temor que ainda tinha pelos conselheiros de seu pai, o verão passou sem que ele se desse conta, adiando-lhe para o outono a entrada triunfal na capital. Sua figura graciosa, suas maneiras populares e suas supostas virtudes atraíam o favor público; a paz honrosa que recentemente concedera aos bárbaros difundiu um júbilo universal; sua impaciência por voltar para Roma era credulamente atribuída a seu amor pátrio; e a dissoluta vida de prazeres que levava mal era condenável num príncipe de apenas dezenove anos de idade.

Durante os três primeiros anos de seu reinado, as formas e até mesmo o espírito da antiga administração foram mantidos pelos leais conselheiros a quem Marco recomendara o filho e por cuja sabedoria e integridade Cômodo ainda nutria uma estima relutante. O jovem príncipe e seus dissolutos favoritos se compraziam em todas as licenciosidades do poder soberano; as mãos dele, porém, ainda não se tinham manchado de sangue, e ele mostrava inclusive uma generosidade de sentimentos que talvez pudesse ter amadurecido em sólida virtude. Um incidente fatal decidiu-lhe o caráter vacilante.

* Antigos povos da Germânia; os primeiros habitavam as margens do Ister (Danúbio), na Morávia (República Tcheca), e os outros a Marcomânia, ao sul do Danúbio. (N. T.)

** Ver nota complementar à p. 225 (N. T.)

Certo fim de tarde (183 d.C.), quando o imperador regressava ao palácio através de um pórtico estreito e obscuro do anfiteatro, um assassino, que lhe aguardava a passagem, lançou-se sobre ele de espada desembainhada, exclamando em voz alta: "*O Senado vos manda isto*". A ameaça impediu o feito; o assassino foi agarrado pelos guardas e imediatamente revelou os autores da conspiração. Havia se formado não na assembleia, mas dentro dos muros do palácio. Lucila, a irmã do imperador e viúva de Lúcio Vero, irritada com sua posição secundária e ciumenta da imperatriz reinante, armara o braço do homicida contra a vida do irmão. Não se atrevera a comunicar o sombrio desígnio a seu segundo marido, Cláudio Pompeiano, senador de elevado mérito e inabalada lealdade; entretanto, em meio à turba de seus amantes (pois imitava os costumes de Faustina), encontrou homens de fortuna em crise e de loucas ambições preparados para servirem a suas paixões mais violentas, tanto quanto às mais ternas. Os conspiradores sofreram o rigor da justiça, e a princesa abandonada foi punida, primeiro com o exílio, depois com a morte.

Todavia, as palavras do assassino calaram fundo na mente de Cômodo e deixaram uma indelével impressão de temor e ódio a todo o corpo senatorial. Aqueles a quem havia temido como ministros importunos agora deles suspeitava como inimigos secretos. Os delatores, uma categoria de homens descoroçoada e quase extinguida nos reinados anteriores, tornaram-se de novo temíveis tão logo descobriram que o imperador estava desejoso de encontrar deslealdade e traição no Senado. Essa assembleia, que Marco sempre considerara o grande conselho da nação, era composta dos romanos mais distintos, e distinção de qualquer espécie logo se tornou criminosa. A possessão de riquezas estimulava a diligência dos denunciantes; virtude severa implicava uma tácita censura às irregularidades de Cômodo; serviços importantes implicavam uma perigosa superioridade de mérito; e a amizade do pai sempre assegurava a aversão do filho. Suspeita equivalia a prova, julgamento a condenação. À execução de um senador eminente se seguia a morte de todos quantos lhe pudessem lamentar ou vingar o fato; e, após ter provado uma vez sangue humano, Cômodo se tornou incapaz de piedade ou remorso.

Dessas inocentes vítimas da tirania, nenhuma teve morte mais lamentada que os dois irmãos da família Quintiliano, Máximo e Condiano, cujo amor fraternal lhes salvou os nomes do esquecimento e tornou sua memória benquista da posteridade. Seus estudos e as ocupações, suas atividades e os prazeres eram sempre iguais. Na fruição de consideráveis bens de raiz, nunca admitiram a ideia de interesse em separado; chegaram até nós fragmentos de um tratado que compuseram em parceria; e em todos os atos da vida via-se que os corpos de ambos eram animados por uma só alma. Os Antoninos, que lhes tinham em alta conta as virtudes e se compraziam em sua união, promoveram-nos no mesmo ano ao consulado; e Marco a eles confiou subsequentemente a incumbência conjunta da administração civil da Grécia e um grande comando militar, em que obtiveram notável vitória sobre os germanos. A bondosa crueldade de Cômodo os uniu na morte.

A ira do tirano, após ter derramado o sangue mais nobre do Senado, retrocedeu perante o principal instrumento de sua crueldade. Enquanto mergulhava no sangue e na luxúria, Cômodo confiou o trato dos assuntos públicos a Perene, um ministro servil e ambicioso que obtivera seu posto pelo assassínio de seu predecessor e que era dotado de bastante vigor e habilidade. Por meio de atos de extorsão e o confisco de bens dos nobres sacrificados a sua avareza, acumulara uma imensa fortuna. Os guardas pretorianos estavam sob seu comando imediato; e seu filho, que já revelara gênio militar, comandava as legiões ilirianas. Perene aspirava ao Império, ou ao que, aos olhos de Cômodo, equivalia ao mesmo crime: teria sido capaz de aspirar a ele se não houvesse sido obstado, surpreendido e executado (em 186 d.C.). A queda de um ministro era um incidente assaz insignificante na história geral do Império; todavia, ela foi apressada por uma circunstância extraordinária que provava quanto os laços da disciplina se haviam relaxado. As legiões da Britânia, descontentes com a administração de Perene, constituíram uma delegação de 1500 homens escolhidos, com o encargo de marchar até Roma e apresentar suas queixas ao imperador. Esses peticionários militares, por seu próprio comportamento decidido, com inflamar as divisões de guardas, com exagerar o poderio do exército britânico e com sobressaltar os temores de Cômodo, exigiram e obtiveram a morte do ministro como o único possível desagravo de seus ressentimentos. Tal presunção de um exército distante, que assim pôs a descoberto a fraqueza do governo, era um presságio certo das mais temíveis convulsões.

Uma nova desordem, surgida de primórdios triviais, denunciou pouco depois a negligência da administração pública. Um espírito de deserção começou a se manifestar entre as tropas, e os desertores, em vez de buscar na fuga ou na ocultação a sua segurança, passaram a infestar as estradas reais. Materno, um soldado raso cuja audácia e atrevimento estavam acima de sua condição, reuniu esses bandos de assaltantes num pequeno exército, abriu as portas das prisões, convidou os escravos a vindicar sua liberdade e pôs-se a saquear impunemente as ricas e indefesas cidades da Gália e da Hispânia. Os governadores das províncias, que de há muito eram os espectadores e talvez os parceiros de tais depredações, foram finalmente despertados de sua supina indolência pelas ordens ameaçadoras do imperador. Materno descobriu que estava cercado e anteviu que iria ser subjugado. Um grande e desesperado esforço seria seu último recurso. Ordenou a seus seguidores que se dispersassem, atravessassem os Alpes em pequenos grupos e sob variados disfarces, e se reunissem em Roma durante o tumulto licencioso do festival de Cibele. Matar Cômodo e subir ao trono vacante era a ambição desse salteador nada comum. Suas medidas foram tão habilmente planejadas que suas tropas dissimuladas já enchiam as ruas de Roma. A inveja de um cúmplice denunciou e arruinou tão singular empresa no momento em que estava madura para a execução.

Príncipes suspeitosos amiúde promovem o rebotalho da humanidade na vã suposição de que aqueles que dependem tão só de si mesmos não terão outro compromisso que não seja com a pessoa de seu benfeitor. Cleandro, o sucessor de Perene, era frígio de nascimento, de uma nação de cuja índole obstinada mas servil somente a força poderia triunfar. Fora enviado de sua terra natal para Roma na condição de escravo. Como escravo ingressara no palácio imperial; ali se tornou útil às paixões de seu amo e em pouco tempo se alçou à mais alta posição que um súdito poderia alcançar. Sua influência sobre o espírito de Cômodo era muito maior que a de seu predecessor, pois Cleandro estava destituído de qualquer talento ou virtude que pudesse inspirar inveja ou desconfiança ao imperador. A avareza era a paixão que lhe dominava a alma e o princípio cardial de sua administração. A dignidade de cônsul, de patrício, de senador estava publicamente à venda e se consideraria deslealdade alguém recusar-se a comprar tais honrarias vácuas e vergonhosas com a maior parte de sua fortuna.[1] Nos empregos provincianos lucrativos o ministro partilhava com o governador os benefícios de sua distribuição. A execução das leis era venal e arbitrária. Um criminoso rico poderia obter não só anulação da sentença que justamente o condenava como poderia de igual modo infligir a punição que lhe aprouvesse no acusador, nas testemunhas e no juiz.

Por tais meios, Cleandro lograra acumular, no espaço de três anos, mais riquezas do que as jamais possuídas por qualquer liberto. Cômodo estava totalmente satisfeito com os magníficos presentes que o ardiloso cortesão lhe depunha aos pés nos momentos mais oportunos. Para desviar a inveja pública, Cleandro edificava, em nome do imperador, banhos, pórticos e locais de exercícios físicos para uso do povo. Ele se iludia de que os romanos, ofuscados e entretecidos por essa aparente liberalidade, seriam menos abalados pelas cenas de sangue que eram diariamente exibidas; que esqueceriam a morte de Birro, um senador de alto merecimento a quem o falecido imperador dera uma de suas filhas; e que perdoariam a execução de Árrio Antonino,

[1] Uma dessas promoções de alto custo deu origem a um *bon mot* então corrente, o de Júlio Sólon ter sido *banido* para o Senado.

o último representante do nome e das virtudes dos Antoninos. O primeiro, com mais integridade do que prudência, tentara revelar ao cunhado o verdadeiro caráter de Cleandro. Uma sentença equitativa pronunciada pelo segundo, quando procônsul da Ásia, contra um desprezível subalterno do favorito, demonstrou-se fatal a quem a pronunciara. Após a queda de Perene, os temores de Cômodo haviam, por um curto intervalo de tempo, assumido a aparência de um retorno à virtude. Ele revogou os atos mais odiosos dele, cobriu-lhe a memória com a execração pública e atribuiu aos perniciosos conselhos daquele ministro iníquo todos os erros de sua juventude inexperiente. Mas o arrependimento de Cômodo durou apenas trinta dias e, sob a tirania de Cleandro, a administração de Perene era lembrada amiúde saudosamente.

A pestilência e a fome contribuíram para atulhar a medida das calamidades de Roma. Aquela podia ser atribuída tão só à justa indignação dos deuses; no entanto, em 189 d.C., um monopólio dos grãos, amparado nas riquezas e no poder do ministro, foi considerado a causa imediata desta. O descontentamento popular, depois de se ter difundido em murmúrios por um bom tempo, irrompeu no circo repleto. O povo trocou seus divertimentos preferidos pelo prazer mais empolgante da vingança, acorreu em massa a um palácio dos subúrbios, um dos retiros do imperador, e exigiu com vozes iradas a cabeça do inimigo público. Cleandro, que comandava os guardas pretorianos, ordenou a um corpo de cavalaria que investisse contra a turba sediciosa e a dispersasse. A multidão precipitou-se rumo à cidade; alguns foram trucidados e muitos mais espezinhados até a morte; todavia, quando os cavalarianos se enfiaram pelas ruas, a perseguição foi detida por uma chuva de pedras e dardos vinda dos tetos e das janelas das casas. Os guardas a pé, havia muito ciumentos das prerrogativas e da insolência da cavalaria pretoriana, tomaram o partido do povo. O tumulto tornou-se um combate organizado que ameaçava converter-se em massacre generalizado. Os pretorianos cederam finalmente ante o peso do número, e a maré da fúria popular voltou-se com redobrada violência contra os portões do palácio onde Cômodo se entregava à luxúria, incônscio, ele só, da guerra civil. Era morte alguém se aproximar dele com notícias desagradáveis. Teria ele perecido nessa segurança indolente caso duas mulheres, sua irmã mais velha Fadila e Márcia, a favorita de suas concubinas, não se houvessem arriscado a ir até ele. Banhadas em lágrimas e com os cabelos desgrenhados, atiraram-se a seus pés e, com a urgente eloquência do medo, revelaram ao assustado imperador os crimes do ministro, a fúria do povo e a iminente devastação que em poucos minutos cairia sobre o palácio e sobre sua pessoa. Cômodo despegou-se de seu sonho de prazer e ordenou que a cabeça de Cleandro fosse atirada à turba. O desejado espetáculo acalmou instantaneamente o tumulto; e o filho de Marco poderia até ter reconquistado o afeto e a confiança de seus súditos ultrajados.

Mas todos os sentimentos de virtude e humanidade se haviam extinguido na mente de Cômodo. Ao mesmo tempo que assim abandonava as rédeas do Império a tão indignos favoritos, nada mais prezava ele no poder soberano que não fosse a ilimitada libertinagem de se entregar a seus apetites sensuais. Suas horas eram passadas num serralho de trezentas belas mulheres e outros tantos rapazes, de toda categoria e de todas as províncias; e sempre que as artes da sedução se demonstrassem ineficazes, o brutal amante recorria à violência. Os historiadores antigos se demoraram na pintura de tais cenas de desenfreada prostituição, que zombavam de todas as restrições da natureza ou do recato; não seria porém fácil traduzir-lhes, na decência da linguagem moderna, as descrições por demais fiéis. Os intervalos de luxúria eram preenchidos com os divertimentos mais vis. A influência de uma época culta e os esforços de uma cuidadosa educação jamais haviam conseguido infundir no espírito grosseiro e embrutecido de Cômodo qualquer tintura de conhecimento; ele foi o primeiro imperador romano totalmente destituído de gosto pelos prazeres do espírito. O próprio Nero primava ou fingia primar nas artes elegantes da música e da poesia; não lhe desprezaríamos o empenho não tivesse ele convertido o deleitoso relaxamento de uma hora de lazer na ocupação mais séria e mais ambiciosa de sua vida. Mas Cômodo, desde a primeira infância, mostrou aversão por quanto fosse judicioso ou liberal e um pendor extremado pelos divertimentos da populaça — os esportes do circo e do anfiteatro, os combates de gladiadores e a caça de animais selvagens. Os mestres de todos os ramos do conhecimento que Marco proporcionara ao filho eram ouvidos com desatenção e desagrado; em compensação, os mouros e partos, que o ensinavam a lançar o dardo e a atirar com o arco, encontraram um discípulo que se comprazia em sua aplicação e cedo igualou o mais hábil de seus instrutores na firmeza do olho e na destreza da mão.

A turba servil, cuja fortuna dependia dos vícios de seu amo, aplaudia tais ocupações ignóbeis. A voz pérfida da lisonja lembrava-lhe que com feitos da mesma natureza, a derrota do leão da Nemeia e a captura do javali de Erimanto, o grego Hércules conquistara um lugar entre os deuses e memória imortal entre os homens. Esqueciam-se somente de observar que nas eras primevas da sociedade, quando os bichos mais ferozes disputavam com o homem a posse de uma região desabitada, uma guerra vitoriosa contra eles era um dos trabalhos mais benéficos e mais inocentes do heroísmo. Na vida civilizada do Império Romano, as feras de há muito se tinham afastado da presença do homem e da vizinhança das cidades populosas. Surpreendê-las em seus esconderijos solitários e transportá-las até Roma para que pudessem ser pomposamente mortas pela mão de um imperador era uma empresa tão ridícula para o príncipe quanto deprimente para o povo. Ignorante dessas distinções, Cômodo sofregamente acolheu a gloriosa parecença e cognominou-se (como ainda lemos em suas medalhas) o Hércules romano. A maça e a pele do leão eram colocadas junto ao trono como as insígnias da soberania; e eram erigidas estátuas nas quais Cômodo revestia o caráter e os atributos do deus, cuja bravura e destreza ele se esforçava por emular no curso diário de seus ferozes divertimentos.

Animado pelos louvores que lhe iam extinguindo aos poucos o senso inato de vergonha, Cômodo decidiu exibir diante dos olhos do povo romano aqueles exercícios que até então decentemente confinara aos muros de seu palácio e à presença de uns poucos favoritos. No dia marcado, os variados móbiles da lisonja, do temor e da curiosidade atraíram ao anfiteatro uma enorme multidão de espectadores; e aplausos comedidos saudaram merecidamente a incomum destreza do atleta imperial. Quer apontasse ele para a cabeça quer para o coração do animal, o ferimento era infalivelmente certeiro e mortal. Com flechas cuja ponta tinha a forma de um crescente, Cômodo amiúde interceptava a célere corrida e decepava o longo e ossudo pescoço do avestruz. Uma pantera foi solta, e o arqueiro esperou até que ela saltasse sobre um trêmulo malfeitor. No mesmo instante a seta voou, a fera tombou morta e o homem ficou ileso. Os cubículos do anfiteatro vomitaram de uma só vez cem leões; uma centena de flechas disparadas pela mão infalível de Cômodo matou-os enquanto corriam furiosos à volta da arena. Nem a enorme corpulência do elefante nem o escamoso couro do rinoceronte lograram defendê-los de seu golpe. A Etiópia e a Índia forneceram suas produções mais extraordinárias, e no anfiteatro foram mortos diversos animais que só nas representações da arte ou quiçá da fantasia haviam sido vistos. Em todas essas exibições, as maiores precauções eram tomadas no sentido de proteger a pessoa do Hércules romano do salto desesperado de qualquer fera que pudesse desrespeitar a dignidade do imperador e a santidade do deus.

Mas o membro mais vil da populaça se tomou de vergonha e indignação ao ver seu soberano entrar na liça como gladiador e gloriar-se de uma profissão que as leis e os costumes dos romanos haviam justificadamente marcado com o ferrete da infâmia. Ele escolheu a veste e as armas do *secutor*, cujo combate com o *retiarius* se constituía numa das cenas mais vivas dos sangrentos desportos do anfiteatro. O *secutor* estava armado de elmo, espada e escudo; seu antagonista, desnudo, tinha apenas uma grande rede e um tridente; com uma procurava enredar, com o outro liquidar seu oponente. Se errasse o primeiro arremesso, era obrigado a fugir da perseguição do *secutor* até que tivesse preparado a rede para um segundo lançamento. O imperador lutou como *secutor* 735 vezes. Esses gloriosos feitos eram cuidadosamente registrados nas atas públicas; e, para que não se omitisse nenhuma circunstância infamante, recebia do fundo comum dos gladiadores um estipêndio tão exorbitante que este se tornou um novo e deveras ignominioso imposto sobre o povo romano. É fácil conceber que nessas ocupações o senhor do mundo obtinha sempre êxito. No anfiteatro, suas vitórias não eram habitualmente sanguinárias; entretanto, quando exercia as habilidades na escola de gladiadores ou em seu próprio palácio, seus desditosos antagonistas eram frequentemente honrados com um ferimento mortal da mão de Cômodo e obrigados a selar com sangue sua bajulação.[1] A essa altura, ele já desdenhara o cognome de Hércules. O nome de Paulo, um célebre *secutor*, era o único que lhe deleitava os ouvidos. Costumava ser inscrito em suas estátuas colossais e repetido nas redobradas aclamações do melancólico e louvaminheiro Senado. Cláudio Pompeiano, o virtuoso marido de Lucila, era o único senador que sustentava a honra de sua investidura. Como pai, permitia aos filhos zelarem pela própria segurança comparecendo ao anfiteatro. Como romano, declarou que sua vida estava nas mãos do imperador, mas que jamais ele Cláudio iria ver o filho de Marco prostituindo sua pessoa e sua dignidade. Não obstante tal viril decisão, Pompeiano logrou escapar ao ressentimento do tirano e, juntamente com sua honra, teve a boa sorte de preservar a vida.

Cômodo chegara então ao auge da depravação e da infâmia. Em meio às aclamações de uma corte aduladora, não conseguia esconder de si mesmo que merecera o desprezo e o ódio de todos os homens de juízo e de virtude de seu império. Seu espírito feroz irritava-se com a consciência desse ódio, com a inveja a toda espécie de mérito, com a justa apreensão do perigo e com

[1] Conta-nos Victor que Cômodo só consentia a seus antagonistas o uso de arma de chumbo, por temer muito provavelmente as consequências do desespero deles.

o hábito do morticínio que contraíra em suas diversões cotidianas. A História guardou uma longa lista de senadores sacrificados a sua arbitrária suspeição, que se voltava com especial ansiedade para as infortunadas pessoas ligadas, ainda que remotamente, à família dos Antoninos, sem poupar sequer os instrumentos de seus crimes ou prazeres. Sua crueldade se revelou finalmente fatal a ele próprio. Derramara com impunidade o sangue mais nobre de Roma; pereceu tão logo começou a ser temido por seus próprios serviçais. Márcia, sua concubina favorita, Eclecto, seu camarista, e Leto, seu prefeito pretoriano, alarmados com o destino dos colegas e predecessores, resolveram evitar a destruição que lhes pairava sobre a cabeça fosse pelo insano capricho do déspota, fosse pela repentina indignação do povo. Márcia aproveitou a ocasião que se lhe oferecia, de servir um gole de vinho a seu amante que se fatigara na caça de animais selvagens. Cômodo se recolheu para dormir, mas enquanto sofria os efeitos do veneno e da embriaguez, um jovem robusto, lutador profissional, entrou em sua alcova e o estrangulou sem resistência. O corpo foi secretamente retirado do palácio antes de a corte, ou a cidade, nutrir a mínima suspeita da morte do imperador. Esse foi o fim do filho de Marco, tão fácil se demonstrou aniquilar um tirano odiado que, pelos poderes artificiais do governo, oprimira durante treze anos tantos milhões de súditos, cada um dos quais igualava seu senhor em vigor e talentos pessoais.

No original, o restante deste capítulo e os três subsequentes são um melancólico registro da crescente inquietude militar, especialmente entre os guardas pretorianos, a única força militar efetiva estacionada perto de Roma. Após o assassínio de Cômodo, o poder imperial foi entregue a Pertinax, oficial veterano que servira sob Marco Aurélio; todavia, seu "açodado empenho de reformar o Estado corrompido" fez com que fosse assassinado (193 d.C.) pelos guardas pretorianos após um reinado de apenas 86 dias. É difícil fixar o ponto mais baixo da história política de Roma, mas um deles certamente foi quando, após o assassínio de Pertinax, os guardas pretorianos venderam o Império em hasta pública a um abastado e néscio senador chamado Dídio Juliano. A revolta que isso provocou de parte de três generais, na Britânia, no Danúbio e no Oriente, limitou o reinado de Juliano a apenas 66 dias.

Por fim o vitorioso general Sétimo Severo deu ao Império perto de dezoito anos de paz, mas a um terrível preço. Homem "soberbo e inflexível" que "considerava o Império Romano sua propriedade pessoal", desdenhou ele usar o Senado como um instrumento de política e "proclamava suas ordens em casos em que um seu pedido ter-se-ia demonstrado igualmente eficaz". E, embora houvesse banido os guardas pretorianos de Roma pelo assassínio de Pertinax e a desprezível transação com Juliano, logo depois julgou conveniente restabelecer a guarda em número quatro vezes maior que anteriormente. Assim, por ter descartado até mesmo as formas de autogoverno, e por ter deixado a capital à mercê dos soldados, Gibbon considera Sétimo Severo "o principal autor do declínio do Império Romano".

Ele foi conjuntamente sucedido (211 d.C.) por seus dois filhos, Caracala e Geta, cuja implacável inimizade levou aquele a assassinar este; e o sentimento de culpa de Caracala o levou aparentemente a insanas crueldades e excessos que dele fizeram "o inimigo comum da humanidade". Sua morte (217 d.C.) resultou do conluio de um alto oficial chamado Opílio Macrino, que juntamente com a púrpura assumiu a difícil tarefa de reformar o próprio poder militar cuja maleável cupidez lhe havia confirmado a posição. Ele pereceu após pouco mais de um ano, numa revolta militar que elevou ao poder aquela incrível criatura conhecida da história como Heliogábalo.

Heliogábalo, que tomou o nome de um deus solar da Síria, "entregou-se aos prazeres mais grosseiros com desenfreada fúria". Mas uma "desordenada multidão de mulheres, de vinhos e de iguarias" era inadequada para seus gostos. Ele também "simulava copiar as vestes e maneiras do sexo feminino... e desonrava as principais dignidades do Império com distribuí-las entre seus numerosos amantes, um dos quais foi publicamente investido do título e autoridade de imperador ou, como ele mesmo dizia com mais propriedade, de esposo da imperatriz". A morte de Heliogábalo (222 d.C.) se deu quando ele tolamente pre-

tendeu punir os guardas pretorianos pela sua predileção por um jovem primo seu, Alexandre Severo, que o sucedeu.

Durante um reinado razoavelmente próspero, que durou treze anos (222-235 d.C.), Alexandre Severo usou seus consideráveis talentos numa luta incessante contra os motins militares, de uma a outra ponta do Império, num dos quais seu amigo mais chegado e conselheiro, o célebre advogado Ulpiano, foi perseguido até dentro do palácio imperial e morto aos pés do imperador por causa de alguma imaginária desfeita aos guardas pretorianos. A morte de Alexandre ocorreu nas mãos de certo Maximino, um selvagem campônio da Trácia cujos 2,4 metros de altura e espantosa força haviam em princípio chamado a atenção de Sétimo Severo e dado início a sua ascensão na hierarquia militar.*

*A única lealdade de Maximino, diz Gibbon, era para com o exército; seu único temor era o receio do desprezo, que o levava a agir com crueldade igualmente implacável tanto contra aqueles que o haviam desdenhado como com aqueles que o haviam ajudado em seus anos humildes. A tentativa de Maximino (237 d.C.) de confiscar a receita independente de todas as cidades do Império para ser usada pelos militares causou uma erupção de pequenas revoltas e uma delas, na África, reivindicou a púrpura para Gordiano, um romano de oitenta anos de idade, pertencente a uma ilustre e versátil família, que era procônsul da África, e para seu filho.** Na ausência de Maximino, que estava em campanha na fronteira danubiana, o Senado confirmou ousadamente as pretensões imperiais dos Gordianos. Nem a prematura morte destes nas mãos de um dos lugares-tenentes africanos de Maximino logrou sufocar tal exercício de independência senatorial. Dois senadores, um magistrado chamado Balbino e um soldado chamado Máximo, foram proclamados imperadores conjuntos, a eles se associando um terceiro Gordiano, o neto de treze anos do procônsul africano.*

* Antiga região da península Balcânica, hoje dividida entre a Grécia, a Turquia e a Bulgária. (N. T.)

** Acerca do filho, observa Gibbon: "Vinte e duas concubinas atestadas e uma biblioteca de 62 mil volumes comprovam a variedade de seus pendores e, pelas produções que deixou após si, parece que aquelas tanto quanto esta eram antes objetos de uso que de ostentação". (N. O.)

A manobra do Senado foi o suficiente para aviar Maximino (238 d.C.), o qual, regressando a Roma, viu a lealdade de suas tropas se evaporar no infrutífero sítio da cidade fortificada de Aquileia; todavia, a mesma manobra não foi proteção bastante contra os taciturnos guardas pretorianos. Três meses após, aproveitando-se da preocupação popular com os jogos capitolinos, eles invadiram o palácio imperial, mataram Máximo e Balbino, e trouxeram o jovem Gordiano para seu acampamento como uma espécie de refém. Durante um reinado de seis anos, o jovem Gordiano se revelou muito promissor, especialmente em seu afeto por um bem-dotado lugar-tenente de nome Misiteu. Porém a morte de Misiteu (243 d.C.) não tardou a acarretar, no ano seguinte, a morte do Gordiano, então com dezenove anos, nas mãos do prefeito pretoriano, um árabe chamado Filipe.

A principal pretensão de Filipe à atenção da História foi sua meticulosa celebração (248 d.C.) dos grandes jogos seculares de Roma, a quinta dessas celebrações desde a fundação da cidade cerca de dez séculos antes. Mas sua total incapacidade de evitar a crescente instabilidade política do Império ficou abundantemente demonstrada nos sombrios acontecimentos que logo se iriam seguir.

5

(248-285 d.C.)
*Os imperadores Décio, Galo, Emiliano, Valeriano e Galieno — Invasão geral dos bárbaros — Os trinta tiranos — Reinados e vitórias de Cláudio e Aureliano — Intervalo de paz após a morte de Aureliano — Reinados de Tácito, Probo, Caro e filhos de Caro**

DOS GRANDES JOGOS SECULARES celebrados por Filipe, em 248 d.C., até a morte do imperador Galieno, em 268 d.C., decorreram vinte anos de opróbrio e infortúnio. Durante esse período calamitoso, cada instante de tempo foi marcado, cada província do mundo romano foi afligida por invasores bárbaros e tiranos militares; o Império arruinado parecia próximo do momento derradeiro e fatal de sua extinção. A confusão dos tempos e a escassez de crônicas autênticas antepõem dificuldades semelhantes ao historiador que busque preservar um fio narrativo claro e sem solução de continuidade. Rodeado de fragmentos imperfeitos, sempre concisos, amiúde obscuros e por vezes contraditórios, ele se vê reduzido a coligir, comparar e conjecturar; e, conquanto nunca deva situar suas conjecturas na categoria dos fatos, o conhecimento da natureza e da infalível ação de suas ferozes e desenfreadas paixões pode, em certas circunstâncias, suprir a falta de dados históricos.

Não há, por exemplo, maior dificuldade em conceber que a morte sucessiva de tantos imperadores tivesse afrouxado os laços de vassalagem entre o monarca e o povo; que todos os generais de Filipe estivessem dispostos a imitar o exemplo de

* Dos capítulos 10 a 12 do original. (N. O.)

seu senhor; e que o capricho dos exércitos, havia tanto habituados a mudanças radicais, frequentes e violentas, pudesse a qualquer momento colocar no trono o mais obscuro de seus companheiros de armas. A História só pode acrescentar que a rebelião contra o imperador Filipe irrompeu no verão do ano 249 entre as legiões da Mésia,* e que um oficial subalterno de nome Marino foi o objeto de sua escolha sediciosa. Filipe se alarmou. Temia que a traição do exército mesiano pudesse se revelar a primeira fagulha de uma conflagração generalizada. Afligido pela consciência de sua culpa e do perigo em que estava, ele comunicou o fato ao Senado. Seguiu-se um silêncio taciturno, fruto do medo e talvez do descontentamento; por fim, Décio, um dos membros da assembleia, fazendo praça de um espírito digno de seu nobre nascimento, aventurou-se a manifestar intrepidez maior do que a que o imperador parecia possuir. Tratou a questão toda com desprezo, como um tumulto açodado e imprudente, e o rival de Filipe como um fantasma de realeza que em pouquíssimos dias seria destruído pela mesma inconstância que o tinha criado.

A pronta realização da profecia inspirou a Filipe justa estima por um conselheiro tão hábil, e Décio lhe pareceu ser a única pessoa capaz de restaurar a paz e a disciplina de um exército cujo espírito turbulento não se amainou logo após a morte de Marino. Décio, que resistira longo tempo a sua própria nomeação, parece ter insinuado o perigo de apresentar um chefe meritório aos espíritos irados e apreensivos dos soldados, e os acontecimentos lhe confirmaram mais uma vez a predição. A legião da Mésia forçou seu juiz, em 249 d.C., a tornar-se cúmplice dela. Deixou-lhe apenas a alternativa de morrer ou vestir a púrpura. A conduta subsequente dele, após aquela medida decisiva, era inevitável. Chefiou ou acompanhou seu exército aos confins da Itália, e Filipe, reunindo todas as suas forças para repelir o formidável antagonista que havia nomeado, marchou-lhe

* Ver pp. 45 ss. (N. T.)

ao encontro. As tropas imperiais eram superiores em número, mas os rebeldes formavam um exército de veteranos comandados por um chefe capaz e experiente. Filipe ou foi morto em batalha ou executado poucos dias depois em Verona. Seu filho e associado no trono foi trucidado em Roma pelos guardas pretorianos; e Décio, vitorioso em circunstâncias mais favoráveis do que a ambição daquela época poderia usualmente alegar, mereceu o reconhecimento unânime do Senado e das províncias. Consta que, imediatamente após sua relutante aceitação do título de Augusto, assegurara a Filipe, numa mensagem privada, sua inocência e lealdade, prometendo que, ao chegar a Itália, renunciaria aos títulos imperiais e voltaria à condição de súdito obediente. Suas intenções podem ter sido sinceras, mas, na posição em que a fortuna o colocara, dificilmente lhe seria possível perdoar ou ser perdoado.

O imperador Décio empregara alguns meses em obras de paz e na administração da justiça quando, em 250 d.C., a invasão das margens do Danúbio pelos godos o levou até elas. Foi essa a primeira ocasião de importância em que a História menciona aquele grande povo que ulteriormente abateu o poderio romano, saqueou o Capitólio e reinou na Gália, na Hispânia e na Itália. Tão memorável foi o papel desempenhado pelos godos na subversão do império do Ocidente que o nome deles é usado com frequência, mas impropriamente, como uma designação geral de barbárie rude e belicosa.

Nos primórdios do século VI, e após a conquista da Itália, os godos, tendo alcançado grandeza no presente, muito naturalmente acalentaram a perspectiva de uma glória passada e futura. Desejavam preservar a memória de seus antepassados e transmitir à posteridade suas próprias realizações. O principal ministro da corte de Ravena, o douto Cassiodoro, satisfez a ambição dos conquistadores com uma história gótica que consistia em doze livros, ora reduzidos ao imperfeito resumo de Jornandes. Esses autores, com a mais matreira das concisões, passaram por cima dos infortúnios das nações, celebraram sua bravura bem-sucedida e adornaram o triunfo com muitos troféus asiáticos, que com mais propriedade caberiam ao povo da Cítia.* Fiando-se em cantos antigos, as únicas e incertas crônicas dos bárbaros, localizaram a origem primeira dos godos na vasta ilha ou península da Escandinávia. Esse país do extremo norte não era desconhecido dos conquistadores da Itália; os laços de antiga consanguinidade haviam sido reforçados pelos recentes e bons ofícios da amizade; e um rei escandinavo prazerosamente abdicara de sua selvagem magnificência para poder passar o resto de seus dias na pacífica e refinada corte de Ravena. Numerosos vestígios, que não podem ser atribuídos às artes da vaidade popular, atestam a antiga residência dos godos nas regiões além-Báltico. Desde o tempo do geógrafo Ptolomeu, a parte setentrional da Suécia parece ter continuado na posse dos remanescentes menos empreendedores da nação, e ainda hoje uma grande porção do território está dividida em Gotlândia do Leste e do Oeste. Durante a Idade Média (do século IX ao século XII), enquanto a cristandade avançava lentamente no norte, os godos e os suecos eram membros distintos e por vezes hostis da mesma monarquia. A segunda dessas duas denominações prevaleceu sem extinguir a primeira. Os suecos, que bem poderiam estar satisfeitos com sua própria fama nas armas, reclamaram em todas as épocas a glória análoga dos godos. Num momento de insatisfação com a corte de Roma, Carlos XII insinuou que suas tropas vitoriosas não tinham degenerado de seus bravos antepassados que já haviam dominado a senhora do mundo.**

Embora tantas gerações sucessivas de godos fossem capazes de preservar uma tênue tradição de suas origens escandinavas, não é de esperar de tais bárbaros iletrados qualquer relato preciso da época e das circunstâncias de sua emigração. Atravessar o Báltico era empresa fácil e natural. Os habitantes da Suécia possuíam um número suficiente de grandes barcos a remo, e a distância de Karlskrona aos portos mais próximos da Pomerânia

* Ver nota complementar à p. 38 sobre os partos. (N. T.)

** Omite-se aqui uma nota em que referências mitológicas são convocadas para rastrear a origem dos godos. (N. O.)

e da Prússia é de pouco mais de 170 quilômetros. Aqui, finalmente, estamos em terra firme e histórica. Pelo menos desde a era cristã, ou até antes, desde a época dos Antoninos, os godos se haviam estabelecido no estuário do Vístula e naquela fértil província onde bem mais tarde se fundaram as cidades comerciais de Thorn, Elbing, Königsberg e Dantzig.* A oeste dos godos se espalhavam, ao longo das margens do Oder e no litoral da Pomerânia e de Mecklemburgo, as numerosas tribos de vândalos. Marcadas semelhanças de costumes, cor de pele, religião e linguagem pareciam indicar que vândalos e godos formavam originalmente um só e grande povo. Os últimos parecem ter se subdividido em ostrogodos, visigodos e gépidas. A distinção entre os vândalos era mais fortemente marcada pelas denominações independentes de hérulos, borguinhões, lombardos e uma porção de outras pequenas nações, muitas das quais, em época posterior, se expandiram em poderosas monarquias.

Na época dos Antoninos, os godos ainda estavam estabelecidos na Prússia. Lá pelo reinado de Alexandre Severo, a província romana da Dácia** já lhes havia experimentado a proximidade mercê de frequentes e destrutivas incursões. Nesse intervalo de cerca de setenta anos devemos portanto situar a segunda migração dos godos, do Báltico ao Euxino; todavia, a causa que a produziu jaz oculta entre os diversos motivos que determinam a conduta de bárbaros não estabelecidos. Uma peste ou uma carestia, uma vitória ou uma derrota, um oráculo dos deuses ou a eloquência de um chefe ousado era o bastante para impelir as armas góticas rumo aos climas mais temperados do sul. Além da influência de uma religião marcial, o espírito e a população numerosa dos godos os predispunham para as aventuras mais perigosas. O uso de escudos redondos e espadas curtas os tornava formidáveis nos combates corpo a corpo; a briosa obediência com que se submetiam a reis heredita-

* Mais conhecidas hoje, respectivamente, por Torun, Elblag, Kaliningrado e Gdansk. (N. E.)

** Ver nota complementar à p. 226. (N. T.)

rios dava uma união e estabilidade fora do comum a suas assembleias; e o renomado Amala, o herói daquela época, décimo antepassado de Teodorico, rei da Itália, consolidava pelo ascendente do mérito pessoal a prerrogativa de seu nascimento, que remontava ele aos *Anses*, ou semideuses da nação gótica.

A fama de uma grande empresa estimulou os guerreiros mais valorosos das nações vândalas da Germânia, muitas das quais serão vistas alguns anos mais tarde combatendo sob o estandarte comum dos godos. Os primeiros deslocamentos dos emigrantes os levaram até as margens do Prypec, ou Pripet, rio geralmente tido pelos antigos como o afluente setentrional do Borístenes, ou Dnieper. Os meandros daquele grande curso de água através das planícies da Polônia e da Rússia deram uma direção a sua linha de avanço bem como um suprimento constante de água fresca e pastagem para seus numerosos rebanhos de gado. Eles acompanharam o curso desconhecido do rio, confiantes no próprio valor e despreocupados de qualquer nação que se pudesse opor a seu avanço. Os bastarnas e os vênedos* foram as primeiras que se apresentaram; e a nata de sua mocidade, ou por escolha ou compulsão, aumentou o exército godo.

Os bastarnas viviam no lado norte dos montes Cárpatos; a imensa extensão de terra que os separava dos selvagens da Finlândia era dominada, ou melhor, devastada pelos vênedos; temos alguma razão para crer que os primeiros, que se haviam distinguido na guerra macedônica e depois se dividiram nas temíveis tribos dos peucinos, dos boranos, dos carpos etc., tinham sua origem nos germanos. Com mais fundadas razões se pode atribuir uma origem sármata aos vênedos, que se celebrizaram deveras na Idade Média. Mas a confusão de sangues e costumes na duvidosa fronteira confundiu amiúde os observadores mais acurados. À medida que se foram aproximando do mar Euxino, os godos encontraram uma raça mais pura de sármatas, os iáziges, os alanos e os roxolanos; foram provavelmente os primeiros germanos a ver o estuário

* Povos antigos da Dácia e da Germânia, respectivamente. (N. T.)

do Borístenes e do Tanais, ou Don. Se indagarmos das marcas características dos povos da Germânia e da Sarmácia,* descobriremos que essas duas grandes porções da raça humana se distinguiam principalmente por cabanas fixas ou tendas móveis, por uma vestimenta apertada, de peças graciosas, pelo casamento com uma ou mais esposas, por uma força militar consistente, na maior parte dos casos, de infantaria ou cavalaria, e sobretudo pelo uso da língua teutônica ou eslavônica, a qual foi difundida pela conquista desde os confins da Itália até as vizinhanças do Japão.

Os godos estavam agora na posse da Ucrânia, uma região de considerável extensão e fertilidade, cortada de rios navegáveis, os quais deságuam em ambas as margens do Borístenes,** bem como de vastas e altaneiras florestas de carvalhos. A abundância de caça e peixes, as inumeráveis colmeias depositadas nos ocos de velhas árvores e nas cavidades das rochas (e constituindo-se, mesmo naquela época rude, num valioso ramo de comércio), os grandes rebanhos de gado, a temperatura do ar, a fecundidade do solo para todas as espécies de grãos, e a exuberância da vegetação — tudo isso punha à mostra a dadivosidade da Natureza e incitava a diligência do homem. Mas os godos resistiram a todas essas tentações, mantendo-se fiéis a uma vida de indolência, de pobreza e de rapina.

As hordas citas, que a leste confinavam com as novas colônias dos godos, nada ofereciam às armas destes a não ser a duvidosa oportunidade de uma vitória improfícua. A perspectiva dos territórios romanos era muito mais atraente; e os campos da Dácia estavam cobertos de ricas searas, semeadas pelas mãos de um povo industrioso e expostas à cobiça de um povo guerreiro. É provável que as conquistas de Trajano, mantidas por seus sucessores menos por causa de vantagens reais que de um ideal de dignidade, tives-

* Vasta região da Europa oriental, outrora ocupada pelos sármatas, povo nômade oriundo da Ásia oriental, que depois do século I d.C. se misturou aos germanos. (N. T.)

** Ver nota complementar à p. 295. (N. T.)

sem contribuído para enfraquecer o Império daquele lado. A nova e ainda não habitada província da Dácia não se demonstrava forte o bastante para resistir, nem rica o bastante para saciar a rapacidade dos bárbaros. Enquanto as remotas margens do Dniester foram consideradas a fronteira do domínio romano, as fortificações do baixo Danúbio estiveram guardadas descuidosamente; os habitantes da Mésia viviam em negligente segurança, ingenuamente supondo-se a inacessível distância de quaisquer invasores bárbaros. A irrupção dos godos, sob [isto é, durante] o reinado de Filipe, fatalmente os convenceu de seu engano. O rei ou chefe dessa nação selvagem atravessou com desdém a província da Dácia e franqueou tanto o Dniester quanto o Danúbio sem encontrar nenhuma oposição capaz de lhe retardar o avanço. A frouxa disciplina das tropas romanas fê-las entregar os postos mais importantes em que estavam estacionadas, e o temor de merecida punição levou grande número delas a alistar-se sob o estandarte gótico. As diversas multidões de bárbaros surgiram finalmente diante dos muros de Marcianópolis, cidade construída por Trajano em honra de sua irmã e naquela época a capital da segunda Mésia. Os habitantes consentiram em resgatar-lhes a vida e as propriedades mediante o pagamento de uma grande soma em dinheiro, e os invasores se retiraram de volta para seus desertos, mais animados do que satisfeitos com o primeiro triunfo de suas armas contra um país opulento mas fraco. Pouco depois era transmitida ao imperador Décio a notícia de que Cniva, rei dos godos, atravessara o Danúbio uma segunda vez com forças mais consideráveis; que seus numerosos destacamentos espalhavam a devastação pela província de Mésia enquanto o grosso do exército, constituído de 70 mil germanos e sármatas, uma força à altura das empresas mais ousadas, exigia a presença do monarca romano e o emprego de seu poderio militar.

Décio encontrou, em 250 d.C., os godos postados diante de Nicópolis, à beira do Jatro, um dos muitos monumentos das vitórias de Trajano. A sua aproximação, eles ergueram o cerco, mas com o fito tão somente de partir à conquista de maior importância, o cerco de Filipópolis, uma cidade da Trácia fundada pelo pai de Alexandre ao pé do monte Hemo. Décio os perseguiu através de uma região difícil e em marcha forçada; entretanto, quando se imaginava a distância considerável da retaguarda dos godos, Cniva voltou-se com repentina e célere fúria contra seus perseguidores. O acampamento dos romanos foi atacado de surpresa e pilhado; pela primeira vez, o imperador deles fugiu em tumulto de uma tropa de bárbaros semiarmados. Após uma longa resistência, Filipópolis, carente de socorro, foi tomada de assalto. Consta que 100 mil pessoas sofreram massacre na pilhagem dessa grande cidade. Muitos prisioneiros de importância se tornaram um valioso acréscimo ao espólio; e Prisco, irmão do falecido imperador Filipe, não corou de assumir a púrpura sob a proteção dos inimigos bárbaros de Roma. Todavia, o tempo gasto nesse assédio tedioso possibilitou a Décio reviver a coragem, restaurar a disciplina e recrutar novas tropas. Interceptou diversos grupos de carpos e outros germanos que se apressaram em partilhar a vitória de seus compatriotas; confiou os desfiladeiros das montanhas à guarda de oficiais de comprovada bravura e fidelidade; reparou e reforçou as defesas do Danúbio; e opôs a mais cuidadosa vigilância tanto ao avanço quanto ao recuo dos godos. Encorajado pelo retorno da fortuna, ele ficou ansiosamente à espera da oportunidade de recuperar, por via de um golpe decisivo, sua própria glória e a das armas romanas.

Ao mesmo tempo que lutava com a violência da tempestade, a mente de Décio, calma e ponderada em meio ao tumulto da guerra, investigava as causas de ordem mais geral que, desde a época dos Antoninos, tão impetuosamente acelerava a decadência da grandeza romana. Não tardou a descobrir que seria impossível restaurar tal grandeza sobre base permanente sem restaurar ao mesmo tempo a virtude pública, os antigos princípios e costumes, e a oprimida majestade das leis. Para executar tão nobre quão árduo desígnio, resolveu ele primeiramente restabelecer o obsoleto cargo de censor,* que, enquanto se mantivera em sua prístina integridade, tanto contribuíra para a perpetuidade do Estado, até

* Ver p. 90. (N. T.)

ser usurpado e gradualmente negligenciado pelos Césares. Cônscio de que o favor do soberano pode conferir poder, mas só a estima do povo outorgar autoridade, ele submeteu a escolha do censor à voz imparcial do Senado. Pelos votos, ou, antes, aclamações unânimes dos senadores, Valeriano, que seria depois imperador e que então servia com distinção no exército de Décio, foi declarado (a 27 de outubro de 251 d.C.) o mais digno de tão alta honra. Assim que o decreto do Senado chegou ao imperador, ele reuniu um grande conselho em seu acampamento e, antes da investidura do censor eleito, informou-o da dificuldade e da importância de seu grande cargo.

"Afortunado Valeriano", disse o príncipe a seu distinto súdito,

> afortunado pela aprovação geral do Senado e da República romana! Aceita a censura da humanidade, e julga nossos costumes. Selecionarás os que merecem continuar a ser membros do Senado; devolverás à ordem equestre seu antigo esplendor; aumentarás a receita, mas moderando os gravames públicos. Dividirás em classes regulares a vária e infinita multidão de cidadãos e passarás em cuidadosa revista o poderio militar, a riqueza, a virtude e os recursos de Roma. Tuas decisões terão força de lei. O exército, o palácio, os ministros da justiça e os altos funcionários do Império estão todos sujeitos ao teu tribunal. Ninguém ficará isento, a não ser os cônsules ordinários, o prefeito da cidade, o rei dos sacrifícios* e (enquanto preservar inviolada sua castidade) a mais idosa das virgens vestais. Mesmo esses poucos, que não têm de lhe temer a severidade, ansiosamente solicitarão a estima do censor romano.

Um magistrado investido de poderes tão amplos apareceria não tanto como o ministro mas como o colega de seu soberano.

* Sacerdote que, após a expulsão dos Tarquínios (509 a.C.), passou a exercer funções religiosas até então privativas dos reis; não tinha, todavia, nenhum poder civil. (N. T.)

Com razão temia Valeriano uma investidura rodeada de tanta inveja e de suspeição. Modestamente alegou a alarmante magnitude do cargo, sua própria insuficiência e a incurável corrupção dos tempos. Ardilosamente insinuou que o cargo de censor era inseparável da dignidade imperial e que as débeis mãos de um súdito não estavam aptas a suportar tamanho peso de cuidados e de poder. A iminente eventualidade da guerra pôs fim à continuação de um projeto tão especioso mas tão impraticável; e, ao mesmo tempo que preservava Valeriano do perigo, salvou o imperador Décio do desapontamento que muito provavelmente se seguiria. Um censor pode manter mas nunca restaurar a moral de uma nação. É impossível para um magistrado que tal exercer sua autoridade de modo benéfico, ou mesmo eficaz, se não for amparado por um forte sentimento de honra e virtude no espírito dos cidadãos, por um honesto respeito à opinião pública e por uma série de preconceitos úteis de parte dos costumes nacionais. Num período em que tais princípios estejam aniquilados, a jurisdição censória ou mergulhará na pompa vazia ou se converterá num instrumento faccioso de vexatória opressão. Era mais fácil vencer os godos do que erradicar os vícios públicos; no entanto, mesmo na primeira dessas empresas, Décio perdeu o exército e a vida.

Os godos se achavam então cercados de todos os lados e perseguidos pelas armas romanas. A nata de suas tropas havia perecido no longo cerco de Filipópolis e o país exaurido não mais podia fornecer subsistência à restante multidão de bárbaros dissolutos. Reduzidos a tal extremo, os godos de bom grado teriam pago com a devolução de todos os bens pilhados e prisioneiros feitos a permissão de uma retirada tranquila. Mas o imperador, confiante na vitória e resolvido a castigar os invasores para infundir um terror salutar nas nações do norte, recusou-se a dar ouvidos a quaisquer propostas conciliadoras.

Os bárbaros animosos preferiram a morte à escravização. Uma obscura cidade da Mésia, chamada Fórum Terebronii, foi o cenário da batalha. O exército gótico se dispôs em três fileiras e, fosse por escolha ou por acaso, a frente da terceira linha estava coberta por um paul. Logo no princípio da ação, o filho de Décio, um jovem das mais fagueiras esperanças e já associado às honras da púrpura, foi morto por uma flecha à vista de seu consternado pai, o qual, convocando toda a sua fortaleza, advertiu as tropas desalentadas de que a perda de um soldado era de pouca importância para a República. No terrível conflito, o desespero combatia contra o pesar e a ira. A primeira linha dos godos finalmente cedeu em tumulto; a segunda, avançando em apoio dela, lhe partilhou a sorte; e só a terceira permaneceu inteira, pronta a disputar a passagem do paul, o que foi imprudentemente tentado pela presunção do inimigo.

> Então a fortuna do dia se inverteu, e tudo se tornou adverso aos romanos; o local, cheio de vaza, afundava debaixo dos que se mantinham parados e fazia os que avançavam escorregarem; pesadas, as armaduras deles, e as águas, profundas; tampouco podiam brandir, naquela descômoda situação, suas pesadas azagaias. Os bárbaros, contrariamente, estavam habituados a recontros nos charcos, em que tinham a vantagem da alta estatura e das longas lanças, capazes de ferir à distância.

No paul, após uma luta ineficaz, o exército romano se perdeu irremediavelmente; nem pôde o corpo do imperador ser ali achado. Esse foi o fim de Décio, aos cinquenta anos de idade; um príncipe consumado, ativo na guerra e afável na paz, que juntamente com seu filho mereceu ser comparado, na vida como na morte, aos mais luminosos exemplos da antiga virtude.

Esse fatal revés abateu, mas por pouquíssimo tempo, a insolência das legiões. Ao que parece elas aguardaram pacientemente, e submissamente obedeceram ao decreto do Senado que regularizava a sucessão ao trono. Em justa consideração pela memória de Décio, o título imperial coube (em dezembro de 251 d.C.) a Hostiliano, seu único filho sobrevivente; mas dignidade equivalente, e poder mais efetivo, foi concedida a Galo, cuja experiência e capacidade pareciam à altura do importante cargo de guardião do jovem príncipe e do afligido Império. O primeiro cuidado do novo imperador foi livrar as províncias ilírias da intolerável opressão dos godos vitoriosos. Consentiu ele (em 252 d.C.) em deixar-lhes nas mãos os ricos frutos de sua invasão, um espólio imenso, e, o que era ainda mais desastroso, um grande número de prisioneiros do mais alto mérito e qualidade. Supriu o acampamento dos godos de abundantes comodidades que pudessem aplacar-lhes os espíritos irados ou facilitar-lhes a partida tão desejada; prometeu inclusive pagar-lhes anualmente uma grande soma em ouro, sob a condição de eles nunca mais infestarem os territórios romanos com suas incursões.

Na época dos Cipiões, os mais opulentos reis da terra, que cortejavam a proteção da República, sentiam-se recompensados com insignificantes presentes cujo valor só podia advir da mão que os conferia: uma cadeira de marfim, uma grosseira veste de púrpura, uma trivial peça de baixela ou certa soma em moedas de cobre. Após a riqueza das nações ter se concentrado em Roma, os imperadores ostentavam sua magnificência ou mesmo sua habilidade política mediante o exercício regular de uma constante e moderada liberalidade para com os aliados do Estado. Aliviavam a pobreza dos bárbaros, honravam-lhes o mérito e lhes recompensavam a lealdade. Tais voluntárias demonstrações de munificência eram entendidas como advindas não dos temores mas tão somente da generosidade ou da gratidão dos romanos; e ao mesmo tempo que se distribuíam liberalmente presentes e subsídios entre amigos e suplicantes, eles eram severamente recusados aos que os reclamassem como dívida. No entanto, tal estipulação de um pagamento anual a um inimigo vitorioso se mostrava sem disfarce, à luz, como um tributo ignominioso; o espírito dos romanos não estava ainda habituado a aceitar leis desproporcionais de uma tribo de bárbaros; e o príncipe que, por meio de uma concessão necessária, salvara provavelmente seu país, tornou-se objeto de desprezo e aversão gerais. A morte de Hostiliano, conquanto ocorresse em meio a um violento surto de peste, foi interpretada como um crime pessoal de Galo; e, mesmo a derrota do falecido imperador, a voz da suspeição a atribuiu aos pérfidos conselhos de seu odiado sucessor. A tranquilidade que o Império desfrutou durante o primeiro ano de sua administração antes serviu para inflamar do que para acalmar o descontentamento público; e, tão logo se dissiparam as apreensões da guerra, sentiu-se, mais funda e mais perceptível, a infâmia da paz.

Mas os romanos se irritaram mais ainda quando descobriram que não tinham sequer assegurado sua tranquilidade ao preço de sua honra. O perigoso segredo da riqueza e da debilidade do Império fora revelado ao mundo. Em 253 d.C., novos contingentes de bárbaros, encorajados pelo êxito e não se sentindo peados pela obrigação que seus irmãos haviam assumido, espalharam a devastação através das províncias ilírias e o terror até as portas de Roma. A defesa da monarquia, que parecia ter sido abandonada pelo imperador pusilânime, assumiu-a Emiliano, governador de Panônia e Mésia, que reagrupou as forças dispersas e reanimou o combalido ânimo das tropas. Os bárbaros foram atacados de inopino, desbaratados, expulsos e perseguidos além-Danúbio. O chefe vitorioso distribuiu como donativo o dinheiro coligido para o tributo, e entre aclamações os soldados o proclamaram imperador no campo de batalha. Galo, que, despreocupado do bem-estar geral, se entregava aos prazeres na Itália, foi informado quase no mesmo instante do êxito da revolta e da rápida aproximação de seu aspirante a lugar-tenente. Saiu a seu encontro nas planícies de Espoleto. Quando os exércitos se avistaram, os soldados de Galo compararam a ignominiosa conduta de seu soberano com a glória de seu rival. Admiravam o valor de Emiliano; sua liberalidade os atraía, pois ele oferecia um considerável aumento de soldo a todos os desertores. O assassínio de Galo e de seu filho Volusiano pôs fim à guerra civil; e o Senado (em maio de 253 d.C.) deu sanção real aos direitos de conquista. As cartas de Emiliano a essa assembleia revelavam uma mistura de moderação e vaidade. Ele assegurava aos senadores que deixaria confiada à discrição deles a administração civil; contentando-se com o título de seu general, em breve tempo afirmaria a glória de Roma e livraria o Império de todos os bárbaros, tanto do norte quanto do leste. Sua vaidade foi lisonjeada pelo aplauso do Senado e medalhas preservadas o representam com o nome e os atributos de Hércules e Victor e os de Marte, o Vingador.

Se o novo monarca possuía tais capacidades, era-lhe mister o tempo necessário para cumprir tão esplêndidas promessas. Menos de quatro meses separaram sua vitória de sua queda. Havia vencido Galo, mas sucumbiu ao peso de um competidor mais temível. Aquele infortunado príncipe encarregara Valeriano, já distinguido com o honroso título de censor, de trazer em seu auxílio as legiões da Gália e da Germânia. Valeriano executou o encargo com zelo e lealdade, e como chegou tarde demais para salvar seu soberano, resolveu-se a vingá-lo. As tropas de Emiliano, que ainda permaneciam acampadas nas planícies de Espoleto, se intimidaram com a venerabilidade de seu caráter, mas muito mais com a força superior de seu exército; e como a essa altura se haviam tornado tão incapazes de dedicação pessoal quanto sempre o haviam sido de princípios intrínsecos, elas (em agosto de 253 d.C.) prontamente empaparam as mãos do sangue de um príncipe que tão pouco antes fora objeto de sua escolha facciosa. A culpa era delas, mas a vantagem ficou para Valeriano, que obteve a posse do trono por via de uma guerra civil, na verdade, mas com um grau de inocência raro naquela época de bruscas mudanças, visto não dever nem gratidão nem fidelidade ao predecessor a quem destronara.

Valeriano contava perto de sessenta anos quando foi investido na púrpura, não pelo capricho da populaça ou pelos clamores do exército, mas pela voz unânime do mundo romano. Em sua ascensão gradual nas honrarias do Estado, merecera o favor de soberanos virtuosos e se declarara inimigo dos tiranos. Seu nascimento nobre, seus modos brandos mais imaculados, seu saber, sua prudência e experiência, eram reverenciados pelo Senado e pelo povo; e, se as pessoas (conforme a observação de um autor antigo) tivessem tido a liberdade de escolher um senhor, sua escolha teria certamente recaído em Valeriano. Talvez o mérito desse imperador não correspondesse a sua reputação; talvez sua capacidade, ou pelo menos seu espírito, tivesse sido afetada pela indolência e pela frieza da idade avançada. A consciência de seu declínio levou-o a partilhar o trono com um associado mais jovem e mais ativo; a situação de emergência da época exigia um general, além de um príncipe; e a experiência de censor romano poderia tê-lo orientado quanto a quem conferir a púrpura imperial como prêmio de valor militar. Mas em vez de fazer uma escolha judiciosa que lhe teria confirmado o reinado e encarecido a memória, Valeriano, consultando tão só os ditames do afeto ou da vaidade, imediatamente investiu nas honras supremas seu filho Galieno, um rapaz cujos vícios efeminados haviam sido até então ocultados pela obscuridade da vida privada. O governo conjunto de pai e filho durou cerca de sete anos, e a administração única de Galieno continuou por cerca de mais oito (253-268 d.C.). Mas todo esse período foi uma série ininterrupta de confusões e calamidades. Como o Império sofria o ataque, ao mesmo tempo e por todos os lados, da cega fúria dos invasores estrangeiros e da louca ambição de usurpadores nacionais, atenderemos à ordem de importância acompanhando não tanto a duvidosa seriação de datas quanto a distribuição mais natural dos assuntos. Os inimigos mais perigosos de Roma durante os reinados de Valeriano e Galieno foram: I, os francos; II, os alamanos; III, os godos; IV, os persas. Sob essas denominações gerais podemos subsumir as façanhas de tribos menos importantes cujos insólitos e obscuros nomes só servem para sobrecarregar a memória e confundir a atenção do leitor.

I. OS FRANCOS. Como a posteridade dos francos deu origem a uma das maiores e mais esclarecidas nações da Europa, a erudição e a perspicácia têm-se exaustivamente aplicado à descoberta de seus iletrados avoengos. Às fábulas da credulidade sucederam os sistemas da fantasia. Peneirou-se cada passagem, esmiuçou-se cada ponto que pudesse revelar algum leve traço de sua origem. Supôs-se que a Panônia, a Gália, as regiões setentrionais da Germânia fossem o berço daquela afamada colônia de guerreiros. Finalmente, os críticos mais sensatos, rejeitando as fictícias emigrações de conquistadores ideais, concordaram num juízo cuja simplicidade nos persuade de sua verdade. Supuseram que, por volta do ano 240, os velhos habitantes do baixo Reno e do Weser formaram uma nova confederação sob o nome de francos. O atual circuito da Westfália, do landgraviato de Hesse e dos ducados de Brunswick e Luneburgo era a antiga sede dos caucos, que, em seus pauis inacessíveis, desafiavam as armas romanas; dos queruscos, ufanos do renome de

Armínio;* dos gatos, temíveis por sua firme e intrépida infantaria; e de diversas outras tribos de fama e poderio inferiores. O amor da liberdade era a paixão dominante desses germanos; o desfrute dela, seu maior tesouro; a palavra que exprimia tal desfrute, a mais deleitosa a seus ouvidos. Mereciam, assumiam, sustentavam o honroso epíteto de francos ou homens livres, que encobria, embora não os extinguisse, os nomes específicos de várias nações da confederação. Consentimento tácito e mútua vantagem ditavam as leis primeiras de sua união, a qual se foi cimentando aos poucos pelo hábito e pela experiência. A liga dos francos admite alguma comparação com a corporação helvética, na qual cada cantão, mantendo sua soberania independente, aconselha-se com seus irmãos na causa comum, sem reconhecer a autoridade de qualquer comandante supremo ou assembleia representativa. Os princípios das duas confederações eram porém muitíssimo diversos. Uma paz de duzentos anos tem recompensado a sábia e honesta política da Suíça. Um espírito de inconstância, a sede de rapina e o menosprezo dos tratados mais solenes desacreditaram o caráter dos francos.

Os romanos haviam experimentado de há muito o valor e a audácia do povo da baixa Alemanha. A união de seu poderio ameaçava a Gália de uma invasão mais temível e exigia a presença de Galieno, herdeiro e colega do poder imperial. Enquanto esse príncipe e seu filho infante Salônio exibiam na corte de Tréveros a majestade do Império, os exércitos imperiais eram aptamente conduzidos por seu general Póstumo que, conquanto fosse depois trair a família de Valeriano, se manteve fiel ao grande interesse da monarquia. A traiçoeira linguagem dos panegíricos e das medalhas anuncia obscuramente uma longa série de vitórias. Troféus e títulos atestam (se é que isso pode ser atestado) a fama de Póstumo, o qual é repetidamente cognominado o Conquistador dos Germanos e o Salvador da Gália.

Um só fato, de que temos todavia algum conhecimento pre-

* Chefe germânico que no ano 9 d.C. atraiu para uma floresta teutoburgiense três legiões do general Varo e ali as derrotou. (N. T.)

ciso, oblitera em grande medida tais monumentos de vaidade e adulação. O Reno, embora honrado com o título de salvaguarda das províncias, era uma barreira imperfeita contra o ousado senso de iniciativa de que os francos estavam dotados. Suas rápidas devastações se estendiam do rio até o sopé dos Pireneus; tampouco foram detidos por essas montanhas. A Hispânia, que nunca havia temido, mostrou-se incapaz de resistir às incursões dos germanos. Durante doze anos, a maior parte do reino de Galieno, região opulenta, foi teatro de hostilidades desiguais e destrutivas. Tarragona, a florescente capital de uma província pacífica, sofreu pilhagem e quase destruição total; e mesmo nos dias de Orósio, que escreveu no século V, pequenas casas de campo espalhadas entre as ruínas de cidades magníficas recordavam ainda a fúria dos bárbaros. Quando o país exaurido não mais pôde oferecer o que pilhar, os francos se apoderaram de alguns navios nos portos hispânicos e se transportaram até a Mauritânia. A distante província ficou perplexa com o furor desses bárbaros que pareciam ter caído de um novo mundo, já que seus nomes, costumes e tez eram totalmente desconhecidos na costa da África.

II. OS ALAMANOS. Naquela região da alta Saxônia além-Elba que é hoje chamada de marquesado de Lusácia, havia nos tempos antigos um bosque sagrado, terrível local da superstição dos suevos. A ninguém se permitia ingressar no recinto sagrado sem antes reconhecer, por seus laços de servidão e por sua atitude de suplicante, a imediata presença da deidade soberana. O patriotismo contribuiu tanto quanto a devoção para consagrar o Sonnenwald, ou bosque dos semnones. Era crença geral que a nação tivera sua existência primeira naquele local sagrado. Em ocasiões determinadas, as numerosas tribos que se orgulhavam do sangue suevo ali se faziam presentes por seus embaixadores, e a memória de sua origem comum era perpetuada por ritos bárbaros e sacrifícios humanos. A assaz difundida designação de suevo enchia as regiões interiores da Germânia, desde as margens do Oder às do Danúbio. Distinguiam-se dos outros germanos pelo modo de compor seus longos cabelos, que reuniam num nó rude no alto da cabeça; compraziam-se num ornamento que lhes evidenciava mais altaneira e temivelmente a posição aos olhos do inimigo. Ciosos como os germanos do renome militar, proclamavam a superior bravura dos suevos; e as tribos dos usípetes e dos tencteros, que com um vasto exército enfrentaram o ditador César, declaravam que não consideravam desonroso ter fugido de um povo a cujas armas nem os deuses imortais resistiriam.

No reinado do imperador Caracala, uma enorme multidão de suevos apareceu nas margens do Meno e nas proximidades das províncias romanas, em busca de alimento, do que pilhar ou de glória. O improvisado exército de voluntários se amalgamou aos poucos numa grande e permanente nação, a qual, por estar composta de tantas tribos diversas, adotou o nome de alamanos ou *Allmen*, para indicar de pronto sua variada linhagem e sua bravura comum. Esta foi sentida pelos romanos em muitas incursões hostis. Os alamanos combatiam principalmente a cavalo, mas sua cavalaria se tornou ainda mais temível com o acréscimo da infantaria ligeira, composta de jovens escolhidos entre os mais valentes e mais ativos, cujo frequente adestramento os habituara a acompanhar os cavaleiros nas marchas mais longas, nas cargas mais céleres ou nas retiradas mais apressadas.

Essa tribo guerreira de germanos se surpreendera com os imensos preparativos de Alexandre Severo; ficou aterrada com as armas de seu sucessor, um bárbaro que os igualava em bravura e ferocidade. Mas rondando ainda as fronteiras do Império, os alamanos agravaram a desordem geral que se seguiu à morte de Décio. Infligiram severos ferimentos às ricas províncias da Gália; foram os primeiros a remover o véu que escondia a frágil majestade da Itália. Um numeroso grupo de alamanos atravessou o Danúbio e os Alpes réticos penetrando nas planícies da Lombardia; avançou até Ravena e desfraldou as bandeiras vitoriosas dos bárbaros quase à vista de Roma. O insulto e o perigo reacenderam no Senado algumas fagulhas de seu antigo valor. Ambos os imperadores viam-se empenhados em guerras longínquas, Valeriano no Oriente e Galieno no Reno. Todas as esperanças e recursos dos romanos estavam entregues a suas próprias mãos. Nessa emergência, os senadores reassumiram a defesa da república, retiraram os guardas pretorianos que haviam ficado para guarnecer a capital e preencheram-lhes as fileiras alistando no serviço público os plebeus mais valentes e mais dispostos. Os alamanos, espantados pela súbita aparição de um exército mais numeroso que o deles, retiraram-se para a Germânia carregados de espólios; e sua retirada foi considerada uma vitória pelos romanos pouco belicosos.

Quando Galieno recebeu a notícia de sua capital ter se livrado dos bárbaros, ficou menos contente do que alarmado com a coragem dos senadores que os poderia incitar algum dia a resgatar o povo da tirania nacional tanto quanto da invasão estrangeira. Proclamou ele aos súditos sua tímida ingratidão por meio de um édito que proibia os senadores de exercerem qualquer atividade militar e até mesmo de aproximar-se dos acampamentos das legiões. Mas seus temores eram infundados. Os nobres ricos e sibaritas, refocilando em seu próprio caráter, aceitaram como um favor tão vergonhosa isenção do serviço militar; enquanto pudessem desfrutar seus balneários, seus teatros e suas vilas, prazerosamente deixavam as preocupações mais perigosas quanto ao destino do Império nas mãos grosseiras de camponios e soldados.

Outra invasão dos alamanos, de aspecto mais temível mas de desfecho mais glorioso, é mencionada por um autor do baixo Império. Consta que 300 mil homens desse povo guerreiro foram vencidos numa batalha perto de Milão por Galieno em pessoa, à frente de apenas 10 mil romanos. Podemos todavia, com maior probabilidade, atribuir tão incrível vitória ou à credulidade do historiador ou à exageração de algumas proezas de um dos lugares-tenentes do imperador. Foi com armas de natureza muito diversa que Galieno se empenhou em proteger a Itália da fúria dos germanos. Desposou Pipa, a filha de um rei dos marcomanos, tribo sueva que era amiúde confundida com os alamanos em suas guerras e conquistas. Ao pai, como paga da aliança, concedeu ele uma vasta colônia na Panônia. Os encantos naturais da rude beleza de Pipa parecem tê-la arraigado nos afetos do inconstante imperador, e os vínculos da política foram atados com mais firmeza pelos do amor. Mas o altaneiro preconceito de Roma recusava o nome de casamento à profana mescla de um cidadão com uma bárbara, donde ter estigmatizado a princesa alemã com o título ultrajante de concubina de Galieno.

III. OS GODOS. Já delineamos a emigração dos godos desde a Escandinávia, ou pelo menos desde a Prússia, até o estuário do Borístenes, e acompanhamos seus exércitos vitoriosos do Borístenes até o Danúbio. Durante o reinado de Valeriano e Galieno, a fronteira deste último rio era perpetuamente infestada por incursões de germanos e sármatas, mas os romanos a defendiam com firmeza e êxito incomuns. As províncias onde se situava o teatro da guerra preenchiam os claros dos exércitos de Roma com um suprimento inesgotável de soldados animosos; mais de um desses campônios ilíricos chegou ao posto e revelou dotes de general. Embora grupos volantes de bárbaros, que rondavam constantemente as margens do Danúbio, penetrassem por vezes até os confins da Itália e da Macedônia, seu avanço era comumente detido, ou seu regresso interceptado, pelos lugares-tenentes imperiais. Mas o caudal das hostilidades góticas foi desviado para um canal muito diverso. Após se estabelecer na Ucrânia, os godos logo se tornaram senhores da costa setentrional do Euxino; ao sul desse mar interior se situavam as amenas e abastadas províncias da Ásia Menor, que possuíam tudo quanto pudesse atrair um conquistador bárbaro e nada que lhe pudesse resistir.

As margens do Borístenes distam apenas 96 quilômetros da exígua entrada da península da Crimeia, conhecida dos antigos pelo nome de Quersoneso Táurico (ou Táurida). Nessa praia inóspita Eurípides, adornando com arte refinada as narrativas da Antiguidade, situou o cenário de suas tragédias mais tocantes. Os sangrentos sacrifícios a Diana, a chegada de Orestes e Pílades, e o triunfo da virtude e da religião sobre a violência selvagem servem para figurar uma verdade histórica, a de os tauros, os habitantes originais da península, terem sido redimidos em certa medida de seus costumes selvagens pelo contato gradual com as colônias gregas estabelecidas ao longo da costa marítima.

O pequeno reino de Bósforo, cuja capital se situava nos Estreitos pelos quais o Meótidas se comunica com o Euxino, compunha-se de gregos degenerados e bárbaros semicivilizados. Subsistiu como Estado independente desde a época da guerra do Peloponeso; foi por fim destruído pela ambição de Mitridates e, juntamente com o restante de seus domínios, soçobrou sob o peso das armas romanas. Desde o reinado de Augusto, os reis de Bósforo eram os aliados humildes, mas não inúteis, do Império. Por via de presentes, pelas armas e por uma ligeira fortificação que atravessava o istmo, protegiam eficazmente dos saqueadores nômades da Sarmácia o acesso a uma região que, graças a sua situação peculiar e a suas baías de fácil acesso, dominava o mar Euxino e a Ásia Menor. Enquanto o cetro esteve nas mãos de uma sucessão real em linha reta, seus monarcas se desincumbiram dessa importante tarefa com vigilância e êxito. Facções intestinas e os temores ou interesses privativos de usurpadores obscuros que se apoderaram de um trono vacante admitiram os godos ao coração de Bósforo. Pela posse de um ermo supérfluo de terra fértil, os conquistadores obtiveram o comando de uma força naval que era o bastante para transportar-lhes os exércitos até a costa da Ásia.

Os navios usados na navegação do Euxino tinham construção deveras singular. Eram barcas leves de fundo chato, afeiçoadas só em madeira de lei, sem nenhuma mistura de ferro, sendo ocasionalmente cobertas por um teto inclinado à aproximação de uma tempestade. Nessas casas flutuantes, os godos se confiavam descuidosamente aos caprichos de um mar desconhecido, conduzidos por marujos forçados a servir e cuja habilidade e lealdade eram de igual modo suspeitas. Mas as esperanças de pilhagem baniam toda ideia de perigo, e um natural destemor de índole lhes substituía nos espíritos a confiança mais sensata que é o justo resultado do saber e da experiência. Guerreiros de ânimo tão ousado deviam resmungar amiúde contra a covardia de seus guias, que exigiam a absoluta segurança de um mar calmo antes de se atrever a embarcar e que dificilmente ou nunca consentiam em perder a terra de vista. Tal, pelo menos, é a prática dos turcos modernos, que não são provavelmente inferiores, na arte da navegação, aos antigos habitantes de Bósforo.

A armada dos godos, tendo deixado a costa da Circássia* pela mão esquerda, surgiu primeiramente diante de Pítio, o limite extremo das províncias romanas, uma cidade dotada de porto acessível e fortificada por grossa muralha. Ali depararam com uma resistência mais obstinada do que tinham razão de esperar da débil guarnição de uma fortaleza distante. Foram repelidos, e seu malogro pareceu diminuir o terror causado pelo nome godo. Enquanto Sucessiano, oficial de posto e mérito elevados, defendeu a fronteira, todos os esforços dos invasores foram inúteis; mas tão logo foi ele transferido por Valeriano para um posto mais honroso mas menos importante, voltaram a atacar Pítio, e com destruir essa cidade apagaram a lembrança de seu anterior malogro.

Fazendo-se a volta da extremidade oriental do mar Euxino, a viagem marítima de Pítio a Trebizonda é de cerca de quinhentos quilômetros. O curso dos godos fê-los passar diante da região da Cólquida, tão célebre pela expedição dos argonautas; ali tentaram inclusive pilhar, mas sem êxito, um rico templo no estuário do rio Fásis [hoje Rion]. Trebizonda, celebrada na retirada dos Dez Mil como uma antiga colônia grega, devia a sua riqueza e esplendor à munificência do imperador Adriano, que construíra um porto artificial numa costa desprovida pela natureza de ancoradouros seguros. A cidade era grande e populosa; uma fileira de muralhas parecia desafiar a fúria dos godos, e a guarnição habitual fora fortalecida com o acréscimo de 10 mil homens. Mas não há vantagens que possam suprir a ausência de disciplina e vigilância. A numerosa guarnição de Trebizonda, amolentada pela orgia e pela luxúria, descuidou de guardar-lhe as intransponíveis fortificações. Os godos logo perceberam a indolente negligência dos sitiados, erigiram uma alta pilha de faxinas,** galgaram as muralhas no silên-

* Antiga denominação da região que se estendia entre o mar Negro e o Cáucaso. (N. T.)

** Ver nota complementar à p. 574. (N. T.)

cio da noite e penetraram na cidade indefesa de espada na mão. Seguiu-se o generalizado massacre da população, enquanto os soldados apavorados fugiam pelos portões do outro lado da cidade. Os templos mais sagrados e os edifícios mais esplêndidos não escaparam à destruição geral. O espólio que caiu nas mãos dos godos era imenso; as riquezas das regiões circunvizinhas foram depositadas em Trebizonda como lugar de refúgio seguro. O número de cativos tornou-se incrível, à medida que os bárbaros vitoriosos varriam sem oposição a extensa província do Ponto. Os ricos despojos de Trebizonda atulharam uma grande esquadra de navios que fundeara no porto. Os jovens robustos do litoral foram acorrentados aos remos, e os godos, satisfeitos com o êxito de sua primeira expedição naval, regressaram em triunfo a sua nova sede no reino de Bósforo.

A segunda expedição deles foi levada a cabo com maior contingente de homens e navios; eles seguiram porém outro curso e, desdenhando a exaurida província do Ponto, acompanharam a costa ocidental do Euxino, passaram diante das largas embocaduras do Borístenes, do Dniester e do Danúbio e, ampliando sua frota com a captura de um grande número de barcos de pesca, acercaram-se da estreita saída por onde o mar Euxino derrama suas águas no Mediterrâneo e divide os continentes da Europa e da Ásia. A guarnição da Calcedônia* estava acampada perto do Templo de Júpiter Urius,** no promontório que domina a estrada dos Estreitos; e tão triviais eram as temidas invasões dos bárbaros que esse corpo de tropas ultrapassava numericamente o exército gótico. Mas o predomínio era só numérico. Os soldados romanos desertaram à pressa de seu vantajoso posto e abandonaram a cidade da Calcedônia, tão abundantemente provida de armas e dinheiro, ao arbítrio dos conquistadores. Enquanto hesitavam se deveriam escolher o mar ou a terra, a Europa ou a Ásia para palco de suas hostilidades, um fugi-

* Antiga cidade da Ásia Menor na província da Bitínia (ver nota complementar à p. 410). (N. T.)

** Um dos numerosos epítetos atribuídos pelos romanos a Júpiter; significa "o que dá um vento favorável". (N. T.)

tivo pérfido apontou-lhes Nicomédia, outrora capital dos reis da Bitínia, como uma conquista opulenta e fácil. Guiou-lhes a marcha até o alvo, que distava apenas 96 quilômetros do acampamento da Calcedônia, dirigiu-lhes o irresistível ataque e partilhou com eles o espólio, pois os godos haviam aprendido política o suficiente para recompensar o traidor a quem detestavam. Niceia, Prusa, Apameia, Cio, cidades que por vezes tinham rivalizado ou imitado o esplendor de Nicomédia, foram envolvidas na mesma calamidade, que em poucas semanas varreu sem controle toda a província da Bitínia. Trezentos anos de paz, desfrutados pelos indolentes habitantes da Ásia, haviam abolido os exercícios militares e dissipado a apreensão de perigo. Deixaram que as antigas muralhas se desfizessem e reservaram toda a renda das cidades mais opulentas para a construção de banhos, templos e teatros.

Quando a cidade de Cízico* resistiu ao esforço máximo de Mitridates, foi distinguida com leis sábias, uma força naval de duzentas galeras e três arsenais: de armas, de máquinas militares e de cereal. Era ainda o centro da riqueza e do luxo, mas de sua antiga resistência nada restava, a não ser a localização numa pequena ilha do Propôntida ligada ao continente asiático por apenas duas pontes. Logo após o saque de Prusa, os godos avançaram até 29 quilômetros da cidade que haviam condenado à destruição; todavia, a devastação de Cízico foi retardada por um afortunado acidente. A estação era chuvosa e o lago Apoloniate, o reservatório de todas as fontes do monte Olimpo, elevara-se a um nível incomum. O riozinho Ríndaco, que nasce do lago, avolumou-se numa larga e rápida torrente que deteve o avanço dos godos. Sua retirada para a cidade marítima de Heracleia, onde a frota estivera provavelmente estacionada, foi acompanhada de uma longa fila de carroças atestadas com os espólios da Bitínia e marcada pelas chamas de Niceia e Nicomédia, que brutalmente incendiaram. Há obscuras referências a um dúbio combate que lhe garantiu a

* Antiga cidade da Ásia Menor, às margens do Propôntida (mar de Mármara). (N. T.)

retirada. Mas mesmo uma vitória completa teria tido pouca importância, já que a aproximação do equinócio de outono os intimava a apressar o regresso. Navegar pelo Euxino antes do mês de maio ou depois do de setembro é considerado pelos turcos modernos a mais indiscutível prova de imprudência e loucura.

Ao sermos informados de que a terceira frota equipada pelos godos nos portos de Bósforo consistia em quinhentos navios a vela, nossa imaginação prontamente calcula e multiplica o formidável armamento; entretanto, como o judicioso Estrabão nos assegura que os barcos piratas usados pelos bárbaros do Ponto e da Cítia Menor não podiam conter mais do que 25 ou trinta homens, podemos afirmar com segurança que 15 mil guerreiros no máximo embarcaram nessa grande expedição. Impacientes com os limites do Euxino, orientaram seu curso destrutivo do Bósforo cimeriano para o trácio. Quando já haviam chegado quase à metade dos Estreitos, foram de súbito impelidos de volta a sua entrada, até um vento favorável no dia seguinte levá-los em poucas horas ao mar, ou antes, ao lago calmo de Propôntida. A seu desembarque na pequena ilha de Cízico seguiu-se a destruição daquela antiga e nobre cidade. Dali, passando novamente pelo exíguo estreito do Helesponto [Dardanelos], continuaram sua tortuosa navegação por entre as numerosas ilhas espalhadas pelo arquipélago ou mar Egeu. A ajuda de cativos e desertores deve ter sido mais do que necessária para pilotar-lhes os navios e orientar-lhes as várias incursões, tanto na costa da Grécia quanto da Ásia. A frota gótica ancorou por fim no porto do Pireu, a oito quilômetros de Atenas, que tentara fazer alguns preparativos para uma defesa vigorosa. Cleódamo, um dos engenheiros contratados por ordem do imperador para fortificar as cidades marítimas contra os godos, já havia começado a reparar as antigas muralhas, deixadas ao abandono e à ruína desde o tempo de Sila.* Os esforços de sua arte se

* General e político romano (138-78 a.C.) que chegou a ditador em Roma e na Itália, malgrado a oposição de Mário (ver nota complementar à p. 91), foi o vencedor de Mitridates VII, rei do Ponto (ver nota complementar à p. 60). (N. T.)

revelaram ineficazes, e os bárbaros se tornaram senhores do lugar de nascença das musas e das artes. Mas enquanto os conquistadores se entregavam aos abusos da pilhagem e da intemperança, sua armada, que estava fundeada com pequena guarda na baía do Pireu, foi inesperadamente atacada pelo bravo Dexipo, o qual, fugindo do saque de Atenas em companhia do engenheiro Cleódamo, reuniu à pressa um bando de voluntários, camponeses e soldados, e em certa medida vingou as desgraças de sua pátria.

Mas tal feito, por mais brilho que possa emprestar à época de declínio de Atenas, serviu antes para irritar do que para subjugar o espírito indômito dos invasores do norte. Uma conflagração geral ardeu ao mesmo tempo em todos os distritos da Grécia. Tebas e Argos, Corinto e Esparta, que outrora haviam travado guerras tão memoráveis entre si, mostravam-se agora incapazes de pôr um exército em campo ou sequer defender suas arruinadas fortificações. A fúria da guerra, tanto por mar como por terra, espalhou-se desde a ponta oriental do Súnio* até a costa ocidental do Épiro.** Os godos já haviam chegado à vista da Itália quando a aproximação de tão iminente perigo despertou o indolente Galieno de seu sonho de prazer. O imperador apareceu armado, e sua presença parece ter contido o ardor e dividido o poderio do inimigo. Naulato, um chefe dos hérulos, aceitou uma capitulação honrosa, entrou no serviço de Roma comandando uma vasta força de compatriotas seus e foi investido nos ornamentos da dignidade consular, que nunca antes fora profanada pelas mãos de um bárbaro. Bandos numerosos de godos, desgostosos dos perigos e provações de uma tediosa viagem, irromperam na Mésia com o propósito de abrir caminho, pelo Danúbio, até suas povoações na Ucrânia. A insana tentativa teria terminado em inevitável destruição se a discórdia dos generais romanos não houvesse possibilitado uma via de escape aos bárbaros. Os poucos remanescentes dessa hoste

* Promontório da extremidade sudoeste da Ática, perto de Atenas. (N. T.)
** Ver nota complementar à p. 483. (N. T.)

destruidora regressaram a seus barcos e, refazendo seu curso pelo Helesponto e por Bósforo, assolaram a sua passagem as praias de Troia, cuja fama, imortalizada por Homero, provavelmente sobreviverá à lembrança das conquistas góticas. Tão logo se encontraram em segurança dentro da bacia do Euxino, os godos desembarcaram em Anquíalo, na Trácia, perto do sopé do monte Hemo, e após tantos trabalhos se deliciaram com aqueles aprazíveis e salutares banhos termais. Restou da viagem uma curta e fácil navegação. Tal a variada sorte dessa que foi a terceira e maior de suas empresas navais.

Talvez pareça difícil conceber que a força original de 15 mil guerreiros pudesse aguentar as perdas e divisões de aventura tão audaciosa. Mas à medida que tantos deles eram aos poucos talados pela espada, pelos naufrágios e pela influência de um clima quente, substituíam-nos o tempo todo tropas de salteadores e desertores, que se uniam sob o estandarte da pilhagem, e uma multidão de escravos fugidos, amiúde de origem germânica ou sármata, que avidamente aproveitava a gloriosa oportunidade de se libertar e de se vingar. Nessas expedições, a nação gótica reclamava um quinhão bem maior de honras e perigos, mas as tribos que lutavam sob a bandeira dela eram umas vezes distinguidas e outras confundidas nas imperfeitas histórias daquela época; e como as frotas bárbaras pareciam surdir do estuário do Tanais,* a vaga mas familiar denominação de citas era atribuída com frequência à heterogênea multidão.

Entre as calamidades gerais da humanidade, a morte de um indivíduo, por mais ilustre que tenha sido, ou a destruição de um edifício, ainda que famoso, são omitidos com negligente desatenção. Não podemos esquecer, contudo, que o Templo de Diana em Éfeso, após ter se reerguido, com crescente esplendor, de sete desastres consecutivos, foi finalmente incendiado pelos godos em sua terceira invasão naval. As artes da Grécia e a riqueza da Ásia conspiraram para erigir essa sacra e magnífica estrutura.

* Ver nota complementar à p. 293. (N. T.)

Apoiava-se em 127 colunas de mármore da ordem jônica. Eram oferendas de monarcas devotos e cada uma delas tinha dezoito metros de altura. Magistrais esculturas de Praxíteles ornavam o altar, o qual selecionava talvez, entre as lendas favoritas do local, o nascimento da divina filha de Latona, a ocultação de Apolo após o assassínio dos Ciclopes e a clemência de Baco para com as Amazonas vencidas. No entanto, a extensão do templo de Éfeso era de apenas 127 metros, cerca de dois terços da medida da Igreja de São Pedro em Roma. Inferiorizava-se também, nas outras dimensões, a essa sublime produção da arquitetura moderna. Os braços abertos de uma cruz cristã exigiam largura bem maior que os templos oblongos dos pagãos, e os mais audazes artistas da Antiguidade ter-se-iam alarmado com a proposta de erguer no ar uma cúpula do tamanho e das proporções do Panteão. O Templo de Diana era, não obstante, admirado como uma das maravilhas do mundo. Sucessivos impérios, o persa, o macedônico e o romano, haviam-lhe reverenciado a santidade e enriquecido o esplendor. Mas os rudes selvagens do Báltico estavam destituídos de gosto pelas artes elegantes e desprezavam os terrores imaginários de uma superstição estrangeira.

Outra circunstância que se relaciona com essas invasões mereceria nossa atenção não fosse a justa suspeita de tratar-se de uma fantasia caprichosa de um sofista recente. Consta que no saque de Atenas os godos reuniram todas as bibliotecas e estavam a pique de deitar fogo a essa pilha fúnebre do saber grego quando um de seus chefes, de visão política mais refinada que seus irmãos, dissuadiu-os de semelhante intento com a profunda observação de que enquanto os gregos se dedicassem aos estudos dos livros nunca se aplicariam ao exercício das armas. O sagaz conselheiro (admitindo-se a veracidade do fato) raciocinava como um bárbaro ignorante. Nas nações mais cultas e mais poderosas, gênios de toda sorte se manifestaram no mesmo período; e a época da ciência tem sido geralmente a época da excelência e do êxito militar.

IV. OS PERSAS. Os novos soberanos da Pérsia, Artaxerxes e seu filho Sapor, haviam triunfado da casa dos arsácidas. Dos numerosos monarcas dessa antiga linhagem, Cosroês,* rei da Armênia, fora o único a preservar sua vida e sua independência. Defendeu-se graças ao natural poder de resistência de sua pátria, à perpétua afluência de fugitivos e descontentes, à aliança com os romanos e, sobretudo, à sua coragem pessoal. Invencível nas armas durante uma guerra de trinta anos, foi finalmente assassinado por emissários de Sapor, rei da Pérsia. Os sátrapas patriotas da Armênia, que sustentavam a independência e a dignidade da coroa, imploraram a proteção de Roma em favor de Tiridates, o herdeiro legítimo. Mas o filho de Cosroês era uma criança, os aliados estavam longe e o monarca persa avançou rumo à fronteira chefiando uma força irresistível. O jovem Tiridates, a futura esperança de sua pátria, foi salvo pela fidelidade de um servidor e a Armênia se tornou, por cerca de 27 anos, uma relutante província da grande monarquia da Pérsia. Estimulado por essa fácil conquista e na suposição das dificuldades ou degenerescência dos romanos, Sapor obrigou as fortes guarnições de Carrhae e Nisibis a se render e espalhou a devastação e o terror em ambas as margens do Eufrates.

A perda de uma fronteira importante, a ruína de um aliado natural e fiel, e o rápido êxito da ambição de Sapor suscitaram em Roma um profundo sentimento de insulto bem como de perigo. Valeriano se jactava de que a vigilância de seus lugares-tenentes seria o bastante para garantir a segurança do Reno e do Danúbio, mas decidiu-se, não obstante sua idade avançada, a acorrer pessoalmente em defesa do Eufrates. Durante seu progresso através da Ásia Menor, as empresas navais dos godos foram suspensas e a aflita província desfrutou de calma transitória e falaz. Valeriano atravessou o Eufrates, enfrentou o monarca persa perto dos muros de Edessa, foi vencido (em 260 d.C.) e feito prisioneiro por Sapor.

Os pormenores desse grande acontecimento estão registrados de modo obscuro e imperfeito; no entanto, à luz frouxa que nos propicia, podemos discernir uma longa série de imprudências, de erros e de merecidos reveses de parte do imperador romano. Ele

* Ver nota complementar à p. 586. (N. T.)

depositava uma confiança implícita em Macriano, seu prefeito pretoriano.* Esse indigno ministro só serviu para tornar seu senhor temível aos súditos oprimidos e desprezível aos inimigos de Roma. Por causa de seus conselhos ineficazes ou maldosos, o exército imperial foi traiçoeiramente levado a uma situação em que a bravura e a destreza militar eram de igual modo inúteis. O vigoroso tentame dos romanos de abrir caminho à força por entre as hostes persas foi repelido com grande morticínio; e Sapor, que sitiava o acampamento com número superior de soldados, esperou pacientemente que as devastações cada vez maiores da fome e da pestilência lhe garantissem a vitória. Os murmúrios sediciosos das legiões não tardaram a acusar Valeriano de ser causa de suas calamidades; convertendo-se em clamor, exigiram imediata capitulação. Uma soma imensa de ouro foi oferecida em troca da permissão de uma retirada desonrosa. Mas os persas, cônscios de sua superioridade, recusaram o dinheiro desdenhosamente e, mantendo cativos os emissários, avançaram em ordem de batalha até o sopé do baluarte romano, onde insistiram numa conversação com o imperador em pessoa. Valeriano viu-se obrigado a confiar sua vida e dignidade à promessa de um inimigo. A entrevista terminou como seria de esperar. O imperador foi feito prisioneiro e suas tropas estupefatas depuseram as armas. Nesse momento de triunfo, o orgulho e a sagacidade política de Sapor o incitaram a preencher o trono vacante com um sucessor inteiramente dependente de seu arbítrio. Ciríade, um obscuro fugitivo da Antioquia, de caráter maculado por todos os vícios, foi o escolhido para desonrar a púrpura romana; e a vontade do vencedor persa não pôde deixar de ser ratificada pelas aclamações, ainda que relutantes, do exército cativo.

O escravo imperial estava ansioso por conquistar a benemerência de seu senhor por meio de um ato de traição a seu país

* Na Roma da época imperial, o magistrado no comando da Guarda Pretoriana (ver nota complementar à p. 97); sua autoridade, que abrangia o exército fora da Itália, estava logo abaixo da do imperador, pelo que Augusto e sucessores buscaram diminuí-la com a nomeação de dois prefeitos. (N. T.)

natal. Guiou Sapor na travessia do Eufrates e pelo caminho de Cálcis até a metrópole do Oriente. Tão rápida era a movimentação da cavalaria persa que, a acreditar num historiador muito judicioso, a Antioquia foi surpreendida quando a multidão ociosa se distraía assistindo às diversões do teatro. Os esplêndidos edifícios da cidade, públicos e privados, sofreram pilhagem ou destruição, tendo sido seus numerosos habitantes passados pelo fio da espada ou levados embora em cativeiro. A onda de devastação foi detida por um momento graças à determinação do sumo sacerdote de Émeso.* Investido em seus trajes sacerdotais, ele apareceu à testa de um grande grupo de campônios fanáticos, armado apenas de fundas, e defendeu seu deus e a propriedade dele das mãos sacrílegas dos seguidores de Zoroastro. Mas a destruição de Tarso e de muitas outras cidades fornece uma prova melancólica de que, com essa única exceção, a conquista da Síria e da Cilícia** mal chegou a interromper o progresso das armas persas. Não foram aproveitadas as vantagens dos estreitos desfiladeiros do monte Tauro, nos quais um invasor cuja principal força consistia na cavalaria se veria a braços com um combate assaz desigual, e com isso Sapor pôde pôr sítio a Cesareia, a capital da Capadócia, uma cidade que, embora de segunda ordem, abrigava supostamente 400 mil habitantes. Demóstenes comandava o local, menos por mandato do imperador que pelo voluntário empenho de defender sua terra. Por longo tempo conseguiu adiar-lhe o fim; e, quando Cesareia foi traída pela perfídia de um médico, ele abriu caminho por entre os persas, que tinham ordens de esforçar-se ao máximo para capturá-lo vivo. Esse chefe heroico escapou à pujança de um inimigo que poderia ou ter-lhe honrado ou punido a obstinada bravura; todavia, milhares de compatriotas seus foram envolvidos num massacre generalizado e Sapor é acusado de haver tratado seus prisioneiros com injustificada e inexorável crueldade. Grande parte dela deve indubitavelmente ser atribuída à animosidade nacional e outro tan-

* Antiga cidade da Síria, famosa por seu Templo do Sol. (N. T.)
** Ver pp. 48 ss. (N. T.)

to ao orgulho humilhado e à vindita impotente; no geral, porém, o certo é que o mesmo príncipe que na Armênia se mostrara com o aspecto brando de um legislador se mostrou agora aos romanos sob os traços inflexíveis de um conquistador. Não quis saber de instalar qualquer efetivo militar permanente no Império e empenhou-se tão só em deixar atrás de si um ermo devastado, ao mesmo tempo que removia para a Pérsia os habitantes e os tesouros das províncias.

À altura em que o Oriente tremia ao nome de Sapor, recebeu ele um presente não indigno dos maiores reis: uma longa caravana de camelos carregados das mais raras e valiosas mercadorias. A rica oferta vinha acompanhada de uma epístola, respeitosa mas não servil, de Odenato, um dos mais nobres e opulentos senadores de Palmira. "Quem é esse Odenato", disse o soberbo vencedor ordenando que os presentes fossem atirados ao Eufrates, "que se atreve tão insolentemente a escrever a seu senhor? Se ele acalenta a esperança de mitigar sua punição, que se venha prostrar diante de nosso trono com as mãos atadas às costas. Se hesitar, pronta destruição lhe cairá sobre a cabeça, sobre toda a sua raça e seu país." O transe extremo em que o palmireno se viu colocado pôs em ação as forças latentes em sua alma. Foi ao encontro de Sapor, mas armado, infundindo seu próprio valor num pequeno exército recrutado nas aldeias da Síria e nas tendas do deserto, envolveu as tropas persas, atormentou-as durante a retirada, levou consigo parte do tesouro e, o que era mais valioso do que qualquer tesouro, várias das mulheres do grande rei, o qual foi por fim obrigado a cruzar novamente o Eufrates com alguns sinais de pressa e confusão. Com essa façanha, Odenato plantou os alicerces de suas vindouras fama e fortuna. A majestade de Roma, oprimida por um persa, veio a ser protegida por um sírio ou árabe de Palmira.

A voz da História, que quase sempre é pouco mais do que o órgão do rancor ou da lisonja, censura Sapor pelo arrogante abuso do direito de conquista. Consta que Valeriano, em grilhões mas investido da púrpura imperial, ficou exposto à multidão, um constante espetáculo de grandeza decaída; e sempre que o monarca persa montava a cavalo, punha o pé no pescoço de um imperador romano. Não obstante as admoestações de seus aliados, que repetidamente o aconselharam a lembrar as vicissitudes da fortuna, a recear o poder de revide de Roma, e a fazer de seu ilustre cativo o penhor da paz e não o objeto de insulto, Sapor manteve-se inflexível. Quando Valeriano sucumbiu ao peso do opróbrio e do pesar, sua pele, recheada de palha e moldada à semelhança de uma figura humana, foi preservada por muito tempo no templo mais célebre da Pérsia, monumento de triunfo mais real que os fantasiosos troféus de bronze e mármore com tanta frequência erigidos pela vaidade romana. A história é patética e moral, mas sua veracidade pode com fundadas razões ser posta em questão. As cartas dos príncipes do Oriente a Sapor que chegaram até nós são evidentes falsificações; tampouco é natural imaginar que um monarca ciumento fosse degradar assim publicamente, mesmo na pessoa de um rival, a majestade dos reis. Qualquer que pudesse ter sido o tratamento sofrido na Pérsia pelo infortunado Valeriano, é certo pelo menos que o único imperador de Roma jamais caído em mãos inimigas definhou o que lhe restava de vida em desesperançado cativeiro.

O imperador Galieno, que havia muito suportava com impaciência a severidade censória de seu pai e colega, recebeu a notícia de sua desdita com secreto prazer e confessa indiferença. "Eu sabia que meu pai era um mortal", disse, "e já que ele agiu como compete a um homem destemido, sinto-me satisfeito." Enquanto Roma lamentava a sorte de seu soberano, a selvagem frieza de seu filho foi gabada pelos cortesãos servis como a perfeita fortaleza de ânimo de um herói e de um estoico.

É difícil pintar o caráter frívolo, vário, inconstante de Galieno, que ele pôs à mostra sem constrangimento tão logo se tornou proprietário único do Império. Em todas as artes a que se aplicou, seu gênio vivaz lhe garantiu êxito; e como tal gênio era destituído de bom senso, ele tentou todas as artes exceto as que tinham importância, a saber, a guerra e o governo. Dominava diversas curiosas mas inúteis ciências, era um orador ágil e um poeta elegante, um jardineiro habilidoso, um excelente cozinheiro e um príncipe assaz desprezível. Quando as grandes emergências do Estado lhe exigiam a presença e a atenção, ele se entretinha em conversações com o filósofo Plotino, malbaratando seu tempo em prazeres triviais ou licenciosos, preparando sua iniciação nos mistérios gregos ou solicitando um lugar no Areópago de Atenas. Sua profusa magnificência insultava a pobreza geral; o solene ridículo de seus triunfos incutia um sentimento mais profundo da desgraça pública. Recebia as seguidas notícias de invasões, derrotas e rebeliões com um sorriso despreocupado; e, fixando-se com afetado desdém nalgum produto específico da província perdida, perguntava descuidosamente se Roma se arrumaria se deixasse de ser suprida de linho do Egito ou panos de Arras da Gália. Havia contudo uns poucos e breves momentos na vida de Galieno em que, exasperado por alguma injúria recente, ele subitamente se revelava o soldado intrépido e o tirano cruel, até que, saciado de sangue ou fatigado da resistência, insensivelmente decaía na natural brandura e indolência de seu caráter.

Num tempo em que as rédeas do governo eram seguras por mão tão frouxa, não é de surpreender que uma turba de usurpadores se levantasse em toda província do Império contra o filho de Valeriano. Foi certamente alguma engenhosa fantasia, de comparar os trinta tiranos de Roma com os trinta tiranos de Atenas, que induziu os autores da História augustana a escolher esse número célebre que aos poucos se converteu em denominação popular. Mas, por todos os ângulos, o paralelo é ocioso e errôneo. Que semelhanças poderemos descobrir entre um conselho de trinta pessoas, os opressores reunidos de uma única cidade, e um rol incerto de rivais independentes que ascenderam e caíram em sucessão irregular através da extensão de um vasto império? Tampouco o número de trinta ficará completo se deixarmos de nele incluir os homens e crianças que foram honrados com o título imperial. O reinado de Galieno, agitado como foi, produziu apenas dezenove pretendentes ao trono: Ciríades, Macriano, Balista, Odenato e Zenóbia no Oriente; na Gália e nas províncias ocidentais, Póstumo, Loliano, Vitorino e sua mãe, Vitória, Mário e Tétrico;

na Ilíria e nos confins do Danúbio, Ingênuo, Regiliano e Auréolo; no Ponto, Saturnino; na Isáuria,* Trebeliano; Piso na Tessália;** Valente na Acaia;*** Emiliano no Egito; e Celso na África. Ilustrar os obscuros monumentos da vida e da morte de cada um demonstrar-se-ia uma tarefa laboriosa, tão desprovida de instrução quanto de divertimento. Melhor nos contentarmos com investigar alguns traços gerais que marcam de maneira mais intensa o estado dos tempos e os costumes dos homens, suas pretensões, seus motivos, seu destino e as consequências destrutivas de sua usurpação.

É bem sabido que o odioso título de *tirano* era empregado com frequência pelos antigos para designar a tomada ilegal do poder supremo, sem nenhuma referência ao abuso dele. Vários dos pretendentes que ergueram a bandeira da rebelião contra o imperador Galieno eram brilhantes modelos de virtude e quase todos eles possuíam dose considerável de energia e competência. Seu mérito os havia recomendado ao favor de Valeriano e promovido gradualmente aos mais importantes postos de comando do Império. Os generais que assumiam o título de Augusto eram, ou respeitados por suas tropas graças a sua competente conduta e severa disciplina, ou admirados por sua bravura e êxito na guerra, ou então amados por sua franqueza e generosidade. O campo da vitória se constituía amiúde em cena de sua eleição; e até mesmo o armeiro Mário, o mais desprezível de todos os candidatos à púrpura, distinguia-se não obstante pela intrépida coragem, força incomparável e rude honestidade. Seu humilde e recente ofício dava-lhe um ar de ridículo à elevação; contudo, seu nascimento não podia ser mais obscuro que o da maior parte de seus rivais, cujos ascendentes eram campônios e que se alistaram no exército como soldados rasos. Em épocas de confusão, todo gênio ativo encontra o lugar a ele assinalado pela

* Ver nota complementar à p. 359. (N. T.)

** Região da Grécia, no litoral do mar Egeu. (N. T.)

*** Região antiga da Grécia, ao norte do Peloponeso. (N. T.)

Natureza; num estado generalizado de guerra, o mérito militar é o caminho da glória e da grandeza. Dos dezenove tiranos, somente Tétrico era senador e somente Piso, nobre. O sangue de Numa, através de 28 gerações sucessivas, corria nas veias de Calpúrnio Piso, o qual, graças a enlaces por via materna, reivindicava o direito de exibir em sua casa as imagens de Crasso e do grande Pompeu. Seus antepassados tinham sido repetidamente exalçados com todas as honras que a República podia conferir; e, de todas as famílias de Roma, a Calpúrnia foi a única que sobreviveu à tirania dos Césares. As qualidades pessoais de Piso acrescentaram novo brilho a sua linhagem. O usurpador Valente, por cuja ordem ele foi morto, confessava com profundo remorso que mesmo um inimigo deveria ter respeitado a venerabilidade de Piso; e conquanto morresse de armas na mão contra Galieno, o Senado, com a generosa permissão do imperador, decretou os ornamentos triunfais à memória de rebelde tão virtuoso.

Os lugares-tenentes de Valeriano eram gratos ao pai, por quem tinham alta estima. Desdenhavam servir à indolência faustosa de seu indigno filho. O trono do mundo romano não tinha o apoio de qualquer princípio de lealdade, e traição contra um príncipe que tal poderia ser facilmente considerada como patriotismo para com o Estado. Se examinarmos com isenção a conduta desses usurpadores, verificaremos que eram com muito mais frequência levados à rebelião por seus temores do que por sua ambição. Receavam as cruéis suspeitas de Galieno, assim como receavam a caprichosa violência de suas tropas. Se o perigoso favor do exército imprudentemente os declarasse merecedores da púrpura, estavam marcados para segura destruição; e mesmo a prudência os aconselhava a obter um breve desfruto do Império e tentar antes a fortuna da guerra que esperar a mão do verdugo. Quando o clamor da soldadesca investia as vítimas relutantes com as insígnias da autoridade soberana, elas por vezes deploravam em segredo seu destino iminente. “Perdestes”, disse Saturnino no dia de sua elevação, “perdestes um útil comandante e fizestes um imperador muito desgraçado.”

As apreensões de Saturnino eram justificadas pela repetida experiência das revoluções. Dos dezenove tiranos que começaram com o reinado de Galieno, não houve um só que tivesse desfrutado uma vida de paz ou sofrido uma morte natural. Tão logo eram investidos na púrpura sanguinária, inspiravam a seus partidários os mesmos temores e ambição que ocasionara a revolta destes. Cercados de conspiração intestina, sedição militar e guerra civil, tremiam à beira de precipícios onde, após um período de ansiedade mais longo ou mais breve, inevitavelmente desapareceriam. Os precários monarcas recebiam no entanto as honras que a adulação de seus respectivos exércitos e províncias pudessem conferir; sua pretensão, porém, fundada como estava na rebelião, jamais mereceria a sanção da lei ou da História. Itália, Roma e o Senado constantemente aderiam à causa de Galieno, e só ele era considerado o soberano do Império. Esse príncipe condescendeu realmente em reconhecer as armas vitoriosas de Odenato, que fazia jus à honrosa distinção pela conduta respeitosa que sempre manteve para com o filho de Valeriano. Sob o aplauso geral dos romanos e o consentimento de Galieno, o Senado conferiu o título de Augusto ao bravo palmireno e pareceu confiar-lhe o governo do Oriente, que ele já possuía de maneira a tal ponto independente que, como se se tratasse de uma herança pessoal, ele o conferiu a sua ilustre viúva Zenóbia.

As rápidas e constantes transições da cabana ao trono e do trono à tumba poderiam ter divertido um filósofo indiferente, caso fosse possível a um filósofo permanecer indiferente em meio às calamidades generalizadas da humanidade. A eleição desses precários imperadores, seu poder e sua morte eram igualmente destrutivos para seus súditos e partidários. O preço de sua fatal elevação era imediatamente pago às tropas sob a forma de um imenso donativo, extraído das entranhas do povo exaurido. Por mais virtuoso que tivessem o caráter, por mais puras que fossem suas intenções, eles se viam reduzidos à dura necessidade de fortalecer sua usurpação por frequentes atos de rapina e crueldade. Quando caíam, arrastavam exércitos e províncias em sua queda. Chegou até nós uma crudelíssima ordem de Galieno a um de seus ministros após a supressão de Ingênuo, que assumira a púrpura na Ilíria. "Não basta", diz esse brando mas desumano príncipe,

> que extermineis quem se erga em armas; a possibilidade de batalha poderia ter me sido igualmente útil. O sexo masculino em todas as idades deve ser extirpado — desde que, na execução de crianças e velhos, possais idear meios de salvar nossa reputação. Que morra quem quer que tenha deixado escapar um dito, que tenha alimentado um pensamento contra mim, contra *mim*, o filho de Valeriano, o pai e irmão de tantos príncipes. Lembrai-vos de que Ingênuo foi feito imperador: despedaçai, matai, decepai. Eu vos escrevo de minha própria mão e quero-vos inspirar meus próprios sentimentos.

Enquanto as forças públicas do Estado se dissipavam em contendas privadas, as províncias indefesas jaziam expostas a qualquer invasor. Os usurpadores mais bravos viam-se compelidos, dada a perplexidade de sua situação, a celebrar tratados ignominiosos com o inimigo comum, a comprar com tributos opressivos a neutralidade ou os serviços dos bárbaros, e a introduzir nações hostis e independentes no imo da monarquia romana.*

Nossos hábitos de pensamento se aprazem tanto em ligar a ordem do universo ao destino do homem, que esse sombrio período da História se distinguiu por inundações, terremotos, meteoros incomuns, trevas sobrenaturais e uma enfiada de prodígios fictícios ou exagerados. Mas uma fome geral e de longa duração se constituiu numa calamidade mais séria. Foi a consequência inevitável da rapinagem e da opressão, que extirpou o fruto do presente e a esperança de colheitas futuras. A fome é quase sempre seguida de moléstias epidêmicas, por efeito da alimentação escassa e insalubre. Outras causas devem contudo ter contribuído para a

* Omite-se aqui uma breve seção que descreve três exemplos típicos de perturbações, na Sicília, em Alexandria e na província de Isáuria, na Ásia Menor. (N. O.)

feroz epidemia que do ano 250 ao ano 265 devastou sem interrupção cada província, cada cidade e quase cada família do Império Romano. Durante algum tempo, 5 mil pessoas morreram diariamente em Roma e muitas cidades que haviam escapado das mãos dos bárbaros ficaram inteiramente despovoadas.

Temos conhecimento de uma circunstância assaz curiosa, de alguma utilidade na melancólica estimativa das calamidades humanas. Um registro acurado era mantido em Alexandria de todos os cidadãos habilitados a receber uma cota na distribuição de cereal. Verificou-se que o número dos que outrora estavam compreendidos entre as idades de quarenta e sessenta anos se igualava ao total de pretendentes entre catorze e oitenta anos que permaneciam vivos após o reinado de Galieno. Comparando esse fato autêntico com as tabelas de mortalidade mais corretas, fica evidente que mais da metade do povo de Alexandria tinha perecido; e, se nos aventurássemos a estender a analogia a outras províncias, seríamos levados a suspeitar que a guerra, a pestilência e a fome tinham consumido em poucos anos a metade da espécie humana.

O surpreendente vigor e a vitalidade do Império ficaram demonstrados em sua notável recuperação após uma série de governantes que começou com Cláudio e cujos reinados são narrados nos dois capítulos seguintes do original. Depois da queda de Galieno — nas mãos de seus próprios soldados, quase escusava acrescentar —, o primeiro feito de seu sucessor foi a libertação do Império de uma grande horda de godos que se despejara através do mar Negro por sobre todos os litorais europeus e asiáticos do Mediterrâneo. Os godos, cujo exército foi quase totalmente aniquilado por uma combinação de guerra, pestilência e carestia, vieram ao que parece imbuídos de alguma ideia de se estabelecer, pois a cada soldado romano couberam duas ou três escravas dos numerosos cativos feitos. Mas a pesti-*

* Não confundir com o inepto Cláudio, seu antecessor, cuja história foi romanceada por Robert Graves. (N. O.)

lência que assolara os godos (270 d.C.) logo alcançou o próprio Cláudio, que passou o cetro a um destacado general de nome Aureliano.

A primeira tarefa de Aureliano foi um entendimento decisivo com os godos, que com a morte de Cláudio tinham voltado com novas hordas. Após um embate inconclusivo, a questão se resolveu por negociações, em consequência das quais os romanos entregavam a província transdanubiana da Dácia ao povoamento gótico; e os romanos que ali permanecessem serviriam ao útil propósito de iniciar os godos nas artes da civilização. Aureliano teve em seguida de avir-se com uma vasta invasão da Itália pelos alamanos. Foram eventualmente expulsos ao cabo de uma série de duvidosos combates; todavia, o medo que espalharam levou ao primeiro esforço sério, em vários séculos, de fortificar a cidade de Roma propriamente dita.

O primeiro triunfo de Cláudio sobre os godos tornara-se mais memorável em razão dos exíguos recursos a seu dispor; o poder efetivo na Gália, na Hispânia e na Britânia havia sido por vários anos exercido por um usurpador chamado Tétrico, enquanto aquela notável mulher que foi Zenóbia, a viúva de Odenato (ver p. 163), governava as províncias romanas do Egito e da Ásia Menor. Aureliano se dispôs a recuperar esses elementos desmembrados do Império. Tétrico consentiu em sua própria derrota, preferindo a possibilidade (em seu caso justificada) de mercê nas mãos de Aureliano a permanecer "o soberano e escravo de um exército abusado"; Zenóbia porém resistiu hábil e resolutamente a uma série de batalhas e a um longo sítio a sua capital, até ser finalmente derrotada, capturada e trazida para Roma como o centro de atenção ("ela quase desmaiava ao peso das joias") no que foi talvez o maior e certamente dos mais merecidos triunfos jamais celebrados por um imperador romano. Tanto a Zenóbia quanto a Tétrico permitiu-se uma vida privada de opulência e bem-estar e o luxo de uma morte natural; mas o próprio Aureliano teve morte violenta através dos ardis de um secretário matreiro. Acusado de extorsão, o secretário forjou uma longa lista de nomes de pessoas supostamente marcadas para serem executadas, e um grupo de oficiais de exército ali arrolados executou Aureliano em 275 d.C.

Sua morte levou a "um dos acontecimentos mais bem atestados mas improváveis da história da humanidade", no qual as legiões, "como que saturadas do exercício do poder", passaram a insistir constantemente com o Senado para que escolhesse um novo imperador; ao passo que o Senado constantemente insistia em que a escolha fosse feita pelas legiões. Ao fim de oito meses, "durante os quais o mundo romano ficou sem um soberano, sem um usurpador e sem uma sedição", o Senado finalmente escolheu (em setembro de 275 d.C.) um idoso e ilustre senador chamado Tácito, descendente do grande historiador. Mas os cuidados do Império e suas preocupações lhe apressaram a morte, ocorrida pouco mais de seis meses depois de sua elevação; ele foi sucedido (em 276 d.C., após um breve interregno em que seu irmão tentou apoderar-se da púrpura) por um general de nome Probo.

Em seis breves anos Probo conseguiu repelir sucessivas invasões bárbaras, abafar diversas sedições militares e até mesmo trazer ao Império alguma paz. Mas seu empenho em utilizar os soldados para realizar obras públicas de utilidade — no caso drenando um paul próximo ao lugar de nascimento do imperador — deu origem a uma súbita explosão sediciosa que lhe foi fatal. Seu sucessor, Caro, empreendeu uma grande e bem-sucedida campanha contra os persas até ser morto, ao que parece, por um raio; e o temor supersticioso do mundo antigo em relação a raios ocasionou a imediata retirada do exército romano da campanha persa.

Esse exército gastou vários meses em sua lenta retirada das margens do Tigre; e, no intervalo, Carino, o filho mais velho de Caro, logrou agradar a populaça romana com jogos dos mais espetaculares e a si próprio com a satisfação de uma porção de apetites irregulares e finalmente fatais. O exército retornado investiu um general chamado Diocleciano na púrpura imperial. Durante a luta que se seguiu, as forças de Carino pareciam na iminência do triunfo quando "um tribuno, cuja esposa havia sido seduzida, aproveitou a oportunidade para vingar-se e com um só golpe pôs fim à discórdia civil, derramando o sangue do adúltero". Foi assim que assumiu o poder (285 d.C.) Diocleciano, o mais ambicioso e o mais bem-sucedido reformador entre os últimos imperadores de Roma.

6

(285-313 d.C.)

*O reinado de Diocleciano e seus três associados, Maximiano, Galério e Constâncio — Restabelecimento da ordem e tranquilidade gerais — A guerra persa, vitória e triunfo — A nova forma de administração — Abdicação e afastamento de Diocleciano e Maximiano**

ASSIM COMO O REINADO DE DIOCLECIANO foi mais brilhante do que o de qualquer de seus predecessores, assim também foi vil e obscuro o seu nascimento. As veementes alegações de mérito e de violência haviam desbancado com frequência as prerrogativas ideais de nobreza; todavia, uma nítida linha de separação distinguiu a partir daí as pessoas livres das servis. Os pais de Diocleciano haviam sido escravos na casa de Anulino, um senador romano; tampouco o enaltecia qualquer outro nome que não o da pequena cidade da Dalmácia de onde sua mãe tirara sua origem. É provável contudo que seu pai tivesse obtido a liberdade para a família e logo conseguido o ofício de escriba, comumente exercido por pessoas de sua condição. Oráculos favoráveis, ou, antes, a consciência de mérito superior, estimularam o filho dele, que tinha aspirações, a seguir a carreira das armas e suas esperanças de fortuna; e seria assaz curioso observar a graduação de dons e de acidentes que o capacitaram a cumprir tais oráculos e mostrar tal mérito ao mundo. Diocleciano foi sucessivamente distinguido com o governo da Mésia, as honras do consulado e o importante comando dos guardas do palácio. Distinguiu-se por seus talentos na guerra persa; e após a morte de Numeriano, o escravo, pela

* Capítulo 13 do original. (N. O.)

confissão e julgamento de seus rivais, foi declarado o mais digno do trono imperial.

A malevolência do ardor religioso, com chamar a juízo o selvagem arrebatamento de seu colega Maximiano, logrou lançar suspeitas sobre a coragem pessoal do imperador Diocleciano. Não seria fácil persuadir-nos da covardia de um soldado da fortuna que conquistou e preservou a estima das legiões tanto quanto o favor de tantos príncipes guerreiros. No entanto, até mesmo a calúnia é sagaz o bastante para descobrir e atacar o ponto mais vulnerável. A bravura de Diocleciano nunca esteve aquém, ao que se saiba, do dever ou da ocasião; todavia, parece que ele não possuía o espírito audaz e generoso de um herói que corteja o perigo e a fama, desdenha o artifício e intrepidamente reclama o devotamento de seus pares. Seus talentos eram antes úteis do que esplêndidos: mente vigorosa aperfeiçoada pela experiência e pelo estudo dos homens; sagacidade e diligência no trato dos assuntos práticos; uma sensata mistura de liberalidade e economia, de brandura e rigor; profunda dissimulação sob a capa de franqueza militar; firmeza na perseguição de seus objetivos; flexibilidade no variar os meios; e, acima de tudo, a grande arte de submeter suas próprias paixões, tanto quanto as alheias, ao interesse de suas ambições, e de colorir estas com as máscaras tão enganadoras da justiça e da utilidade pública. Como Augusto, Diocleciano pode ser considerado o fundador de um novo império. Como o filho adotivo de César, distinguiu-se mais como estadista do que como guerreiro; nenhum desses monarcas recorreu à força quando aquilo a que se propunham pudesse ser alcançado pela habilidade política.

Dada a singular brandura de Diocleciano, sua vitória foi notável. Um povo acostumado a aplaudir a clemência do conquistador quando punições habituais, a morte, o exílio e o confisco fossem aplicados com certo grau de moderação e equidade, acompanhou com o mais prazenteiro espanto uma guerra civil cujas flamas se extinguiram no campo de batalha. Diocleciano distinguiu com sua confiança Aristóbulo, o principal ministro da casa de Caro, respeitou a vida, a fortuna e a dignidade de seus adversários, e manteve até mesmo em seus respectivos postos o grande número de servidores de Carino. Não é improvável que razões de prudência subjazessem ao humanitarismo do astuto dálmata: desses servidores, muitos lhe haviam comprado o favor com secreta traição; em outros, apreciou ele a grata devoção a um amo infortunado. O discernimento de Aureliano, de Probo e de Caro havia provido os vários departamentos do Estado e do exército de funcionários e oficiais de mérito provado, cuja remoção teria prejudicado o serviço público sem favorecer o interesse do sucessor. Semelhante conduta, porém, fazia o mundo romano ter as melhores esperanças no novo reinado, e o imperador como que confirmou tal expectativa favorável ao declarar que, entre todas as virtudes dos seus predecessores, a que ele mais ambicionava imitar era a filosofia humanitária de Marco Antonino.

O primeiro ato de importância de seu reinado parecia demonstrar-lhe a sinceridade, tanto quanto a moderação. Seguindo o exemplo de Marco, deu a si próprio um colega na pessoa de Maximiano, a quem concedeu primeiramente o título de César e depois o de Augusto. Mas os motivos de sua conduta, assim como o objeto de sua escolha, eram de natureza muito diversa da de seu admirado predecessor. Com investir um jovem luxurioso nas honras da púrpura, Marco saldara uma dívida de gratidão privada às custas, na verdade, da felicidade do Estado. Ao associar um amigo e companheiro de armas aos privilégios do governo, Diocleciano atendia, num tempo de perigo público, à defesa tanto do Oriente como do Ocidente.

Maximiano nascera camponês e, como Aureliano, no território de Sirmione.* Jejuno em letras, indiferente às leis, sua rusticidade de aparência e de maneiras traía, mesmo na maior prosperidade, a baixeza de sua extração. A guerra era a única arte que professava. No curso de uma longa carreira militar, havia se distinguido em todas as fronteiras do Império; embora seus talentos militares estivessem moldados antes para obedecer do que para comandar, e se bem jamais tivesse chegado à habilidade de um general consumado,

* Ver nota complementar à p. 225. (N. T.)

demonstrava-se capaz, mercê de seu valor, constância e experiência, de levar a cabo as empresas mais árduas. Os vícios de Maximiano não eram menos úteis a seu benfeitor. Insensível à piedade e sem medo das consequências, servia de prestimoso instrumento na execução de qualquer ato de crueldade que a habilidade política daquele príncipe ardiloso pudesse, a um só tempo, sugerir e repudiar. Tão logo algum sangrento sacrifício tivesse sido oferecido à prudência ou à vingança, Diocleciano, com sua oportuna intervenção, salvava os poucos restantes que nunca pretendera punir, censurava brandamente a severidade de seu inflexível colega e se beneficiava da comparação entre uma idade de ouro e uma idade de ferro unanimemente aplicada às máximas antagônicas dos dois imperadores. Não obstante a diferença de seus caracteres, mantinham no trono aquela amizade que haviam travado na vida privada. O espírito arrogante e turbulento de Maximiano, que se demonstrou posteriormente tão fatal a ele e à ordem pública, se acostumara a respeitar o gênio de Diocleciano, no que mostrava o ascendente da razão sobre a violência brutal. Por uma questão de orgulho ou de superstição, os dois imperadores assumiram os títulos de Jóvio, um, e de Hercúlio, o outro. Enquanto o mundo se mantinha em movimento (tal era a linguagem de seus oradores venais) pela sabedoria onisciente de Júpiter, o braço invencível de Hércules depurava a terra de monstros e tiranos.

Todavia, até mesmo a onipotência de Jóvio e Hercúlio se demonstrava insuficiente para aguentar o peso da administração pública. A prudência de Diocleciano descobriu que o Império, atacado de todas as partes pelos bárbaros, exigia em todos os lugares a presença de um grande exército e de um imperador. Tendo isso em vista, resolveu dividir mais uma vez seu poder tão difícil de manejar e, com o título inferior de César, conferir a dois generais de reconhecido mérito igual quinhão da autoridade soberana. Galério, cognominado Armentarius devido a sua antiga profissão de pastor, e Constâncio, cuja tez pálida lhe valera a denominação de Chlorus, foram as duas pessoas investidas nas honras segundas da púrpura imperial. Com descrever a região de origem, a extração e as maneiras de Hercúlio, delineamos de igual modo as de

Galério, que era comumente e não impropriamente chamado de Maximiano, o Jovem, conquanto, em matéria de virtude e competência, parecesse dotado de manifesta superioridade sobre o velho. O nascimento de Constâncio era menos obscuro que o de seus colegas. Seu pai, Eutrópio, era um dos nobres mais importantes da Dardânia,* e sua mãe era sobrinha do imperador Cláudio. Embora tivesse passado a juventude no serviço militar, Constâncio tinha índole branda e afável; a opinião geral havia muito o reconhecera como digno do posto a que por fim ascendera. Com o objetivo de fortalecer os laços da união política pelos da união familiar, cada um dos imperadores assumiu o papel de pai de um dos Césares, Diocleciano de Galério e Maximiano de Constâncio; e cada um deles, obrigando-os a repudiar suas esposas anteriores, concedeu a filha em matrimônio ao seu filho adotivo.

Esses quatro príncipes dividiram entre si a vasta extensão do Império Romano. Ficou confiada a Constâncio a defesa da Gália, da Hispânia e da Britânia. Galério estava postado nas margens do Danúbio para salva-guarda das províncias ilírias. A Itália e a África eram consideradas departamento de Maximiano, e para si Diocleciano reservou a responsabilidade da Trácia, do Egito e das ricas regiões da Ásia. Cada um deles era soberano dentro de sua própria jurisdição, mas a autoridade conjunta dos quatro se estendia à monarquia inteira, estando cada um deles preparado para assistir os colegas com seus conselhos ou sua presença pessoal. Os Césares, de sua exaltada posição, reverenciavam a majestade dos imperadores, e os três príncipes mais jovens invariavelmente reconheciam, com sua gratidão e obediência, a origem de suas fortunas no pai comum. Não havia lugar entre eles para a suspicaz inveja do poder, e a singular ventura de sua união tem sido comparada a um coro de

* Por este nome eram conhecidas, na Antiguidade, duas regiões: uma no centro da península Balcânica, ao sul da alta Mésia; a outra na parte noroeste da Ásia Menor, onde Dárdano, personagem mitológica, filho de Júpiter, teria fundado uma cidade, Dardânia, sobre o Helesponto, hoje chamado estreito de Dardanelos. (N. T.)

música cuja harmonia fosse regrada e sustentada pela destra mão do primeiro artista.

A despeito da habilidade política de Diocleciano, foi impossível manter uma tranquilidade idêntica e constante, durante um reinado de vinte anos, ao longo de uma fronteira de muitas centenas de quilômetros. Ocasionalmente os bárbaros suspendiam suas animosidades intestinas, e a vigilância relaxada das guarnições dava passagem, por vezes, à força ou à destreza deles. Toda vez que as províncias eram invadidas, Diocleciano se portava com aquela calma dignidade que sempre afetava ou possuía; reservava sua presença para ocasiões que lhe merecessem a intervenção, nunca expunha sua pessoa ou sua reputação a qualquer perigo desnecessário, garantia o êxito por todos os meios que a prudência lhe pudesse sugerir e exibia com ostentação as consequências de sua vitória. Nas guerras de natureza mais difícil ou de desfecho mais duvidoso, empregava a rude bravura de Maximiano, e este leal soldado se satisfazia em atribuir suas próprias vitórias aos sábios conselhos e à auspiciosa influência de seu benfeitor. Mas após a adoção dos dois Césares, os imperadores, retirando-se para um palco de ação menos laborioso, delegaram aos filhos adotivos a defesa do Danúbio e do Reno.

O vigilante Galério nunca se viu reduzido à necessidade de reprimir um exército de bárbaros em território romano. O bravo e ativo Constâncio livrou a Gália de uma incursão assaz furiosa dos alamanos, e suas vitórias em Langres e Vindonissa parecem ter sido ações de perigo e mérito consideráveis. Quando atravessava campo aberto com uma pequena guarda, viu-se de súbito cercado por uma multidão superior de inimigos. Retirou-se a duras penas para Langres, mas, tomados de geral consternação, os cidadãos se recusaram a abrir os portões, e o príncipe ferido foi içado muralha acima por meio de uma corda. Mas à notícia de seu transe, as tropas romanas acorreram prontamente de todas as partes em seu socorro, e antes do cair da noite havia ele atendido aos reclamos de sua honra e desejo de vingança chacinando 6 mil alamanos. Poder-se-iam quiçá recolher, dos monumentos daqueles tempos, os traços obscuros de diversas outras vitórias sobre os bárbaros da Sarmácia e da Germânia, mas essa busca tediosa não traria nem diversão nem instrução.

A conduta adotada pelo imperador Probo para dar destino aos vencidos foi imitada por Diocleciano e seus associados. Os bárbaros cativos, trocando a morte pela escravidão, eram distribuídos entre os provincianos e enviados aos distritos (na Gália, os territórios de Amiens, Veauvais, Cambrai, Tréveros, Langres e Troyes são especificados particularmente) que se haviam despovoado pelas calamidades de guerra. Ali exerciam ocupações úteis, como as de pastores e lavradores, mas não podiam pegar em armas, exceto quando se julgasse conveniente alistá-los no serviço militar. Os imperadores tampouco recusavam a propriedade de terras, com título de posse menos servil, aos bárbaros que solicitassem a proteção de Roma. Autorizaram a instalação de diversas colônias de cárpios, bastamos e sármatas e, com perigosa indulgência, permitiram-lhes que mantivessem em certa medida seus costumes nacionais e sua independência. Entre os provincianos, era motivo de lisonjeira exaltação que o bárbaro, ainda há pouco objeto de terror, lhes cultivasse agora as terras, lhes levasse o gado à feira vizinha e contribuísse com o seu trabalho para a abundância pública. Congratulavam seus senhores pela pujante ascensão de súditos e soldados, mas esqueciam-se de observar que assim se introduziam no coração do Império multidões de inimigos secretos, tornados insolentes pela mercê ou desesperados pela opressão.*

Observamos, no reinado de Valeriano, que a Armênia fora sujeitada pela perfídia e pelas armas dos persas e que após o assassínio de Cosroês, seu filho Tiridates havia sido salvo pela fidelidade de seus amigos e educado sob a proteção dos imperadores. Tiridates tirou do exílio vantagens que nunca poderia ter obtido no trono da Armênia — o precoce conhecimento da adversidade, da humanidade e da disciplina romana.

* Omite-se aqui uma breve passagem que descreve como Maximiano repeliu para o sul uma invasão da África do Norte por tribos mouras e como Diocleciano liquidou energicamente uma revolta egípcia centrada em Alexandria. (N. O.)

Sua juventude foi marcada por feitos de valor; demonstrava incomparável destreza, tanto quanto força, em todos os exercícios marciais e até mesmo nos certames menos honrosos dos jogos olímpicos. Tais qualidades foram exercidas mais nobremente na defesa do seu benfeitor Licínio. Esse oficial, na sedição que ocasionou a morte de Probo, viu-se exposto ao perigo mais iminente, e os soldados enraivecidos já tentavam abrir caminho para sua tenda quando o braço isolado do príncipe armênio os deteve. A gratidão de Tiridates contribuiu, pouco depois, para sua restauração. Licínio foi, em todas as circunstâncias, o amigo e companheiro de Galério, e o mérito de Galério, muito antes de ele ter sido alçado à dignidade de César, era conhecido de Diocleciano e por ele estimado. No terceiro ano do reinado desse imperador, Tiridates foi investido no reino da Armênia. A justiça da medida não era menos evidente que sua oportunidade. Urgia salvar da usurpação do monarca persa um importante território que, desde o reinado de Nero, havia sido sempre outorgado, sob a proteção do Império, a um ramo mais jovem da casa de Arsaces.*

Quando Tiridates apareceu nas fronteiras da Armênia, foi recebido com sinceros arroubos de alegria e lealdade. Durante 26 anos o país sofrera as provações reais e imaginárias de um jugo estrangeiro. Os monarcas persas adornaram sua nova conquista de magníficas construções, mas esses monumentos haviam sido erigidos à custa do povo, que os abominava como emblemas de escravidão. O temor de uma revolta inspirara as precauções mais rigorosas; a opressão fora agravada pelo insulto; e a consciência do rancor público gerara toda a sorte de medidas que a pudessem tornar mais implacável ainda. Já fizemos referência ao espírito de intolerância da religião dos magos. As estátuas dos reis deificados da Armênia e as imagens sagradas do Sol e da Lua foram feitas em pedaços pelo fanatismo do conquistador, e o fogo perpétuo de Ormuz aceso e mantido num altar edificado no cimo do monte Bagavan.

* Ver nota complementar à p. 437. (N. T.)

Não é de estranhar que um povo exasperado por tantas injúrias se armasse com entusiasmo em prol da causa de sua independência, de sua religião e de seu soberano hereditário. A torrente levou de roldão todos os obstáculos, e as guarnições persas recuaram ante sua fúria. Os nobres da Armênia acorreram para o estandarte de Tiridates, todos alegando seu mérito passado, oferecendo seus futuros serviços e solicitando do novo rei aquelas honrarias e recompensas de que os excluíra com desdém o governo estrangeiro. O comando do exército foi entregue a Artavasdes, cujo pai salvara o Tiridates infante e cuja família fora massacrada por causa dessa ação generosa. O irmão de Artavasdes obteve o governo de uma província. Uma das primeiras dignidades militares foi conferida ao sátrapa Otas, homem de rara temperança e constância moral, que ofereceu ao rei sua irmã e um grande tesouro, ambos preservados por ele de violação numa fortaleza apartada.

Entre os fidalgos armênios, surgiu um aliado cujo destino é por demais notável para passar em branco. Seu nome era Mamgo, e ele era de origem cita; a horda que lhe reconhecia a autoridade havia acampado pouquíssimos anos antes nas fronteiras do império chinês, o qual se estendia, naquela época, até as vizinhanças da Sogdiana.* Tendo incorrido no desagrado de seu soberano, Mamgo se retirara com seus sequazes para as margens do rio Oxo e implorara a proteção de Sapor. O imperador da China reclamou o fugitivo e afirmou direitos de soberania. O monarca persa alegou as leis da hospitalidade e com certa dificuldade evitou uma guerra mediante a promessa de que baniria Mamgo para as mais remotas partes do Ocidente, punição que ele descreveu como não menos horrível que a própria morte. A Armênia foi o lugar de exílio escolhido, tendo sido destinado à horda cita um grande distrito onde pudesse apascentar seus rebanhos e mudar seu acampamento de um lugar para outro

* Uma província remota do Império Persa primeiramente conquistada por Ciro, o Grande. Sua capital era Samarcanda. (N. O.)

conforme as diferentes estações do ano. Esses citas foram usados para repelir a invasão de Tiridates; seu chefe, porém, após pesar as obrigações e injúrias que recebera do monarca persa, decidiu abandonar-lhe a causa. O príncipe armênio, que estava bem familiarizado com o mérito e com a força de Mamgo, tratou-o com grande respeito e, ao admiti-lo em sua confiança, ganhou um servidor corajoso e leal que contribuiu de modo assaz efetivo para sua restauração.

Por algum tempo a fortuna pareceu favorecer o arrojo empreendedor de Tiridates. Ele não só expulsou de toda a extensão da Armênia os inimigos de sua família e de seu país como foi adiante na vingança, levando suas armas, ou pelo menos suas incursões, até o coração da Assíria. O historiador que preservou do esquecimento o nome de Tiridates celebra-lhe, com certo grau de entusiasmo cívico, a bravura pessoal e, no vero espírito dos contos orientais, descreve os gigantes e os elefantes abatidos pelo seu braço invencível. É em outra fonte de informação que descobrimos o estado de perturbação da monarquia persa a que o rei da Armênia deveu boa parte de suas vantagens. O trono estava sendo disputado pela ambição de irmãos em conflito; e Ormuz, após empregar sem sucesso a força de sua facção, recorreu à perigosa ajuda dos bárbaros que habitavam as bordas do mar Cáspio. A guerra civil logo terminou, contudo, ou por uma vitória ou por uma reconciliação; e Narses, unanimemente reconhecido como o rei da Pérsia, dirigiu todas as suas forças contra o inimigo estrangeiro. A peleja se tornou então por demais desigual; a bravura do herói não conseguiu resistir ao poderio do monarca. Pela segunda vez expulso do trono da Armênia, Tiridates novamente se refugiou na corte dos imperadores. Narses não tardou a restabelecer a sua autoridade na província revoltada e, queixando-se aos brados da proteção concedida pelos romanos aos rebeldes e fugitivos, aspirou à conquista do Oriente.

Nem a prudência nem a honra poderiam permitir aos imperadores esquecer a causa do rei armênio, e ficou decidido empregar-se toda a força do Império na guerra persa. Diocleciano, com a calma dignidade que constantemente assumia, fixou seu quartel na cidade de Antioquia, de onde preparava e dirigia as operações militares. O comando das legiões ficou confiado à intrépida bravura de Galério, que para tão importante propósito foi transferido das margens do Danúbio para as do Eufrates. Os exércitos inimigos logo se defrontaram nas planícies da Mesopotâmia, e duas batalhas foram travadas com êxito vário e duvidoso; todavia, o terceiro encontro teve natureza mais decisiva, sofrendo o exército romano uma derrota total, que é atribuída ao arrebatamento de Galério, que com um corpo de tropas insignificante atacou o incontável exército dos persas.

Atentando-se na região em que se travou o combate, pode-se supor um outro motivo para a derrota. O mesmo terreno onde Galério foi vencido se tornara memorável pela morte de Crasso e pelo massacre de dez legiões. Tratava-se de uma planície de mais de 95 quilômetros, que se estendia das colinas de Carrhae até o Eufrates, uma lisa e erma superfície de deserto arenoso sem um único outeiro, uma única árvore, uma única fonte de água fresca. A disciplinada infantaria dos romanos, debilitada pelo calor e pela sede, não podia esperar por vitória se mantivesse sua formação em fileiras nem rompê-la sem se expor ao mais iminente perigo. Nessa situação, foram eles sendo rodeados gradualmente pelo inimigo em número superior, assolados pelas rápidas evoluções e destruídos pelas flechas da cavalaria bárbara. O rei da Armênia distinguiu-se pela sua bravura em batalha e adquiriu glória pessoal com o infortúnio público. Foi perseguido até o Eufrates, seu cavalo foi ferido e parecia-lhe impossível escapar do inimigo vitorioso. Nesse transe, Tiridates buscou o único refúgio que viu a sua frente: desmontou e mergulhou nas águas. Sua armadura era pesada e o rio muito fundo naquelas partes, onde tinha pelo menos oitocentos metros de largura; no entanto, o vigor e a destreza do fugitivo possibilitaram-lhe alcançar em segurança a margem oposta. No tocante ao general romano, desconhecemos as circunstâncias de sua fuga, mas quando ele regressou a Antioquia, Diocleciano não o recebeu com enternecimento de amigo e colega, mas com a indignação de um soberano ofendido. O mais altivo dos homens, revestido de sua púrpura mas humilhado pela consciência do próprio erro e desgraça, teve de acompanhar a pé a carruagem do imperador por mais de um quilômetro e exibir perante toda a corte o espetáculo de sua desonra.

Tão logo viu satisfeito seu ressentimento pessoal e reafirmada a majestade do supremo poder, Diocleciano cedeu aos rogos submissos do César e consentiu-lhe resgatar sua própria honra e a das armas romanas. Em lugar das pouco aguerridas tropas da Ásia, que provavelmente haviam servido na primeira expedição, foi formado um segundo exército com os veteranos e novos recrutas da fronteira ilíria, e um grande corpo de tropas auxiliares góticas ficou a soldo do Império. À frente de um seleto exército de 25 mil homens, Galério voltou a cruzar o Eufrates; todavia, em vez de expor suas legiões nas planuras abertas da Mesopotâmia, ele avançou por entre as montanhas da Armênia, onde encontrou os habitantes devotados a sua causa e a região tão favorável às operações de infantaria quanto inadequada às manobras de cavalaria. A adversidade servira para firmar a disciplina romana, ao passo que os bárbaros, jubilosos pelo triunfo, se haviam tornado tão negligentes e remissos que no momento em que menos esperavam foram surpreendidos pela conduta ágil de Galério, o qual, assistido de apenas dois cavaleiros, secretamente examinara com os próprios olhos a condição e a situação do acampamento inimigo.

Um ataque de surpresa, especialmente em hora noturna, demonstrava-se fatal para um exército persa. "Os cavalos deles eram presos, geralmente com peias, para evitar que fugissem; e, no caso de alarma, um persa tinha de arrumar seu alojamento, selar seu cavalo e vestir seu corselete antes de poder montar." Naquela ocasião, o impetuoso ataque de Galério semeou a desordem e o terror pelo acampamento dos bárbaros. A uma ligeira resistência seguiu-se uma terrível carnificina, e na confusão geral o monarca ferido (pois Narses comandava em pessoa seus exércitos) fugiu em direção aos desertos da Média. Suas tendas suntuosas e as dos seus sátrapas propiciaram uma imensa pilhagem ao conquistador; menciona-se um incidente que prova a rústica e marcial ignorância das legiões no tocante às elegantes superfluidades da vida. Uma bolsa de couro reluzente, cheia de pérolas, caiu nas mãos de um soldado raso; ele guardou a bolsa com cuidado, mas atirou-lhe fora o conteúdo, na suposição de que tudo quanto não tivesse uso possivelmente era destituído de valor. A principal perda de Narses foi de natureza muito mais tocante. Várias de suas esposas, irmãs e filhos, que tinham acompanhado o exército, caíram cativos após a derrota. Conquanto o caráter de Galério tivesse no geral pouquíssima afinidade com o de Alexandre, ele imitou, subsequentemente à vitória, o benévolo comportamento do macedônio para com a família de Dario. As esposas e filhos de Narses foram protegidos de violência e rapina, conduzidos a um lugar seguro e tratados com todos os sinais de respeito e ternura devidos por um inimigo generoso a sua idade, a seu sexo e a sua dignidade real.

Enquanto o Oriente aguardava com ansiedade a decisão desse grande embate, o imperador Diocleciano, tendo montado na Síria um forte exército avançado, ostentava a certa distância os recursos do poderio romano e se reservava para qualquer futura emergência de guerra. À notícia da vitória, condescendeu em avançar rumo à fronteira com o fito de moderar, com sua presença e conselhos, a soberba de Galério. O encontro dos príncipes romanos em Nisibis se fez acompanhar de todas as mostras de respeito de uma parte e de estima da outra. Foi nessa mesma cidade que logo depois eles receberam em audiência o embaixador do grande rei. A energia, ou ao menos o espírito, de Narses fora quebrantada por sua última derrota, e ele considerava uma paz imediata o único meio de deter o avanço das armas romanas. Enviou Apharban, um servidor que lhe merecia a consideração e a confiança, com o encargo de negociar um tratado, ou, antes, de aceitar quaisquer condições que o conquistador impusesse. Apharban abriu a conferência exprimindo a gratidão de seu senhor pelo generoso tratamento dispensado à família dele e solicitando a libertação daqueles ilustres cativos. Louvou a bravura de Galério sem diminuir a reputação de Narses e não viu desonra em reconhecer a superioridade do César vitorioso sobre um monarca que ultrapassara em glória todos os príncipes de sua estirpe. Não obstante a justiça da causa persa, ele vinha submeter as atuais diferenças à decisão dos próprios imperadores, convencido como estava de que, em meio à prosperidade, eles não ficariam indiferentes às vicissitudes da fortuna. Apharban concluiu seu discurso no estilo alegórico oriental, observando que as monarquias romana e persa eram os dois olhos do mundo, que permaneceria imperfeito e mutilado se qualquer deles fosse apagado.

"Muito convém aos persas", replicou Galério num transporte de fúria que pareceu convulsionar-lhe o corpo todo,

> muito convém aos persas discorrer sobre as vicissitudes da fortuna e calmamente fazer-nos preleções acerca das virtudes da moderação. Que se lembrem de sua própria *moderação* para com o desditoso Valeriano. Venceram-no pelo engano, trataram-no com indignidade. Mantiveram-no até o último momento de vida em vergonhoso cativeiro e depois de sua morte expuseram-lhe o corpo para perpétua ignomínia.

Abrandando contudo o tom de voz, Galério deu a entender ao embaixador que jamais fora costume dos romanos pisotear o inimigo caído e que naquela ocasião levariam em conta antes sua própria dignidade que o mérito persa. Despediu Apharban com a esperança de que Narses seria logo informado das condições em que poderia obter, da clemência dos imperadores, uma paz duradoura e a restituição de suas esposas e filhos. Nessa conferência podemos discernir as impetuosas paixões de Galério bem como sua defesa da superior sabedoria e autoridade de Diocleciano. A ambição daquele visava à conquista do Oriente, e ele se propusera reduzir a Pérsia à condição de província. A prudência do último, que perfilhava a política de moderação de Augusto e dos Antoninos, aproveitou a oportunidade favorável de pôr fim a uma guerra vitoriosa por meio de um honroso e vantajoso tratado de paz.

Em conformidade com sua promessa, os imperadores pouco depois designaram Probo, um de seus secretários, para comunicar à corte persa a decisão final de ambos. Como ministro da paz, foi ele recebido com todas as demonstrações de polidez e amizade;

a pretexto, porém, de permitir-lhe o necessário repouso após jornada tão longa, a audiência de Probo foi sendo adiada de um para outro dia e ele ficou à espera dos demorados progressos do rei até ser finalmente admitido a sua presença, perto do rio Asprudos na Média. O motivo secreto de Narses nesse atraso fora o de reunir uma força militar que o pudesse capacitar, embora sinceramente desejoso de paz, a negociar com maior peso e dignidade. Somente três pessoas assistiram à importante conferência: o ministro Apharban, o prefeito dos guardas e um oficial que exercera o comando na fronteira armênia. A primeira condição proposta pelo embaixador não é hoje de natureza muito clara: que a cidade de Nisibis fosse estabelecida como o local de intercâmbio ou, como lhe chamaríamos hoje, o posto de trocas entre os dois impérios. Não há dificuldade em conceber a intenção dos dois príncipes romanos de melhorar a sua receita por via de algumas restrições de comércio; mas como Nisibis estava situada em seus próprios domínios e como eram senhores tanto das importações quanto das exportações, ao que parece tais restrições deveriam ser antes objeto de uma lei interna que de um tratado estrangeiro. Para torná-las mais efetivas, certas cláusulas eram impostas ao rei da Pérsia; elas pareciam porém tão repugnantes a seu interesse ou a sua dignidade que não foi possível persuadir Narses a subscrevê-las. Como esse era o único artigo a que recusava seu consentimento, não mais se insistiu nele; e os imperadores ou toleraram que o fluxo comercial seguisse seus canais naturais ou se contentaram com as restrições que dependessem de sua própria autoridade estabelecer.

Tão logo se superou essa dificuldade, um solene tratado de paz foi celebrado e ratificado entre as duas nações.* O Oriente desfrutou de profunda tranquilidade durante quarenta anos e o tratado entre as monarquias rivais foi estritamente observado até a morte de Tiridates, quando uma nova geração, animada de diferentes

* Omite-se aqui uma descrição das fronteiras geográficas e de outras cláusulas do tratado. (N. O.)

concepções e diferentes paixões, assumiu por sucessão o governo do mundo e os netos de Narses empreenderam uma longa e memorável guerra contra os príncipes da casa de Constantino.

A árdua tarefa de resgatar o afligido império das mãos de tiranos e de bárbaros fora então cumprida de todo por uma série de campônios ilírios. Assim que entrou no vigésimo ano do seu reinado, Diocleciano celebrou essa era memorável, bem como o êxito de suas armas, com a pompa de um triunfo romano. Maximiano, seu parceiro no poder, foi-lhe o único companheiro na glória desse dia. Os dois Césares haviam lutado e conquistado, mas atribuía-se o mérito de seus feitos, em conformidade com as austeras máximas antigas, à auspiciosa influência de seus pais e imperadores. O triunfo de Diocleciano e Maximiano se revestia de menor magnificência, talvez, que os de Aureliano e Probo, mas o dignificavam diversas circunstâncias de ventura e fama superiores. A África e a Britânia, o Reno, o Danúbio e o Nilo forneciam-lhes os respectivos troféus; todavia, o ornamento de maior distinção tinha natureza mais singular: uma vitória persa seguida de uma importante conquista. Imagens representando rios, montanhas e províncias eram conduzidas à testa da carruagem imperial. As representações das esposas, das irmãs e dos filhos cativos do grande rei ofereciam um novo e grato espetáculo à vaidade do povo. Aos olhos da posteridade, tal triunfo é notável por força de uma distinção de espécie menos honrosa. Foi o último que seria dado a Roma contemplar. Logo após esse período, os imperadores deixaram de vencer e Roma deixou de ser a capital do Império.

O local onde Roma havia sido fundada fora consagrado por antigas cerimônias e milagres imaginários. A presença de algum deus ou a lembrança de algum herói parecia animar cada parte da cidade, e o império do mundo tinha sido prometido ao Capitólio.* Os nascidos em Roma sentiam e declaravam o poder dessa grata ilusão. Surgira de seus antepassados, desenvolvera-se com seus antigos hábitos de vida e era protegida em certa medi-

* Ver nota complementar à p. 593. (N. T.)

da pela crença na sua utilidade política. A forma e a sede do governo fundiam-se intimamente; não se julgava possível transferir uma sem destruir a outra. Mas a soberania da capital foi sendo gradualmente aniquilada pela extensão da conquista, as províncias se ergueram ao mesmo nível e as nações vencidas adquiriram o nome e os privilégios de romanas, mas sem assimilarem as afeições próprias dessa filiação.

Durante um longo período, contudo, os remanescentes da antiga Constituição e a influência dos costumes preservaram a dignidade de Roma. Os imperadores, ainda que talvez de extração africana ou ilíria, respeitavam sua pátria adotiva como sede de seu poder e centro de seus extensos domínios. As emergências de guerra com muita frequência lhes exigiam a presença nas fronteiras, mas Diocleciano e Maximiano foram os primeiros príncipes romanos que, em tempo de paz, fixaram sua residência habitual nas províncias; sua conduta, por mais que sugerida por motivos pessoais, justificava-se por considerações políticas assaz especiosas. A corte do imperador do Ocidente sediava-se, na maior parte do tempo, em Milão, cuja situação ao pé dos Alpes parecia muito mais conveniente que a de Roma para o importante desígnio de vigiar os movimentos dos bárbaros da Germânia. Milão logo assumiu o esplendor de uma cidade imperial. As casas são descritas como numerosas e bem construídas, as maneiras do povo como polidas e tolerantes. Um circo, um teatro, uma casa da moeda, um palácio, banhos que ostentavam o nome de Maximiano, seu fundador, pórticos adornados de estátuas e uma dupla circunferência de muralhas contribuíam para a beleza da nova capital; ela nem sequer parecia sentir-se oprimida pela proximidade de Roma.

Rivalizar com a majestade de Roma foi de igual modo a ambição de Diocleciano, que empregou seus lazeres e a riqueza do Oriente no embelezamento de Nicomédia, cidade situada nas fronteiras da Europa com a Ásia, quase a igual distância do Danúbio e do Eufrates. Pelo gosto do monarca e às custas do povo, Nicomédia adquiriu no espaço de uns poucos anos um grau de magnificência que teria exigido aparentemente o trabalho de épocas sucessivas; em tamanho e população, só perdia para Roma, Alexandria e Antioquia. A vida de Diocleciano e de Maximiano era uma vida de ação, passada em grande parte em acampamentos ou em longas e frequentes marchas; mas sempre que os assuntos públicos lhes consentiam algum espairecimento, eles se retiravam com prazer, ao que parece, para suas residências favoritas de Nicomédia e de Milão. Até a celebração, no vigésimo ano de reinado, do seu triunfo romano, é de duvidar que Diocleciano tivesse jamais visitado a antiga capital do Império. Mesmo nessa memorável ocasião, sua estada não excedeu dois meses. Enojado da licenciosa familiaridade das pessoas, abandonou precipitadamente Roma, treze dias antes daquele em que deveria aparecer perante o Senado investido das insígnias da dignidade consular.

O desgosto expresso por Diocleciano para com Roma e a familiaridade excessiva dos romanos não eram consequência de um capricho momentâneo e sim o resultado de uma política deveras habilidosa. O ladino monarca concebera um novo sistema de governo imperial que foi subsequentemente rematado pela família de Constantino; como a imagem da velha Constituição era religiosamente preservada no Senado, ele resolveu privar essa ordem do pouco que lhe restava de poder e consideração. Recordemos, cerca de oito anos antes, da elevação de Diocleciano, a transitória grandeza e as ambiciosas esperanças do Senado romano. Enquanto tal entusiasmo predominou, muitos dos nobres fizeram praça, imprudentemente, de sua dedicação à causa da liberdade; depois de os sucessores de Probo terem retirado o apoio ao partido republicano, os senadores não conseguiram mais ocultar seu ressentimento impotente. Como soberano da Itália, cabia a Maximiano extinguir esse espírito mais molesto do que perigoso, e a tarefa se adequava perfeitamente a sua índole cruel. Os mais ilustres membros do Senado, a quem Diocleciano sempre fingira estimar, viram-se envolvidos por seu colega na acusação de conspirações imaginárias, e a posse de uma vila elegante ou de uma propriedade rural bem cultivada era interpretada como indício convincente de culpa. O acampamento dos pretorianos, que por tão longo tempo a oprimira, começou a proteger a majestade de Roma; e como essas tropas arrogantes estavam cônscias do declínio do seu poder, mostravam-se naturalmente dispostas a unir sua força à autoridade do Senado. Graças às prudentes medidas de Diocleciano, o número de guardas pretorianos foi imperceptivelmente reduzido, seus privilégios abolidos e seu lugar tomado por duas legiões leais da Ilíria, as quais, com os novos títulos de Jovianos e Herculianos, foram nomeadas para prestar serviço de guardas imperiais.

Entretanto, o golpe mais fatal, embora secreto, que o Senado recebeu das mãos de Diocleciano e de Maximiano lhe foi infligido pela inevitável ação de sua ausência. Enquanto os imperadores residissem em Roma, essa assembleia poderia ser oprimida mas dificilmente negligenciada. Os sucessores de Augusto exerceram o poder de promulgar quaisquer leis que sua prudência ou seu capricho pudessem sugerir; tais leis eram, porém, ratificadas pela sanção do Senado. Este preservou o modelo da antiga liberdade em suas deliberações e decretos; os príncipes avisados, que respeitavam os preconceitos do povo romano, viam-se obrigados em certa medida a assumir a linguagem e o comportamento adequados ao primeiro e geral magistrado da nação. Nos exércitos e nas províncias, eles exibiam a dignidade de monarcas; e quando fixavam sua residência a certa distância da capital, deixavam sempre de lado a dissimulação que Augusto recomendara a seus sucessores. No exercício do Poder Executivo, tanto quanto Legislativo, o soberano consultava-se com seus ministros em vez de consultar o grande conselho da nação. O nome do Senado era referido com honra até o período final do Império; distinções honorárias ainda lisonjeavam a vaidade de seus membros; mas cuidou-se de que a assembleia por tanto tempo fonte e por tanto tempo instrumento do poder fosse respeitosamente mergulhando no esquecimento. Ao perder todos os vínculos com a corte imperial e a real estrutura do Estado, o Senado de Roma ficou apenas como um venerável mas inútil monumento da Antiguidade sobre a colina capitolina.

Com perder de vista o Senado e sua antiga capital, os príncipes romanos facilmente esqueceram a origem e a natureza de seu poder legal. Os cargos civis de cônsul, de procônsul, de censor e de tribuno, pela união dos quais ele se formara, delatava ao povo sua extração republicana. Esses títulos modestos foram deixados de parte; e se os monarcas ainda evidenciavam sua eminência pelo título de imperador ou *Imperator*, tal palavra era entendida numa nova e mais nobre acepção: não mais designava o general dos exércitos romanos, mas o soberano do mundo romano. O nome de imperador, que a princípio tinha natureza militar, estava associado a outro de tipo mais servil. O epíteto de *Dominus* ou senhor, em sua significação primitiva, exprimia não a autoridade de um príncipe sobre seus súditos, ou de um comandante sobre seus soldados, mas o poder despótico de um amo sobre seus escravos domésticos. Considerado sob essa luz detestável, fora rejeitado com aversão pelos primeiros Césares. A resistência destes porém foi-se enfraquecendo imperceptivelmente e o epíteto se tornando menos detestável, até que por fim o título de *nosso senhor e imperador* passou a ser conferido não apenas por lisonja mas a ser regularmente admitido nas leis e monumentos públicos.

Tais elevados epítetos eram suficientes para estimular e satisfazer a mais exorbitante vaidade, e, se os sucessores de Diocleciano ainda declinavam o título de rei, parece ter sido em consequência não tanto de sua moderação quanto de sua suscetibilidade. Onde quer que a língua latina estivesse em uso (e era a língua oficial através de todo o Império), o título imperial, por ser privativo deles, exprimia uma ideia mais respeitável que o título de rei, que tinham de partilhar com uma centena de chefes bárbaros ou que, no melhor dos casos, podiam ter recebido tão só de Rômulo ou Tarquínio. Mas os sentimentos orientais eram muito diversos dos ocidentais. Desde os mais recuados períodos da História, os soberanos da Ásia haviam sido exaltados no idioma grego pelo título de *Basileus*, ou rei; e como era considerado a primeira das distinções entre os homens, não tardou a ser empregado pelos servis provincianos do Oriente em suas humildes petições ao trono romano. Até mesmo os atributos, ou pelo menos os títulos, de *divindade* foram usurpados por Diocleciano e Maximiano, que os transmitiram a uma série de imperadores cristãos. Tais extravagantes cumprimentos cedo perderam, contudo, seu significado e, uma vez o ouvido acostumado ao som deles, passavam a soar indiferentemente, como vagas, embora exageradas, manifestações de respeito.

Desde a época de Augusto até a de Diocleciano, os príncipes romanos, convivendo familiarmente com seus concidadãos, eram saudados com apenas o mesmo respeito habitualmente manifestado aos senadores e magistrados. Seu principal distintivo era a toga púrpura, imperial ou militar, ao passo que a senatorial se distinguia por uma listra ou faixa larga, e a equestre por uma listra estreita, da mesma cor ilustre. A soberba, ou melhor, a habilidade política, de Diocleciano levou esse ardiloso príncipe a adotar a majestosa pompa da corte da Pérsia. Aventurou-se inclusive a usar diadema, um ornamento detestado pelos romanos como abominável insígnia da realeza e cujo uso havia sido considerado o mais extremo ato da loucura de Calígula. Não passava de uma faixa larga, branca, incrustada de pérolas, que circundava a cabeça do imperador. As togas suntuosas de Diocleciano e dos seus sucessores eram de seda e ouro; e registra-se com indignação que até mesmo seus calçados estavam cravejados das gemas mais preciosas. O acesso a sua sacra pessoa se tornava a cada dia mais difícil devido à instituição de novas formalidades e cerimônias. As avenidas do palácio estavam sob a guarda rigorosa de várias *escolas* (tais como começaram a ser chamadas) de oficiais do serviço interno. Os aposentos íntimos ficavam sob a estrita vigilância dos eunucos; o crescimento do número e influência deles era o sintoma mais infalível do progresso do despotismo. Quando um súdito ganhava finalmente admissão à imperial presença, estava obrigado, qualquer que fosse sua classe, a prostrar-se por terra e a adorar, em conformidade com o costume oriental, a divindade de seu amo e senhor.

Diocleciano era um homem sensato que, no curso da vida privada e da vida pública, formara uma justa estimativa de si mesmo e dos homens; não é concebível que, ao substituir os costumes de Roma pelos da Pérsia, estivesse ele sob o influxo de motivação tão rasteira quanto a da vaidade. Ele se persuadiu de que a ostentação de esplendor e de luxo conquistaria a imaginação da multidão; de que o monarca se veria menos exposto aos rudes abusos de liberdade por parte do povo e dos soldados na medida em que sua pessoa estivesse apartada de suas vistas; e de que os hábitos de submissão insensivelmente acabariam por suscitar sentimentos de veneração. Tanto quanto a modéstia afetada por Augusto, a pompa mantida por Diocleciano era uma representação teatral; impõe-se reconhecer, porém, que, dessas duas comédias, a do primeiro tinha caráter muito mais liberal e varonil que a do segundo. Um visava a disfarçar, o outro buscava ostentar o ilimitado poder que os imperadores possuíam sobre o mundo romano.

A ostentação se constituía no princípio primeiro do novo sistema instituído por Diocleciano. O segundo princípio era a divisão. Ele dividiu o Império, as províncias e todos os ramos da administração civil e militar. Multiplicou as engrenagens da máquina governamental e tornou-lhe o funcionamento menos rápido mas mais seguro. Quaisquer que pudessem ser as vantagens e defeitos dessas inovações, devem ser atribuídos na quase totalidade a seu primeiro inventor; todavia, como a nova estrutura política foi sendo gradualmente aperfeiçoada e completada por monarcas sucessivos, será mais conveniente adiar-lhe o exame até seu estágio de plena maturação e perfeição. Reservando portanto para o reinado de Constantino uma descrição mais precisa do novo império, contentemo-nos por agora em acompanhar-lhe o contorno principal e decisivo tal como o traçou a mão de Diocleciano. Ele associara três colegas ao exercício do poder supremo, e como estava convicto de que os talentos de um só homem seriam insuficientes para a defesa pública, considerava a administração conjunta de quatro príncipes não como um expediente temporário mas como uma lei fundamental da organização do Estado. Seu intento era o de que os dois príncipes mais idosos se distinguissem pelo uso do diadema e dos títulos de Augustos; que, guiando sua escolha pelo afeto ou pela avaliação, convocassem regularmente a assistência de dois colegas subordinados; e que os Césares, alçando-se por sua vez à posição suprema, provessem uma sucessão ininterrupta de imperadores. O império estava dividido em quatro partes, sendo o Oriente e a Itália as mais importantes, o Danúbio e o Reno as mais trabalhosas. As primeiras exigiam a presença dos Augustos, as últimas estavam confiadas à administração dos Césares. O poderio das legiões ficava nas mãos dos quatro parceiros da soberania, e o desespero de ter de vencer sucessivamente quatro temíveis rivais poderia intimidar qualquer general ambicioso. No governo civil, os imperadores deviam supostamente exercer o poder indiviso do monarca, e seus éditos, assinados por seus nomes conjuntos, eram recebidos em todas as províncias como tendo sido promulgados por sua mútua anuência e autoridade. Malgrado tais precauções, a união política do mundo romano foi se dissolvendo aos poucos; introduziu-se um princípio de divisão que, no decorrer de poucos anos, ocasionaria a perpétua separação entre os impérios do Ocidente e do Oriente.

O sistema de Diocleciano trazia outra desvantagem assaz momentosa, que mesmo hoje não se pode negligenciar: uma manutenção mais dispendiosa e, por conseguinte, um aumento dos impostos e da opressão do povo. Em vez da modesta família de escravos e libertos com que se contentara a grandeza simples de Augusto e Trajano, três ou quatro cortes luxuosas foram instituídas nas várias partes do Império, e outros tantos *reis* romanos competiam entre si e com o monarca persa numa fátua superioridade de pompa e luxo. O número de ministros, de magistrados, de oficiais e de servidores que enchiam os diferentes departamentos do Estado se multiplicou, excedendo o das épocas anteriores; e (tomando de empréstimo a viva expressão de um contemporâneo), "quando a proporção dos que recebiam excedeu a proporção dos que contribuíam, viram-se as províncias oprimidas pelo peso dos tributos". Desse período até a extinção do Império, seria fácil alinhar uma série ininterrupta de clamores e queixas. Em conformidade com sua religião e condição, cada autor escolhe ou Diocleciano ou Constantino ou Valente ou Teodósio para alvo de suas invectivas; todos são unânimes porém em considerar a carga de impostos públicos, particularmente o imposto fundiário e a capitação, como o intolerável e crescente vexame de sua própria época. Em face de tal concordância, um historiador imparcial, obrigado a inferir a verdade tanto da sátira quanto do panegírico, sentir-se-á inclinado a dividir a culpa entre os príncipes acusados e a atribuir suas exações muito menos ao vício pessoal que ao sistema uniforme de sua administração. O imperador Diocleciano foi em verdade o autor desse sistema, mas durante seu reinado o mal crescente esteve confinado nos limites da modéstia e da discrição, merecendo ele antes a censura de estabelecer precedentes perniciosos que a de exercer efetiva opressão. Acresce que seus rendimentos eram administrados com prudente economia e que, após terem sido pagas todas as despesas em curso, sobrava no tesouro imperial uma ampla reserva, fosse para liberalidades sensatas, fosse para atender a uma emergência do Estado.

Foi no 21º ano de seu reinado que Diocleciano levou a cabo sua memorável decisão de abdicar o Império, ato que seria mais naturalmente de esperar do velho ou do jovem Antonino que de um príncipe que nunca praticara os ensinamentos da filosofia quer na consecução quer no uso do poder supremo. Diocleciano granjeou a glória de dar ao mundo o primeiro exemplo de uma abdicação que não tem sido imitada com frequência por monarcas posteriores. O paralelo com Carlos V, todavia, naturalmente nos ocorrerá, não só porque a eloquência de um historiador moderno tornou esse nome tão familiar aos leitores ingleses, como sobretudo pela impressionante semelhança entre os caracteres dos dois imperadores, cujos talentos políticos sobrepujavam seu gênio militar e cujas especiosas virtudes eram menos produto da natureza que da arte. A abdicação de Carlos parece ter sido apressada pela vicissitude da fortuna: o malogro de seus planos prediletos incitou-o a renunciar a um poder que verificou ser inadequado para sua ambição. O reinado de Diocleciano porém fluíra num curso de sucessos ininterruptos, e foi só depois de ter vencido todos os seus inimigos e realizado todos os seus objetivos que ele parece ter começado a pensar seriamente em abdicar o Império. Nem Carlos nem Diocleciano tinham idade muito avançada, pois um contava apenas 55 anos e outro apenas 59; entretanto, a vida ativa desses príncipes, suas guerras e jornadas, os encargos da realeza e sua dedicação aos assuntos públicos já lhes haviam comprometido a saúde e trazido os achaques de uma velhice prematura.

Malgrado a aspereza de um inverno muito frio e chuvoso, Diocleciano deixou a Itália pouco após a cerimônia de seu triunfo e iniciou sua jornada rumo ao Oriente fazendo o circuito das províncias ilírias. Devido à inclemência do tempo e à fadiga da viagem, contraiu uma enfermidade de curso lento e, embora fizesse jornadas curtas e fosse geralmente transportado numa liteira fechada, seu estado de saúde, antes de alcançar Nicomédia no fim do verão, se havia tornado muito sério e preocupante. Durante todo o inverno ficou confinado em seu palácio; sua condição inspirava geral e sincera preocupação, mas as pessoas só podiam ajuizar das alterações de sua saúde por meio da alegria ou consternação que vissem estampadas no semblante e no comportamento de seus acompanhantes. Todos acreditaram a certa altura no boato de sua morte, que se supôs fosse ocultada com vistas a impedir as perturbações que poderiam acontecer na ausência do César Galério. Finalmente, contudo, em 1º de março, Diocleciano reapareceu em público, mas tão pálido e emaciado que dificilmente poderia ter sido reconhecido mesmo por aqueles a quem sua figura fosse bem familiar. Era tempo de pôr um fim à luta penosa que sustentara por mais de um ano entre os cuidados de sua saúde e de seu alto cargo. Aqueles exigiam tranquilidade e repouso; estes o compeliam a dirigir, de seu leito de enfermo, a administração de um grande império. Decidiu então passar o restante de seus dias em honroso descanso, colocar sua glória além do alcance da fortuna e abandonar o teatro do mundo a seus associados mais jovens e mais ativos.

A cerimônia de sua abdicação realizou-se numa ampla planura a cerca de cinco quilômetros de Nicomédia. O imperador subiu a um trono elevado e, numa alocução impregnada de sensatez e dignidade, deu a conhecer sua intenção tanto ao povo quanto aos soldados reunidos para essa ocasião extraordinária.

Tão logo se despiu da púrpura, retirou-se das vistas da multidão e, atravessando a cidade numa carruagem coberta, dirigiu-se sem mais tardança para o retiro favorito, que escolhera em sua terra natal na Dalmácia. No mesmo dia, 1º de maio, Maximiano, conforme previamente combinado, abdicou a dignidade imperial em Milão. Já no esplendor do triunfo romano, Diocleciano lhe concebera a abdicação do governo. Como desejava estar seguro da obediência de Maximiano, dele obteve uma garantia geral de que submeteria seus atos à autoridade de seu benfeitor ou uma promessa específica de que desceria do trono assim que recebesse o aviso e o exemplo. Esse compromisso, conquanto houvesse sido confirmado pela solenidade de um juramento perante o altar de Júpiter Capitolino, ter-se-ia demonstrado uma débil coerção para o arrebatado temperamento de Maximiano, cuja paixão era o amor ao poder e que não desejava nem tranquilidade no presente nem reputação no futuro. Mas cedeu, ainda que com relutância, ao ascendente que seu colega mais judicioso adquirira sobre ele e se recolheu logo após a abdicação numa vila em Lucânia, onde seria quase impossível a um espírito tão impaciente encontrar qualquer espécie de tranquilidade duradoura.

Diocleciano, que de uma origem servil se alçara até o trono, passou os nove últimos anos de vida na privacidade. A razão havia ditado e o contentamento parece ter acompanhado seu retiro, no qual desfrutou por longo tempo o respeito dos príncipes a quem havia deixado a possessão do mundo. São raros os espíritos exercitados no trato dos assuntos do mundo que desenvolvem o hábito de conversar consigo mesmos, e é principalmente a perda do poder que os leva a lamentar a falta do que fazer. As distrações das letras e da devoção, que oferecem tanto consolo na solidão, não conseguiam prender a atenção de Diocleciano; todavia, ele havia conservado, ou pelo menos logo o recobrou, o gosto pelos prazeres mais inocentes e mais naturais, e suas horas de lazer eram satisfatoriamente empregadas em construção, plantio e jardinagem. Sua resposta a Maximiano é justificadamente célebre. Ele fora instado por esse impaciente ancião a retomar as rédeas do governo e a púrpura imperial.

Rejeitou a tentação com um sorriso de piedade, observando calmamente que, se pudesse mostrar a Maximiano as couves que plantara com suas próprias mãos em Salona, não mais seria instado a trocar o desfrute da felicidade pela busca do poder.

Em suas conversações com os amigos, repetidas vezes reconheceu que, de todas as artes, a mais difícil é reinar; exprimia-se acerca desse tópico favorito com um grau de vivacidade que só podia ser resultado da experiência. "Quão frequente", costumava dizer,

> é o interesse de quatro ou cinco ministros em se concertarem entre si para enganar seu soberano! Segregado da humanidade pela eminência da sua posição, a verdade lhe é ocultada e não chega ao seu conhecimento; ele só pode ver com os olhos deles, não ouve nada senão as deformações deles. Confere os cargos mais importantes ao vício e à fraqueza, e desgraça os mais virtuosos e os mais meritórios entre os seus súditos. Por via de tais recursos infames os melhores e mais prudentes príncipes são entregues à corrupção venal de seus cortesãos.

Uma justa estimativa da magnitude e certeza de fama imortal aumenta nosso gosto pelos prazeres da aposentadoria; o imperador romano, todavia, desempenhara no mundo um papel por demais importante para poder desfrutar sem amargura os confortos e a segurança da privacidade. É difícil imaginar que ele pudesse se manter na ignorância das perturbações que afligiram o Império depois de sua abdicação. É impossível conceber que ele ficasse indiferente às consequências delas. O temor, o pesar e a insatisfação o perseguiam às vezes na solidão de Salona. Sua ternura, ou pelo menos seu orgulho, foi profundamente afetada pelos infortúnios de sua esposa e de sua filha; e os últimos momentos de Diocleciano se viram amargurados por certas afrontas que Licínio e Constantino bem poderiam ter poupado ao pai de tantos imperadores e o primeiro autor de sua própria prosperidade. Uma notícia, embora de natureza bastante duvidosa, chegada até nossos dias, dizia que ele prudentemente se furtou ao poder deles mediante uma morte voluntária.*

Seria quase supérfluo assinalar que as agitações civis do Império, os abusos dos soldados, as incursões dos bárbaros e o avanço do despotismo se demonstraram assaz desfavoráveis ao gênio e até mesmo ao saber. A série de príncipes ilírios que restaurou o Império não lhe restaurou as ciências. A educação militar que tiveram não era de molde a inspirar-lhes o amor às letras; mesmo a mente de Diocleciano, tão ativa e capaz no trato dos assuntos públicos, não fora de modo algum afeiçoada pelo estudo ou pela especulação. A jurisprudência e a medicina são de tanta utilidade prática e se revelam tão lucrativas que sempre contarão um número suficiente de praticantes dotados de um razoável grau de competência e de conhecimento; não parece contudo que os estudantes dessas duas disciplinas possam invocar os nomes de quaisquer mestres renomados que tenham florescido nesse período. A voz da poesia emudecera. A História se reduzira a secos e confusos resumos, destituídos tanto do poder de distrair quanto do de instruir. Uma frouxa e afetada eloquência paga ainda estava a serviço dos imperadores, que não encorajavam quaisquer artes, a não ser as capazes de contribuir para a satisfação de sua vaidade ou para a defesa de sua autoridade.

A época de decadência do saber e dos valores humanos assinalou-se todavia pelo surgimento e rápido progresso dos neoplatônicos. A escola de Alexandria silenciou as de Atenas, e as antigas seitas se alistaram nas hostes de mestres mais em moda, que encareciam seu sistema pela novidade do método e pela austeridade de seus costumes. Vários desses mestres — Amônio, Plotino, Amélio e Porfírio — eram homens de ideias profundas e de intensa dedicação a elas; entretanto, como estavam equivocados quanto ao verdadeiro objeto da filosofia, seus esforços contribuíram muito menos para aperfeiçoar o entendimento humano do

* Omite-se aqui uma descrição pormenorizada do lugar de retiro de Diocleciano. (N. O.)

que para corrompê-lo. O conhecimento que melhor serve a nossa condição e faculdades, todo o âmbito da ciência moral, natural e matemática, era negligenciado pelos neoplatônicos; eles exauriam seu talento nas disputas verbais da metafísica, tentavam explorar os segredos do mundo invisível e se empenhavam em reconciliar Aristóteles com Platão acerca de assuntos em que ambos os filósofos eram tão ignorantes quanto o restante dos homens. Consumindo o raciocínio em tais meditações profundas mas insubstanciais, suas mentes estavam expostas às ilusões da fantasia. Jactavam-se de possuir o segredo de desembaraçar a alma de sua prisão corpórea, sustentavam estar em comunicação regular com demônios e espíritos e, numa revolução deveras singular, converteram o estudo da filosofia em estudo da magia. Os sábios da Antiguidade haviam escarnecido a superstição popular; após mascarar-lhe a extravagância sob a tênue capa da alegoria, os discípulos de Plotino e Porfírio se tornaram os mais ardentes defensores dela. Ainda que concordassem com os cristãos em alguns mistérios da fé, atacavam-lhes o restante do sistema teológico com toda a fúria da guerra civil. Os neoplatônicos dificilmente mereceriam um lugar na história da ciência, mas na da Igreja a menção de seus nomes ocorrerá com frequência.

7

(305-324 d.C.)
*Perturbações após a abdicação de Diocleciano — Morte de Constâncio — Elevação de Constantino e Maxêncio — Seis imperadores ao mesmo tempo — Morte de Maximiano e Galério — Vitórias de Constantino sobre Maxêncio e Licínio — União do Império sob a autoridade de Constantino**

O EQUILÍBRIO DE PODER ESTABELECIDO por Diocleciano somente subsistiu enquanto foi mantido pela mão firme e destra do fundador. Exigia uma aliança tão afortunada de diferentes temperamentos e dons que dificilmente se esperaria que ela ocorresse uma segunda vez — dois imperadores sem inveja, dois Césares sem ambição e o mesmo interesse geral invariavelmente buscado por quatro príncipes independentes. À abdicação de Diocleciano e de Maximiano sucederam-se dezoito anos de discórdia e confusão. O Império se viu afligido por cinco guerras civis; no restante do tempo, reinou não tanto um estado de tranquilidade como de trégua armada entre diversos monarcas hostis que, encarando-se um ao outro com olhos de medo e rancor, forcejavam por aumentar suas respectivas forças à custa de seus súditos.

Tão logo Diocleciano e Maximiano abdicaram a púrpura, o lugar deles foi ocupado, em conformidade com as regras da nova ordem, pelos dois Césares, Constâncio e Galério, que assumiram imediatamente o título de Augusto. As honras de precedência por idade couberam ao primeiro dos dois príncipes, e ele continuou, sob nova denominação, a administrar seu antigo

* Capítulo 14 do original. (N. O.)

departamento da Gália, Hispânia e Britânia. O governo dessas vastas províncias era o bastante para ocupar-lhe os talentos e satisfazer-lhe a ambição. Clemência, temperança e moderação distinguiam o afável caráter de Constâncio, e seus aventurados súditos tinham frequente ocasião de comparar as virtudes de seu soberano com as paixões de Maximiano ou mesmo com os ardis de Diocleciano. Em vez de imitar-lhes a soberba e a magnificência orientais, Constâncio preservou a modéstia de um príncipe romano. Declarava com uma sinceridade sem afetação que seu mais valioso tesouro estava no coração de seu povo e que toda vez que a dignidade do trono ou o perigo do Estado exigissem recursos extraordinários, ele poderia confiar-lhe na gratidão e generosidade. Os provincianos da Gália, da Hispânia e da Britânia, cientes do valor dele e de sua própria ventura, acompanhavam com ansiedade o declínio da saúde do imperador Constâncio e a tenra idade de sua numerosa prole, fruto de seu segundo casamento com a filha de Maximiano.

O ríspido temperamento de Galério fora fundido em molde muito diverso; embora merecesse a estima de seus súditos, raramente condescendia em requestar o afeto deles. Sua fama nas armas e, acima de tudo, o triunfo na guerra persa lhe haviam exaltado a mente soberba, que naturalmente não se compadecia com um superior ou mesmo com um igual. Se possível fosse confiar no testemunho parcial de um autor pouco judicioso, poderíamos atribuir a abdicação de Diocleciano às ameaças de Galério e narrar os pormenores de uma conversação *privada* entre os dois príncipes na qual o primeiro deu tantas mostras de pusilanimidade quanto o segundo de ingratidão e arrogância. Todavia, essas anedotas obscuras são refutadas o quanto basta por uma consideração imparcial do caráter e da conduta de Diocleciano. Quaisquer que pudessem ter sido suas intenções em contrário, se ele tivesse receado qualquer perigo da violência de Galério, seu bom senso o teria instruído a evitar a ignominiosa contenda; e assim como empunhara o cetro com glória, teria dele abdicado sem desonra.

Após a elevação de Constâncio e Galério à posição de Augustos, dois novos Césares se tornaram necessários para tomar-lhes o lugar e completar o sistema do governo imperial. Diocleciano estava sinceramente desejoso de retirar-se do mundo; considerava Galério, que lhe havia desposado a filha, o mais firme esteio de sua família e do Império; e consentiu sem relutância em que seu sucessor assumisse o mérito bem como a inveja da importante nomeação. Esta foi feita sem consultar o interesse ou a preferência dos príncipes do Oriente. Cada um deles tinha um filho que já chegara à idade viril e que poderia ter sido considerado o candidato mais natural para a alta posição vacante. Mas o impotente ressentimento de Maximiano já não era de temer, e o moderado Constâncio, conquanto pudesse desprezar os perigos, temia humanitariamente as calamidades da guerra civil. As duas pessoas que Galério promovera ao posto de César se adequavam melhor aos propósitos de sua ambição; tinham a recomendá-las sobretudo a falta de mérito ou de importância pessoal. A primeira delas era Daza, ou, como foi subsequentemente chamado, Maximino, filho de uma irmã de Galério. Jovem e inexperiente, suas maneiras e sua linguagem lhe traíam a educação rústica; ficou pasmo, e o mundo com ele, quando Diocleciano o investiu da púrpura, elevando-o à dignidade de César e confiando-lhe o comando soberano do Egito e da Síria. Ao mesmo tempo Severo, um empregado fiel, amigo do prazer mas não incapaz de assumir responsabilidades, foi enviado a Milão para receber, das mãos relutantes de Maximiano, as insígnias cesáreas e o comando da Itália e da África. Em concordância com as formas da organização do governo, Severo reconhecia a supremacia do imperador do Ocidente; devotava-se todavia totalmente às ordens de seu benfeitor Galério, o qual, reservando para si os países intermediários entre os confins da Itália e os da Síria, estabeleceu sua firme autoridade sobre três quartos da monarquia. Na plena confiança de que a morte de Constâncio em breve o faria único senhor do mundo romano, asseveram-nos que concebera na mente uma longa sucessão de futuros príncipes e planejara retirar-se da vida pública após ter completado um glorioso reinado de cerca de vinte anos.

Mas em menos de dezoito meses duas revoluções inesperadas deitaram por terra os planos ambiciosos de Galério. As esperanças de incorporar as províncias ocidentais ao seu império frustraram-se com a elevação de Constantino, ao passo que a Itália e a África ficaram perdidas com a revolta vitoriosa de Maxêncio.

I. A ELEVAÇÃO DE CONSTANTINO. A fama de Constantino tornou a posteridade atenta às mínimas circunstâncias de sua vida e de seus atos. O lugar de seu nascimento bem como a posição social de sua mãe Helena têm sido objeto não só de disputas literárias como nacionais. Malgrado a tradição recente que lhe aponta como pai um rei bretão, cumpre-nos reconhecer que Helena era filha de um estalajadeiro; ao mesmo tempo, porém, podemos defender a legalidade de seu casamento contra aqueles que a apresentam como a concubina de Constâncio. O grande Constantino nasceu muito provavelmente em Naisso, na Dácia, e não é de surpreender que, numa família e numa província distinguidas tão só pela profissão das armas, a juventude mostrasse muito pouca inclinação a aprimorar a mente pela aquisição de conhecimentos. Constantino contava cerca de dezoito anos de idade quando seu pai foi promovido à posição de César; esse acontecimento afortunado se fez acompanhar porém de seu divórcio de Helena, e o esplendor de uma aliança real reduziu-lhe o filho a um estado de desonra e humilhação. Em vez de acompanhar Constâncio ao Ocidente, Constantino permaneceu no serviço de Diocleciano, destacando-se por sua bravura nas guerras do Egito e da Pérsia; aos poucos fez carreira, até chegar ao honroso posto de tribuno da primeira ordem.

Constantino era uma figura alta e majestosa; revelava-se destro em todos os exercícios, intrépido na guerra, afável na paz; em toda sua conduta, o ânimo ativo do jovem era temperado de prudência habitual; conquanto a ambição lhe dominasse o espírito, aparentava frieza e insensibilidade aos encantamentos do prazer. Seu prestígio junto ao povo e aos soldados, que o haviam distinguido como um digno candidato à posição de César, só servia para exasperar a desconfiança de Galério; ainda que a prudência o possa coibir de exercer qualquer violência ostensiva, um monarca absoluto raramente se embaraça no levar a cabo uma vingança segura e sigilosa. A cada momento aumentava o perigo de Constantino e a ansiedade de seu pai, que em constantes cartas exprimia o mais fervente desejo de abraçar o filho. Por algum tempo, a habilidade política de Galério proveu-o de retardamentos e pretextos, mas era impossível recusar por mais tempo uma solicitação tão natural de seu associado, a menos que se dispusesse a sustentá-la com a força das armas. A permissão de viagem foi concedida com relutância, e quaisquer precauções que o imperador pudesse ter tomado para interceptar um retorno cujas consequências com tanta razão temia foram eficazmente desapontadas pela incrível diligência de Constantino. Deixando o palácio de Nicomédia na calada da noite, ele atravessou celeremente a Bitínia, a Trácia, a Dácia, a Panônia e a Itália e, entre jubilosas aclamações populares, alcançou o porto de Boulogne no exato momento em que seu pai se preparava para embarcar rumo à Britânia.

A expedição britânica e uma fácil vitória sobre os bárbaros da Caledônia foram os últimos feitos do reinado de Constâncio. Ele terminou a vida no palácio imperial de York, quinze meses depois de ter recebido o título de Augusto e quase catorze anos e meio após ter sido promovido à posição de César. A sua morte seguiu-se imediatamente a elevação de Constantino. As ideias de herança e sucessão são tão familiares que a humanidade em geral as considera fundadas não apenas na razão mas na própria natureza. Nossa imaginação prontamente transfere o princípio da propriedade privada ao domínio público e, sempre que um pai virtuoso deixa após si um filho cujo mérito pareça justificar a estima ou mesmo as esperanças do povo, a influência conjunta do preconceito e do afeto atua com força irresistível. O escol dos exércitos ocidentais acompanhara Constâncio à Britânia e as tropas nacionais foram reforçadas por um numeroso contingente de alamanos, que obedeciam às ordens de Croco, um de seus chefes hereditários.[1] A crença em sua própria importância e a certeza de

[1] Este seja talvez o primeiro exemplo de um rei bárbaro socorrer as armas romanas com um corpo independente formado por seus próprios súditos. A prática tornou-se comum e por fim revelou-se fatal.

que a Britânia, a Gália e a Hispânia concordariam com a designação foram diligentemente inculcadas nas legiões pelos partidários de Constantino. Perguntou-se aos soldados se hesitariam um momento entre pôr à testa das legiões o digno filho de seu bem-amado imperador e sujeitar-se à ignomínia de passivamente aguardar a vinda de algum obscuro forasteiro a quem aprouvesse ao soberano da Ásia confiar o comando dos exércitos e das províncias do Ocidente. Foi-lhes sugerido que a gratidão e a generosidade ocupavam destacado lugar entre as virtudes de Constantino, e esse ardiloso príncipe só se apresentou às tropas quando estas estavam finalmente preparadas para saudá-lo com os títulos de Augusto e imperador. O trono era o alvo de seus desejos e, ainda que estivesse menos impelido pela ambição, constituía-se em seu único meio de segurança. Constantino conhecia o caráter e os sentimentos de Galério e sabia muito bem que, se desejasse viver, teria de decidir-se a reinar. A decorosa e até mesmo obstinada resistência que afetou tinha por objetivo justificar sua usurpação; só cedeu às aclamações do exército depois de prover-se dos materiais necessários para escrever uma carta que imediatamente remeteu ao imperador do Oriente. Constantino o informava da triste nova da morte do pai, modestamente afirmava seu natural direito à sucessão e respeitosamente lamentava que a afetuosa violência de suas tropas não lhe tivesse permitido requerer a púrpura imperial da maneira regular e constitucional.

As primeiras emoções de Galério foram de surpresa, desapontamento e ira, e como raramente conseguia dominar suas paixões, ameaçou aos brados atirar a carta e o mensageiro ao fogo. Mas seu ressentimento amainou aos poucos, e, após ponderar o risco de uma guerra e pesar o caráter e a força de seu adversário, anuiu à honrosa acomodação que a prudência de Constantino lhe deixara aberta. Sem condenar nem ratificar a escolha do exército bretão, Galério reconheceu o filho de seu colega falecido como o soberano das províncias além-Alpes; deu-lhe apenas, no entanto, o título de César e o quarto lugar entre os príncipes romanos, ao mesmo passo que conferia o lugar vacante de Augusto ao seu favorito, Severo. A aparente harmonia do Império ainda se mantinha, e Constantino, que já lhe possuía a substância, aguardou sem impaciência uma oportunidade de obter as honras do poder supremo.

Os filhos de Constâncio, de seu segundo casamento, eram em número de seis, três de cada sexo, e dada sua ascendência imperial poderiam ter reivindicado preferência sobre o filho de Helena, de extração inferior. Mas Constantino estava com 32 anos, na vigorosa plenitude do corpo e da mente, numa época em que o mais velho de seus irmãos não contaria mais de treze anos. Sua alegação de superioridade de mérito fora aceita e ratificada pelo imperador agonizante. Em seus últimos momentos, Constâncio legou ao filho mais velho o cuidado e a grandeza da família, conjurando-o a assumir tanto a autoridade quanto os sentimentos de um pai para com os filhos de Teodora. A educação liberal que tiveram, os casamentos vantajosos, a segura dignidade de suas vidas e as primeiras honras do Estado de que foram investidos atestam o afeto fraternal de Constantino; e como esses príncipes eram de índole afável e agradecida, submeteram-se sem relutância à superioridade de seu gênio e fortuna.

II. A REVOLTA DE MAXÊNCIO. O espírito ambicioso de Galério mal se conformara com o malogro de suas expectativas em relação às províncias gálicas quando a inesperada perda da Itália veio ferir-lhe o orgulho e a autoridade num ponto ainda mais sensível. A longa ausência dos imperadores enchera Roma de descontentamento e indignação; aos poucos, foram as pessoas descobrindo que a preferência dada a Nicomédia e Milão não devia ser atribuída a uma inclinação pessoal de Diocleciano mas à forma permanente de governo por ele instituída. Foi em vão que, poucos meses depois de sua abdicação, seus sucessores lhe deram o nome aos magníficos banhos cujas ruínas ainda fornecem o terreno e os materiais para tantas igrejas e conventos. A tranquilidade desses elegantes recantos de bem-estar e de luxo era perturbada pelos resmungos dos romanos: corria o rumor de que as somas despendidas em sua edificação logo seriam cobradas deles. Pela mesma época, a avareza de Galério, ou talvez as exigências do Estado, haviam-no induzido a fazer uma investigação muito precisa e rigorosa das propriedades dos súditos com o propósito de uma taxação geral tanto sobre suas terras como sobre suas pessoas. Ao que parece, procedeu-se a um levantamento assaz minucioso de seus bens imóveis e, onde quer que houvesse a menor suspeita de ocultação, recorria-se prontamente à tortura para obter uma declaração sincera de suas fortunas pessoais. Os privilégios que haviam elevado a Itália muito acima das demais províncias não eram mais levados em conta, e os agentes do fisco começaram a recensear o povo romano e fixar a proporção dos novos tributos.

Embora se tivesse extinguido todo o espírito de liberdade, os súditos mais dóceis se atreviam por vezes a resistir a uma invasão de sua propriedade até então sem precedentes; nessa ocasião, porém, o insulto vinha agravar a injúria e o senso do interesse privado era avivado pelo de honra nacional. A conquista da Macedônia, como já observamos, livrara o povo romano da carga de tributos pessoais. Embora tivesse ele experimentado todas as formas de despotismo, desfrutara de tal isenção por cerca de quinhentos anos e não podia tolerar pacientemente a insolência de um campônio ilírio que, de sua remota residência na Ásia, ousava incluir Roma entre as cidades tributárias de seu império. A fúria crescente do povo era encorajada pela autoridade, ou pelo menos pela conivência, do Senado, e os poucos remanescentes da Guarda Pretoriana, que tinham razão em recear-lhe a dissolução, aproveitaram um pretexto tão honroso para se declarar prontos a empunhar suas espadas a serviço da pátria oprimida. Era desejo e logo se tornou a esperança de todo cidadão, após expulsar da Itália seus tiranos estrangeiros, eleger um príncipe que, por seu lugar de residência e por suas máximas de governo, pudesse mais uma vez merecer o título de imperador romano. O nome, tanto quanto a situação de Maxêncio, fez com que para ele se voltasse o entusiasmo popular.

Maxêncio era filho do imperador Maximiano e desposara a filha de Galério. Seu nascimento e sua aliança pareciam oferecer-lhe a mais ridente promessa de herdar o trono; todavia, seus vícios e sua incapacidade fizeram com que fosse excluído da dignidade de César, merecida por Constantino graças a uma perigosa superioridade de mérito. Era política de Galério preferir associados que nunca pudessem comprometer a escolha ou discutir as ordens de seu benfeitor. Um obscuro estrangeiro foi portanto elevado ao trono da Itália e ao filho do último imperador do Ocidente coube desfrutar os deleites de uma fortuna pessoal numa vila distante poucos quilômetros da capital. As sombrias paixões de sua alma, opróbrio, vexame e ira, inflamaram-se de inveja às notícias do sucesso de Constantino; entretanto, as esperanças de Maxêncio se avivaram com o descontentamento público e não foi difícil persuadi-lo a identificar suas afrontas e pretensões pessoais à causa do povo romano. Dois tribunos pretorianos e um comissário de provisões assumiram o comando da conspiração e, como todas as ordens de pessoas estavam animadas do mesmo espírito, a passagem à ação imediata não se demonstrou nem duvidosa nem difícil. Os guardas massacraram o prefeito da cidade e os poucos magistrados ainda fiéis a Severo, e Maxêncio, investido dos ornamentos imperiais, foi reconhecido, entre os aplausos do Senado e do povo, como o protetor da liberdade e da dignidade romanas. Não se sabe se Maximiano tinha conhecimento prévio da conspiração, mas, tão logo se elevou em Roma o estandarte da rebelião, o velho imperador abandonou o retiro onde a autoridade de Diocleciano o condenara a passar uma vida de melancólica solidão e ocultou sua renovada ambição sob a capa de afeto paterno. A pedido do filho e do Senado, condescendeu em reassumir a púrpura. Sua antiga dignidade, sua experiência e sua fama deram força, assim como prestígio, ao partido de Maxêncio.

Seguindo o conselho, ou melhor, as ordens, de seu colega, o imperador Severo correu imediatamente para Roma, confiante de todo em que por sua inesperada presteza facilmente extinguiria o tumulto de uma populaça pouco belicosa comandada por um jovem libertino. Mas, ao ali chegar, deparou com os portões da cidade fechados, as muralhas repletas de homens em armas, um general experiente no comando dos rebeldes e suas próprias tropas destituídas de ânimo ou motivação. Um grande número de soldados mouros desertou e se uniu ao inimigo; foram atraídos pela promessa de um grande donativo e, a ser verdade que tinham sido recrutados por Maximiano em sua guerra africana, colocando os naturais sentimentos de gratidão acima dos vínculos artificiais do dever de obediência. Anulino, o prefeito pretoriano, declarou-se ele próprio a favor de Maxêncio e arrastou consigo a parte mais considerável de tropas acostumadas a obedecer-lhe às ordens. Roma, segundo a expressão de um historiador, chamou de volta seus exércitos e o infortunado Severo, destituído de força e de propósito, retirou-se, ou melhor, fugiu às pressas para Ravena.

Ali poderia achar-se a salvo por algum tempo. As fortificações de Ravena estavam aptas a resistir aos assaltos e os brejos que circundavam a cidade eram suficientes para evitar a aproximação do exército italiano. O mar, que Severo dominava com uma poderosa frota, assegurava-lhe um inesgotável suprimento de provisões e dava livre ingresso às legiões que na próxima primavera viriam em seu auxílio da Ilíria e do Oriente. Maximiano, que dirigiu em pessoa o assédio, logo se convenceu de que poderia perder seu tempo e seu exército na infrutífera empresa, nada tendo a esperar nem da força nem da fome. Com uma astúcia mais própria do caráter de Diocleciano do que do seu, voltou o ataque não tanto contra as muralhas de Ravena como contra o espírito de Severo. A traição que havia experimentado dispusera esse desditoso príncipe a suspeitar de seus amigos e partidários. Os emissários de Maximiano facilmente lhe persuadiram a credulidade de que se formara uma conspiração para trair a cidade e valeram-se de seus temores para persuadi-lo a não ficar à mercê de um conquistador irado, mas a aceitar a promessa de uma capitulação honrosa. A princípio foi recebido com benevolência e tratado com respeito. Maximiano levou o imperador cativo para Roma e deu-lhe as mais solenes garantias de que tinha a vida assegurada pela abdicação da púrpura. Severo todavia só pôde obter uma morte tranquila e um funeral imperial. Depois de a sentença lhe ter sido comunicada, ficou a seu critério a maneira de executá-la; ele optou pelo método favorito dos antigos, o de abrir as veias, e tão logo expirou seu cadáver foi levado ao sepulcro que havia sido construído para a família de Galieno.

Embora Constantino e Maxêncio tivessem muito pouca afinidade em matéria de caráter, sua posição e seus interesses eram os mesmos, e a prudência parecia exigir que unissem suas forças contra o inimigo comum. A despeito da idade e dos títulos superiores, o infatigável Maximiano cruzou os Alpes e, solicitando uma entrevista pessoal do soberano, levou consigo sua filha Fausta como penhor de uma nova aliança. O casamento se celebrou em Arles com todas as mostras de magnificência e o antigo colega de Diocleciano, que reafirmou sua pretensão ao Império do Ocidente, conferiu ao genro e aliado o título de Augusto. Ao consentir em receber tal honraria das mãos de Maximiano, Constantino parecia perfilhar a causa de Roma e do Senado; suas declarações, porém, eram ambíguas e sua assistência, demorada e ineficaz. Ele acompanhava com atenção o próximo embate entre os senhores da Itália e o imperador do Oriente, e estava preparado para levar em conta sua própria segurança ou ambição na eventualidade de uma guerra.

A importância da ocasião requeria a presença e os talentos de Galério. À frente de um poderoso exército reunido na Ilíria e no Oriente, ele chegou à Itália resolvido a vingar a morte de Severo e punir os romanos rebelados ou, tal como exprimiu suas intenções na linguagem furiosa de um bárbaro, a extirpar o Senado e passar o povo pela espada. Mas a perícia de Maximiano ideara um prudente sistema de defesa. O invasor só encontrou lugares hostis, fortificados e inacessíveis; embora abrisse caminho à força até Narni, a 97 quilômetros de Roma, seu domínio na Itália se confinava aos estreitos limites do acampamento. Cônscio das crescentes dificuldades da empresa, o altivo Galério fez as primeiras tentativas de reconciliação e enviou dois de seus oficiais mais graduados para tentar os príncipes romanos com a proposta de uma conferência e a declaração do paternal apreço dele por Maxêncio, que poderia obter de sua liberalidade muito mais do que poderia esperar do duvidoso desfecho de uma guerra. As ofertas de Galério foram rejeitadas com firmeza e sua pérfida amizade, recusada com desprezo; ele não tardou a descobrir que se não atendesse a sua segurança por via de uma retirada a tempo, teria alguma razão de recear sorte semelhante à de Severo. As riquezas que os romanos defenderam de sua tirania rapace voluntariamente as utilizaram para sua destruição. O nome de Maximiano, o prestígio popular de seu filho, a secreta distribuição de grandes somas de dinheiro e a promessa de recompensas ainda mais generosas contiveram o ardor e corromperam a fidelidade das legiões ilírias; e quando Galério deu finalmente a ordem de retirada, foi com dificuldade que conseguiu persuadir seus veteranos a não desertar uma bandeira que tantas vezes os havia levado à vitória e à fama.*

As legiões de Galério deram provas deveras desoladoras de sua índole pelas devastações que cometeram durante a retirada. Chacinaram, violentaram, pilharam, afugentaram os rebanhos e manadas dos italianos; queimaram as aldeias pelas quais passaram e forcejaram por destruir o país que não tinham tido a força de subjugar. Durante toda a marcha, Maxêncio lhes perseguiu a retaguarda, mas com muita prudência se furtou a um combate generalizado contra aqueles bravos e desesperados veteranos. Seu pai empreendera uma segunda viagem à Gália na esperança de persuadir Constantino, que reunira um exército na fronteira, a juntar-se à perseguição e completar a vitória. Mas os atos de Constantino eram guiados pela razão e não pelo ressentimento. Persistiu ele na sábia resolução de manter um equilíbrio de poder no Império dividido, e não mais detestou Galério desde o momento em que esse príncipe ambicioso deixou de ser motivo de terror.

O espírito de Galério era assaz suscetível às paixões mais sombrias, mas não incapaz de uma amizade sincera e duradoura. Licínio, cujas maneiras e cujo caráter não diferiam muito dos seus, parecia ter-lhe conquistado tanto o afeto quanto a estima. A intimidade entre eles começara talvez no período mais ditoso

* Gibbon ridiculariza, numa breve passagem aqui omitida, a improvável informação de que Galério e suas tropas recuaram intimidados pela grandeza e magnificência de Roma. (N. O.)

da juventude e da obscuridade de ambos. Fora cimentada pela liberdade e pelos perigos de uma vida militar; tinham avançado quase ao mesmo passo nas sucessivas honrarias do serviço; e assim que Galério foi investido na púrpura imperial, parece ter concebido o propósito de elevar seu companheiro a uma posição equivalente. Durante o breve período de sua prosperidade, considerou a posição de César como indigna da idade e do mérito de Licínio, pelo que preferiu reservar para ele o lugar de Constâncio e o Império do Ocidente. Enquanto o imperador estava empenhado na guerra italiana, confiou a seu amigo a defesa do Danúbio, imediatamente após seu regresso daquela desafortunada expedição, investiu Licínio na púrpura vacante de Severo, entregando-lhe o comando imediato das províncias da Ilíria.

Tão logo as notícias de sua promoção chegaram ao Oriente, Maximino, que governava, ou melhor, oprimia o Egito e a Síria, manifestou inveja e descontentamento, desdenhou o título inferior de César e, não obstante as exortações e os argumentos de Galério, arrancou-lhe quase que pela violência o título igual de Augusto. Pela primeira e, na verdade, pela última vez, o mundo romano foi administrado por seis imperadores. No Ocidente, Constantino e Maxêncio fingiam respeitar seu pai Maximiano. No Oriente, Licínio e Maximino acatavam com consideração mais efetiva seu benfeitor Galério. A oposição de interesses e a lembrança de uma guerra recente dividiam o Império em dois grandes poderes hostis; seus mútuos temores, entretanto, produziam uma tranquilidade aparente e mesmo uma fingida reconciliação, até a morte de Maximiano e mais especialmente a de Galério, os príncipes mais idosos, imprimirem uma nova direção aos desígnios e às paixões de seus associados sobreviventes.

Quando Maximiano abdicou relutantemente o Império, os oradores venais da época aplaudiram-lhe a filosófica moderação. Quando sua ambição provocou ou pelo menos encorajou uma guerra civil, eles lhe agradeceram o generoso patriotismo e brandamente lhe censuraram o amor ao conforto e ao isolamento que o levara a afastar-se do serviço público. Mas era impossível a espíritos como os de Maximiano e de seu filho manter harmoniosamente por longo tempo um poder indiviso. Maxêncio se considerava o soberano legal da Itália, eleito pelo povo e pelo Senado romano; não suportaria o mando de seu pai, o qual declarara arrogantemente que fora graças ao *seu* renome e talentos que o arrebatado jovem havia sido posto no trono. A causa foi solenemente defendida perante os guardas pretorianos, e essas tropas, que temiam a severidade do velho imperador, tomaram o partido de Maxêncio. A vida e a liberdade de Maximiano foram contudo respeitadas, e ele se retirou da Itália para a Ilíria, fingindo lamentar sua conduta passada e maquinando secretamente novos danos. Mas Galério, que bem lhe conhecia o caráter, logo o obrigou a deixar seus domínios, e o último refúgio do desapontado Maximiano foi a corte de seu genro Constantino. Ali o recebeu respeitosamente o astuto príncipe e, com mostras de ternura filial, a imperatriz Fausta. Para afastar quaisquer suspeitas, ele abdicou a púrpura imperial pela segunda vez, declarando-se finalmente convencido da fatuidade da grandeza e da ambição.

Houvesse perseverado nessa resolução, poderia ter terminado a vida com menos dignidade, de fato, que no primeiro afastamento, mas com conforto e fama. Todavia, a perspectiva próxima de um trono lhe trouxe de volta à lembrança a situação de que decaíra, pelo que decidiu, num desesperado esforço, reinar ou perecer. Uma incursão dos francos convocara Constantino, com uma parte de seu exército, para as margens do Reno; o restante das tropas estava estacionado nas províncias meridionais da Gália, as quais ficavam expostas aos tentames do imperador italiano; além disso, havia um grande tesouro depositado na cidade de Arles. Maximiano ardilosamente inventou ou açodadamente deu crédito a uma infundada notícia da morte de Constantino. Sem hesitação assumiu o trono, apoderou-se do tesouro e, distribuindo-o com sua costumeira prodigalidade entre os soldados, tentou despertar-lhes na mente a lembrança da antiga dignidade por ele ocupada e dos feitos por ele levados a cabo. Antes de ter conseguido estabelecer sua autoridade ou concluir a negociação que parece ter entabulado com seu filho Maxêncio, a presteza de

Constantino frustrou-lhe todas as esperanças. Às primeiras novas de sua perfídia e ingratidão, este príncipe regressou a marchas forçadas do Reno para o Saone, embarcou neste último rio à altura de Chalons e em Lyon se confiou à rapidez do Ródano, que o levou às portas de Arles com uma força militar à qual era impossível Maximiano resistir e que mal lhe permitiu refugiar-se na vizinha cidade de Marselha. O estreito istmo que ligava o lugar ao continente foi fortificado contra os sitiantes, ao passo que o mar permanecia aberto ou para a fuga de Maximiano ou para os socorros de Maxêncio, caso este escolhesse disfarçar sua invasão da Gália sob o honroso pretexto de defender um pai afligido ou, conforme poderia alegar, injuriado.

Apreensivo com as fatais consequências de um retardamento, Constantino deu ordens para um assalto imediato; as escadas de assalto se demonstraram porém curtas demais para a altura das muralhas e Marselha poderia ter aguentado um assédio tão longo quanto o que outrora aguentara contra as armas de César se a guarnição, cônscia de seu próprio erro ou do perigo que corria, não tivesse negociado o perdão pela entrega da cidade e da pessoa de Maximiano. Uma secreta mas irrevogável sentença de morte foi pronunciada contra o usurpador; ele obteve tão só a mesma mercê que concedera a Severo e comunicou-se ao mundo que, angustiado pelo remorso de seus repetidos crimes, ele se tinha estrangulado com as próprias mãos. Após ter perdido a assistência e desdenhado os moderados conselhos de Diocleciano, o segundo período de sua vida ativa cifrou-se numa série de calamidades públicas e mortificações pessoais que iriam terminar cerca de três anos mais tarde numa morte ignominiosa. Fez jus a ela, mas teríamos maior razão de aplaudir a benevolência de Constantino se ele tivesse poupado um ancião benfeitor de seu pai e pai de sua esposa. Durante todo esse episódio sombrio, Fausta parece ter sacrificado os sentimentos naturais aos deveres conjugais.

Os últimos dias de Galério foram menos vergonhosos e infortunados; ainda que houvesse ocupado com maior glória a posição subordinada de César que a eminência de Augusto, preservou até o momento da morte o primeiro lugar entre os príncipes do mundo romano. Sobreviveu cerca de quatro anos a sua retirada da Itália e, sabiamente abandonando seus desígnios de império universal, devotou o restante da vida ao desfrute dos prazeres e à execução de algumas obras de utilidade pública, entre as quais podemos ressaltar o despejo no Danúbio das águas excedentes do lago Pelso e o corte das imensas florestas que o circundavam — operação digna de um monarca, pois franqueou uma região extensa à agricultura de seus súditos panônios. A morte lhe adveio de uma doença muito dolorosa e de curso lento. Seu corpo, que devido aos destemperos do modo de viver inchara até uma incômoda corpulência, cobriu-se de úlceras e foi sendo devorado por inúmeras hostes daqueles insetos que deram nome a uma moléstia das mais repugnantes; todavia, como Galério ofendera uma facção muito poderosa e fanática de seus súditos, tais sofrimentos, em vez de lhes despertar a compaixão, foram proclamados efeitos visíveis da justiça divina.[1]

Mal acabara de expirar em seu palácio de Nicomédia, já os dois imperadores que deviam a púrpura a sua estima começaram a reunir forças com a intenção ou de disputar ou de dividir os domínios por ele deixados sem senhor. Foram persuadidos, no entanto, a desistir do primeiro desígnio e a concordar no segundo. As províncias da Ásia se tornaram o quinhão de Maximino e as da Europa aumentaram o de Licínio. O Helesponto e o Bósforo trácio formavam a fronteira a separá-los, e as margens desses mares estreitos, que ocupavam o meio do mundo romano, encheram-se de soldados, de armas e de fortificações. As mortes de Maximiano e Galério reduziram a quatro o número de imperadores. A consciência de seus verdadeiros interesses não tardou a unir Licínio e Constantino; uma aliança secreta foi

[1] Se alguém (como o falecido dr. Jortin) ainda se compraz em recordar as mortes prodigiosas dos perseguidores, eu recomendar-lhe-ia ler uma admirável passagem de Grotius acerca da moléstia terminal de Filipe II de Espanha.

concertada entre Maximino e Maxêncio; os súditos deles viviam no temor das sangrentas consequências de suas inevitáveis discórdias, não mais refreadas pelo receio ou respeito que Galério lhes suscitava.*

As virtudes de Constantino ganharam maior brilho pelo contraste com os vícios de Maxêncio. Enquanto as províncias gaulesas desfrutavam todo o bem-estar que a condição dos tempos podia propiciar, a Itália e a África gemiam sob o domínio de um tirano tão desprezível quão odioso. O ardor da lisonja e do facciosismo sacrificou muito amiúde, na verdade, a reputação dos vencidos à glória de seus rivais triunfantes; mesmo aqueles autores, porém, que revelaram com o maior desembaraço e prazer os defeitos de Constantino, reconhecem a uma só voz que Maxêncio era cruel, rapace e depravado. Teve ele a boa sorte de sufocar uma breve rebelião na África. O governador e uns poucos adeptos tinham sido os culpados; a província pagou pelo crime deles. As florescentes cidades de Cirta** e Cartago, e a área toda dessa fértil região, foram devastadas a ferro e fogo. Ao desmando da vitória seguiu-se o desmando da lei e da justiça. Uma formidável multidão de aduladores e delatores invadiu a África; com facilidade, culparam-se os ricos e os nobres de ligação com os rebeldes, e aqueles, entre eles, que mereceram a clemência do imperador foram punidos com apenas o confisco de seus bens. Celebrou-se tão assinalada vitória como um triunfo magnífico, e Maxêncio expôs aos olhos da populaça os despojos e os cativos de uma província romana.

A situação da capital não era menos digna de pena que a da África. A riqueza de Roma supria fundos inesgotáveis para cobrir as fátuas e pródigas despesas de Maxêncio, e os ministros de seu fisco eram hábeis nas artes da rapina. Foi em seu reinado

* Omite-se aqui uma breve passagem acerca da isenção parcial de impostos concedida por Constantino à cidade gaulesa de Autun. (N. O.)

** Cidade da Numídia, antiga região da África entre Cartago e a Mauritânia cujo rei Massanissa (ver nota complementar à p. 50) era aliado dos romanos. (N. T.)

que se inventou o método de extorquir uma *doação espontânea* dos senadores; e como seu montante ia crescendo imperceptivelmente, os pretextos de extorqui-la — uma vitória, um nascimento, um casamento ou um consulado imperial — multiplicavam-se proporcionalmente. Maxêncio nutria pelo Senado a mesma implacável aversão que caracterizara a maioria dos anteriores tiranos de Roma; era impossível a sua índole ingrata perdoar a generosa fidelidade que o havia elevado ao trono e o apoiara contra todos os seus inimigos. A vida dos senadores estava exposta a suas ciumentas suspeitas; a desonra das esposas e filhas deles aumentava o deleite de seus apetites sexuais. É de presumir que um amante imperial raramente se veja reduzido a suspirar em vão; todavia, sempre que a persuasão se demonstrasse ineficaz, ele recorria à violência; ficou registrado o memorável exemplo de uma nobre matrona que preservou a castidade mercê de uma morte voluntária.[1]

Os soldados eram a única ordem de pessoas que Maxêncio parecia respeitar ou à qual buscava agradar. Encheu Roma e a Itália de tropas armadas, com cujos tumultos se conluiava; permitia-lhes que impunemente pilhassem ou até mesmo massacrassem o povo indefeso; e, entregando-se os soldados à mesma libertinagem desfrutada por seu imperador, Maxêncio presenteava amiúde seus militares favoritos com a esplêndida vila ou a bela esposa de um senador. Príncipe de tal caráter, incapaz de governar na paz como na guerra, poderia comprar o apoio, mas nunca conseguiria a estima do exército. No entanto, sua soberba não era menor que seus outros vícios. Enquanto passava indolentemente a vida entre os muros de seu palácio ou nos jardins vizinhos de Salústio, ouviam-no repetir que *só ele* era imperador e que os outros príncipes não passavam de lugares-tenentes aos quais entregara a defesa das províncias fronteiriças a fim de que

[1] A virtuosa matrona que apunhalou a si própria para furtar-se à violência de Maxêncio era uma cristã, esposa do prefeito da cidade, e chamava-se Sofrônia. É ainda questão polêmica entre os casuístas ser o suicídio justificável em ocasiões que tais.

pudesse gozar sem interrupção as elegantes delícias da capital. Roma, que por tanto tempo lamentara a ausência de seu soberano, lamentou-lhe a presença durante os seis anos de reinado.

Conquanto Constantino pudesse encarar com aversão a conduta de Maxêncio e com piedade a situação dos romanos, não temos nenhuma razão de presumir que tomaria armas para punir um ou desafogar os outros. Mas o tirano da Itália imprudentemente se atreveu a provocar um temível inimigo cuja ambição fora até então contida antes por considerações de prudência que por princípios de justiça. Após a morte de Maximiano, os títulos deste, em conformidade com o costume estabelecido, haviam sido raspados e suas estátuas ignominiosamente destruídas. Seu filho, que o perseguira e desertara quando vivo, simulou o mais piedoso respeito por sua memória e deu ordens de todas as estátuas erigidas na Itália e na África em honra de Constantino sofrerem igual tratamento. Esse sensato príncipe, que desejava sinceramente evitar uma guerra de cuja dificuldade e consequências estava bem a par, deixou passar em silêncio a princípio o insulto e procurou obter uma reparação por via de negociações pacíficas, até convencer-se de que os desígnios hostis e ambiciosos do imperador italiano tornavam necessário que ele se armasse em sua própria defesa. Maxêncio, que declarava abertamente suas pretensões a toda a monarquia do Ocidente, já tinha preparado uma força assaz considerável para invadir as províncias gaulesas do lado da Récia;* embora não pudesse esperar nenhum auxílio de Licínio, iludia-se com a esperança de as legiões da Ilíria, seduzidas por seus presentes e promessas, desertarem o estandarte daquele príncipe e unanimemente se declararem soldados e súditos seus. Constantino não hesitou mais. Deliberara com cautela, agiu com vigor. Concedeu uma audiência privada aos embaixadores que, em nome do Senado e do povo, o conjuravam a livrar Roma de um tirano detestado; e sem fazer caso das advertências tímidas de seu

* Ver nota complementar à p. 397. (N. T.)

conselho, resolveu atalhar o inimigo e levar a guerra até o coração da Itália.

A empresa estava tão repleta de perigos quanto de glórias e o insucesso das duas invasões anteriores bastava para inspirar as mais sérias apreensões. As tropas veteranas que reverenciavam o nome de Maximiano tinham abraçado, em ambas aquelas guerras, o partido de seu filho e agora se viam coibidas, por uma questão de honra, bem como de interesse, de nutrir a ideia de uma segunda deserção. Maxêncio, que considerava a Guarda Pretoriana como a mais firme defesa de seu trono, restaurara-lhes o antigo efetivo; somando-se aos restantes italianos alistados no serviço do imperador, compunham uma formidável força militar de 80 mil homens. Tinham sido recrutados 40 mil mouros e cartagineses, desde a conquista da África. Até mesmo a Sicília fornecera a sua cota de tropas; e os exércitos de Maxêncio se elevavam a 160 mil soldados de infantaria e 18 mil de cavalaria. A opulência da Itália fazia frente às despesas de guerra e as províncias adjacentes foram exauridas a fim de encher imensos depósitos de cereais e outros tipos de provisões.

No todo, as forças de Constantino consistiam em 90 mil soldados de infantaria e 8 mil de cavalaria; como a defesa do Reno exigia extraordinária atenção durante a ausência do imperador, este não podia empregar metade de suas tropas na expedição italiana, a menos que sacrificasse a segurança pública a sua rixa privada. À frente de cerca de 40 mil soldados marchou ele ao encontro de um inimigo de número pelo menos quatro vezes superior ao seu próprio. Mas os exércitos de Roma, postados a uma distância segura do perigo, se desvigoravam nos prazeres e nos luxos. Habituados aos banhos e teatros de Roma, saíram a campo com relutância; eram compostos principalmente de veteranos que quase haviam esquecido o uso das armas e a prática da guerra, ou de novos recrutas que nunca os tinham adquirido. As animosas legiões da Gália de há muito defendiam as fronteiras do Império contra os bárbaros do norte, e no desempenho desse penoso serviço sua bravura se punha à prova e sua disciplina se confirmava. Entre os chefes havia a mesma diferença que entre os exércitos. O capricho ou a lisonja haviam instigado em Maxêncio esperanças de conquista, mas elas logo cederam lugar aos hábitos de prazer e à consciência de sua inexperiência. O espírito intrépido de Constantino fora adestrado, desde os primórdios da juventude, para a guerra, a ação e o comando militar.

Quando Aníbal marchou da Gália sobre a Itália, teve primeiramente de descobrir e em seguida abrir um caminho através das montanhas e por entre nações selvagens que nunca haviam dado passagem a um exército regular. Os Alpes estavam então guardados pela natureza; hoje estão fortificados pela arte. Cidadelas, construídas com uma perícia que envolveu muito trabalho e despesa, dominam todas as vias de acesso à planície e tornam a Itália, por esse lado, quase inacessível aos inimigos do rei da Sardenha. Mas, no decorrer do período intermediário, os generais que tentaram a passagem raras vezes experimentaram qualquer dificuldade ou resistência. Na época de Constantino, os camponeses das montanhas eram súditos civilizados e obedientes, a região estava abundantemente sortida de provisões e as esplêndidas estradas reais construídas pelos romanos através dos Alpes abriam diversas rotas de comunicação entre a Gália e a Itália. Constantino preferiu a estrada dos Alpes cotianos, ou, como é hoje chamada, do monte Cenis, e conduziu suas tropas com tão ativa diligência que desceu à planície do Piemonte antes de a corte de Maxêncio ter recebido qualquer notícia segura de sua partida das margens do Reno. A cidade de Susa, contudo, situada ao pé do monte Cenis, era circundada de muralhas e estava provida de uma guarnição suficientemente numerosa para deter o avanço de qualquer invasor; a impaciência das tropas de Constantino desdenhou porém as tediosas formas de um sítio. No mesmo dia em que surgiram diante de Susa, deitaram-lhe fogo aos portões e encostaram escadas às muralhas; escalando-as de assalto, em meio a uma chuva de pedras e setas, invadiram a praça de espada na mão e abateram a maior parte da guarnição. As chamas foram apagadas pelo cuidado de Constantino, e os restos de Susa, preservados da destruição total.

Perto de 65 quilômetros dali um combate mais árduo estava à espera dele. Chefiado pelos lugares-tenentes de Maxêncio, um numeroso exército se congregara nas planícies de Turim. Seu poderio maior consistia numa espécie de cavalaria pesada que os romanos, desde o declínio de sua disciplina, haviam tomado emprestada às nações do Oriente. Os cavalos, tanto quanto os homens, tinham a protegê-los uma armadura completa cujas articulações engenhosamente se adaptavam aos movimentos do corpo. O aspecto dessa cavalaria era assustador, seu peso quase irresistível, e como nessa ocasião seus generais a tinham formado numa coluna ou cunha compacta, de ponta aguçada e flancos abertos, estavam eles convictos de que romperiam e atropelariam facilmente o exército de Constantino. Teriam quiçá alcançado seu desígnio se o experimentado adversário não houvesse recorrido ao mesmo método de defesa praticado, em circunstâncias similares, por Aureliano. As hábeis evoluções de Constantino dividiram e frustraram aquela maciça coluna de cavalaria. As tropas de Maxêncio fugiram em desordem rumo a Turim e, como os portões da cidade lhes foram fechados, poucos lograram escapar à espada dos perseguidores vitoriosos. Por esse importante serviço, Turim fez jus à clemência e até mesmo à graça do conquistador. Ele entrou no palácio imperial de Milão e quase todas as cidades italianas entre os Alpes e o Pó não apenas reconheceram o domínio mas abraçaram com fervor a causa de Constantino.

De Milão a Roma, as Vias Emiliara e Flamínia tornavam fácil uma marcha de cerca de 640 quilômetros; mas, embora estivesse impaciente por encontrar o tirano, Constantino voltou prudentemente suas operações contra outro exército de italianos que, por sua força e posição, poderia deter-lhe o avanço ou, no caso de um revés, cortar-lhe a retirada. Rurício Pompeiano, um general que se distinguira pelo valor e pela competência, tinha sob seu comando a cidade de Verona e todas as tropas estacionadas na província de Venécia. Tão logo foi informado de que Constantino avançava a seu encontro, destacou um grande corpo de cavalaria, o qual foi derrotado num combate perto de Bréscia e perseguido pelas legiões gaulesas até as portas de Verona.

A necessidade, a importância e as dificuldades do sítio de Verona se impuseram imediatamente à mente sagaz de Constantino. A cidade só era acessível por uma estreita península a oeste, visto os outros três lados estarem circundados pelo Ádige, um rio rápido que cortava a província de Venécia, da qual os sitiados obtinham um inesgotável suprimento de homens e de provisões. Somente com grande dificuldade, e após diversas tentativas infrutíferas, conseguiu Constantino descobrir afinal um meio de atravessar o rio a certa distância acima da cidade, num lugar em que a corrente era menos violenta. Então cercou Verona de linhas firmes, levou avante seus ataques com prudente vigor e repeliu uma desesperada surtida de Pompeiano. Esse intrépido general, que havia usado todos os meios de defesa oferecidos pela resistência da praça ou propiciados por sua guarnição, escapou secretamente de Verona, cioso não de sua segurança pessoal, mas da segurança pública. Com infatigável diligência, cedo reunia um exército suficiente para enfrentar Constantino em campo aberto ou para atacá-lo se ele obstinadamente se mantivesse em suas linhas. O imperador, atento aos movimentos e informado da aproximação de tão temível inimigo, deixou uma parte de suas legiões cuidando de prosseguir nas operações do assédio enquanto ele, à testa de tropas em cuja bravura e fidelidade confiava particularmente, avançou para enfrentar em pessoa o general de Maxêncio.

O exército da Gália se dispôs em duas linhas, como era então a prática de guerra usual; seu experiente chefe, porém, percebendo que os italianos sobrepujavam muito em número suas próprias tropas, subitamente mudou de formação e, reduzindo a segunda linha, estendeu a frente de sua primeira linha na mesma proporção da do inimigo. Evoluções que tais, que somente tropas veteranas são capazes de executar sem confusão num momento de perigo, comumente se demonstram decisivas; entretanto, como o combate principiara perto do fim do dia e foi disputado com grande obstinação durante toda a noite, houve menos espaço para a arte dos generais que para a coragem dos soldados.

A luz do novo dia iluminou a vitória de Constantino e um campo de carnificina coberto de muitos milhares de cadáveres de italianos vencidos. O general deles, Pompeiano, foi achado entre os mortos; Verona rendeu-se imediata e incondicionalmente, e sua guarnição tornou-se prisioneira de guerra. Quando os oficiais do exército vitorioso foram congratular-se com seu chefe pelo importante triunfo, aventuraram-se a agregar algumas queixas respeitosas, de natureza tal, contudo, que o mais ciumento dos monarcas as ouviria sem desprazer. Alegaram a Constantino que, não contente de cumprir todos os deveres de um comandante, ele expusera sua própria pessoa num excesso de bravura que quase degenerava em temeridade; concitaram-no a no futuro dar maior atenção à preservação de uma vida de que dependia a segurança de Roma e do Império.

Enquanto Constantino se destacava por sua conduta e bravura no campo de batalha, o soberano da Itália parecia insensível às calamidades e ao perigo de uma guerra civil que lavrara no cerne de seus domínios. O prazer era ainda a única preocupação de Maxêncio. Ocultando, ou pelo menos tentando ocultar, do conhecimento público os reveses de suas armas, entregava-se a uma vã confiança que retardava o remédio do mal iminente sem retardar o mal propriamente dito. O rápido avanço de Constantino mal chegava para despertá-lo desse fatal sentimento de segurança; jactava-se de que sua notória liberalidade e a majestade do nome romano, que já o haviam livrado de duas invasões, dispersariam com a mesma facilidade o exército rebelde da Gália. Os oficiais experimentados e competentes que tinham servido sob os estandartes de Maximiano se viram por fim obrigados a informar seu afeminado filho do iminente perigo a que estava reduzido e, com uma liberdade que o surpreendeu e convenceu a um só tempo, a encarecer a necessidade de ele evitar a ruína mercê de uma vigorosa afirmação do poder que lhe restava.

Os recursos de Maxêncio, tanto de homens quanto de dinheiro, ainda eram todavia consideráveis. Os guardas pretorianos sentiam de perto quanto seu próprio interesse e segurança estavam ligados à causa dele; em breve se arregimentou um terceiro exército, mais numeroso do que os que haviam sido perdidos nas batalhas de Turim e Verona. Nada mais longe da intenção do imperador que chefiar pessoalmente suas tropas. Estranho aos exercícios militares, ele tremia à ideia apenas de transe tão perigoso; e como o medo é comumente supersticioso, ouvia com sombria atenção os boatos de augúrios que pareciam ameaçar-lhe a vida e o império. A vergonha tomou por fim o lugar da coragem e forçou-o a sair a campo. Não conseguiu evitar o desprezo do povo romano. O circo ressoava o clamor indignado deste que começou a sitiar os portões do palácio para censurar a pusilanimidade de seu indolente soberano e celebrar o espírito heroico de Constantino. Antes de deixar Roma, Maxêncio consultou os livros sibilinos. Os guardiães desses antigos oráculos eram tão versados nas artes deste mundo quanto ignorantes dos segredos do destino; eles lhe deram uma resposta deveras prudente que poderia adequar-se a quanto acontecesse e assegurar-lhes a reputação qualquer que fossem as contingências da guerra.

A celeridade do avanço de Constantino tem sido comparada à rápida conquista da Itália pelo primeiro dos Césares; o lisonjeiro paralelo não repugna à verdade histórica, visto que não mais de 58 dias decorreram entre a rendição de Verona e a decisão final da guerra. Constantino sempre imaginara que o tirano atenderia aos ditames do temor e talvez da prudência, e que, em vez de arriscar suas derradeiras esperanças num combate geral, se encerraria dentro das muralhas de Roma. Seus vastos depósitos de víveres o garantiriam contra o perigo da fome e, como a situação de Constantino não admitia delongas, ele poderia ver-se reduzido à triste necessidade de destruir a ferro e fogo a cidade imperial, a mais nobre recompensa de sua vitória e cuja libertação fora o motivo, ou melhor, o pretexto, da guerra civil. Foi com surpresa e prazer iguais que, ao chegar a um local chamado Saxa Rubra, a cerca de quinze quilômetros de Roma, deparou com o exército de Maxêncio pronto a dar-lhe combate. Sua longa linha de frente cobria uma vasta planície, e sua formação em profundidade alcançava as barracas do Tibre, que lhe cobria a retaguarda e lhe impedia a retirada.

Consta, e bem podemos acreditá-lo, que Constantino dispôs suas tropas com consumada habilidade e escolheu para si o ponto de honra e perigo. Distinguindo-se pelo esplendor de suas armas, atacou em pessoa a cavalaria do rival e seu ataque irresistível decidiu a fortuna do dia. A cavalaria de Maxêncio se compunha principalmente de couraceiros pesadões ou de mouros e numidianos ligeiros. Cederam ante o vigor do cavalo gaulês, que possuía mais presteza do que aqueles, mais firmeza do que estes. A derrota das duas deixou a infantaria sem nenhuma proteção nos flancos e os italianos indisciplinados fugiram sem nenhuma relutância do estandarte de um tirano a quem sempre haviam detestado e a quem não mais temiam. Os pretorianos, cônscios de que suas afrontas estavam além do alcance de qualquer mercê, foram tomados de desespero e desejo de vingança. A despeito de seus repetidos esforços, esses bravos veteranos não conseguiram recuperar a vitória; lograram, contudo, uma morte honrosa; e observou-se que seus corpos cobriram o mesmo espaço de terreno anteriormente ocupado por suas fileiras. A confusão fez-se então geral e os soldados das consternadas tropas de Maxêncio, perseguidos por um inimigo implacável, atiraram-se, aos milhares, nas fundas e rápidas águas do Tibre. O próprio imperador tentou escapar de volta à cidade pela ponte Milviana, mas as turbas que se comprimiam nessa estreita passagem o forçaram para dentro do rio, onde imediatamente se afogou ao peso de sua armadura. O corpo, que se afundara na vasa, só foi encontrado no dia seguinte e com dificuldade. Sua cabeça, exposta aos olhos do povo, convenceu os romanos de sua libertação e advertiu-os a receber com aclamações de lealdade e agradecimento o afortunado Constantino, que assim realizara, mercê de seu valor e de sua competência, a mais esplêndida empresa de sua vida.*

* As três fases principais da conduta de Constantino após sua vitória são descritas numa seção aqui omitida: ele agiu com relativa clemência para com os

Antes de iniciar a marcha para a Itália, Constantino havia assegurado a amizade, ou pelo menos a neutralidade, de Licínio, o imperador ilírio. Prometera em casamento, a esse príncipe, sua irmã Constância; a celebração das bodas foi porém adiada para após o término da guerra e o encontro dos dois imperadores em Milão, convocado com tal propósito, pareceu cimentar a união de suas famílias e interesses. Em meio à festividade pública, viram-se eles subitamente obrigados a despedir-se um do outro. Uma invasão dos francos chamou com urgência Constantino ao Reno, e a aproximação hostil do soberano da Ásia exigia a presença imediata de Licínio. Maximino tinha sido o aliado secreto de Maxêncio e, sem sentir-se desencorajado por seu fim, resolveu tentar a fortuna numa guerra civil. Deslocou-se da Síria rumo às fronteiras da Bitínia no auge do inverno. A estação era áspera e tempestuosa; grande número de soldados e montarias pereceu na neve; e, como as estradas estavam danificadas pelas chuvas incessantes, ele se viu forçado a deixar para trás parte considerável da bagagem pesada, incapaz de acompanhar a rapidez de suas marchas forçadas. Por esse extraordinário esforço de perseverança, chegou com um exército fatigado mas formidável às costas do Bósforo trácio antes de os lugares-tenentes de Licínio terem sabido de suas intenções hostis. Bizâncio rendeu-se ao poderio de Maximino ao fim de um sítio de onze dias. Ficou ele detido alguns dias sob as muralhas de Heracleia, e mal havia tomado posse da cidade quando o alarmou a notícia de que Licínio assentara seu acampamento a apenas 29 quilômetros de distância. Após uma negociação infrutífera, em que os dois príncipes tentaram aliciar a fidelidade dos partidários um do outro, tiveram de recorrer às armas.

O imperador do Oriente comandava um exército disciplinado e veterano de aproximadamente 70 mil homens; e Licínio, que reunira cerca de 30 mil ilírios, viu-se a princípio oprimido por tal

---

partidários de Maxêncio; dissolveu definitivamente a Guarda Pretoriana, deixando assim Roma uma capital impotente e desamparada; e tornou permanentes os pesados impostos que Maxêncio extorquira da classe senatorial à guisa de oferta voluntária. (N. O.)

superioridade numérica. Sua habilidade militar e a firmeza de suas tropas lograram porém uma vitória decisiva. A incrível velocidade com que Maximino se pôs em fuga é muito mais celebrada do que sua intrepidez na batalha. Vinte e quatro horas depois, foi visto pálido, trêmulo e sem os ornamentos imperiais, em Nicomédia, a 257 quilômetros do local de sua derrota. A opulência da Ásia ainda não se esgotara e conquanto o escol de seus veteranos tivesse perecido na ação, restava-lhe ainda o poder, caso pudesse obter algum tempo, de recrutar grande número de soldados na Síria e no Egito. Mas ele sobreviveu só três ou quatro meses ao próprio infortúnio. Sua morte, ocorrida em Tarso, foi atribuída a diferentes causas: desespero, envenenamento e justiça divina. Como era igualmente destituído de competência e de virtudes, Maximino não foi lamentado nem pelo povo nem pelos soldados. As províncias do Oriente, libertas dos terrores da guerra civil, reconheceram jubilosamente a autoridade de Licínio.*

O mundo romano estava agora dividido entre Constantino e Licínio, o primeiro dos quais era senhor do Ocidente e o segundo, do Oriente. Teria sido talvez de esperar que os conquistadores, fatigados da guerra civil e ligados por uma aliança tanto privada quanto pública, abdicassem, ou ao menos suspendessem, quaisquer ulteriores desígnios de conquista. Mal se passara um ano da morte de Maximino e os dois imperadores vitoriosos voltaram suas armas um contra o outro. O gênio, o êxito e o temperamento ambicioso de Constantino parecem ser de molde a marcá-lo como o agressor; todavia, o caráter pérfido de Licínio justifica as suspeitas mais desfavoráveis, e pela débil luz projetada pela História no caso podemos ali descobrir uma conspiração fomentada por seus ardis contra a autoridade do colega. Constantino havia dado pouco antes sua irmã Anastácia em casamento a Bassiano, homem de família ilustre e de grande fortuna, a quem

* A crueldade de Licínio no desfazer-se da família de Maximino, bem como de quem mais o pudesse potencialmente ameaçar (inclusive a esposa e a filha de Diocleciano), é descrita numa breve passagem aqui omitida. (N. O.)

elevou à posição de César. Em conformidade com o sistema de governo instituído por Diocleciano, a Itália, e talvez a África, seria designada como seu setor do Império. Mas o cumprimento da graça prometida demorou tanto tempo ou se fez acompanhar de condições tão numerosas e tão desproporcionadas que a lealdade de Bassiano foi antes alienada do que garantida pela honrosa distinção a ele concedida. Sua nomeação havia sido ratificada pelo consentimento de Licínio, e este ardiloso príncipe, por meio de emissários, logo conseguia encetar um secreto e perigoso contato com o novo César visando a espicaçar-lhe o descontentamento e induzi-lo à temerária empresa de arrancar pela violência o que em vão poderia solicitar da justiça de Constantino. Mas o vigilante imperador descobriu a conspiração antes de ela estar madura para executar-se e, depois de renunciar solenemente ao parentesco com Bassiano, despojou-o da púrpura e infligiu-lhe o merecido castigo por sua traição e ingratidão. A altiva recusa de Licínio, quando lhe foi pedido que entregasse os criminosos que se foram refugiar em seus domínios, confirmou as suspeitas já entretidas acerca de sua perfídia; e as indignidades de que foram alvo, em Emona, nas fronteiras da Itália, as estátuas de Constantino se tornaram o sinal de discórdia entre os dois príncipes.

A primeira batalha se travou perto de Cibalis, cidade da Panônia* situada junto ao rio Save, cerca de 110 quilômetros acima de Sirmione.** Pelas forças insignificantes postas em campo para esse importante embate pelos dois poderosos monarcas, infere-se ter sido um inopinadamente provocado e o outro inesperadamente surpreendido. O imperador do Ocidente possuía apenas 20 mil homens e o soberano do Oriente, não mais do que 35 mil. Compensava-se a inferioridade numérica, porém, pela vantagem do terreno. Constantino se havia postado num desfiladeiro de cerca

* Antiga província romana, a sudoeste do Danúbio; seus habitantes foram identificados aos ilírios pelos romanos, que dominaram a região de 9 a.C. a 395 d.C. (N. T.)

** Nome atual da antiga Sirmium, cidade italiana situada às margens do lago de Garda (Lombardia). (N. T).

de oitocentos metros de largura, entre uma colina íngreme e um charco fundo, e nessa posição aguardou com firmeza e com firmeza repeliu o primeiro ataque do inimigo. Insistiu na vitória e avançou até a planura. Mas as veteranas legiões da Ilíria* se congregaram sob o estandarte de um chefe que se adestrara militarmente na escola de Probo** e Diocleciano. As armas de arremesso de ambos os lados cedo se esgotaram; os dois exércitos, com igual bravura, se engajaram num combate corpo a corpo de espadas e lanças que durou, incerto, desde o amanhecer até o fim da tarde, quando a ala direita, chefiada pelo próprio Constantino, fez uma carga vigorosa e decisiva. A prudente retirada de Licínio salvou-lhe o restante das tropas de uma derrota total; quando porém ele calculou suas perdas, que somavam mais de 20 mil homens, não julgou seguro passar a noite em presença de um inimigo ativo e vigoroso. Abandonando seu acampamento e depósitos de provisões, afastou-se, sigilosa e rapidamente, à testa da maior parte de sua cavalaria, e logo estava a salvo do perigo de uma perseguição. Sua diligência salvou-lhe a esposa, o filho e os tesouros que havia depositado em Sirmione. Licínio atravessou essa cidade e, destruindo a ponte sobre o Save, apressou-se a formar um novo exército na Dácia*** e na Trácia.**** Durante a retirada, outorgou o precário título de César a Valente, seu general da fronteira ilíria.

* Na Antiguidade, região litorânea no nordeste do Adriático, habitado por tribos guerreiras, que foi conquistada pelos romanos em 167 a.C. e dividida posteriormente em Dalmácia e Panônia. (N. T.)

** Imperador romano (276-282 d.C.) que foi comandante sob Valentino e sucedeu a M. Cláudio Tácito. (N. T.)

*** Região do Império Romano que hoje corresponde aproximadamente à Transilvânia (Romênia); seus habitantes, os dácios, foram subjugados pelos romanos por volta de 101-107 d.C., e ali estabeleceram uma colônia cujo principal legado à região foi o romeno, língua neolatina. (N. T.)

**** Região que ocupa a extremidade sudoeste da península Balcânica e abrange o Nordeste da Grécia, o Sul da Bulgária e a Turquia europeia; o domínio romano ali se estabeleceu após o século I a.C., mas a partir do século III d.C. as invasões bárbaras a converteram em campo de batalha mais ou menos permanente. (N. T.)

A planície de Mardia na Trácia foi o teatro de uma segunda batalha não menos obstinada e sangrenta que a anterior. As tropas de ambos os contendores demonstraram o mesmo valor e disciplina; mais uma vez, a vitória foi decidida pela superior perícia de Constantino, que conduziu um corpo de 5 mil homens a uma elevação vantajosa de onde, no aceso da batalha, atacaram a retaguarda do inimigo e fizeram um grande morticínio. As tropas de Licínio, contudo, apresentando uma dupla frente, conseguiram manter terreno até a aproximação da noite vir pôr um fim ao combate e assegurar-lhes a retirada para as montanhas da Macedônia. A perda de duas batalhas e de seus mais bravos veteranos forçou o impetuoso Licínio a buscar a paz. Seu embaixador, Mistriano, foi recebido em audiência por Constantino; ele perorou acerca dos tópicos de moderação e humanidade, tão habituais na eloquência dos vencidos; em linguagem assaz sugestiva, deu a entender que o desfecho da guerra ainda era duvidoso, sendo suas inevitáveis calamidades igualmente perniciosas para ambas as partes envolvidas; e declarou estar autorizado a propor uma paz honrosa e duradoura em nome dos *dois* imperadores seus senhores. Constantino recebeu com indignação e desprezo a referência a Valente. "Não foi para tal propósito", replicou em tom severo, "que vimos avançando desde as praias do oceano Ocidental num curso ininterrupto de combates e vitórias; após rejeitar um parente ingrato, não há por que aceitar para colega nosso um desprezível escravo. A abdicação de Valente tem de ser o primeiro artigo do tratado."

Era necessário aceitar a humilhante condição, e o infeliz Valente, depois de um reinado de poucos dias, foi privado da púrpura e da vida. Uma vez removido esse obstáculo, restaurou-se facilmente a tranquilidade do mundo romano. As sucessivas derrotas de Licínio lhe haviam arruinado as forças, mas elas demonstraram sua coragem e capacidade. A situação dele era de quase desespero, mas os esforços do desespero se revelam por vezes formidáveis, e o bom senso de Constantino preferiu uma vantagem grande e segura aos azares de um terceiro confronto armado. Consentiu em deixar seu rival, ou, como voltou a chamar Licínio, seu irmão e amigo, na posse da Trácia, da Ásia Menor, da Síria e do Egito; todavia, as províncias de Panônia, Dalmácia, Dácia, Macedônia e Grécia foram incorporadas ao império ocidental, com o que os domínios de Constantino se prolongaram desde os confins da Caledônia até a extremidade do Peloponeso. Ficou estipulado, no mesmo tratado, que a três jovens de sangue real, os filhos dos imperadores, caberia o direito de sucessão. Crispo e o jovem Constantino logo depois foram proclamados Césares do Ocidente, ao passo que o mais jovem Licínio recebeu a mesma dignidade no Oriente. Nessa dupla proporção de honrarias, o conquistador afirmava a superioridade de seu poder e de suas armas.

A reconciliação de Constantino e Licínio, conquanto exacerbada pelo ressentimento e pelo ciúme, pela recordação de recentes injúrias e pelo receio de perigos futuros, manteve por mais de oito anos a tranquilidade do mundo romano.* A administração civil foi no entanto ocasionalmente interrompida pela defesa militar do império. Crispo, jovem de caráter muito afável, que recebera com o título de César o comando do Reno, distinguiu-se por sua conduta e seu valor em diversas vitórias sobre os francos e os alamanos, ensinando os bárbaros daquela fronteira a temer o filho mais velho de Constantino e neto de Constâncio. O imperador assumira pessoalmente a província do Danúbio, mais difícil e mais importante. Os godos, que na época de Cláudio e Aureliano tinham sentido o peso das armas romanas, respeitaram o poderio do Império mesmo durante suas divisões intestinas. Mas o vigor guerreiro dessa nação fora restaurado por uma paz de quase cinquenta anos; surgira uma nova geração que

* Uma breve seção aqui suprimida refere duas leis inusitadas que Constantino promulgou durante esse período: a que oferecia assistência financeira pública a famílias que, sem ela, poderiam seguir a prática, comum naqueles tempos perturbados, de abandonar ou matar seus filhos recém-nascidos; e a lei contra estupro ou mesmo sedução, que impunha castigos brutais e severos, como o culpado ser queimado vivo, ser destroçado por animais selvagens no anfiteatro, ter chumbo derretido derramado pela sua garganta abaixo etc. (N. O.)

não mais se lembrava dos infortúnios de outrora; os sármatas da lagoa Meótida* seguiam o estandarte gótico como súditos ou como aliados, e essa força conjunta precipitou-se sobre as regiões da Ilíria. Campona, Margo e Bononia parecem ter sido cenário de vários e memoráveis assédios e batalhas; conquanto houvesse encontrado resistência assaz obstinada, Constantino acabou por triunfar, e os godos se viram compelidos a devolver o espólio e os prisioneiros feitos em troca de uma retirada ignominiosa. Mas tal vantagem não bastou para satisfazer a indignação do imperador. Ele resolveu castigar e repelir os bárbaros insolentes que se haviam atrevido a invadir os territórios de Roma. À frente de suas legiões, atravessou o Danúbio, após ter reparado a ponte construída por Trajano, penetrou nos recessos mais bem fortificados da Dácia e, tendo-lhes infligido uma severa represália, condescendeu em outorgar a paz aos godos suplicantes sob a condição de que, sempre que fossem solicitados a isso, lhe suprissem os exércitos de um corpo de 40 mil soldados. Feitos que tais honravam sem dúvida Constantino e beneficiavam o Estado; é questionável no entanto que possam justificar a exagerada afirmação de Eusébio de que *toda a Cítia*, até sua extremidade setentrional, dividida como estava em tantos clãs e nações de costumes variados e hábitos selvagens, tivesse sido incorporada por suas armas vitoriosas ao Império Romano.

Em tão gloriosa e exaltada posição, era impossível que Constantino fosse suportar por mais tempo um parceiro no Império. Confiante na superioridade de seu gênio e de seu poderio militar, decidiu, sem nenhuma injúria prévia, aplicá-los na destruição de Licínio, cuja idade avançada e cujos vícios impopulares abriam aparentemente o caminho para uma fácil conquista. Mas o idoso imperador, despertado pelo perigo iminente, iludiu as expectativas de seus amigos tanto quanto as de seus inimigos. Invocando aquele espírito e aqueles talentos mercê dos quais merecera a amizade de Galério e a púrpura imperial, preparou-se para o com-

* Palus Maeotis, atual mar de Azov, ao norte do mar Negro. (N. E.)

bate, congregou as forças do Oriente e em pouco enchia as planícies de Adrianópolis com suas tropas e o estreito de Helesponto com sua armada. O exército consistia em 150 mil soldados de infantaria e 15 mil de cavalaria; e como esta provinha em sua maior parte da Frígia e da Capadócia, pode-se bem ter opinião mais favorável a respeito da beleza dos cavalos que da coragem e destreza de seus cavaleiros. A armada se compunha de 350 galeras de três fileiras de remos. Destas, 130 haviam sido fornecidas pelo Egito e pelo litoral africano contíguo; 110 tinham vindo dos portos da Fenícia e da ilha de Chipre; e as regiões marítimas da Bitínia, da Jônia e da Cária* foram igualmente obrigadas a fornecer 110 galeras.

As tropas de Constantino receberam ordem de se encontrar na Tessalônica; somavam mais de 120 mil soldados, de infantaria e cavalaria. Seu imperador estava satisfeito com a aparência marcial delas e contava, no seu exército, embora globalmente menor, mais soldados que seu antagonista oriental. As legiões de Constantino tinham sido recrutadas nas províncias guerreiras da Europa; a ação lhe firmara a disciplina, a vitória lhes alentara as esperanças, e nelas havia um grande número de veteranos que, ao cabo de dezessete gloriosas campanhas sob o mesmo chefe, se preparavam para merecer uma honrosa baixa por via de um último esforço de bravura. Mas os recursos navais de Constantino eram sob todos os aspectos muito inferiores aos de Licínio. As cidades marítimas da Grécia enviaram suas respectivas cotas de homens e navios à célebre baía do Pireu, mas suas forças unidas não excediam duzentos navios pequenos — fraquíssimo potencial de guerra comparativamente às enormes esquadras equipadas e mantidas pela república de Atenas durante a guerra do Peloponeso. Por não ser mais a Itália a sede do governo, os estabelecimentos navais de Miseno e de Ravena foram sendo gradualmente abandonados, e como os navios e marinheiros do Império eram mantidos antes pelo comércio do

* Antiga região da Ásia Menor, no mar Egeu. (N. T.)

que pelas forças armadas, natural que abundassem sobretudo nas províncias industriosas do Egito e da Ásia. Só surpreende que o imperador do Oriente, que tinha tão grande superioridade no mar, não aproveitasse a oportunidade para levar uma guerra ofensiva ao centro dos domínios de seu rival.

Em vez de tomar tal resolução ativa, que poderia ter mudado todo o panorama da guerra, o prudente Licínio aguardou a aproximação de seu antagonista num campo perto de Adrianópolis, que fortificara com um cuidado bem revelador de sua apreensão. Constantino veio desde Tessalônica rumo àquela parte da Trácia, até se ver detido pela larga e rápida corrente do Ebro e avistar o vasto exército de Licínio, que enchia o íngreme aclive da colina entre o rio e a cidade de Adrianópolis. Muitos dias se passaram em escaramuças incertas e distanciadas; finalmente, os obstáculos da passagem e do ataque foram vencidos pela conduta intrépida de Constantino.

A esta altura cabe narrar uma admirável façanha sua que, embora dificilmente possa encontrar paralelo na poesia ou no romance, é celebrada não por um orador mercenário empenhado em enaltecê-lo, mas por um historiador inimigo de sua fama. Assegura-nos ele que o valente imperador se atirou ao rio Ebro acompanhado de apenas *doze* cavalarianos e que, pelo esforço ou terror de seu braço invencível, rompeu, dizimou e pôs em fuga um exército de 150 mil homens. A credulidade de Zósimo triunfou a tal ponto de sua paixão que, entre os acontecimentos da memorável batalha de Adrianópolis, parece ter escolhido e ornado não o mais importante e sim o mais prodigioso. O valor de Constantino e o risco por que passou são atestados por um leve ferimento que recebeu na coxa; todavia, transparece, mesmo numa narração imperfeita, de texto quiçá adulterado, que a vitória foi obtida não menos pela conduta do general que pela coragem do herói; que um corpo de 5 mil arqueiros deu a volta para ocupar um bosque espesso na retaguarda do inimigo, cuja atenção foi desviada pela construção de uma ponte; e que Licínio, confundido por tantas manobras ardilosas, viu-se relutantemente deslocado de sua posição vantajosa para o plaino, onde teve de combater em igualdade de terreno. Mas ali o confronto deixou de ser equilibrado. Sua confusa multidão de recrutas novos foi facilmente vencida pelos experientes veteranos do Ocidente. Consta que 34 mil homens pereceram. O acampamento fortificado de Licínio foi tomado de assalto na tarde da batalha; a maior parte dos fugitivos, que se retirara para as montanhas, rendeu-se espontaneamente no dia seguinte à mercê do conquistador; e seu rival, que não mais podia manter a posição, refugiou-se dentro das muralhas de Bizâncio.

O sítio de Bizâncio, imediatamente empreendido por Constantino, envolvia grande trabalho e incerteza. Nas últimas guerras civis, as fortificações do lugar, tão justificadamente considerado chave da Europa e da Ásia, haviam sido reparadas e reforçadas; enquanto Licínio continuasse senhor do mar, a guarnição estava muito menos exposta ao perigo da fome do que o exército sitiador. Os comandantes navais de Constantino foram chamados a seu acampamento e receberam ordens expressas de forçar a passagem do Helesponto, pois a esquadra de Licínio, em vez de ir procurar e destruir seu frágil inimigo, continuava inativa naquele exíguo estreito onde sua superioridade numérica tinha escasso uso ou vantagem. Crispo, o filho mais velho do imperador, ficou encarregado da execução dessa audaciosa empresa, e a levou a cabo com tanta coragem e êxito que mereceu a estima e muito provavelmente despertou o ciúme de seu pai. O combate durou dois dias e no entardecer do primeiro as armadas em luta, ao cabo de mútua e considerável perda, retiraram-se para suas respectivas baías da Europa e da Ásia. No segundo, por volta do meio-dia, um vento forte começou a soprar e arrastou os navios de Crispo para junto do inimigo; como ele soube aproveitar com habilidosa intrepidez essa vantagem casual, logo obteve uma vitória completa. Cento e trinta navios foram destruídos, 5 mil homens dizimados, e Amando, o almirante da frota asiática, escapou com a maior das dificuldades para as praias da Calcedônia.

Tão logo o Helesponto ficou aberto, um abundante comboio de provisões chegou ao acampamento de Constantino, que já fizera avançar as operações do cerco. Construiu cômoros artificiais de terra da altura dos reparos de Bizâncio. As elevadas torres erigidas sobre tais alicerces atormentavam os sitiados com grandes pedras e dardos lançados por máquinas bélicas, e os aríetes haviam abalado as muralhas em diversos lugares. Se Licínio continuasse por mais tempo na defesa, expunha-se a ser envolvido na ruína da praça. Antes de ver-se cercado, prudentemente transferiu sua própria pessoa e seus tesouros para a Calcedônia, na Ásia; e como estava sempre desejoso de associar companheiros às esperanças e aos perigos de sua fortuna, conferiu então o título de César a Martiniano, que exercia um dos mais importantes cargos do Império.

Eram tais os recursos e tais os talentos de Licínio que, após tantas derrotas sucessivas, conseguiu ainda reunir na Bitínia um novo exército de 50 ou 60 mil homens, enquanto a atividade de Constantino estava voltada para o sítio de Bizâncio. O vigilante imperador não negligenciou porém os últimos esforços de seu antagonista. Uma parte considerável de seu exército vitorioso foi transportada pelo Bósforo em pequenos navios, e a batalha decisiva travou-se logo após seu desembarque nas elevações de Crisópolis, ou Scutari, como é hoje chamada. As tropas de Licínio, conquanto tivessem sido recém-recrutadas, estivessem mal armadas e pior disciplinadas, fizeram frente a seus conquistadores com infrutífera mas desesperada bravura, até uma derrota total, e o morticínio de 25 mil soldados selou irremediavelmente a sorte de seu chefe. Ele se retirou para Nicomédia, com vistas antes a ganhar algum tempo para negociação do que na esperança de alguma defesa efetiva. Constância, sua esposa e irmã de Constantino, intercedeu junto ao irmão em favor do marido e obteve da habilidade política daquele mais do que de sua compaixão uma promessa solene, confirmada por juramento, de que, após o sacrifício de Martiniano e a abdicação da púrpura, Licínio teria permissão de passar o restante de sua vida em paz e opulência.

A conduta de Constância e sua relação com as partes em conflito recordam por associação aquela virtuosa matrona que foi a irmã de Augusto e a esposa de Antônio. Mas a índole dos homens mudara e não mais se considerava infamante para um romano sobreviver à perda de sua honra e independência. Licínio solicitou e aceitou o perdão de suas ofensas, prostrou sua própria pessoa e sua púrpura aos pés do seu *senhor* e *amo*, foi erguido do solo com insultuosa piedade, admitido no mesmo dia ao banquete imperial e enviado logo depois para Tessalônica, escolhida como local de seu confinamento. Este logo teve fim com a morte do exilado, e não se sabe ao certo se foi um tumulto da soldadesca ou um decreto do Senado o motivo de sua execução. De acordo com as leis da tirania, acusaram-no de promover uma conspiração e de manter correspondência traidora com os bárbaros; entretanto, como ele nunca foi condenado, quer por sua própria conduta, que por qualquer indício legal, ser-nos-á talvez permitido deduzir, de sua franqueza, sua inocência. A memória de Licínio cobriu-se de infâmia; suas estátuas foram derrubadas; e por um édito açodado, tão nocivo e tão tendencioso que teve de quase imediatamente ser corrigido, suas leis e todos os procedimentos legais de seu reinado foram de pronto abolidos. Por via dessa vitória de Constantino, o mundo romano mais uma vez se unificou sob a autoridade de um só imperador, 37 anos após Diocleciano ter partilhado o poder e as províncias com seu associado Maximiano.

Os estágios sucessivos da ascensão de Constantino, desde o princípio quando tomou a púrpura em York até a abdicação de Licínio em Nicomédia, foram narrados com certa minuciosidade e precisão não só porque os acontecimentos são por si interessantes e importantes, mas ainda mais porque contribuíram para o declínio do Império pelo dispêndio de sangue e riqueza bem como pelo perpétuo aumento dos impostos e da organização militar. A fundação de Constantinopla e o estabelecimento da religião cristã foram as consequências imediatas e memoráveis dessa revolução.

8

*O avanço da religião cristã e os sentimentos, costumes, número e condição dos cristãos primitivos — Perseguição aos cristãos primitivos**

UM EXAME FRANCO mas judicioso do avanço e estabelecimento do cristianismo pode ser considerado parte deveras essencial da história do Império Romano. Enquanto esse grande organismo era invadido pela violência sem freios ou minado pela lenta decadência, uma religião pura e humilde se foi brandamente insinuando na mente dos homens, crescendo no silêncio e na obscuridade; da oposição, tirou ela novo vigor para finalmente erguer a bandeira triunfante da Cruz por sobre as ruínas do Capitólio. Mas a influência do cristianismo não se confinou ao período ou aos limites do Império Romano. Após terem se passado treze ou catorze séculos, essa religião é ainda professada pelas nações da Europa, a mais destacada parte da humanidade no que respeita às artes e ao saber, tanto quanto às armas. Pela diligência e o zelo dos europeus ela se difundiu amplamente até os mais distantes rincões da Ásia e da África, e através de colônias europeias se estabeleceu firmemente do Canadá ao Chile, num mundo desconhecido dos antigos.

Tal exame, todavia, por mais útil ou recreativo que seja, depara com duas dificuldades peculiares. Os minguados e suspeitos elementos de informação propiciados pela história eclesiástica raramente nos possibilitam desfazer a nuvem escura que pesa sobre os primórdios da Igreja. A grande lei da imparcialidade nos obriga com frequência, outrossim, a revelar as imper-

* Capítulos 15 e 16 do original. (N. O.)

feições dos insípidos mestres e crentes do Evangelho; e, para um observador descuidoso, os defeitos *deles* parecem lançar uma sombra sobre a fé que professavam. Mas o escândalo do cristão piedoso e o falaz triunfo do infiel devem ter fim tão logo se disponham a lembrar não apenas *por quem*, mas igualmente *a quem*, foi dada a Revelação Divina. O teólogo pode bem se comprazer na deleitosa tarefa de descrever a religião descendo do céu revestida de sua pureza natural. Ao historiador compete um encargo mais melancólico. Cumpre-lhe descobrir a inevitável mistura de erro e corrupção por ela contraída numa longa residência sobre a terra, em meio a uma raça de seres débeis e degenerados.

Nossa curiosidade é naturalmente impelida a perguntar por que meios obteve a fé cristã vitória tão notável sobre as religiões estabelecidas do mundo. A tal indagação se pode dar uma resposta óbvia mas satisfatória, de que foi graças à convincente evidência da própria doutrina e à divina providência de seu grande Autor. Entretanto, como a verdade e a razão raras vezes têm recepção favorável no mundo, e como a sabedoria da Providência condescende frequentemente em fazer das paixões do coração humano e das circunstâncias gerais da humanidade os instrumentos com que executa o seu propósito, seja-nos ainda permitido perguntar (embora com a devida humildade), não em verdade quais as primeiras, e sim as segundas causas do rápido desenvolvimento da Igreja cristã. Ao que parece, foi ele favorecido e assistido, de modo efetivo, pelas cinco causas seguintes: I. O inflexível zelo e, se nos é permitido usar tal expressão, a intolerância dos cristãos — derivada, em verdade, da religião judaica, mas purificada pelo espírito acanhado e antissocial que, em vez de atrair, dissuadiu os gentios de abraçar a lei de Moisés. II. A doutrina de uma vida futura, valorizada por toda e qualquer circunstância ocasional que pudesse dar peso e eficácia a essa importante verdade. III. Os poderes miraculosos atribuídos à Igreja primitiva. IV. A pura e austera moralidade dos cristãos. V. A união e a disciplina da república cristã, que formou aos poucos um Estado independente que se desenvolveu no coração do Império Romano.

I. O ZELO DOS CRISTÃOS. Já tivemos ocasião de descrever a harmonia religiosa do mundo antigo e a facilidade com que as nações mais diversas, e mesmo hostis, abraçavam, ou pelo menos respeitavam, as superstições umas das outras. Um só povo se recusou a partilhar desse intercâmbio comum da humanidade. Os judeus, que durante as monarquias assíria e persa haviam definhado por longo tempo na condição de seus mais desprezíveis escravos, emergiram da obscuridade sob os sucessores de Alexandre; e como se multiplicaram em grau surpreendente primeiro no Oriente, depois no Ocidente, logo suscitaram a curiosidade e o espanto de outras nações. A casmurra obstinação com que mantinham seus ritos peculiares e suas maneiras antissociais parecia assinalá-los como uma espécie diferente de homens, que audazmente professavam ou que mal escondiam sua implacável aversão ao resto da raça humana. Nem a violência de Antíoco, nem as artimanhas de Herodes, nem o exemplo das nações circunvizinhas puderam jamais persuadir os judeus a combinar as instituições de Moisés com a elegante mitologia dos gregos.

Em conformidade com as máximas da tolerância universal, os romanos protegeram uma superstição que desprezavam. O civilizado Augusto condescendeu em dar ordens de que sacrifícios em prol de sua prosperidade fossem feitos no templo de Jerusalém, ao passo que o mais insignificante dos pósteros de Abraão que houvesse prestado a mesma homenagem ao Júpiter do Capitólio teria sido objeto de abominação por parte de si mesmo e de seus irmãos. Mas a moderação dos conquistadores não foi o bastante para acalmar os zelosos preconceitos de seus súditos, os quais se alarmavam e escandalizavam com as insígnias de paganismo que necessariamente se introduziam numa província romana. A desatinada tentativa de Calígula de colocar sua própria estátua no templo de Jerusalém foi impossibilitada pela resolução unânime de um povo que temia menos a morte do que tal profanação idólatra. Seu apego à lei de Moisés igualava seu ódio pelas religiões estrangeiras. A corrente do zelo e da devoção religiosa, por correr num canal estreito, despenhou-se com a força e às vezes com a fúria de uma torrente.

Essa inflexível perseverança, que parecia tão odiosa ou tão ridícula ao mundo antigo, assume caráter ainda mais terrível pelo fato de a Providência ter se dignado a revelar-nos a misteriosa história do povo eleito. Mas o apego devoto e mesmo escrupuloso à religião mosaica, tão patente entre os judeus que viveram na época do segundo templo, torna-se ainda mais surpreendente se a compararmos à teimosa incredulidade de seus avoengos. Embora a lei lhes tivesse sido dada entre trovões no monte Sinai, e as marés do oceano e o curso dos planetas se suspendessem para a conveniência dos israelitas, e castigos e recompensas temporais fossem as consequências imediatas de sua piedade ou desobediência, eles voltavam sempre a rebelar-se contra a majestade visível de seu Rei Divino, a colocar os ídolos das nações no santuário de Jeová e a imitar todas as cerimônias fantásticas que eram praticadas nas tendas dos árabes ou nas cidades da Fenícia. Por ter sido a proteção do céu merecidamente retirada dessa raça ingrata, sua fé adquiriu um grau proporcional de vigor e pureza. Os contemporâneos de Moisés e Josué haviam assistido com descuidosa indiferença aos milagres mais surpreendentes. Sob a pressão de tantas calamidades, a crença nesses milagres preservou os judeus de um período ulterior do contágio universal da idolatria; e em contradição com todos os princípios conhecidos do espírito humano, esse povo singular parece ter dado mais pronta e mais vigorosa aquiescência às tradições de seus remotos antepassados do que à evidência de seus próprios sentidos.

A religião judaica se adequava admiravelmente à defesa, mas nunca à conquista; e é provável que o número de seus prosélitos nunca tivesse sido muito superior ao dos seus apóstatas. As promessas divinas foram feitas originariamente a uma única família, à qual foi imposto o rito distintivo da circuncisão. Quando a posteridade de Abraão se multiplicou como as areias do mar, a Deidade, de cuja boca ela recebera um sistema de leis e cerimônias, declarou-se o Deus privativo e por assim dizer nacional de Israel, e com o mais zeloso dos cuidados separou seu povo favorito do restante da humanidade. A conquista da terra de Canaã se fez acompanhar de tantos acontecimentos prodigiosos e de tantas circunstâncias sangrentas que os judeus vitoriosos foram deixados num estado de irreconciliável hostilidade para com todos os seus vizinhos. Haviam recebido ordens de exterminar algumas das tribos mais idólatras e a execução da vontade divina raras vezes terá sido retardada pela fraqueza humanitária. Era-lhes proibido contrair casamento ou alianças com outras nações; e a proibição de recebê-las na congregação, em certos casos perpétua, quase sempre se estendia à terceira, à sétima ou até à décima geração. A obrigação de pregar a fé de Moisés jamais fora inculcada como preceito da lei e tampouco inclinavam-se os judeus a impô-la como dever voluntário a si mesmos.*

Nessas circunstâncias, o cristianismo se oferecia ao mundo armado da força da lei mosaica e liberto do peso de suas cadeias. Uma dedicação exclusiva à verdade da religião e à unidade de Deus era cuidadosamente inculcada tanto no novo quanto no antigo sistema; e o que quer que fosse agora revelado à humanidade no tocante à natureza e aos desígnios do Ser Supremo era de molde a aumentar-lhe a reverência por essa misteriosa doutrina. Admitia-se a divina autoridade de Moisés e dos profetas, inclusive como a mais firme base da cristandade. Desde o princípio do mundo, uma série ininterrupta de predições anunciara e preparara a havia tanto esperada vinda do Messias, o qual, em conformidade com a grosseira compreensão dos judeus, fora mais frequentemente representado na figura de um rei e conquistador que na de um profeta, mártir e filho de Deus. Por via de seu sacrifício expiatório, os imperfeitos sacrifícios do templo foram a um só tempo consumados e abolidos. À lei cerimonial, que consistia apenas em símbolos e figuras, sucedeu um culto espiritual e puro igualmente adaptado a todos os climas e a todas as condições humanas; a iniciação pelo sangue foi substituída pela inofensiva iniciação pela água. A promessa do favor divino, em vez de confinar-se facciosamente à posteridade de Abraão, estendeu-se uni-

* A firme recusa dos judeus em fazer prosélitos é o tema de um parágrafo aqui omitido. (N. O.)

versalmente ao liberto e ao escravo, ao grego e ao bárbaro, ao judeu e ao gentio. Todo privilégio que pudesse alçar o prosélito da terra ao céu, que lhe pudesse exaltar a devoção, assegurar-lhe a felicidade ou mesmo satisfazer-lhe aquele secreto orgulho que, a pretexto de devoção, se insinua no coração humano, ficava ainda reservado aos membros da Igreja cristã; ao mesmo tempo, porém, permitia-se, ou até mesmo se pedia, a toda a humanidade que aceitasse a gloriosa distinção, oferecida não como mercê mas como uma obrigação. Tornou-se o mais sagrado dever do recém-convertido difundir entre seus amigos e parentes a bênção inestimável que havia recebido e adverti-los de que uma recusa seria severamente punida como criminosa desobediência à vontade de uma Deidade benevolente mas todo-poderosa.

A libertação da Igreja das cadeias da sinagoga se constituía, porém, numa tarefa algo demorada e algo difícil. Os judeus convertidos, que reconheciam Jesus como o Messias profetizado por seus antigos oráculos, respeitavam-no como um mestre profético de virtude e de religião, mas apegavam-se obstinadamente às cerimônias de seus antepassados e se mostravam desejosos de impô-las aos gentios que vinham continuamente aumentar o número de crentes. Esses cristãos judaizantes parecem ter alegado com certo grau de plausibilidade a origem divina da lei mosaica e as imutáveis perfeições de seu grande Autor. Afirmavam *que* se um Ser que é o mesmo através de toda eternidade pretendesse abolir esses ritos sagrados que têm servido para distinguir seu povo eleito, a rejeição deles não teria sido menos clara e solene do que sua promulgação primeira; *que*, em vez dessas frequentes declarações que ou supõem ou afirmam a perpetuidade da religião mosaica, ela teria sido representada como um esquema provisório destinado a durar só até o advento do Messias, o qual instruiria a humanidade acerca de um sistema mais perfeito de fé e de culto; *que* o próprio Messias, e seus discípulos, que com ele haviam convivido na terra, em vez de autorizarem por seu exemplo os mais minuciosos ritos da lei mosaica, teriam proclamado ao mundo a abolição dessas cerimônias supérfluas e obsoletas, para não permitir que a cristandade permanecesse durante tantos anos obscuramente confundida com as seitas da Igreja judaica. Argumentos como esses parecem ter sido usados na defesa da causa agonizante da lei mosaica; todavia, a diligência de nossos doutos teólogos explicou abundantemente a linguagem ambígua do Velho Testamento e a ambígua conduta dos mestres apostólicos. Era de toda conveniência revelar aos poucos o sistema do Evangelho e pronunciar com a maior cautela e brandura uma sentença condenatória tão repugnante à inclinação e aos preconceitos do crente judeu.*

Enquanto a Igreja ortodoxa preservava um justo termo médio entre a veneração excessiva e o desprezo impróprio da lei de Moisés, as diversas seitas heréticas caíam em extremos equivalentes, mas opostos, de erro e de extravagância. Da verdade reconhecida da religião judaica, os ebionitas** concluíram que ela jamais poderia ser abolida. De suas supostas imperfeições, os gnósticos prontamente inferiram que nunca havia sido instituído pela sabedoria da Deidade. Há algumas objeções à autoridade de Moisés e dos profetas que com demasiada presteza se impõem à mente cética, embora só possam resultar de nossa ignorância da antiguidade remota e de nossa incapacidade de fazer um juízo adequado da economia divina. Tais objeções foram sofregamente acolhidas e petulantemente alegadas pela fátua ciência dos gnósticos.*** Como esses heréticos se opunham

* Uma breve seção, aqui omitida, discute o dilema de um pequeno grupo de cristãos primitivos conhecidos como nazarenos, que continuou por algum tempo a insistir na necessidade e validade das leis mosaicas, mas que renunciou por fim a tal posição e voltou a integrar-se no corpo principal da Igreja cristã. Alguns nazarenos remanescentes, conhecidos como ebionitas, se recusaram a isso e atraíram para si a hostilidade tanto de cristãos como de judeus nos dois ou três séculos em que subsistiram. (N. O.)

** Seguidores das doutrinas do heresiarca Ébion (século I d.C.), que negava a divindade de Jesus; ao mesmo tempo que se apegavam ao Velho Testamento, os ebionitas recusavam o Novo, ao qual substituíam por um Evangelho ebionita. (N. T.)

*** Partidários do gnosticismo (do grego *gnósis*, conhecimento), movimento filosófico-religioso surgido na era helenística; sua doutrina fundamental era em sua maioria aos prazeres dos sentidos, censuravam rabugentamente a poligamia dos patriarcas, as galantarias de Davi e o serralho de Salomão. Não sabiam eles como reconciliar a conquista da terra de Canaã e o extermínio dos naturais confiantes com as noções correntes de humanidade e justiça. Mas, ao relembrar o sanguinário rol de morticínios, de execuções e de massacres que maculam quase todas as páginas dos anais judaicos, reconheciam que os bárbaros da Palestina haviam demonstrado tanta compaixão para com seus inimigos idólatras quanto a que jamais haviam mostrado a seus amigos ou compatriotas.

Passando dos partidários da lei a esta propriamente dita, afirmavam ser impossível que uma religião consistente tão só de sacrifícios sangrentos e cerimônias triviais, e cujas recompensas e castigos eram todos de natureza carnal e temporal, pudesse inspirar o amor da virtude ou conter a impetuosidade da paixão. O relato mosaico da criação e da queda do Homem era tratado com profana derrisão pelos gnósticos, que não suportavam ouvir falar do repouso da Deidade após seis dias de trabalho, da costela de Adão, do jardim do Éden, das árvores da vida e do conhecimento, da serpente falante, do fruto proibido e da condenação proferida contra o gênero humano pelo pecado venial de seus pais primeiros. O Deus de Israel era impiamente representado pelos gnósticos como um ser sujeito à paixão e ao erro, caprichoso em sua mercê, implacável em seu ressentimento, mesquinhamente cioso de adoração supersticiosa e confinando sua facciosa providência a um único povo e a esta vida transitória. Numa figura que tal não conseguiam discernir nenhuma das feições do sábio e onipotente Pai do universo. Admitiam ser a religião dos judeus algo menos criminosa que a idolatria dos gentios; sua doutrina fundamental era, porém, a de que o Cristo a quem adoravam como a primeira e mais luminosa emanação da Divindade

---

a de que a salvação tem de ser alcançada antes pelo conhecimento do que pela fé ou pelas obras; os cristãos primitivos de pendor gnóstico rejeitavam os fundamentos judaicos do cristianismo e o Velho Testamento. (N. T.)

aparecera na terra para redimir a humanidade de seus pecados e para revelar um *novo* sistema de verdade e perfeição. Os mais doutos dos pais da Igreja, por uma condescendência assaz estranha, imprudentemente admitiram os sofismas dos gnósticos. Reconhecendo que o sentido literal é incompatível com todos os princípios da fé, tanto quanto da razão, acreditaram-se seguros e invulneráveis atrás do amplo véu da alegoria, que cuidadosamente estenderam por sobre todas as partes frágeis da dispensação mosaica.*

Mas fosse qual fosse a diferença de opinião que pudesse haver entre os ortodoxos, os ebionitas e os gnósticos no tocante à divindade ou à obrigatoriedade da lei mosaica, animava-os a todos o mesmo ardor exclusivista e a mesma aversão pela idolatria que haviam distinguido os judeus das outras nações do mundo antigo. O filósofo que considerava o sistema do politeísmo como uma combinação de fraude e erro humanos podia ocultar um sorriso de desprezo por sob a máscara da devoção, sem temer que a zombaria ou a submissão o expusesse ao ressentimento de quaisquer poderes invisíveis ou, tal como os concebia, imaginários. Mas as religiões pagas estabelecidas eram vistas, pelos cristãos primitivos, sob luz muito mais odiosa e temível. No modo de ver tanto da Igreja quanto dos heréticos, os demônios eram os autores, os patronos e os objetos da idolatria.

Permitia-se a esses espíritos rebeldes, decaídos das hostes dos anjos e atirados às profundezas infernais, vaguear pela terra, atormentar os corpos e seduzir a mente dos homens pecaminosos. Os demônios não tardaram a descobrir, e dele abusar, o natural pendor do coração humano para a devoção; ardilosamente desviando a adoração da humanidade do seu Criador, usurparam o lugar e a honra da Divindade Suprema. Com triunfar em seus ardis malig-

* Gibbon observa, numa breve passagem aqui omitida, que a ausência de cismas nos primeiros cem anos de existência da Igreja cristã se deve provavelmente à grande liberdade de ação consentida aos primitivos crentes, como o demonstra o florescimento de grande variedade de grupos gnósticos dentro da Igreja. (N. O.)

nos, a um só tempo satisfaziam a vaidade e a sede de vingança e obtinham a única satisfação a que ainda eram suscetíveis, a esperança de fazer a espécie humana participar de sua culpa e ignomínia. Admitia-se, ou pelo menos imaginava-se, que os demônios haviam distribuído entre si os caracteres mais importantes do politeísmo, um assumindo o nome e os atributos de Júpiter, outro os de Esculápio, um terceiro os de Vênus e um quarto talvez os de Apolo; graças a sua longa experiência e natureza etérea, estavam capacitados a executar com suficiente destreza e dignidade os papéis que tinham assumido. Emboscavam-se nos templos, instituíam festivais e sacrifícios, inventavam fábulas e pronunciavam oráculos, sendo-lhes dado amiúde realizar milagres. Os cristãos, que pela mediação de mais espíritos podiam explicar de imediato toda ocorrência aparentemente sobrenatural, mostravam disposição e até desejo de admitir as mais extravagantes ficções da mitologia pagã. Mas sua crença andava acompanhada de horror. Consideravam a mais trivial indicação de respeito para com o culto nacional uma homenagem direta ao demônio e um ato de rebelião contra a majestade de Deus.

Corolário dessa opinião, era o primeiro mas árduo dever do cristão manter-se puro e inconspurcado no tocante à prática de idolatria. A religião das nações não se constituía apenas numa doutrina especulativa professada nas escolas ou pregada nos templos. As inumeráveis deidades e ritos do politeísmo estavam intimamente ligados a todas as circunstâncias de trabalho ou de prazer da vida pública ou privada, e parecia impossível furtar-se à observância deles sem ao mesmo tempo renunciar ao intercurso humano e a todas as ocupações e entretenimentos da sociedade. As importantes negociações de paz e de guerra eram preparadas ou concluídas com sacrifícios solenes, cabendo ao magistrado, ao senador e ao soldado presidi-los ou deles participar. Os espetáculos públicos constituíam parte essencial da prazenteira devoção dos pagãos e cumpria aos deuses aceitar como a mais grata das oferendas os jogos que o príncipe e o povo celebravam em honra de seus festivais privativos. O cristão que, com piedoso horror, evitava a abominação do circo ou do teatro, via-se cercado de armadilhas infernais em todos os entretenimentos convivais cada vez que seus amigos, invocando os deuses da hospitalidade, vertiam libações à felicidade uns dos outros. Quando a noiva, resistindo com relutância bem fingida, era forçada, nos ritos matrimoniais, a transpor o umbral de sua nova habitação, ou quando a lutuosa procissão se adiantava a passo lento em direção à pira funerária, o cristão se via obrigado a desertar nessas ocasiões as pessoas que lhe fossem mais caras para não inquinar-se da culpa inerente a tais cerimônias ímpias.

Toda ocupação ou arte que tivesse o mínimo a ver com a construção e ornamentação de ídolos trazia o estigma da idolatria — uma sentença severa, na medida em que condenava à miséria eterna a maior parte da comunidade que se dedicasse ao exercício das profissões liberais ou mecânicas. Se voltarmos os olhos para as numerosas ruínas da Antiguidade, veremos que, a par das representações imediatas dos deuses e dos instrumentos sacros de seu culto, as formas elegantes e as aprazíveis ficções consagradas pela imaginação dos gregos foram adotadas como os mais ricos ornamentos das residências, do vestuário e do mobiliário dos pagãos. Mesmo as artes da música e da pintura, da eloquência e da poesia tinham a mesma origem impura. Na linguagem dos pais da Igreja, Apolo e as Musas eram os órgãos do espírito infernal, Homero e Virgílio, seus servos mais eminentes, e a bela mitologia que impregnava e animava as composições de seu gênio visava tão só a celebrar a glória dos demônios. Mesmo a linguagem corrente da Grécia e de Roma abundava em expressões familiares ímpias, que um cristão imprudente estaria arriscado a descuidadamente pronunciar ou tolerantemente ouvir.*

Fazia-se mister tal angustiada diligência para resguardar a castidade do Evangelho do sopro infeccioso da idolatria. As formalidades supersticiosas dos ritos públicos ou privados eram negligentemente praticadas, por hábito e por educação, pelos seguidores

* Gibbon prossegue, num parágrafo aqui omitido, na enumeração dos festivais populares romanos que estavam inextricavelmente ligados às religiões pagãs. (N. O.)

da religião estabelecida. Mas toda vez que o eram, ofereciam aos cristãos uma oportunidade de expressar e confirmar sua ardorosa oposição. Por via dessas frequentes asseverações, fortalecia-se sua fidelidade à fé; quanto mais lhes crescia o empenho, com mais ardor e êxito combatiam na guerra santa que haviam empreendido contra o império dos demônios.

II. A CRENÇA NA IMORTALIDADE. As obras de Cícero testemunham, com as cores mais vivas, a ignorância, os erros e a incerteza dos filósofos antigos no tocante à imortalidade da alma. Quando estes querem fortalecer seus discípulos contra o temor da morte, neles inculcam, como uma atitude óbvia mas melancólica, a noção de que o golpe fatal de nossa dissolução nos liberta das calamidades da vida e de que não mais podem padecer aqueles que não mais existam. Todavia, alguns sábios da Grécia e de Roma conceberam uma ideia mais elevada, e em certos aspectos mais justa, da natureza humana, embora se deva reconhecer que, em tal sublime indagação, a razão deles foi mais das vezes guiada pela imaginação, e esta espicaçada pela vaidade. Quando atentavam com benevolência na extensão de seus próprios poderes mentais; quando aplicavam as faculdades da memória, da fantasia e do juízo nas mais profundas especulações ou nos labores mais importantes; e quando meditavam no desejo de fama, que os transportava às épocas futuras, para além dos limites da morte e da tumba, forcejavam por não se comparar aos animais do campo e por não supor que um ser cuja dignidade lhes despertava a mais sincera admiração pudesse limitar-se a um lugarzinho sob a terra e a uns poucos anos de duração.

Assim favoravelmente imbuídos, chamavam em seu auxílio a ciência, ou melhor, a linguagem da metafísica. Cedo descobriram que, como nenhuma das propriedades da matéria se aplica às operações da mente, a alma humana deve por conseguinte ser uma substância distinta do corpo, pura, simples e espiritual, incapaz de dissolução e suscetível de um grau muito mais elevado de virtude e de felicidade após libertar-se de sua prisão corpórea. Destes nobres e ilusórios princípios os filósofos que seguiam as pegadas de Platão tiraram uma conclusão assaz injustificada, de vez que afirmaram não só a imortalidade futura como também a eternidade pretérita da alma humana, que estavam prontos a considerar uma porção do espírito infinito e incriado que impregna e sustém o universo. Doutrina assim distanciada dos sentidos e da experiência dos homens pode bem servir para distrair os lazeres de uma mente filosófica ou, no silêncio da solidão, proporcionar algum conforto à virtude abatida; todavia, a tênue impressão recebida nas escolas logo se obliterava no comércio e nas ocupações da vida prática. Estamos familiarizados o bastante com os vultos eminentes que floresceram na época de Cícero e dos primeiros Césares, com seus atos, seus caracteres e seus motivos, para saber com segurança que sua conduta nesta vida jamais se regulou por qualquer convicção séria das recompensas ou castigos de uma existência futura. No tribunal e no Senado de Roma, os oradores mais capazes não temiam ofender seus ouvintes expondo tal doutrina como uma opinião extravagante e ociosa, rejeitada com desprezo por qualquer homem de educação e entendimento liberal.*

É naturalmente de esperar que um princípio tão essencial à religião tivesse sido revelado nos termos mais claros ao povo eleito da Palestina e que pudesse ter sido confiado sem risco ao clero hereditário de Aarão. Cumpre-nos adorar as misteriosas determinações da Providência quando verificamos que a doutrina da imortalidade da alma é omitida na lei de Moisés; é obscuramente insinuada pelos profetas; e, durante o longo período que decorreu entre a servidão egípcia e a babilônica, as esperanças e os temores dos judeus se confinaram, ao que parece, nos estreitos limites da vida presente. Após Ciro ter permitido à nação exilada que regressasse à terra prometida, e Esdras ter restaurado os antigos registros de sua religião, duas seitas célebres, os saduceus e os fariseus, surgiram gradualmente em Jerusalém. A primeira, formada por membros das camadas mais

* Deste ponto em diante, o original continua comentando a incompatibilidade entre as religiões pagãs da Grécia e de Roma e a ideia da imortalidade da alma. (N. O.)

opulentas e mais importantes da sociedade, se atinha estritamente ao sentido literal da lei mosaica e piedosamente rejeitava a imortalidade da alma como uma opinião sem nenhum respaldo no livro divino, que reverenciavam como a única norma de sua fé.

À autoridade das Escrituras, os fariseus acrescentavam a da tradição, aceitando, sob o nome de tradições, diversas doutrinas especulativas da filosofia ou da religião de nações orientais. As doutrinas do destino ou predestinação, dos anjos e espíritos, e de uma existência futura de recompensas e castigos, figuravam entre esses novos artigos de fé; e como os fariseus, pela austeridade de suas maneiras, tinham atraído para seu partido a maioria do povo judeu, a imortalidade da alma tornou-se o sentimento dominante da sinagoga durante o reinado dos príncipes e pontífices asmonianos.* O temperamento dos judeus não era de molde a contentar-se com uma fria e lânguida aquiescência como a que poderia satisfazer o espírito de um politeísta; tão logo admitiram a ideia de uma existência futura, abraçaram-na com o ardor que sempre foi característico de sua nação. Tal ardor nada acrescentava, porém, à evidência ou mesmo à probabilidade da ideia; impunha-se que a doutrina da vida e da imortalidade, ditada pela natureza, aprovada pela razão e acolhida pela superstição, recebesse sanção de verdade divina pela autoridade e pelo exemplo de Cristo.

Quando a promessa da felicidade eterna foi proposta à humanidade com a condição de ela adotar a fé e observar os preceitos do Evangelho, não estranha que oferta tão vantajosa fosse aceita por grande número de pessoas de todas as religiões, de todas as condições sociais e de todas as províncias do Império Romano. Animavam os antigos cristãos um desprezo pela sua vida presente e uma justa confiança na imortalidade, dos quais a hesitante e imperfeita fé da época moderna não nos pode dar uma ideia ade-

* Ou macabeus. Família judaica dos séculos II e I a.C. que chefiou a oposição ao domínio sírio da Palestina e às tendências helenizantes, propugnando a restauração da vida política e religiosa dos judeus; a dinastia macabeia terminou com a tomada de Jerusalém pelos romanos em 63 a.C., embora a sua influência sobre a oposição a eles ainda persistisse por longo tempo. (N. T.)

quada. Na Igreja primitiva, a influência da verdade recebia o poderosíssimo reforço de uma opinião que, por mais que merecesse respeito por sua utilidade e antiguidade, não se demonstrara consentânea com a experiência. Era crença geral que o fim do mundo e o reino dos céus estavam iminentes. O próximo advento desse miraculoso sucesso fora predito pelos apóstolos; a tradição havia sido preservada por seus primeiros discípulos; e os que interpretavam o sentido literal dos sermões do próprio Cristo estavam obrigados a esperar a segunda e gloriosa vinda do Filho do Homem, descido das nuvens, antes de se extinguir de todo a geração que lhe vira a humilde condição na terra e que ainda poderia ser testemunha das calamidades dos judeus sob Vespasiano e Adriano. Os dezessete séculos que decorreram desde então nos ensinaram a não aceitar com demasiada literalidade a misteriosa linguagem da profecia e da revelação; no entanto, na medida em que, por razões sensatas, se permitiu que tal erro subsistisse na Igreja, ele produziu os mais salutares efeitos sobre a fé e o comportamento dos cristãos, que viviam na terrível expectativa do momento em que o próprio globo e todas as raças da humanidade tremeriam à aparição de seu divino juiz.

Ao mesmo tempo que a felicidade e a glória de um reinado temporal eram prometidas aos discípulos de Cristo, anunciavam-se as mais medonhas calamidades contra o mundo incrédulo. A edificação da nova Jerusalém acompanharia passo a passo a destruição da Babilônia mística, e enquanto os imperadores que reinaram antes de Constantino persistiram na idolatria, atribuía-se o epíteto de Babilônia à cidade e ao Império de Roma. Ele sofreu a série completa de todos os males físicos e morais que podem afligir uma nação florescente: a discórdia intestina e a invasão dos bárbaros mais ferozes procedentes das regiões desconhecidas do norte, a pestilência e a fome, cometas e eclipses, terremotos e inundações. Estes eram outros tantos e assustadores sinais preparatórios da grande catástrofe de Roma, quando o país dos Cipiões e dos Césares seria consumido pelo fogo do céu, e a cidade das sete colinas, com seus palácios, seus templos, seus arcos triunfais, ficaria sepultada num vasto lago de chamas e enxofre. Poderia contudo trazer algum consolo à vaidade romana a ideia de que a duração de seu império seria a do próprio mundo, o qual, assim como outrora perecera pelo elemento água, estava destinado a sofrer uma segunda e célere destruição pelo elemento fogo.*

A condenação dos mais sábios e mais virtuosos pagãos, por motivo de sua ignorância ou descrença na verdade divina, parece ofender a razão e o humanitarismo de nossa época. Mas a Igreja primitiva, cuja fé tinha consistência muito mais firme, entregava sem hesitação à tortura eterna uma parte muitíssimo maior da espécie humana. Talvez pudesse fazer uma caridosa exceção em favor de Sócrates ou de alguns outros sábios da Antiguidade que haviam consultado a luz da razão antes de ter surgido a do Evangelho. Mas garantia-se a uma só voz que aqueles que, desde o nascimento ou a morte de Cristo, persistiam obstinadamente na adoração dos demônios, não mereciam nem podiam esperar perdão da irada justiça da Divindade.

Tais ásperos sentimentos, que o mundo antigo desconhecera, parecem ter infundido um espírito de amargura num sistema de amor e harmonia. Os laços de sangue e de amizade eram frequentes vezes rompidos pela diferença de fé religiosa, e os cristãos, que se viam oprimidos neste mundo pelo poderio dos pagãos, tomados por vezes de ressentimento e orgulho espiritual, compraziam-se na perspectiva de seu triunfo futuro. "Tu que gostas de espetáculos", exclama o severo Tertuliano,

> aguarda o maior de todos os espetáculos, o juízo eterno e final do universo. Como não irei admirar-me e rir e rejubilar-me e exultar ao ver tantos monarcas soberbos e tantos deuses falsos gemendo no mais fundo abismo das trevas; tantos magistrados que perseguiram o nome do Senhor derreten-

* A crença numa grande conflagração — conforme assinala o original — não só coincidia com os princípios das religiões orientais então existentes como também estava concorde com o testemunho dos sentidos dos romanos, familiarizados com o Etna, o Vesúvio etc. (N. O.)

do-se em fogos mais ardentes do que aqueles que atearam contra os cristãos; tantos doutos filósofos enrubescendo em chamas candentes com seus discípulos logrados; tantos poetas afamados tremendo ante o tribunal não de Minos mas de Cristo; tantos trágicos, mais melodiosos na expressão de seus próprios sofrimentos; tantos bailarinos...

Mas a benevolência do leitor me permitirá lançar um véu sobre o restante dessa descrição infernal, que o fervoroso africano leva avante com uma longa enfiada de agudezas amaneiradas e insensíveis.

Havia sem dúvida, entre os cristãos primitivos, muitos de índole mais consentânea com a mansuetude e misericórdia de sua profissão de fé. Muitos que sentiam sincera compaixão por seus amigos e concidadãos em perigo e que se empenhavam com fervor assaz benevolente em salvá-los da iminente destruição. O politeísta negligente, acometido de novos e inesperados terrores contra os quais nem seus sacerdotes nem seus filósofos lhe podiam oferecer qualquer proteção segura, sentia-se com muita frequência apavorado e dominado pela ameaça de torturas sempiternas. Seus temores podiam ajudar o progresso de sua fé e razão; e caso pudesse persuadir-se a suspeitar que a religião cristã possivelmente estava certa, tornava-se fácil tarefa convencê-lo de que era o partido mais seguro e mais prudente a tomar.

III. OS PODERES MIRACULOSOS DA IGREJA PRIMITIVA. Os dons sobrenaturais que mesmo nesta vida eram atribuídos aos cristãos, pondo-os acima do restante da humanidade, devem ter-lhes trazido conforto, assim como, muito frequentemente, convicção aos infiéis. Além dos eventuais prodígios que se podiam por vezes efetuar mercê da intervenção imediata da Deidade, quando esta se dispunha a suspender as leis da Natureza em benefício da religião, a Igreja cristã, desde o tempo dos apóstolos e de seus primeiros discípulos, tem alegado uma sucessão ininterrupta de poderes miraculosos, o dom de línguas, de visão e de profecia, o poder de expulsar demônios, de curar os enfermos e de ressuscitar os mortos. O conhecimento de línguas estrangeiras era frequentemente comunicado aos contemporâneos de Irineu* embora ele próprio ficasse às voltas com as dificuldades de um dialeto bárbaro enquanto pregava o Evangelho aos naturais da Gália. A inspiração divina, comunicada sob a forma de uma visão desperta ou em sonho, é descrita como mercê conferida com grande liberdade a toda sorte de fiéis, tanto mulheres quanto anciãos, tanto meninos como bispos. Desde que seus espíritos devotos estivessem suficientemente preparados, por uma série de preces, jejuns e vigílias, para receber o extraordinário impulso, eram eles arrebatados de suas consciências e levados a um êxtase inspirado, pois eram meros órgãos do Espírito Santo, assim como o é uma flauta de quem nela sopra. Cumpre acrescentar ser o desígnio de tais visões, na maior parte dos casos, revelar a história futura ou orientar a administração atual da Igreja. A expulsão de demônios dos corpos dos infelizes aos quais se lhes permitira atormentar era considerada como um triunfo notável, embora corriqueiro, da religião; os antigos apologistas o apresentavam sempre como a prova mais convincente da verdade do cristianismo. Realizava-se a terrível cerimônia mais das vezes publicamente, diante de um grande número de espectadores; o paciente era aliviado pelo poder ou habilidade do exorcista, e ouvia-se do demônio vencido a confissão de ser ele um dos deuses fictícios da Antiguidade que haviam impiamente usurpado a adoração da humanidade.

Mas a cura miraculosa de moléstias de natureza assaz incomum ou mesmo sobrenatural não deve causar surpresa se nos lembrarmos de que nos dias de Irineu, ao fim do século II, não se considerava a ressurreição de mortos acontecimento muito raro; que o milagre ocorria com frequência, nas ocasiões necessárias, graças a um longo jejum e às súplicas conjuntas da Igreja local; e que as pessoas assim devolvidas às suas preces sobreviviam ainda um bom número de anos. Numa época que tal, em que a fé

* Santo católico nascido na Ásia Menor (*c.* 125-*c.* 202 d.C.), foi bispo de Lyon, na Gália, e autor de *Contra as heresias*, tratado em que condenou os gnósticos. (N. T.)

podia jactar-se de tantas prodigiosas vitórias sobre a morte, parece difícil justificar o ceticismo daqueles filósofos que rejeitavam e escarneciam a doutrina da ressurreição. Um nobre grego assentara toda a controvérsia nesse importante fundamento, prometendo a Teófilo, bispo de Antioquia, que, se lhe fosse dado ver uma só pessoa de fato ressuscitada de entre os mortos, ele imediatamente abraçaria a religião cristã. É de certo modo singular que o prelado da primeira Igreja oriental, conquanto ansioso de ver seu amigo converter-se, achasse conveniente rejeitar esse justo e sensato desafio.

Os milagres da Igreja primitiva, depois de terem alcançado a sanção dos séculos, foram ultimamente atacados no curso de uma investigação assaz independente e habilidosa que, embora tivesse acolhida das mais favoráveis por parte do público, parece ter suscitado generalizado escândalo entre os teólogos de nossa e de outras Igrejas protestantes da Europa. Nosso entendimento particular do assunto será muito menos influenciado por argumentos em si do que por nossos hábitos de estudo e reflexão, e sobretudo pelo grau de credibilidade que nos acostumamos a exigir das provas de um evento miraculoso. O dever do historiador não lhe pede que interponha seu juízo pessoal nesta bela e importante controvérsia; não pode ele, porém, encobrir a dificuldade de adotar uma teoria capaz de reconciliar os interesses da religião com os da razão, de aplicar corretamente a dita teoria e de definir, com precisão, os limites do ditoso período isento de erro e de burla a que estejamos dispostos a atribuir o dom de poderes sobrenaturais.

Desde o primeiro dos pais da Igreja ao último dos papas, prolonga-se sem interrupção uma sequência de bispos, santos e mártires, bem como de milagres; e o progresso da superstição foi tão gradual e quase tão imperceptível que não sabemos em que elo específico deveríamos romper a cadeia da tradição. Cada época dá testemunho dos acontecimentos miraculosos com que foi distinguida, não sendo tal testemunho menos ponderoso e respeitável que o da geração anterior, pelo que somos insensivelmente levados a inculpar nossa própria inconsequência por negar ao venerável Bede* ou a são Bernardo o mesmo grau de confiança que tão liberalmente atribuímos, no segundo século, a Justino** ou a Irineu.[1] Se se aquilatar a verdade de qualquer desses milagres pelo seu uso e propriedade aparentes, toda época teve incréus a persuadir, heréticos a refutar e nações idólatras a converter; motivos suficientes poderiam ser sempre invocados, portanto, para justificar a intervenção do céu. No entanto, como todo partidário da revelação está persuadido da realidade, e todo homem sensato convencido da cessação dos poderes miraculosos, torna-se evidente que deveria ter havido *algum período* em que estes foram súbita ou gradualmente retirados da Igreja cristã. Seja qual for a época escolhida para tal propósito — a morte dos apóstolos, a conversão do Império Romano ou a extinção da heresia ariana[2] —, a insensibilidade dos cristãos que viveram na dita época se constituirá igualmente em justo motivo de surpresa. Eles ainda sustentavam suas pretensões após ter perdido seu poder. A credulidade fazia as vezes da fé, permitia-se ao fanatismo assumir a linguagem da inspiração e os efeitos do acaso ou do artifício eram atribuídos a causas sobrenaturais. A experiência recente de genuínos milagres deveria ter ensinado ao mundo cristão os caminhos da Providência e habituado os olhos dele (se se nos permite usar uma expressão assaz inadequada) ao estilo do divino artista. Se o mais habilido-

* Monge beneditino e erudito inglês (673 [?]-735 d.C.), autor de uma *História eclesiástica da nação inglesa* escrita em latim. (N. T.)

** São Justino Mártir (*c.* 100-*c.* 165 d.C.), apologista cristão nascido na Palestina e martirizado com seus discípulos por causa de sua fé cristã, que defendeu em dois tratados filosóficos escritos em grego, *Apologia* e *Diálogo*. (N. T.)

[1] Pode parecer um tanto surpreendente que Bernard de Clairvaux, o qual registra tantos milagres de seu amigo são Malaquias, não tivesse dado atenção a seus próprios milagres, cuidadosamente narrados, no entanto, por seus companheiros e discípulos. Na longa sequência da história eclesiástica, existirá um só exemplo de um santo afirmar-se ele próprio dotado do dom de milagres?

[2] A conversão de Constantino é a era mais comumente fixada pelos protestantes. Os teólogos mais racionais relutam em admitir os milagres do século IV, ao passo que os mais crédulos só relutam em admitir os do século V.

so dos pintores da Itália moderna tivesse a presunção de assinar suas medíocres imitações com o nome de Rafael ou de Correggio, a insolente contrafação seria prontamente descoberta e indignadamente rejeitada.*

IV. A MORALIDADE PURA E AUSTERA DOS CRISTÃOS. Todavia, os cristãos primitivos demonstravam sua fé por meio de suas virtudes; presumia-se então, muito justificadamente, que a divina persuasão que iluminara ou vencera o entendimento devia, ao mesmo tempo, purificar o coração e dirigir os atos do crente. Os primeiros apologistas da cristandade, que testemunham a inocência de seus irmãos, e os autores de um período ulterior, que celebram a santidade de seus antepassados, pintam com as cores mais vivas a reforma de costumes introduzida no mundo pela pregação do Evangelho. Sendo meu intento assinalar apenas as causas humanas às quais foi permitido secundar a influência da revelação, mencionarei de passagem dois motivos que poderiam naturalmente tornar a vida dos cristãos primitivos muito mais pura e austera que a de seus contemporâneos pagãos ou de seus degenerados sucessores — arrependimento dos pecados passados e louvável desejo de defender a reputação da sociedade em que se haviam engajado.

Uma censura muito antiga, sugerida pela ignorância ou pela malevolência da infidelidade, é a de que os cristãos atraíam para suas hostes os piores criminosos, os quais, tão logo tocados por um sentimento de remorso, eram facilmente persuadidos a lavar na água do batismo a culpa de sua conduta pretérita, para a qual os templos dos deuses se recusavam a conceder qualquer expiação. Mas essa censura, uma vez purificada da deturpação, contribui para a honra da Igreja, assim como contribuiu para seu crescimento. Os partidários do cristianismo reconhecem sem corar que muitos dos santos mais eminentes foram, antes de seu

* Num parágrafo final, aqui omitido, Gibbon sintetiza a credulidade dos antigos que "se demonstrou acidentalmente benéfica à causa da verdade e da religião". (N. O.)

batismo, os mais impenitentes pecadores. As pessoas que no mundo haviam seguido, ainda que de maneira imperfeita, os ditames da benevolência e do decoro, retiravam da opinião de sua própria probidade uma tranquila satisfação que as tornava muito menos suscetíveis às inopinadas emoções de vergonha, de pesar e de temor que deram origem a tantas miraculosas conversões. Seguindo o exemplo de seu Divino Mestre, os missionários do Evangelho não desdenhavam a companhia dos homens, e especialmente das mulheres, oprimidos pela consciência e muito amiúde pelos efeitos de seus vícios. Ao emergir do pecado e da superstição rumo à gloriosa esperança da imortalidade, resolviam devotar-se a uma vida não apenas de virtude mas de penitência. O desejo de perfeição tornava-se a paixão dominante de suas almas, e é bem sabido que, enquanto a razão se contém numa fria mediocridade, nossas paixões nos incitam, com célebre violência, a franquear o espaço que separa os extremos mais opostos.

Uma vez alistados nas hostes dos fiéis e admitidos aos sacramentos da Igreja, os neófitos se viam coibidos de recair em suas irregularidades de antes por outra consideração de natureza menos espiritual, conquanto assaz inocente e respeitável. Qualquer comunidade específica que se tenha afastado do todo da nação ou da religião a que pertencia se torna de pronto objeto de observação geral. Proporcionalmente à pequenez do número de seus membros, o caráter da comunidade pode ser afetado pela virtude e pelos vícios deles; e cada um está obrigado a observar com a mais vigilante atenção seu próprio comportamento e o de seus irmãos, visto que, assim como deve esperar incorrer em parte da desonra comum, assim também deve aspirar ao desfrute de sua cota da reputação comum.

Quando os cristãos da Bitínia foram levados ao tribunal do jovem Plínio, asseguraram eles ao procônsul que, longe de estarem envolvidos em qualquer conspiração ilegal, se viam forçados, mercê de uma solene obrigação, a abster-se da perpetração de crimes que pudessem perturbar a ordem pública e privada da sociedade, tais como roubo, adultério, perjúrio e fraude. Cerca de um século mais tarde, Tertuliano* podia jactar-se, com honesto orgulho, de pouquíssimos cristãos terem sofrido nas mãos do carrasco, a não ser por causa de sua religião. A vida severa e retirada que levavam, infensa ao luxo festivo da época, fazia-os habituarem-se à castidade, à temperança, à frugalidade e a todas as virtudes sóbrias e domésticas. Como tinham, na grande maioria, algum ofício ou profissão, cumpria-lhes, com a mais rigorosa integridade e a mais reta conduta, afastar as suspeitas que os profanos costumam nutrir contra as mostras de santidade. O desprezo do mundo os adestrava nos hábitos de humildade, mansidão e paciência. Quanto mais eram perseguidos, mais se apegavam uns aos outros. Sua mútua benevolência e sua insuspeita confiança foram notadas por infiéis, e delas abusavam com muita frequência amigos pérfidos.

Uma circunstância deveras honrosa para a moralidade dos cristãos primitivos era a de mesmo suas faltas, ou melhor, erros, resultarem de um excesso de virtude. Os bispos e doutores da Igreja, cujo testemunho atesta e cuja autoridade poderia influenciar as profissões de fé, os princípios e até mesmo os costumes de seus coetâneos, haviam estudado as Escrituras com menos cuidado do que devoção, e amiúde tomavam em sentido muito literal os rígidos preceitos de Cristo e dos apóstolos, a que a prudência de comentadores subsequentes deu interpretação menos rígida e mais figurativa. Desejosos de exaltar a perfeição do Evangelho acima da sabedoria da filosofia, os ardorosos pais da Igreja levaram os deveres de automortificação, de pureza de paciência a um extremo quase impossível de atingir e menos ainda de manter em nosso presente estado de fraqueza e corrupção. Uma doutrina tão extraordinária e tão sublime tem inevitavelmente de suscitar a veneração das pessoas; todavia, não era de molde a obter o sufrágio daqueles filósofos mundanos que, na conduta desta vida tran-

* Teólogo romano nascido em Cartago (*c.* 150-*c.* 230 d.C.), autor de numerosos tratados; colocava a fé acima da razão, conforme deixou expresso em seu célebre lema “Creio porque absurdo”. (N. T.)

sitória, atendem tão só aos sentimentos da natureza e aos interesses da sociedade.*

A aquisição de conhecimentos, o exercício da razão ou da imaginação e o deleitoso fluxo da conversação despreocupada podem bem ocupar os lazeres de um espírito liberal. Distrações que tais eram porém rejeitadas com aversão ou admitidas com extrema cautela pela severidade dos pais da Igreja, os quais desprezavam todo conhecimento que não fosse útil à salvação e consideravam toda leviandade de linguagem como um abuso desse dom. Em nossa existência atual, o corpo está tão inseparavelmente ligado à alma que parece ser de nosso interesse provar, com inocência e moderação, os desfrutes a que aquele fiel companheiro é suscetível. Muito diverso era o modo de pensar de nossos devotos antepassados: aspirando em vão a emular a perfeição dos anjos, desdenhavam eles, ou fingiam desdenhar, todos os deleites corpóreos e terrenos. Alguns de nossos sentidos são em verdade necessários a nossa preservação, outros a nossa subsistência, e outros ainda a nossa informação, pelo que se demonstrava assaz impossível rejeitar-lhes o uso. A primeira sensação de prazer era tida como o primeiro momento de seu abuso. Instruía-se o insensível candidato ao céu não apenas a resistir aos amavios mais grosseiros do paladar ou do olfato, mas até mesmo a fechar os ouvidos à profana harmonia de sons e a olhar com indiferença as mais elaboradas produções de arte humana. Vestuário garrido, casas luxuosas e mobiliário elegante eram considerados fonte do duplo pecado da soberba e da sensualidade; convinha antes aos cristãos convictos de seus pecados e duvidosos de sua salvação uma aparência simples e mortificada.

Em suas censuras ao luxo, os pais da Igreja eram extremamente minuciosos e circunstanciais; entre os diversos artigos que lhes excitavam a piedosa indignação podemos enumerar as perucas, os trajes de outra cor que não a branca, os instrumentos

* Gibbon comenta, num parágrafo aqui omitido, que a Igreja primitiva rejeitou duas das mais naturais propensões humanas, o amor ao prazer e o amor à ação. (N. O.)

de música, os vasos de ouro ou prata, as almofadas macias (visto que Jacó pousava a cabeça numa pedra), o pão branco, os vinhos estrangeiros, os cumprimentos públicos, o uso de banhos quentes e o hábito de barbear-se, o qual, segundo a expressão de Tertuliano, é uma mentira contra nossos próprios rostos e uma tentativa ímpia de melhorar a obra do Criador. Quando o cristianismo se introduziu entre os ricos e os elegantes, a observância desses singulares preceitos foi deixada, como o seria hoje, aos poucos que aspirassem à superior santidade. Mas é sempre fácil, tanto quanto agradável, para as classes inferiores da humanidade, alegar como mérito o desprezo daquela pompa e daqueles prazeres que a fortuna lhes pôs fora do alcance. A virtude dos cristãos primitivos, tal como a dos primeiros romanos, tinha a guardá-la, com muita frequência, a pobreza e a ignorância.

A casta severidade dos pais da Igreja em tudo quanto respeitasse ao comércio dos dois sexos resultava do mesmo princípio — a aversão por qualquer desfrute que pudesse satisfazer a natureza sensual do homem e degradar-lhe a natureza espiritual. Sua opinião favorita era a de que, se Adão se tivesse mantido obediente ao Criador, teria vivido para sempre num estado de virginal pureza, e algum inofensivo modo de vegetação teria povoado o paraíso com uma raça de seres inocentes e imortais. O recurso ao casamento fora consentido a sua decaída posteridade tão só como um expediente necessário à continuação da espécie humana e uma restrição, ainda que imperfeita, à natural licenciosidade do desejo. A hesitação dos casuístas ortodoxos no tocante a esse interessante tópico denuncia a perplexidade de homens relutantes em aprovar uma instituição que estavam compelidos a tolerar.[1] A enumeração das leis tão excêntricas que com grande minuciosidade impunham ao leito matrimonial faria os rapazes sorrirem e as donzelas enrubescerem. Era unânime entre eles a opinião de que um primeiro casamento bastava para atender a

[1] Alguns dos hereges gnósticos eram mais coerentes; rejeitavam o uso do casamento.

todas as necessidades da natureza e da sociedade. A ligação carnal se refinava num símile da união mística de Cristo com sua Igreja, sendo declarada indissolúvel quer pelo divórcio quer pela morte. A prática de segundas núpcias era estigmatizada com o labéu de adultério legal e as pessoas inculpadas de tão escandalosa ofensa contra a pureza cristã logo se viam excluídas das honras, e mesmo dos braços, da Igreja.

Como se tinha o desejo por crime e se tolerava o casamento como um defeito, não discrepava dos mesmos princípios considerar o estado de celibato o mais próximo da perfeição divina. Era com a maior das dificuldades que a Roma antiga podia suportar a instituição de seis vestais;[1] a Igreja primitiva, todavia, contava um grande número de pessoas de ambos os sexos devotadas à profissão da perpétua castidade. Algumas, entre as quais podemos incluir o douto Orígenes,* achavam mais prudente desarmar o tentador. Outras eram insensíveis e outras ainda invencíveis aos assomos da carne. Desdenhando uma fuga ignominiosa, as virgens do cálido clima da África enfrentavam o inimigo bem de perto: consentiam que padres e diáconos lhes partilhassem o leito e se jactavam de sua imaculada pureza em meio às chamas. Mas a Natureza ofendida reivindicava por vezes seus direitos e esta nova espécie de martírio servia tão só para introduzir um novo escândalo no seio da Igreja. Entre os ascetas** cristãos (uma designação que logo adquiriram em razão de seus dolorosos exercícios) muitos, no entanto, por menos presunçosos, tiveram maior êxito. A perda dos prazeres da carne era substituída e compensada pelo orgulho espiritual. Mes-

[1] Malgrado as honras e recompensas conferidas a essas virgens, era difícil consegui-las em número suficiente; nem sempre o temor da morte mais horrível lograva refrear-lhes a incontinência.

* Filósofo cristão nascido no Egito (185 [?]-254 [?] d.C.), celebrizou-se como mestre em Alexandria e escreveu obras teológicas, além de ter editado a Bíblia em seis versões paralelas hebraico-gregas. (N. T.)

** Gibbon faz referência aqui à etimologia da palavra *ascese*, que em grego significa "exercício"; os ascetas costumavam recorrer a exercícios rigorosos (jejuns, flagelações etc.) para dominar os reclamos da carne. (N. T.)

mo a multidão dos pagãos tendia a medir o mérito do sacrifício por sua dificuldade aparente, e em louvor de tais castas esposas de Cristo foi que os pais da Igreja derramaram a inquieta torrente de sua eloquência.[1] Tais são os primeiros vestígios dos princípios e instituições monásticos que, em época subsequente, contrabalançaram todas as vantagens temporais da cristandade.

Os cristãos não se mostravam menos avessos aos negócios que aos prazeres deste mundo. Não sabiam como reconciliar a defesa de nossas pessoas e propriedades com a paciente doutrina que inculcava perdão ilimitado das injúrias passadas e convidava à repetição dos insultos recentes. A simplicidade deles se ofendia com o uso de pragas, com a pompa da magistratura e com as ativas contendas da vida pública; sua humana ignorância não podia convencer-se de que fosse lícito, em qualquer ocasião, derramar o sangue de nossos semelhantes, quer pela espada da justiça, quer pela da guerra, ainda que os atentados hostis destes pusessem em risco a ordem e a segurança de toda a comunidade. Reconheciam os cristãos que, sob lei menos perfeita, os poderes do Estado judeu haviam sido exercidos, com a aprovação do céu, por profetas inspirados e por reis ungidos. Achavam e declaravam, por conseguinte, que instituições que tais poderiam ser necessárias ao atual sistema do mundo, e de bom grado se submetiam à autoridade de seus governantes pagãos. Mas embora inculcassem as máximas da obediência passiva, recusavam-se a tomar qualquer parte ativa na administração civil ou na defesa militar do Império. Talvez mereçam alguma indulgência as pessoas que, antes de sua conversão, já estavam empenhadas em tais ocupações violentas e sanguinárias; era todavia impossível aos cristãos, sem renunciar a um dever mais sagrado, assumir a condição de soldados, de magistrados ou de príncipes.[2]

[1] Dupin narra em pormenor o diálogo das dez virgens tal como foi composto por Metódio, bispo de Tiro. Os louvores à virgindade são exagerados.

[2] Tertuliano sugeriu-lhes o expediente de desertarem — um conselho que, se tivesse chegado ao conhecimento geral, não seria de molde a granjear a benevolência do imperador para com a seita cristã.

O descaso negligente ou até criminoso pelo bem-estar público os expunha ao desprezo e às censuras dos pagãos, que muito frequentemente perguntavam qual deveria ser a sina do Império, atacado de todos os lados pelos bárbaros, se toda a humanidade adotasse os pusilânimes sentimentos da nova seita. A essa pergunta insultante os apologistas cristãos davam respostas obscuras e ambíguas, por não terem desejo de revelar a causa secreta de sua segurança — a esperança de que, antes de completar-se a conversão da humanidade, a guerra, o governo, o Império Romano e o próprio mundo não existissem mais. Cumpre observar que, também nesse caso, a situação dos cristãos primitivos coincidia de forma muito feliz com seus escrúpulos religiosos e que sua aversão por uma vida ativa contribuía antes para isentá-los do serviço militar do que para excluí-los das honrarias do Estado e do exército.

V. A UNIDADE E A DISCIPLINA DOS CRISTÃOS. Mas o caráter humano, por mais exaltado ou deprimido que esteja por um entusiasmo temporário, voltará aos poucos a seu nível próprio e natural, retomando as paixões que pareçam mais adaptadas a seu estado atual. Os cristãos primitivos estavam mortos para os negócios e os prazeres do mundo; seu amor à ação, porém, que nunca pôde ser extinguido de todo, logo reviveu e achou uma nova ocupação no governo da Igreja. Uma sociedade em separado, que atacava a religião estabelecida do Império, viu-se obrigada a adotar alguma forma de organização política interna e a designar um número suficiente de ministros incumbidos não só de funções espirituais como também da direção temporal da comunidade cristã. A segurança da sociedade, sua honra, seu engrandecimento suscitavam, mesmo nos espíritos mais piedosos, um ardor patriótico como o que os primeiros romanos haviam nutrido pela república, e por vezes a igual indiferença pelo uso de quaisquer meios que pudessem conduzir a fim tão desejável. A ambição de alçar-se, ou aos amigos, até as honrarias e cargos da Igreja disfarçava-se sob a louvável intenção de devotar ao bem público o poder e a consideração que, somente para tal propósito, tornava-se dever reivindicar. No exercício de suas funções, esses ministros eram com frequência solicitados a descobrir os erros da heresia ou os estratagemas do facciosismo, a combater as intrigas de irmãos pérfidos, inquinar-lhes os nomes de merecida infâmia e expulsá-los do seio de uma sociedade cuja paz e felicidade haviam tentado perturbar.

Os governantes eclesiásticos dos cristãos eram ensinados a unir a sabedoria da serpente à inocência da pomba; porém, assim como aquela se refinou, esta foi sendo aos poucos corrompida pelos hábitos do mando. Na Igreja, tanto quanto no mundo leigo, as pessoas que ocupavam qualquer cargo público se destacavam por sua eloquência e firmeza, por seu conhecimento dos homens e por sua destreza no trato dos negócios; e ao mesmo tempo que escondiam dos outros, e quiçá de si mesmas, os motivos secretos de sua conduta, recaíam também muito amiúde em todas as turbulentas paixões da vida ativa, as quais se impregnavam de resto de certo grau de acrimônia e obstinação nelas infundido pelo ardor espiritual.

A direção da Igreja tem sido amiúde o objeto bem como o prêmio das disputas religiosas. Os contendores hostis de Roma, de Paris, de Oxford e de Genebra forcejaram cada qual a seu modo por reduzir o primitivo modelo apostólico aos respectivos padrões de sua própria política. Os poucos que levaram avante a investigação com mais isenção e franqueza são da opinião de que os apóstolos declinaram o ofício de legislar e optaram por tolerar antes alguns escândalos de facciosismo e divisão do que excluir os cristãos de uma época futura da liberdade de variar suas formas de governo eclesiástico em conformidade com as mudanças dos tempos e das circunstâncias. O plano de ação que, por eles aprovado, foi instituído no primeiro século pode ser deduzido das práticas adotadas em Jerusalém, Éfeso ou Corinto. As comunidades estabelecidas nas cidades do Império Romano estavam unidas tão só pelos laços da fé e da caridade. Independência e igualdade eram as bases de sua organização interna. A ausência de disciplina e cultura humana era obviada pela ocasional assistência dos *profetas*, que eram chamados a exercer essa função sem distinções de idade, sexo ou talentos naturais e que, tão logo sentiam o divino impulso, extravasavam as efusões do

Espírito por sobre a assembleia dos fiéis. Mas os mestres proféticos abusavam com frequência desses dons extraordinários, dando-lhes má aplicação. Exibiam-nos em ocasiões inconvenientes, perturbando presunçosamente o culto litúrgico da assembleia, e por via de sua soberba ou ardor errôneo causavam, particularmente na Igreja apostólica de Corinto, um longo séquito de deprimentes perturbações. Por se ter tornado inútil e até mesmo perniciosa a instituição dos profetas, seus poderes foram cassados e seu cargo abolido.

As funções públicas da religião passaram a ser confiadas tão só aos ministros oficiais da Igreja, os *bispos* e os *presbíteros*, duas denominações que, originariamente, parecem ter designado o mesmo cargo e a mesma classe de pessoas. O nome de presbítero* dava a entender-lhes a idade, ou, antes, a gravidade e a sabedoria. O título de bispo** indicava a inspeção, que estava confiada a seu cuidado pastoral, da fé e dos costumes dos cristãos. Proporcionalmente ao número de fiéis, um número maior ou menor desses presbíteros episcopais orientava cada congregação incipiente com igual autoridade e conselhos conjuntos.

Mesmo a mais perfeita igualdade de privilégios exige a mão diretora de um magistrado superior; e a ordem das deliberações públicas cedo instaura o cargo de presidente, investido no mínimo da autoridade de recolher as opiniões e executar as resoluções da assembleia. A preocupação da tranquilidade pública, que teria sido interrompida com tanta frequência por eleições ocasionais ou anuais, levou os cristãos primitivos a constituírem uma magistratura honorífica e perpétua e a escolherem um dos mais sábios e santos de seus presbíteros para exercer, durante toda a sua vida, os deveres de governante eclesiástico. Foi em tais circunstâncias que o alto título de bispo começou a sobrepujar a humilde designação de presbítero; conquanto essa continuasse a ser a distinção mais natural

* Palavra originária do grego, no qual significa "o mais idoso". (N. T.)

** Palavra derivada de um verbo grego que significava "inspecionar", "visitar". (N. T.)

para os membros de qualquer Senado cristão, aquela se adequava melhor à dignidade de seu novo presidente. As vantagens dessa forma episcopal de administração, que parece ter sido introduzida antes do fim do século I, eram tão óbvias e tão importantes para a grandeza futura e para a paz atual da cristandade que ela foi adotada sem demora por todas as comunidades disseminadas pelo Império. Adquiriu desde o princípio a sanção de antiguidade, e é ainda reverenciada pelas Igrejas mais poderosas do Oriente e do Ocidente como uma instituição primitiva e mesmo divina.

Escusa dizer que os piedosos e humildes presbíteros inicialmente honrados com o título episcopal não podiam ter, e provavelmente os teriam rejeitado, o poder e a pompa que hoje circundam a tiara do pontífice romano ou a mitra do prelado alemão. Mas é possível definir em poucas palavras os estreitos limites de sua jurisdição original, a qual assumia caráter principalmente espiritual, embora em alguns casos tivesse também natureza temporal. Consistia ela na administração dos sacramentos e da disciplina da Igreja, na supervisão das cerimônias religiosas (cujo número e variedade aumentaram gradualmente), na consagração de ministros eclesiásticos (a quem o bispo atribuía as respectivas funções), na gerência dos fundos públicos e na decisão de todas as diferenças que os fiéis não quisessem expor perante o tribunal de um juiz idólatra. Por breve período, esses poderes foram exercidos em conformidade com o parecer de um colégio presbiteral e com o consentimento e a aprovação da assembleia de cristãos. Os primitivos bispos eram tidos como os primeiros de seus iguais e os servidores honoríficos de uma comunidade livre. Sempre que a presidência episcopal vagava por morte, escolhia-se um novo presidente entre os presbíteros pelo sufrágio de toda a congregação, cada um de cujos membros se julgava investido de caráter sagrado e sacerdotal.

Por essa branda e igualitária organização governaram-se os cristãos mais de uma centena de anos após a morte dos apóstolos. Cada comunidade formava por si uma república separada e independente, e embora os mais distantes desses pequenos Estados mantivessem intercâmbio amistoso por meio de cartas e delegações, o mundo cristão não estava ainda unificado por nenhuma autoridade suprema ou assembleia legislativa. Conforme se multiplicava o número de fiéis, foram eles descobrindo as vantagens que poderiam advir de uma união mais íntima de seus interesses e propósitos. Pelo fim do século II, as Igrejas da Grécia e da Ásia Menor adotaram a útil instituição dos sínodos provinciais, e é muito de supor que tenham tomado emprestado o modelo de um conselho representativo dos célebres exemplos de sua própria pátria, os anfictiões,* a liga acaia** ou as assembleias das cidades jônicas. Cedo se firmou o costume ou a lei de os bispos das igrejas independentes se encontrarem na capital da província nos períodos fixos da primavera e do outono. Suas deliberações eram assistidas pelo conselho de alguns presbíteros de destaque e moderadas pela presença de uma multidão de ouvintes. Os decretos desses sínodos, chamados *canons*, regulamentavam toda controvérsia importante em matéria de fé e de disciplina, e era natural a crença de que uma generosa efusão do Espírito Santo se derramasse sobre a assembleia unida dos delegados da gente cristã. A instituição dos sínodos atendia de tal modo à ambição pessoal e ao interesse público que no espaço de poucos anos se generalizou pelo Império todo. Estabeleceu-se uma correspondência regular entre os conselhos provinciais, os quais se comunicavam entre si e aprovavam suas respectivas atas, pelo que a Igreja católica logo assumiu a forma e adquiriu a solidez de uma grande república federativa.

Como a autoridade legislativa das igrejas individuais foi sendo progressivamente substituída pelo uso de conselhos, os bispos adquiriram, por via de sua aliança, um quinhão muito maior de poder executivo e arbitrário; tão logo se vincularam pela consciên-

* Cada um dos membros do conselho de Estado da antiga Grécia que se reunia para discutir assuntos de interesse comum. (N. T.)

** União formada pelos aqueus, que habitavam o norte do Peloponeso, ao redor do golfo de Corinto, na Grécia; a primeira liga acaia se constituiu antes do século V a.C. e se opôs posteriormente a Filipe II da Macedônia (338 a.C.), dissolvendo-se em seguida; no século II, ainda contra o domínio macedônico, formou-se uma liga acaia. (N. T.)

cia de seus interesses comuns, ficaram capacitados a atacar, com vigor conjunto, os direitos originais de seu clero e da comunidade. Os prelados do século III aos poucos foram convertendo a linguagem da exortação em linguagem de comando, espalhando as sementes de futuras usurpações e suprindo com alegorias e retórica declamatória das Escrituras suas deficiências de força e de razão. Exaltavam eles a unidade e o poderio da Igreja tal como representada no *ofício episcopal*, em que cada bispo desfrutava quinhão igual e indiviso. Príncipes e magistrados, repetiam com frequência, podiam alegar um domínio transitório e terreno, mas somente a autoridade episcopal procedia da Divindade e se estendia por este e pelo outro mundo. Os bispos eram os delegados de Cristo, os sucessores dos apóstolos e os substitutos místicos do alto sacerdote da lei mosaica. Seu privilégio exclusivo de conferir a condição sacerdotal usurpava os direitos das eleições tanto clericais quanto populares, e se eles, na administração da Igreja, consultavam ainda o juízo dos presbíteros ou a inclinação da comunidade, não se esqueciam de inculcar, cuidadosamente, o mérito de tal condescendência voluntária. Os bispos reconheciam a suprema autoridade de que estava investida a assembleia de seus irmãos; todavia, na administração de sua diocese particular, cada um deles exigia de seu rebanho a mesma implícita obediência devida no caso de essa metáfora favorita ser literalmente justa e de o pastor possuir natureza mais elevada que a de suas ovelhas.

Tal obediência só se impunha, contudo, com certo esforço, de uma parte, e certa resistência, da outra. O lado democrático da organização era em muitos lugares entusiasticamente encarecido pelo ardor ou pela oposição de interesses do clero inferior. Mas o patriotismo deste recebia os epítetos ignominiosos de facciosismo e cisma, e a causa episcopal devia seu rápido progresso aos esforços de muitos prelados ativos que, como Cipriano de Cartago,* logravam conciliar a astúcia do mais ambicioso dos estadistas com

* Santo e pai da Igreja (m. 258 d.C.), foi bispo de Cartago e, na luta em prol da unidade da Igreja, formulou-lhe as doutrinas ortodoxas. (N. T.)

as virtudes que pareciam adaptar-se melhor ao caráter de um santo e de um mártir.

As mesmas causas que haviam inicialmente destruído a igualdade dos presbíteros suscitaram, entre os bispos, uma primazia de posição e, em consequência, uma superioridade de jurisdição. Quando, na primavera e no outono, se reuniam eles num sínodo provincial, a diferença de mérito e de reputação pessoal se fazia sentir agudamente entre os membros da assembleia, e a multidão era dominada pela sabedoria e eloquência de uns poucos. Entretanto, a ordem das instituições públicas exigia uma forma de distinção mais regular e menos invejosa; o cargo de presidentes perpétuos dos conselhos de cada província foi conferido aos bispos das cidades principais; e esses ambiciosos prelados, que logo adquiriram os altos títulos de *metropolitas* e *primazes*, secretamente se prepararam para usurpar de seus irmãos de episcopado a mesma autoridade que os bispos ultimamente tinham assumido no colégio dos presbíteros. Não tardou a uma emulação de preeminência e poder se estabelecer entre os próprios metropolitas, cada um dos quais timbrava em alardear, nos termos mais pomposos, as honras e vantagens temporais da cidade a que presidia, o número e a opulência dos cristãos sujeitos a seu cuidado pastoral, os santos e mártires entre eles surgidos, e a pureza com que preservavam a tradição da fé tal como lhes fora transmitida por uma série de bispos ortodoxos desde o apóstolo ou discípulo apostólico a que se atribuía a fundação de sua Igreja.

Por todas as causas de natureza civil ou eclesiástica, era fácil prever que Roma devia merecer o respeito, e logo iria reclamar a obediência, das províncias. A comunidade de fiéis estava proporcionada à capital do Império: a Igreja romana era a maior, a mais numerosa e, no que respeitava ao Ocidente, a mais antiga de todas as Igrejas cristãs, muitas das quais tinham recebido sua religião dos piedosos esforços dos missionários dela. Em vez de *um* fundador apostólico, o maior motivo de orgulho de Antioquia, de Éfeso ou de Corinto, as margens do Tibre tinham sido honradas, ao que constava, com a pregação e o martírio dos *dois* mais eminentes apóstolos; e os bispos de Roma muito sensatamente reivindicavam a herança de quaisquer prerrogativas que fossem atribuídas ou à pessoa ou ao cargo de são Pedro.

Os bispos da Itália e das províncias estavam dispostos a conceder-lhes uma primazia de ordem e de associação (esta a acuradíssima expressão que usaram) no seio da aristocracia cristã. Mas o poder de monarcas foi-lhes recusado com execração, e a índole ambiciosa de Roma encontrou, por parte das comunidades da Ásia Menor e da África, vigorosa resistência a seu domínio espiritual, mais vigorosa ainda do que a outrora oposta a seu domínio temporal. O patriótico Cipriano, que governava com absoluta soberania a Igreja de Cartago e os sínodos provinciais, resistiu resoluta e vitoriosamente à ambição do pontífice romano; astutamente ligou sua própria causa à dos bispos orientais e, como Aníbal, buscou novos aliados no coração da Ásia Menor. Se essa guerra púnica foi conduzida sem nenhum derramamento de sangue, isso se deveu muito menos à moderação do que à fraqueza dos prelados em luta. Invectivas e excomunhões eram *suas* únicas armas, que, durante o curso de toda a controvérsia, brandiram uns contra os outros com a mesma fúria e devoção. A dura necessidade de censurar um papa ou um santo mártir aflige os católicos modernos sempre que se veem obrigados a narrar os pormenores de uma disputa em que os campeões da religião se entregaram a paixões que parecem ser mais próprias do Senado ou do campo de batalha.

O avanço da autoridade eclesiástica deu origem à memorável distinção entre laicato e clero, distinção que gregos e romanos haviam desconhecido. A primeira dessas denominações abrangia o conjunto da comunidade cristã; a segunda, em conformidade com a significação da palavra, se adequava à porção seleta reservada para serviço da religião, uma célebre ordem de homens que forneceu à história moderna os assuntos mais importantes, embora nem sempre os mais edificantes. Suas hostilidades mútuas perturbavam por vezes a paz da Igreja incipiente, mas o ardor e a diligência se uniam numa causa comum; e o amor ao poder, que sob os mais astuciosos disfarces se podia insinuar nos corações de bispos e mártires, estimulava-os a aumentar o número de seus súditos e a ampliar os limites do império cristão. Estavam destituídos de qualquer poderio temporal, e por longo tempo se viram desencorajados e oprimidos, mais do que assistidos, pelo magistrado civil; todavia, haviam adquirido, e os usavam dentro de sua própria comunidade, os dois mais eficazes instrumentos de governo, recompensas e punições, aquelas derivadas da piedosa liberalidade, estas das devotas apreensões dos fiéis.

1. *Recompensas*. A comunhão de bens, que entretivera de modo tão prazeroso a imaginação de Platão e que subsistira em certa medida na austera seita dos essênios, por um breve período de tempo foi adotada na Igreja primitiva. O fervor dos primeiros prosélitos os animou a vender as possessões terrenas que desprezavam, a depor o dinheiro apurado aos pés dos apóstolos e a contentar-se com igual quinhão na partilha geral. O progresso da religião cristã afrouxou e gradualmente aboliu essa generosa instituição, que em mãos menos puras que as dos apóstolos bem cedo se teria corrompido e desmandado pela recrudescência do egoísmo da natureza humana; aos convertidos à nova religião permitiu-se manter a posse de seu patrimônio, receber legados e heranças, e aumentar sua propriedade privada por todos os meios legais do comércio e da indústria. Em vez de um sacrifício total, uma proporção moderada era aceita pelos ministros do Evangelho, e em suas assembleias semanais ou mensais cada crente, em conformidade com a exigência da ocasião e na medida de sua riqueza e piedade, fazia uma oferta voluntária em benefício do fundo comum. Nada, por mais insignificante que fosse, era recusado; inculcava-se porém, assiduamente, a ideia de que, no tocante ao dízimo, a lei mosaica ainda tinha divina vigência e que, como os judeus, sob disciplina menos perfeita, receberam ordem de pagar um décimo de tudo quanto possuíam, cumpria aos discípulos de Cristo distinguir-se por um grau superior de liberalidade e granjear algum mérito, abrindo mão de uma riqueza supérflua que tão cedo se iria aniquilar juntamente com o próprio mundo.

Quase escusava observar que a receita de cada igreja, de natureza tão incerta e tão flutuante, deve ter variado na medida da pobreza ou da opulência dos fiéis, os quais estavam dispersos por aldeias obscuras ou reunidos nas grandes cidades do Império. No tempo do imperador Décio, era opinião do magistrado de Roma que os cristãos possuíam riquezas consideráveis, que usavam vasos de ouro e prata em seu culto religioso, e que muitos de seus prosélitos haviam vendido suas terras e casas para aumentar as riquezas públicas da seita — em prejuízo certamente de sua infortunada prole, que se tornou mendiga porque seus pais tinham sido santos.

Devemos encarar com desconfiança as suspeitas de estranhos e inimigos; naquela ocasião, porém, elas assumiram uma coloração provável e assaz especiosa em razão das duas circunstâncias seguintes, as únicas chegadas a nosso conhecimento que especificam uma soma precisa e uma ideia distinta. Quase no mesmo período, o bispo de Cartago, governante de uma comunidade menos opulenta que a de Roma, arrecadou 100 mil sestércios (mais de 850 libras esterlinas), numa súbita campanha de caridade para redimir os irmãos da Numídia, os quais haviam sido levados como cativos pelos bárbaros do deserto. Cerca de cem anos antes do reinado de Décio, a Igreja romana recebera, numa única doação, a soma de 200 mil sestércios de um estranho do Ponto, que decidira fixar residência na capital.

Tais oferendas eram feitas em dinheiro, na maioria dos casos; a comunidade dos cristãos não tinha desejo nem capacidade de avir-se com propriedade fundiária de qualquer vulto que fosse. Várias leis determinavam, com o mesmo propósito de nossos estatutos de mão-morta, que nenhuma propriedade fundiária poderia ser dada ou legada a qualquer pessoa jurídica, a não ser com privilégio especial ou dispensa específica do imperador ou do Senado, que raramente estariam dispostos a concedê-los a uma seita que fora a princípio alvo de seu desprezo e por fim de seus temores e ressentimentos. Consta, porém, ter havido no reinado de Alexandre Severo uma transação reveladora de que a restrição era por vezes burlada ou suspensa, sendo permitido aos cristãos reivindicar ou possuir terras dentro dos limites da própria Roma. O progresso da cristandade e a confusão civil do Império contribuíram para afrouxar a severidade das leis; antes do fim do século III, consideráveis propriedades foram outorgadas às opulentas Igrejas de Roma, Milão, Cartago, Antioquia, Alexandria e outras grandes cidades da Itália e das províncias.

O bispo era o ecônomo natural da Igreja; os fundos públicos ficavam confiados à sua guarda, sem prestação de contas nem fiscalização; os presbíteros se confinavam a suas funções espirituais, e a ordem mais dependente dos diáconos só era usada na administração e na distribuição da receita eclesiástica. Se podemos dar crédito às veementes arengas de Cipriano, havia muitos de seus confrades africanos que, no desempenho de seu cargo, violavam todos os preceitos não só da perfeição evangélica como até da virtude moral. Alguns desses ecônomos desleais esbanjaram as riquezas da Igreja em prazeres sensuais; outros as desvirtuaram para fins de ganho privado, de compras fraudulentas e de usura rapace. Mas enquanto as contribuições da comunidade cristã fossem livres e voluntárias, o abuso de sua confiança não podia ser muito frequente e os fins gerais em que sua liberalidade era usada só honravam a instituição religiosa.

Uma parte razoável estava reservada à manutenção do bispo e de seu clero; uma soma suficiente destinava-se às despesas do culto público, do qual as festas de amor — os *agapoe*, tais como eram chamados — constituíam parte muito aprazível. Todo o restante formava o sagrado patrimônio dos pobres. De acordo com o juízo do bispo, era distribuído para amparar viúvas, órfãos, aleijados, enfermos e anciãos da comunidade, para auxiliar forasteiros e peregrinos, e para aliviar os sofrimentos de prisioneiros e cativos, especialmente quando tinham sido ocasionados por sua firme lealdade à causa da religião. Um generoso intercâmbio de caridade unia as províncias mais distantes, e as congregações menores eram prazenteiramente assistidas pelas esmolas de seus confrades mais opulentos.

Uma instituição assim, que atentava menos para o mérito do que para as aflições do assistido, promovia de modo assaz material o progresso da cristandade. Os mesmos pagãos que mofavam da doutrina reconheciam a benevolência da nova seita. A perspectiva de alívio imediato e de proteção futura atraía para seu seio acolhedor muitos daqueles infelizes que o descaso do mundo teria deixado entregues aos infortúnios da carência, da enfermidade e da velhice. É de crer, igualmente, que grande número de infantes abandonados por seus pais, de acordo com o costume desumano da época, foi frequentemente salvo da morte, batizado, criado e mantido pela piedade dos cristãos e à custa do tesouro público.

2. *Punições na igreja primitiva*. É direito inconteste de toda sociedade excluir da sua coparticipação e benefícios aqueles de seus membros que rejeitaram ou violaram os regulamentos estabelecidos por consenso comum. No exercício de tal poder, as censuras da Igreja cristã se voltavam principalmente contra os pecadores escandalosos e em particular contra os culpados de homicídio, fraude ou incontinência; contra os autores ou partidários de quaisquer opiniões heréticas que tivessem sido condenadas pelo juízo da ordem episcopal; e contra os infelizes que, por escolha ou compulsão, se tivessem conspurcado, após o batismo, por qualquer ato de culto idólatra.

As consequências da excomunhão eram de natureza temporal e espiritual. Os cristãos contra os quais ela tivesse sido lançada se viam privados de participar das oblações dos fiéis. Dissolviam-se os vínculos de amizade quer religiosa quer pessoal; ele se tornava objeto profano de aversão por parte das pessoas às quais mais estimava ou pelas quais houvesse sido mais ternamente amado; e na medida em que uma expulsão do seio de uma sociedade pudesse imprimir-lhe no caráter um selo de desonra, as pessoas em geral o evitavam ou o encaravam suspeitosamente. A situação desses infortunados banidos era por si só muito dolorosa e entristecedora, mas, como usualmente acontece, suas apreensões excediam-lhes de muito os sofrimentos. A comunhão cristã oferecia os benefícios da vida eterna; eles não podiam apagar da mente a terrível crença de que àqueles mesmos dirigentes eclesiásticos pelos quais tinham sido condenados entregara a Divindade as chaves do Inferno e do Paraíso. Os heréticos, que poderiam na verdade encontrar apoio na consciência de suas intenções e na lisonjeira esperança de terem sido os únicos a encontrar o caminho da salvação, empenhavam-se em recobrar, em suas assembleias em separado, os confortos temporais e espirituais que não mais recebiam da grande comunidade dos cristãos. Mas quase todos quantos houvessem relutantemente cedido ao poder do vício ou da idolatria estavam cônscios de sua condição decaída e ansiosamente desejosos de serem restituídos aos benefícios da comunhão cristã.

No tocante ao tratamento desses penitentes, duas opiniões opostas, uma de justiça, outra de clemência, dividiam a Igreja primitiva. Os casuístas mais rígidos e mais inflexíveis lhes recusavam para sempre, e sem exceção, qualquer lugar, por mínimo que fosse, na sacra comunidade que tinham desonrado e desertado; e, deixando-os entregues ao remorso de uma consciência culposa, favoreciam-nos com apenas um débil raio de esperança: o de que a contrição de sua vida e de sua morte pudesse possivelmente ser aceita pelo Ser Supremo. Uma atitude mais branda era a adotada, na prática e na teoria, pelas Igrejas cristãs mais puras e mais respeitáveis. Raras vezes fechavam elas, ao penitente de regresso, as portas da reconciliação e do céu, mas impunham-lhe uma severa e solene forma da disciplina que, ao mesmo tempo que servia para expiar-lhe o crime, lograria eficazmente dissuadir os espectadores de imitar o exemplo. Humilhado por uma confissão pública, emaciado pelo jejum e vestido de saco, o penitente se prostrara à porta da assembleia, implorando com lágrimas o perdão de sua ofensa e solicitando as preces dos fiéis. Se a falta fosse de natureza muito atroz, anos inteiros de penitência eram tidos como satisfação inadequada para a justiça divina; sempre por via de gradações lentas e penosas é que o pecador, o herege ou o apóstata lograva ser readmitido ao seio da Igreja. Reservava-se contudo uma sentença de excomunhão perpétua para certos crimes de extraordinária magnitude, particularmente para as indesculpáveis reincidências dos penitentes que, tendo já experimentado a clemência de seus superiores eclesiásticos, dela houvessem abusado.

Ficava a critério dos bispos variar o exercício da disciplina cristã, em conformidade com as circunstâncias e o número de culpados. Os concílios de Ancira e de Illiberis, ou Elvira, se reuniram ao mesmo tempo, um na Galácia,* o outro na Hispânia; seus respectivos cânones, que chegaram até nós, parecem animados de espírito muito diverso. O gálata que, após o batismo, houvesse repetidas vezes sacrificado a ídolos poderia obter o perdão por uma penitência de sete anos; e se tivesse induzido outros a imitar-lhe o exemplo, somente mais três anos eram acrescentados ao termo de seu banimento. Mas o desditoso hispânico que cometesse o mesmo pecado ficava privado da esperança de reconciliação, mesmo em artigo de morte, e sua idolatria era colocada no topo de uma lista de dezessete outros crimes contra os quais se pronunciava sentença não menos terrível. Entre eles podemos destacar a inexpiável culpa de caluniar um bispo, um presbítero ou até mesmo um diácono.

A equilibrada mistura de benevolência e rigor, a judiciosa aplicação de castigos e recompensas, segundo as máximas da prudência política e da justiça, constituíam a força *humana* da Igreja. Os bispos, cujo cuidado paternal se estendia ao governo de ambos os mundos, estavam cônscios da importância dessas duas prerrogativas; encobrindo sua ambição sob a impoluta capa de amor pela ordem, mostravam-se ciumentos de qualquer rival no exercício de uma disciplina tão necessária para evitar a deserção das tropas que se haviam alistado sob a bandeira da Cruz e cujo número avultava mais e mais a cada dia. Das autoritárias arengas de Cipriano, devemos naturalmente concluir que as doutrinas de excomunhão e penitência constituíam a parte mais essencial da religião, sendo muito menos perigoso aos discípulos de Cristo negligenciar a observância dos deveres morais que desprezar as censuras e a autoridade de seus bispos. Às vezes, pode-

* Antigo território da Ásia Menor, na Turquia atual (ao redor de Ancara); recebeu seu nome dos gauleses que a conquistaram em 25 a.C.; sua principal cidade era Ancira, hoje Ancara; aos gálatas, que seguiam rigidamente a lei mosaica como via de redenção, endereçou são Paulo uma epístola incluída no Novo Testamento, advertindo-os de que, aos olhos de Deus, o homem é justificado antes pela fé em Cristo do que pela estrita obediência à lei. (N. T.)

mos até imaginar que estivessem ouvindo a voz de Moisés, quando ordenava à terra que se abrisse e engolisse em chamas a raça rebelde que recusava obediência ao sacerdócio de Aarão; outras vezes, podemos imaginar estar ouvindo um cônsul romano a sustentar a majestade da república e a afirmar sua inflexível resolução de aplicar o rigor das leis.

"Se tais irregularidades forem toleradas impunemente" (é assim que o bispo de Cartago repreende a leniência de seu colega), "se tais irregularidades forem toleradas, será o fim do *vigor episcopal*; o fim do sublime e divino poder de governar a Igreja; o fim da própria cristandade." Cipriano renunciara às honrarias temporais que provavelmente nunca teria obtido; todavia a aquisição de tão absoluto domínio das consciências e do entendimento de uma congregação, por obscura que fosse ou desprezada pelo mundo, é mais grata, na verdade, à soberba do coração humano que à posse do poder mais despótico imposto pelas armas e pela conquista sobre um povo relutante.*

Assinalou-se, com acerto e propriedade, que as conquistas de Roma prepararam e facilitaram as do cristianismo. No segundo capítulo desta obra, procuramos explicar de que maneira as províncias mais civilizadas da Europa, da Ásia Menor e da África se uniram sob o domínio de um soberano e gradualmente se ligaram pelos mais íntimos vínculos das leis, dos costumes e da língua. Os judeus da Palestina, que haviam credulamente esperado um libertador temporal, acolheram tão friamente os milagres do divino profeta que não se achou necessário publicar, ou pelo menos preservar, qualquer Evangelho hebraico. As histórias autênticas dos atos de Cristo foram compostas em língua grega, a considerável distância de Jerusalém, e após os convertidos gentios se terem tornado extremamente numerosos. Tão logo foram traduzidas para a língua latina, essas histórias ficaram ao alcance do entendimento

* O caminho do cristianismo, conforme assinala Gibbon numa passagem aqui omitida, foi aplainado pela generalizada descrença nas religiões pagãs, particularmente entre as classes abastadas ou cultas. (N. O.)

de todos os súditos de Roma, excetuando-se apenas os campônios da Síria e do Egito, para os quais se fizeram ulteriormente versões específicas. As estradas reais públicas, construídas para uso das legiões, ofereciam cômoda passagem aos missionários cristãos, de Damasco a Corinto, e da Itália aos confins da Hispânia ou da Britânia; tampouco encontraram esses conquistadores espirituais qualquer dos obstáculos que habitualmente retardam ou impedem a introdução de uma religião estrangeira num país remoto.

Há fortes razões de acreditar-se que antes dos reinados de Diocleciano e Constantino a fé de Cristo já havia sido pregada em todas as províncias e em todas as grandes cidades do Império; todavia, a fundação de diversas congregações, o número de fiéis que as compunha e sua proporção relativamente à multidão de incréus são dados ora sepultados na obscuridade ou desfigurados por ficção ou catilinária. As informações incompletas que chegaram até nós no tocante ao crescimento da comunidade cristã na Ásia e na Grécia, no Egito, na Itália e no Ocidente, cuidaremos agora de relatá-las, sem esquecer as aquisições além das fronteiras do Império Romano.

As ricas províncias que se estendem do Eufrates ao mar Jônico foram o cenário principal onde o apóstolo dos gentios demonstrou sua dedicação e sua piedade. Seus discípulos cultivaram as sementes do Evangelho por eles semeadas em solo fértil, cumprindo ver que, durante os dois primeiros séculos, a comunidade cristã mais numerosa esteve contida nesses limites. Entre os grupos instituídos na Síria, nenhum era mais antigo ou mais ilustre que os de Damasco, de Bereia ou Alepo, e da Antioquia. A introdução profética do Apocalipse descrevera e imortalizara as sete igrejas da Ásia — Éfeso, Esmirna, Pérgamo, Tiatira, Sardes, Laodiceia e Filadélfia; suas colônias cedo se difundiram pela populosa região. Desde um período assaz recuado, as ilhas de Chipre e Creta, as províncias da Trácia e da Macedônia, acolheram favoravelmente a nova religião; e repúblicas cristãs logo se fundaram nas cidades de Corinto, Esparta e Atenas. A antiguidade das Igrejas gregas e asiáticas lhes dera tempo suficiente para crescerem e multiplicarem-se; mesmo as hostes de gnósticos e outros hereges servem para mostrar o estado florescente da Igreja ortodoxa, de vez que a denominação herege tem sido sempre aplicada ao grupo menos numeroso.

A esses testemunhos internos podemos acrescentar a confissão, as queixas e as apreensões dos próprios gentios. Pelas obras de Luciano, um filósofo que estudara os homens e que lhes descreve os costumes com as cores mais vívidas, ficamos sabendo que, sob o reinado de Cômodo, o Ponto, sua região nativa, estava repleta de epicuristas e *cristãos*. Oitenta anos após a morte de Cristo, o humano Plínio lamenta a magnitude do mal que ele tentara em vão erradicar. Em sua epístola tão curiosa ao imperador Trajano, afirma ele que os templos estavam quase desertos, que as vítimas sagradas* raramente encontravam compradores e que a superstição infectara não apenas as cidades, mas tinha se espalhado pelas aldeias e pelos campos do Ponto e da Bitínia.

Sem descer a um exame minucioso das expressões ou dos motivos dos autores que celebraram ou lamentaram o progresso do cristianismo no Oriente, pode-se observar que, de modo geral, nenhum deles nos deixou elemento algum a partir do qual se pudesse fazer uma estimativa correta do número efetivo de fiéis nessas províncias. Um pormenor, contudo, foi felizmente preservado, que parece lançar luz mais distinta sobre essa obscura mas interessante questão. No reinado de Teodósio, após o cristianismo ter desfrutado por mais de sessenta anos o fulgor da consideração imperial, a antiga e ilustre Igreja da Antioquia consistia em 100 mil pessoas, 3 mil das quais eram mantidas com oferendas públicas. O esplendor e a dignidade da rainha do Oriente, a atestada população numerosa de Cesareia, Selêucia e Alexandria, e a destruição de 250 mil almas num terremoto que assolou a Antioquia sob Justino, o Velho, são outras tantas provas convincentes de que o número total de seus habitantes não era inferior a meio milhão e de que os cris-

* Em Roma, como antes na Grécia, o ato mais importante do ritual religioso era o sacrifício de animais às divindades, recebendo o nome de "vítima" os animais de grande porte e de "hóstia" os ovinos. (N. T.)

tãos, por mais que se multiplicassem em ardor e poder, não excediam um quinto da população daquela grande cidade.

Quão diferente a proporção que nos cumpre admitir quando comparamos a Igreja perseguida com a Igreja triunfante, o Ocidente com o Oriente, aldeias remotas com cidades populosas, e regiões recentemente convertidas à fé com o lugar onde os crentes pela primeira vez receberam a denominação de cristãos! Não se deve contudo ocultar que, em outra passagem, Crisóstomo, a quem devemos essa útil informação, calcula a multidão de fiéis como superior até mesmo à de judeus e pagãos. Mas a solução dessa aparente incongruência é fácil e óbvia. O eloquente pregador traça um paralelo entre a constituição civil e eclesiástica da Antioquia, entre o rol de cristãos que adquiriram o céu por batismo e o rol de cidadãos que tinham direito a beneficiar-se da liberalidade pública. Escravos, forasteiros e infantes estavam compreendidos naquele, mas excluídos deste.

O intenso comércio de Alexandria e sua proximidade da Palestina propiciavam fácil ingresso à nova religião. Foi ela a princípio abraçada por grande número de terapeutas ou essênios, do lago Mareotis, ou Mariout, uma seita judaica que moderara grandemente sua reverência pela lei mosaica. A vida austera dos essênios, seus jejuns e excomunhões, a comunhão de bens, o amor ao celibato, a paixão do martírio e o fervor, embora não a pureza, de sua fé já ofereciam uma imagem muito vívida da disciplina primitiva. Foi na escola de Alexandria que a teologia cristã parece ter assumido forma regular e científica; quando Adriano visitou o Egito, encontrou ali uma Igreja, composta de judeus e de gregos, suficientemente importante para atrair a atenção desse monarca inquiridor. Mas o progresso do cristianismo ficou por longo tempo confinado aos limites de uma só cidade, que era, de si, uma colônia estrangeira; até o fim do século II, os predecessores de Demétrio foram os únicos prelados da Igreja egípcia. Demétrio consagrou pessoalmente três bispos, e o número deles foi aumentado para vinte por seu sucessor Heraclas. A população de naturais, povo que se distinguia por seu temperamento taciturno e inflexível, acolheu a nova doutrina com frieza e relutância; mesmo na época de Orígenes, era raro encontrar-se um egípcio que tivesse superado seus antigos preconceitos em prol dos animais sagrados de seu país. Assim que, na verdade, o cristianismo subiu ao trono, o fervor desses bárbaros obedeceu ao ímpeto dominante; as cidades do Egito regurgitavam de bispos e os desertos da Tebaída,* de eremitas.

Um fluxo contínuo de forasteiros e provincianos acorria para o espaçoso seio de Roma. Tudo o que fosse estranho ou odioso, tudo o que fosse culposo ou suspeito podia almejar iludir a vigilância da lei na obscuridade da imensa capital. Numa confluência tão variada de nações, todo mestre de verdade ou falsidade, todo fundador de associações virtuosas ou criminais poderia multiplicar sem dificuldade seus discípulos ou cúmplices. Os cristãos de Roma, na época da perseguição acidental de Nero, são representados por Tácito como uma já enorme multidão, e a linguagem do grande historiador é quase similar ao estilo empregado por Tito Lívio quando narra a introdução e a supressão dos ritos báquicos. Depois de as bacanais terem suscitado a severidade do Senado, passou-se a temer, de igual modo, que uma multidão assaz considerável, como se se tratasse de *outro povo*, tivesse sido iniciada nesses execrandos mistérios.

Uma investigação mais cuidadosa não tardou a mostrar que os delinquentes não ultrapassavam os 7 mil, número suficientemente alarmante, de fato, se considerado como o objeto da justiça pública. É com a mesma prudente relatividade que devemos interpretar as vagas expressões de Tácito, e, no caso anterior, de Plínio, quando exageram as turbas de fanáticos iludidos que haviam desertado o culto oficial dos deuses. A Igreja de Roma foi indubitavelmente a primeira e a mais populosa do Império, e dispomos de um registro autêntico que atesta a situação da religião nessa cidade por volta dos meados do século III, após uma paz de 38 anos. O clero, àquela altura, consistia em um bispo, 46

* Uma das três divisões territoriais do antigo Egito, cuja capital era Tebas; seus desertos eram o lugar de retiro dos primeiros eremitas cristãos. (N. T.)

presbíteros, sete diáconos, outros tantos subdiáconos, 42 acólitos e cinquenta ledores, exorcistas e porteiros. Chegava a 1500 o número de viúvas, de enfermos e de pobres mantidos pelas oblatas dos fiéis. Raciocinando com base nos dados da Antioquia, podemos aventurar-nos a estimar em cerca de 50 mil os cristãos de Roma. O número de habitantes da grande capital não pode talvez ser calculado com precisão, mas a estimativa mais modesta não será certamente inferior a 1 milhão de habitantes, dos quais os cristãos formariam no máximo a vigésima parte.

Os provincianos do Ocidente parecem ter chegado ao conhecimento do cristianismo pela mesma fonte que difundira entre eles a língua, os sentimentos e os costumes de Roma. Nesse ponto de maior importância, tanto a África como a Gália se afeiçoaram pelo modelo da capital. Não obstante as muitas ocasiões favoráveis que poderiam convidar os missionários romanos a visitar suas províncias latinas, eles tardaram a transpor o mar ou os Alpes; nessas vastas regiões, não conseguimos discernir nenhum vestígio seguro de fé ou de perseguição que remontasse a antes do reinado dos Antoninos.

O lento progresso do Evangelho no clima frio da Gália diferiu grandemente da avidez com que parece ter sido recebido nas areias escaldantes da África. Os cristãos africanos logo se constituíram num dos membros principais da Igreja primitiva. A prática iniciada nessa província de nomear bispos para as cidades menos importantes, e muito frequentemente para as aldeias mais obscuras, contribuiu para aumentar o esplendor e a importância de suas comunidades religiosas, as quais, no decorrer do século III, eram animadas do fervor de Tertuliano, dirigidas pelo talento de Cipriano e adornadas com a eloquência de Lactâncio. Se, no entanto, voltarmos os olhos para a Gália, teremos de contentar-nos em descobrir, na época de Marco Antonino, as débeis congregações unidas de Lyon e Vienne; mesmo bem mais tarde, durante o reinado de Décio, temos informação segura de que só numas poucas cidades — Arles, Narbona, Tolosa, Limoges, Clermont, Tours e Paris — algumas igrejas isoladas eram mantidas pela devoção de um pequeno número de cristãos.

O silêncio quadra bem, na verdade, à devoção; todavia, como raras vezes é compatível com o entusiasmo, podemos discernir e lamentar o estado de apatia da cristandade nas províncias que haviam trocado a língua céltica pela latina, visto não terem elas sido berço, nos três primeiros séculos, de um só autor eclesiástico. Da Gália, que reivindicava uma justa proeminência em matéria de saber e a autoridade sobre todos os países situados do lado de cá dos Alpes, a luz do Evangelho se refletia mais debilmente nas remotas províncias da Hispânia e da Britânia, e, a darmos crédito às veementes afirmativas de Tertuliano, já tinham elas recebido os primeiros raios da fé quando ele endereçou sua Apologia aos magistrados do imperador Severo. Mas a obscura origem das igrejas ocidentais da Europa foi registrada de maneira tão negligente que, para narrar a época e o modo de sua fundação, temos de suprir o silêncio da Antiguidade pelas lendas que a mesquinhez ou a superstição muito depois ditaram aos monges na indolente obscuridade de seus conventos. Dessas sacras narrativas, apenas a do apóstolo são Tiago merece, por sua invulgar extravagância, ser mencionada. Foi ele transformado, de pacífico pescador no lago de Genesaré, num valoroso cavaleiro que se punha à testa da cavalaria espanhola em suas investidas contra os mouros. Os mais sisudos historiadores lhe celebraram as façanhas; o miraculoso santuário de Compostela punha à mostra seu poder; e a espada de uma ordem militar, secundada pelos terrores da Inquisição, bastou para afastar todas as objeções da crítica profana.

O progresso do cristianismo não se confinava ao Império Romano; segundo os primitivos pais da Igreja, que interpretam os fatos por profecia, a nova religião, um século após a morte de seu Divino Autor, já havia visitado todas as partes do globo. "Não existe", diz Justino Mártir, "nenhum povo, grego, bárbaro ou de qualquer outra raça de homens, quaisquer que sejam a denominação ou costumes que o distinga, por ignorante que seja das artes ou da agricultura, quer more em tendas ou vagueie em carroças cobertas, que não ofereça suas preces, em nome de um Jesus crucificado, ao Pai e Criador de todas as coisas." Mas esse exagero esplendoroso, que mesmo hoje seria extremamente difícil de conciliar com a real condição da humanidade, pode ser considerado apenas um arroubo de um autor devoto mas descuidado cuja crença se regulava pela medida de seus desejos.

Nem a crença nem os desejos dos pais da Igreja podem contudo alterar a verdade histórica. Continua a ser fato inconteste que os bárbaros da Cítia e da Germânia, que subverteram depois a monarquia romana, viviam mergulhados nas trevas do paganismo, e que mesmo a conversão da Ibéria, da Armênia e da Etiópia só foi tentada com algum êxito após o cetro estar nas mãos de um imperador ortodoxo. Antes dessa época, os variados acasos da guerra e do comércio poderiam ter na verdade difundido um conhecimento imperfeito do Evangelho entre as tribos da Caledônia e entre as fronteiras do Reno, do Danúbio e do Eufrates. Para além do rio mencionado por último, Edessa se destacou por sua firme e precoce adesão à fé. De Edessa os princípios do cristianismo se difundiram facilmente até as cidades gregas e sírias que estavam submetidas aos sucessores de Artaxerxes; não parecem elas porém ter feito qualquer impressão profunda no espírito dos persas, cujo sistema religioso, pelos esforços de uma bem disciplinada ordem de sacerdotes, se construíra com muito mais arte e solidez que a incerta mitologia de Grécia e Roma.

Por este imparcial, conquanto imperfeito, levantamento do progresso do cristianismo, é provável que o número de seus prosélitos tenha sido excessivamente exagerado pelo temor, de uma parte, e pela devoção, de outra. De acordo com o irrepreensível testemunho de Orígenes, a proporção de fiéis era desprezível comparativamente à de incréus; todavia, como nos falta uma informação precisa, torna-se impossível determinar, e difícil até mesmo conjecturar, o número real dos cristãos primitivos. As estimativas mais favoráveis, entretanto, que se podem deduzir dos exemplos da Antioquia e de Roma, só nos facultam imaginar que uma vigésima parte dos súditos do Império se havia alistado na bandeira da cruz antes da importante conversão de Constantino. Mas seus hábitos de fé, entusiasmo e união pareciam multiplicar-lhes o número; e as mesmas causas que contribuíram para seu futuro crescimento servem para lhes tornar mais visível e formidável a força efetiva.

A constituição da sociedade civil é tal que, enquanto umas poucas pessoas são privilegiadas com riquezas, honrarias e conhecimento, o grosso do povo se vê condenado à obscuridade, à ignorância e à pobreza. A religião cristã, que se endereçava a toda a raça humana, deve por conseguinte aliciar muito maior contingente de prosélitos entre as classes inferiores do que entre as superiores. Essa circunstância, tanto mais inocente quanto natural, tem sido convertida numa acusação assaz odiosa, menos energicamente refutada pelos apologistas do que encarecida pelos adversários da fé, de a nova seita de cristãos compor-se quase exclusivamente do rebotalho da populaça, campônios e artífices, meninos e mulheres, mendigos e escravos; estes teriam às vezes introduzido os missionários no seio das famílias ricas e nobres a que pertenciam. Tais obscuros mestres (essa a imputação da malevolência e da infidelidade) são tão mudos em público quanto loquazes e dogmáticos em particular. Ao mesmo tempo que evitam cautelosamente o perigoso encontro com filósofos, misturam-se à turba rude e iletrada, insinuando-se nos espíritos que, por sua idade, por seu sexo ou por sua educação, estejam mais dispostos a deixar-se impressionar por temores supersticiosos.

Este esboço desfavorável, embora não destituído de alguma verossimilhança, trai o lápis do inimigo em suas cores sombrias e em seus traços distorcidos. Conforme se difundiu pelo mundo, a humilde fé de Cristo foi adotada por várias pessoas que tinham adquirido certa importância social em razão de seus dotes pessoais ou de sua fortuna. Aristides, que apresentou uma eloquente apologia ao imperador Adriano, era um filósofo ateniense. Justino Mártir buscara conhecimento divino nas escolas de Zenão, de Aristóteles, de Pitágoras e de Platão quando foi ditosamente abordado por um ancião, ou, antes, um anjo, que levou sua atenção a se voltar para o estudo dos profetas judeus. Clemente de Alexandria fizera muitas e variadas leituras em grego, e Tertuliano, em latim. Júlio Africano e Orígenes eram profundamente versados na cultura de suas respectivas épocas, e embora o estilo de Cipriano seja muito diferente do de Lactâncio, quase dão a perceber que ambos os autores haviam sido mestres públicos de retórica.

Embora o estudo da filosofia se instaurasse finalmente entre os cristãos, nem sempre produziu efeitos salutares; o saber foi tão amiúde pai da heresia quanto da devoção, e a descrição dos seguidores de Artemon pode com igual propriedade ser aplicada às várias seitas que resistiram aos sucessores dos apóstolos.

> Eles ousam alterar as Sagradas Escrituras, abandonar o antigo cânone da fé e formar suas opiniões em conformidade com os preceitos sutis da lógica. A ciência da Igreja é negligenciada em prol do estudo da geometria; e eles perdem o céu de vista enquanto se dedicam a medir a terra. Euclides está sempre em suas mãos, Aristóteles e Teofrasto são os alvos de sua admiração e eles exprimem invulgar reverência pelas obras de Galeno. Seus erros decorrem do abuso das artes e das ciências dos infiéis, e eles corrompem a simplicidade do Evangelho com os refinamentos da razão humana.[1]

Tampouco se pode afirmar em sã consciência que as vantagens de nascimento e fortuna estavam sempre separadas do cristianismo. Diversos cidadãos romanos foram levados perante o tribunal de Plínio, que logo se deu conta de que grande número de pessoas de *todas as classes* da Bitínia havia desertado a religião de seus maiores. O testemunho insuspeito de Plínio pode, nesse caso, merecer mais crédito que o afoito desafio de Tertuliano, quando apela para os temores e para a humanidade do procônsul da África, assegurando-lhe que se ele persistir em suas cruéis intenções, terá de dizimar toda a Cartago e irá encontrar, entre os culpados, muitas pessoas de sua própria classe, senadores e

[1] É de esperar que ninguém, a não ser os hereges, dê motivo à queixa de Celso de os cristãos estarem continuamente a corrigir e a alterar seus Evangelhos.

matronas da mais nobre extração e os amigos ou conhecidos de seus amigos mais íntimos. Parece, contudo, que, cerca de quarenta anos mais tarde, o imperador Valeriano se convenceu da verdade dessa assertiva, de vez que, em um de seus éditos, evidentemente supõe que senadores, cavaleiros romanos e damas de prol estavam alistados na seita cristã. A Igreja continuava então a fomentar seu esplendor externo na mesma medida em que se lhe minguava a pureza interna; no reinado de Diocleciano, o palácio, as cortes de justiça e até mesmo o exército ocultavam uma multidão de cristãos que forcejavam por reconciliar os interesses do presente com os de uma vida futura.

No entanto, tais exceções são demasiado poucas em número ou demasiado recentes no tempo para fazer desaparecer a imputação de ignorância e obscuridade que tem sido lançada com tanta arrogância sobre os primeiros prosélitos do cristianismo. Em vez de utilizar em nossa defesa as fissões de épocas ulteriores, será mais prudente converter a ocasião de escândalo em tema de edificação. Nossas reflexões mais sérias nos sugerem que os próprios apóstolos foram escolhidos pela Providência entre os pescadores da Galileia e que, quanto mais rebaixarmos a condição social dos primeiros cristãos, mais razão teremos de admirar-lhes o mérito e o êxito. Cumpre-nos diligentemente lembrar que o reino dos céus foi prometido aos pobres de espírito e que as mentes afligidas pela calamidade e pelo desprezo da humanidade ouvem com júbilo a divina promessa de felicidade futura; contrariamente, os afortunados estão satisfeitos com a posse deste mundo e os sábios abusam, em dúvidas e polêmicas, da vã superioridade de sua razão e do saber.

Necessitamos de tais reflexões para confortar-nos da perda de algumas figuras ilustres que, a nossos olhos, pareceriam sobremaneira dignas da dádiva celeste. Os nomes de Sêneca, de Plínio, o Velho e o Jovem, de Tácito, de Plutarco, de Galeno, do escravo Epiteto e do imperador Marco Aurélio adornam a época em que floresceram e exaltam a dignidade da natureza humana. Encheram de glória suas respectivas esferas de atividade, tanto na vida ativa como na contemplativa; seus excepcionais intelectos se aperfeiçoaram no estudo; a filosofia lhes depurara as mentes dos preconceitos da superstição popular; e seus dias eram gastos na busca da verdade e na prática da virtude. No entanto, todos esses sábios (o que é causa não menos de surpresa que de preocupação) descuidaram ou rejeitaram a perfeição do sistema cristão. Sua linguagem ou seu silêncio dão a perceber, de igual modo, desprezo pela seita em crescimento que, na época deles, se difundira por todo o Império Romano. Entre eles, os que condescendiam em mencionar os cristãos consideravam-nos apenas como entusiastas obstinados e perversos que exigiam implícita submissão a suas misteriosas doutrinas, sem serem capazes de oferecer um único argumento capaz de atrair a atenção de homens de discernimento e de saber.

É pelo menos de duvidar que qualquer desses filósofos tivesse se dado ao trabalho de examinar as apologias que os cristãos primitivos repetidamente publicavam em benefício de si próprios e de sua religião; é contudo muito de lamentar uma causa que tal não ter sido defendida por advogados mais capazes. Eles expõem com agudeza e eloquência supérfluas a extravagância do politeísmo. Apelam para nossa compaixão ao mostrar a inocência e os sofrimentos de seus ofendidos irmãos de fé. Mas quando lhes cumpre demonstrar a divina origem do cristianismo, insistem muito mais nas predições que o anunciaram do que nos milagres que acompanharam o surgimento do Messias. O seu argumento favorito podia servir para edificar um cristão ou converter um judeu, já que um e outro reconhecem a autoridade dessas profecias e são ambos obrigados a, com devota reverência, buscar-lhes o significado e o cumprimento.

Mas tal modo de persuadir perde muito de sua importância e influência quando se endereça àqueles que nem compreendem nem respeitam a disposição mosaica e o estilo profético. Nas mãos inábeis de Justino e dos apologistas que o sucederam, o sentido sublime dos oráculos hebreus se evapora em símbolos remotos, em ditos engenhosos e afetados, e em frias alegorias, tornando-se inclusive suspeita sua autenticidade aos olhos de um gentio ignaro, dada a mistura de falsificações piedosas que, com os nomes de Orfeu, Hermes e das sibilas,[1] lhe eram impingidas como de valor igual ao das genuínas inspirações do céu. O recurso à fraude e aos sofismas na defesa da revelação traz-nos com muita frequência à lembrança a conduta leviana dos poetas que sobrecarregam seus heróis *invulneráveis* com o peso inútil de armaduras incômodas e frágeis.

Como poderemos, todavia, desculpar a negligente desatenção do mundo filosófico pagão aos indícios que a mão da Onipotência lhes apresentou, não à razão, mas aos sentidos? Durante a época de Cristo, de seus apóstolos e dos primeiros discípulos destes, inúmeros prodígios confirmaram a doutrina que eles pregavam. Os aleijados caminharam, os cegos viram, os enfermos foram curados, os mortos ressuscitados, os demônios expulsos e as leis da Natureza frequentemente suspensas em benefício da Igreja. Mas os sábios da Grécia e de Roma desviaram os olhos do impressionante espetáculo e, levando avante as ocupações rotineiras da vida e do estudo, pareceram incônscios de qualquer alteração na direção moral ou física do mundo. No reinado de Tibério, a terra toda, ou pelo menos uma ilustre província do Império Romano, viu-se envolvida em sobrenatural escuridão durante três horas. Mesmo esse acontecimento miraculoso, que deveria ter suscitado a admiração, a curiosidade e a devoção da humanidade, passou sem notícia numa época de ciência e de história. Ocorreu durante os dias de vida de Sêneca e de Plínio, o Velho, que devem ter experimentado os efeitos imediatos ou recebido as primeiras informações do prodígio. Cada um desses filósofos, numa obra diligente, registrou todos os grandes fenômenos da Natureza, terremotos, meteoros, cometas e eclipses que sua incansável curiosidade logrou compilar. Tanto um quanto o outro deixaram de mencionar o maior dos

[1] Os filósofos, que escarneciam as predições mais antigas das sibilas, teriam facilmente discernido as falsificações judias e cristãs, as quais foram tão triunfalmente citadas pelos pais da Igreja, de Justino Mártir a Lactâncio. Depois de terem desempenhado a tarefa que lhes cumpria, os versos sibilinos, como o sistema de milênios, foram discretamente deixados de lado. A sibila cristã havia infelizmente fixado a destruição de Roma para o ano 195.

fenômenos que fora dado a olhos mortais contemplar desde a criação do mundo. Um capítulo específico de Plínio trata de eclipses de natureza extraordinária e duração incomum; ele se contenta porém com descrever a singular falta de luz que se seguiu à morte de César, quando, durante a maior parte de um ano, o disco do Sol mostrou-se descorado e sem brilho. Essa estação de obscuridade, que certamente não se pode comparar às trevas sobrenaturais da Paixão, já havia sido celebrada pela maioria dos poetas e historiadores daquela época memorável.

No capítulo seguinte do original, Gibbon se detém a examinar a aparente severidade, para com o cristianismo, dos mesmos imperadores "que contemplavam sem preocupação mil outras formas de religião subsistentes sob sua branda autoridade"; sugere que ela se devia à intolerância da Igreja primitiva, que desdenhava "como ímpias e idólatras todas as formas de culto que não fosse o seu". Cada neófito cristão "rejeitava com desprezo as superstições de sua família, de sua cidade e de sua província" e se ligava "por um indissolúvel vínculo de união a uma comunidade peculiar que por toda parte assumia um caráter diferente do restante da humanidade".

A despeito do ressentimento pagão disso resultante, Gibbon conclui não obstante que uma leitura minuciosa e uma interpretação atenta da História mostrarão que: (1) a Igreja primitiva foi, por um bom tempo, demasiado pequena e obscura para merecer notícia oficial; (2) as autoridades usavam da maior cautela no agir contra os súditos cristãos; (3) os castigos impostos eram raros e, para a época, moderados; e (4) a Igreja primitiva desfrutou longos intervalos de paz e tranquilidade.

A primeira perseguição a cristãos ocorreu após um grande incêndio em Roma durante o reinado do imperador Nero, o qual, para desviar de si as suspeitas do incêndio, "resolveu substituir-se por alguns criminosos fictícios". Mas a repressão, embora violenta, durou pouco e se confinou às muralhas de Roma; e Gibbon aventa que o verdadeiro alvo da perseguição pode não ter sido os cristãos, mas uma seita judia cismática conhecida como os gaulonitas.

Durante o reinado de Trajano, quando Plínio, o Jovem, então go-

vernador da Bitínia e do Ponto, escreveu ao imperador pedindo instruções sobre como lidar com as numerosas e crescentes seitas de cristãos, tanto a própria consulta como a natureza da resposta davam a entender que não estavam em vigor leis ou decretos gerais contra os cristãos. A resposta de Trajano demonstrava "muito mais solicitude em proteger a segurança dos inocentes do que em evitar a fuga dos culpados". Embora devessem ser punidas as pessoas condenadas por serem cristãs, Trajano proibia quaisquer investigações com vistas a descobrir supostos criminosos e exigia que toda acusação de pendores cristãos fosse feita aberta e diretamente, estabelecendo as mais severas penalidades para a acusação falsa.

Os acusados nem sempre eram pronunciados; os pronunciados nem sempre eram condenados; os condenados nem sempre eram punidos; e as punições impostas eram, mais das vezes, não execução mas prisão, exílio etc., que poderiam ser, e amiúde o eram, remidas por um decreto geral de anistia quando de algum ditoso acontecimento público. Autores eclesiásticos ulteriores frequentemente "se entretinham em diversificar as mortes e os padecimentos dos mártires primitivos". As virgens cristãs, por exemplo, eram, segundo constava, entregues às paixões dos rapazes, aos quais se recomendava "sustentar a honra de Vênus contra a virgem impiedosa que se recusa a queimar incenso em seus altares". Gibbon rejeita tais histórias desdenhosamente, assinalando que seus inventores "atribuíam aos magistrados o mesmo grau de implacável zelo que lhes enchia o coração contra os heréticos ou os idólatras de sua própria época".

Durante os frequentes intervalos de tranquilidade desfrutados pela Igreja primitiva, muitas pessoas distinguidas pelo favor imperial eram elas próprias cristãs ou se mostravam simpáticas à religião enjeitada. Márcia, a concubina favorita de Cômodo que finalmente lhe tramaria a morte (*ver* p. 122)*, era uma protetora que tal, embora sua ocupação excluísse a possibilidade de batismo. Sétimo Severo revelou boa vontade para com a nova seita; pelo menos no final de seu reinado, ao que consta porque um de seus escravos cristãos o ungira com um óleo curativo durante uma perigosa enfermidade de que o imperador se recuperara; a ama de Caracala era uma cristã; o imperador Filipe se demonstrava tão afeiçoado aos cristãos que isso deu origem ao boato, provavelmente infundado, de ele próprio se ter convertido; e, em segui-*

da à elevação de Galieno, a Igreja desfrutou cerca de quatro décadas de paz e desenvolvimento ininterruptos.

Uma severa repressão da Igreja primitiva ocorreu durante, e um pouco depois, do governo do imperador Décio, que exilou ou executou os principais bispos cristãos e por dezesseis meses impediu a eleição de um novo bispo de Roma. Mas a maior perseguição se verificou nos últimos dias do imperador Diocleciano. Após cerca de dezoito anos de branda e tolerante administração, durante os quais a esposa e a filha do imperador se sentiram bastante atraídas pela doutrina cristã e os quatro principais eunucos do palácio chegaram a adotar a nova religião, o grande soberano sucumbiu finalmente aos preconceitos anticristãos de seus dois associados, Maximiano e Galério. Uma série de éditos mais e mais severos levou à queima de igrejas, à suspensão de toda proteção legal aos cristãos, à proibição das assembleias cristãs, à confiscação das propriedades da Igreja e à prisão, tortura, exílio e execução de muitos dos fiéis. A perseguição continuou (embora em graus assaz variados de severidade nas diferentes partes do Império) por dez longos anos, até que Galério, algo abrandado por uma moléstia dolorosa e crônica, publicou um édito permitindo aos cristãos "professarem livremente suas opiniões pessoais e reunirem-se em seus conventículos sem temor de serem molestados, contanto que mantivessem sempre o devido respeito às leis e ao governo estabelecido".

Não se suponha contudo, Gibbon conclui, que grande número de cristãos tenha perecido, mesmo nessas circunstâncias repressivas. O gosto dos primeiros cristãos pelo martírio era tão grande que eles por vezes "supriam por sua própria confissão espontânea a falta de um acusador, perturbando rudemente a celebração pública do culto pagão"; pediam ao magistrado "que pronunciasse e aplicasse a sentença da lei" e então "pulavam prazerosamente dentro do fogo aceso para consumi-los" — até os bispos se virem forçados a condenar tais práticas. ("Homens desditosos!", exclamou o procônsul da Ásia, "que estais tão fartos de vossas vidas, será tão difícil assim achar cordas e precipícios?") Entretanto, de acordo com um historiador eclesiástico assaz faccioso, somente nove bispos morreram no curso de uma década de perseguição iniciada por Diocleciano; e Gibbon calcula em cerca de 2 mil o número total de cristãos executados nesse período.

9

(300-500 d.C.)
*Fundação de Constantinopla — Sistema político de Constantino e de seus sucessores — Disciplina militar — O palácio — As finanças — Breve resenha do destino dos filhos e sobrinhos de Constantino e dos resultados da oficialização da Igreja cristã**

O INFORTUNADO LICÍNIO FOI O ÚLTIMO RIVAL que se opôs à eminência de Constantino e a última vítima a adornar-lhe o triunfo. Ao fim de um tranquilo e próspero reinado, o conquistador legou a sua família a herança do Império Romano, uma nova capital, uma nova política e uma nova religião; as inovações por ele instauradas foram perfilhadas e consagradas pelas gerações subsequentes. A época de Constantino e de seus filhos está repleta de acontecimentos importantes; o historiador se verá, porém, oprimido pela multiplicidade e variedade deles, a menos que, diligentemente, separe umas das outras as cenas ligadas tão só pela ordem do tempo. Cumpre-lhe descrever as instituições políticas que deram vigor e estabilidade ao Império antes de passar a narrar as guerras e revoluções que lhe apressaram o declínio. Mas terá de adotar a divisão, desconhecida dos antigos, de assuntos civis e assuntos eclesiásticos. A vitória dos cristãos e sua discórdia intestina suprirão materiais copiosos e distintos tanto para fins de edificação quanto de escândalo.

Após a derrota e a abdicação de Licínio, seu rival vitorioso cuidou de assentar os alicerces de uma cidade destinada a reinar, nos tempos futuros, como senhora do Oriente e a sobreviver ao

* Capítulos 17 a 20 do original. (N. O.)

império e à religião de Constantino. Os motivos, de ostentação ou de ordem política, que levaram originariamente Diocleciano a retirar-se da antiga sede do governo haviam ganho maior peso pelo exemplo de seus sucessores e pelos hábitos de quarenta anos. Roma foi-se confundindo aos poucos com os reinos dependentes que outrora lhe haviam reconhecido a supremacia; e o país dos Césares passou a ser olhado com fria indiferença por um príncipe guerreiro nascido nas vizinhanças do Danúbio, educado em cortes e exércitos da Ásia Menor e investido na púrpura pelas legiões da Britânia. Os italianos, que haviam recebido Constantino como seu libertador, obedeciam submissamente aos éditos que de quando em quando ele condescendia em dirigir ao Senado e ao povo de Roma, mas raras vezes foram honrados com a presença de seu novo soberano. Durante seus anos de vigor e saúde, Constantino atendeu às variadas exigências da guerra e da paz movimentando-se com vagarosa dignidade ou ativa diligência ao longo das fronteiras de seus extensos domínios, e estava sempre preparado para iniciar uma campanha fosse contra um inimigo estrangeiro fosse contra um inimigo interno. Mas conforme alcançava o cimo da prosperidade e o declínio da vida, começou a meditar sobre como dar condição de maior permanência à força e à majestade do trono.

Na escolha de uma situação vantajosa, preferiu ele os confins da Europa e da Ásia, para conter com mão forte os bárbaros estabelecidos entre o Danúbio e o Tanais* e para vigiar com um olho zeloso a conduta do monarca persa, que indignamente suportava o jugo de um tratado ignominioso. Com esses fins em vista, Diocleciano havia escolhido e embelezado a residência de Nicomédia; todavia, a memória de Diocleciano era justificadamente detestada pelo protetor da Igreja, e Constantino não se mostrava insensível à ambição de fundar uma cidade que pudesse perpetuar-lhe a glória do nome. No curso das últimas operações de guerra contra Licínio, tivera ele oportunidade bastante

* Rio que separa a Europa da Ásia, atual Don, na Rússia. (N. T.)

para admirar, tanto como soldado quanto como estadista, a incomparável posição de Bizâncio e para observar quão bem estava resguardada pela natureza contra um ataque inimigo, ao mesmo passo que se revelava acessível, de todos os lados, às vantagens do intercâmbio comercial. Muito tempo antes de Constantino, um dos mais judiciosos historiadores da Antiguidade descrevera as vantagens de uma localização de onde uma pequena colônia de gregos tinha o domínio do mar e as honras de uma república florescente e autônoma.*

Hoje temos condições de apreciar a vantajosa localização de Constantinopla, que parece ter sido formada pela natureza para centro e capital de uma grande monarquia. Situada a 41 graus de latitude, a cidade imperial dominava, de suas sete colinas, as costas opostas da Europa e da Ásia; o clima era saudável e temperado, o solo fértil, a baía segura e espaçosa, sendo o acesso pelo lado do continente de pequena extensão e fácil defesa. O Bósforo e o Helesponto podem ser considerados as duas portas de Constantinopla, e ao príncipe que tivesse a posse dessas importantes passagens era dado sempre fechá-las contra um inimigo naval e abri-las às frotas de comércio. Em certa medida, pode-se atribuir a Constantino a preservação das províncias orientais, de vez que os bárbaros do Euxino, que em época anterior tinham despejado seu potencial de guerra no coração do Mediterrâneo, logo desistiram do exercício da pirataria e desesperaram de forçar essa barreira intransponível. Quando se fechavam as portas do Helesponto e do Bósforo, a capital continuava a desfrutar, dentro de seus espaçosos limites, todos os produtos que podiam atender às necessidades ou satisfazer o luxo de seus numerosos habitantes. Os litorais da Trácia e da Bitínia, que definharam sob a opressão turca, ainda guardavam ricas vinhas e pomares e prometiam abundantes colheitas, e a Propôntida** se tornara

* A seção seguinte do original é uma minuciosa descrição do sítio de Constantinopla e da área circundante. (N. O.)

** Antiga denominação do mar de Mármara, entre as partes europeia e asiática da Turquia. (N. T.)

renomada desde sempre por um inexaurível fornecimento dos peixes mais finos, pescados nas estações apropriadas sem exigir maior perícia e quase sem trabalho. Mas quando as passagens dos estreitos eram abertas ao tráfico, alternadamente davam passagem às riquezas naturais e artificiais do norte e do sul, do Euxino e do Mediterrâneo. Todos os rudes produtos coletados nas florestas da Germânia e da Cítia, desde as fontes do Tanais e do Borístenes;* tudo quanto fosse manufaturado pela perícia da Europa ou da Ásia; o cereal do Egito, as gemas e especiarias da remota Índia, eram trazidos pelos ventos variáveis até o porto de Constantinopla, que por muitos séculos atraiu o comércio do mundo antigo.

A perspectiva de beleza, segurança e riqueza reunidas num único lugar era suficiente para justificar a escolha de Constantino. Mas como certa proporção de prodígio e fábula tem sido considerada, em todas as épocas, necessária para dotar da conveniente majestade a origem das grandes cidades, o imperador estava ansioso por atribuir sua resolução não tanto aos incertos avisos da habilidade política humana quanto aos infalíveis e eternos decretos da sabedoria divina. Teve pois o cuidado de, em uma de suas leis, advertir a posteridade de que, em obediência às ordens de Deus, plantara as perenes fundações de Constantinopla; e embora não se dignasse relatar de que maneira a inspiração celeste lhe fora comunicada ao espírito, seu modesto silêncio foi liberalmente compensado pela habilidade dos autores que o sucederam, os quais descrevem a visão noturna aparecida à fantasia noturna de Constantino quando ele dormia entre as muralhas de Bizâncio. O gênio tutelar da cidade, uma venerável matrona curvada ao peso dos anos e das enfermidades, subitamente se transformara numa florescente donzela, adornada por suas próprias mãos com todos os símbolos da grandeza imperial. O monarca despertou, interpretou o auspicioso presságio e obedeceu sem hesitação à vontade do céu.

* Rio da Sarmácia europeia, atual Dnieper, na Rússia. (N. T.)

O dia que dera nascimento a uma cidade ou colônia era celebrado pelos romanos com as cerimônias prescritas por uma generosa superstição; embora Constantino pudesse omitir alguns ritos que ainda traziam o forte sabor de sua origem pagã, estava ele ansioso por deixar uma funda impressão de esperança e respeito na mente dos espectadores. A pé, com uma lança na mão, o próprio imperador tomou a frente da solene procissão e orientou o traçado da linha que assinalaria os limites da área destinada à capital, até a crescente circunferência suscitar o espanto dos assistentes, os quais se aventuraram por fim a observar que ultrapassara a mais ampla medida de uma grande cidade. "Continuarei a avançar", replicou Constantino, "até Ele, o guia invisível que caminha a minha frente, achar que devo parar." Sem ter o atrevimento de investigar a natureza ou motivos desse extraordinário condutor, vamo-nos contentar aqui com a tarefa mais humilde de descrever a extensão e os limites de Constantinopla.

No estado atual da cidade, o palácio e os jardins do serralho ocupam o promontório de oeste, a primeira das sete colinas, e cobrem 6070 ares em nossas medidas. A sede da inveja e do despotismo turcos foi edificada sobre os alicerces de uma república grega, mas é de supor que os bizantinos fossem tentados, pela comodidade da baía, a estender suas habitações para além dos atuais limites do serralho. As novas muralhas de Constantino se estendiam do porto até a Propôntida, através da largura ampla do triângulo, a uma distância de quinze estádios* da antiga fortaleza, e com a cidade de Bizâncio elas muraram cinco das sete colinas, as quais, aos olhos daqueles que chegam a Constantinopla, parecem erguer-se uma acima da outra em admirável ordem. Cerca de um século após a morte do fundador, as novas edificações, estendendo-se de um lado pela baía e de outro ao longo da Propôntida, já cobriam a estreita crista da sexta e o largo cimo da sétima colina. A necessidade de proteger esses subúrbios das incessantes surtidas dos bárbaros levou o jovem Teodósio a cer-

* Aproximadamente 185 metros. (N. T.)

car sua capital com uma linha adequada e permanente de muralhas. Do promontório de oeste à porta de ouro, o comprimento maior de Constantinopla era de aproximadamente três milhas romanas,* a circunferência media entre dez e onze, e a superfície podia ser calculada em cerca de 81 mil ares. É impossível justificar os vãos e crédulos exageros de viajantes modernos que por vezes estenderam os limites de Constantinopla até as aldeias vizinhas da costa europeia e mesmo asiática. Mas os subúrbios de Pera e Gálata, embora situados além da baía, merecem ser considerados como parte da cidade; e esse acréscimo talvez autorize a medida de um historiador bizantino que atribui dezesseis milhas gregas (cerca de catorze romanas) à circunferência de sua cidade natal. Uma extensão que tal não parece indigna de uma residência imperial. No entanto, Constantinopla tem de curvar-se a Babilônia e a Tebas, à antiga Roma, a Londres e até mesmo a Paris.

O senhor do Império Romano, que aspirava a erguer um monumento eterno às glórias de seu reinado, podia empregar na execução dessa grande obra a riqueza, o trabalho e tudo quanto restava do gênio de obedientes milhões de súditos. Pode-se chegar a uma estimativa da despesa feita, com imperial liberalidade, na fundação de Constantinopla atribuindo cerca de 2,5 milhões de libras à construção das muralhas, pórticos e aquedutos. As florestas que sombreavam as praias do Euxino e as célebres pedreiras de mármore branco na pequena ilha de Proconeso proviam um inesgotável suprimento de materiais, prontos para serem transportados, numa curta viagem por água, até a baía de Bizâncio. Uma multidão de obreiros e artífices apressava a conclusão do trabalho em incessante azáfama; a impaciência de Constantino cedo descobriu porém que, no declínio das artes, a perícia tanto quanto o número de seus arquitetos eram proporcionalmente muito inferiores à grandeza de seus desígnios. Ordenou pois aos magistrados das províncias mais distantes que

* Cerca de 1475 metros. (N. T.)

fundassem escolas, nomeassem professores e, pelo estímulo de recompensas e privilégios, interessassem no estudo e na prática da arquitetura um número suficiente de jovens engenhosos que houvessem recebido uma educação liberal.

Os edifícios da nova cidade foram executados pelos artífices que o reinado de Constantino logrou fornecer; todavia, decoraram-nos as mãos dos mais célebres mestres da época de Péricles e de Alexandre. Reviver o gênio de Fídias e de Lisipo* era feito que ultrapassava os poderes de um imperador romano, mas as imortais produções que haviam legado à posteridade estavam expostas, sem defesa, à vaidade rapace de um déspota. Deu ele ordens de que as cidades da Grécia e da Ásia fossem despojadas de seus mais valiosos ornamentos. Os troféus de guerras memoráveis, os objetos de veneração religiosa, as mais consumadas estátuas de deuses e heróis, de sábios e poetas dos tempos antigos contribuíram para o esplêndido triunfo de Constantino e deram azo à observação do historiador Cedreno, o qual assinala com certo entusiasmo que nada parecia faltar a não ser a alma dos homens ilustres que tais admiráveis monumentos tencionavam representar. Mas não é na cidade de Constantino, nem no período de decadência de um império em que o espírito humano estava abatido pela escravidão civil e religiosa, que deveríamos procurar as almas de Homero e de Demóstenes.

Durante o cerco de Bizâncio, o conquistador havia armado sua tenda no imponente topo da segunda colina. Para perpetuar a memória de sua vitória, escolheu ele a mesma posição vantajosa para o Foro principal, que parece ter sido de forma circular, ou melhor, elíptica. As duas entradas opostas formavam arcos triunfais; os pórticos, que fechavam todos os lados do Foro, estavam cheios de estátuas, e o centro era ocupado por uma coluna altaneira, da qual um mutilado fragmento é hoje envilecido pelo

* Escultor grego do século IV a.C., fundador do estilo helenístico de escultura; produziu cerca de 1500 obras, entre as quais o famoso *Apoxyomenus*, representando um atleta, do qual existe cópia romana em bronze no Museu do Vaticano. (N. T.)

nome de "pilar queimado". A coluna se erguia sobre um pedestal de mármore branco com seis metros de altura e compunha-se de dez peças de pórfiro, cada uma das quais media cerca de três metros de altura e cerca de dez de circunferência. No topo do pilar, a mais de 35 metros do solo, havia uma estátua colossal de Apolo. Era de bronze, fora trazida de Atenas ou de alguma cidade da Frígia e supunha-se fosse obra de Fídias. O artista representara o deus do dia, ou, conforme ulterior interpretação, o próprio imperador Constantino, com um cetro na mão direita, o globo do mundo na esquerda e uma coroa de raios luzindo-lhe na cabeça. O Circo, ou Hipódromo, era um edifício imponente, de uns quatrocentos passos* de comprimento e cerca de cem de largura. Estátuas e obeliscos enchiam o espaço entre as duas *metae*, ou metas, e ainda hoje se pode ali admirar um fragmento deveras singular de obra antiga, os corpos de três serpentes entrelaçados num pilar de bronze. Suas três cabeças sustentavam um trípode de ouro que, após a derrota de Xerxes, fora consagrado no templo de Delfos pelos gregos vitoriosos. A beleza do Hipódromo de há muito foi desfigurada pelas mãos rudes dos conquistadores turcos; entretanto, sob a denominação similar de Atmeidan, ainda serve como pista de exercício para seus cavalos. Desde o trono, de onde o imperador assistia aos jogos circenses, uma escada em espiral descia até o palácio, magnífico edifício quase nada inferior à residência da própria Roma e que, juntamente com os pátios, jardins e pórticos contíguos, ocupava uma área considerável às margens da Propôntida, entre o Hipódromo e a igreja de Santa Sofia. De igual modo podemos celebrar os banhos, que conservavam o nome de Zêuxipo, após terem sido enriquecidos pela munificência de Constantino com altas colunas, diversos mármores e mais de sessenta estátuas de bronze. Mas iríamos nos desviar do escopo desta história se tentássemos descrever minuciosamente as diferentes edificações ou bairros da cidade. Basta talvez observar que tudo quanto pudesse enfeitar a

* No sistema romano de medidas, correspondia a 1,5 metro. (N. T.)

dignidade de uma grande capital ou contribuir para o bem-estar ou prazer de seus numerosos habitantes estava contido dentro das muralhas de Constantinopla. Certa descrição, elaborada perto de um século após sua fundação, enumera um Capitólio, uma escola de erudição, um circo, dois teatros, oito banhos públicos e 153 particulares, 52 pórticos, cinco celeiros, oito aquedutos ou reservatórios de água, quatro salões espaçosos para as reuniões do Senado ou de cortes de justiça, catorze igrejas, catorze palácios e 4388 casas que, por seu tamanho ou beleza, mereciam ser distinguidas da multidão de moradas plebeias.

O número de habitantes de sua cidade favorita foi o objeto seguinte da mais detida atenção de seu fundador. Na Idade Média que se seguiu à transferência do Império, as consequências remotas e imediatas desse memorável acontecimento foram estranhamente baralhadas pela vaidade dos gregos e pela credulidade dos latinos. Afirmava-se e era crença geral que todas as famílias nobres de Roma, o Senado e a ordem equestre, com seus inumeráveis serviçais, haviam acompanhado o imperador até as margens da Propôntida; que a uma raça espúria de forasteiros e plebeus fora deixada a posse da solidão da antiga capital; e que as terras da Itália, havia muito convertidas em jardins e pomares, ficaram a um só tempo privadas de culturas e de habitantes. No decorrer dessa história, tais exageros serão reduzidos a seu justo valor; todavia, como o desenvolvimento de Constantinopla não pode ser atribuído ao desenvolvimento geral da humanidade e da indústria, tem-se de admitir que essa colônia artificial se criou à custa das antigas cidades do Império. Muitos opulentos senadores de Roma e das províncias orientais foram provavelmente convidados por Constantino a adotar como pátria o afortunado sítio que ele escolhera para sua própria residência. Os convites de um amo dificilmente se distinguem das ordens, e a liberalidade do imperador granjeou pronta e prazenteira obediência. Ele outorgou a seus favoritos os palácios que havia mandado construir nos diversos bairros da cidade, concedeu-lhes terras e pensões para a manutenção de sua dignidade, e alienou os domínios do Ponto e da Ásia a fim de conferir propriedades hereditárias em troca da manutenção de uma casa na capital. Mas tais encorajamentos e obrigações logo se tornaram supérfluos e foram sendo aos poucos abolidos. Sempre que se fixa a sede do governo, uma parte considerável da renda pública é gasta pelo próprio príncipe, seus ministros, oficiais de justiça e serviçais do palácio. Os provincianos mais abastados serão atraídos pelos eficazes móbiles do interesse e do dever, do entretenimento e da curiosidade. Formar-se-á gradualmente uma terceira e mais numerosa classe de habitantes, os serviçais, artífices e mercadores que tirarão sua subsistência do próprio trabalho e das necessidades ou luxos das classes superiores. Em menos de um século Constantinopla estava disputando com Roma a primazia em riqueza e número de habitantes. Novos blocos de edifícios se apinhavam sem maiores preocupações de saúde ou comodidade, mal deixando o espaço de ruas estreitas para as contínuas aglomerações de pessoas, cavalos e veículos. A área de terreno loteada era insuficiente para conter a população sempre crescente e as fundações suplementares, que de ambos os lados avançavam sobre o mar, teriam sido o bastante para o assentamento de uma cidade de tamanho considerável.*

Como Constantino apressava o ritmo das obras com a impaciência de um amante, as muralhas, os pórticos e os edifícios principais estavam concluídos dentro de poucos anos, ou, segundo outro relato, dentro de poucos meses; tão extraordinária diligência suscitará menos admiração se se tiver em conta que muitos dos edifícios foram terminados de modo tão apressado e imperfeito que só com dificuldade se conseguiu salvá-los da ruína iminente no reinado seguinte. Mas enquanto ainda exibiam o vigor e a frescura da juventude, o fundador preparou-se para celebrar a consagração de sua cidade. Os jogos e as munificências que coroaram a pompa desse memorável festival não são

* Num parágrafo aqui omitido, Gibbon faz observações acerca de vários regulamentos de Constantino, especialmente o tributo anual de cereal egípcio para alimentar a populaça de Constantinopla. (N. O.)

difíceis de imaginar; cumpre não descurar de todo, porém, uma circunstância de natureza mais singular e permanente. Todas as vezes em que se comemorava o nascimento da cidade, a estátua de Constantino, esculpida por sua ordem em madeira dourada e sustentando na mão direita uma pequena imagem do gênio do lugar, era erguida sobre um carro triunfal. Os guardas, carregando velas brancas e trajando seu uniforme mais luxuoso, acompanhavam a procissão solene conforme ela avançava pelo Hipódromo. Quando chegava diante do trono, o imperador reinante se erguia de seu assento e com uma reverência agradecida adorava a memória de seu predecessor. No festival da consagração, um édito, gravado numa coluna de mármore, concedia o título de *Segunda* ou *Nova Roma* à cidade de Constantino. Mas o nome de Constantino sobreviveu a esse honroso epíteto e após o decurso de catorze séculos ainda perpetua a fama de seu autor.

A fundação de uma nova capital está naturalmente ligada à implantação de uma nova forma de administração civil e militar. A consideração detida do complicado sistema político introduzido por Diocleciano, aperfeiçoado por Constantino e completado por seus sucessores imediatos, não apenas compraz a imaginação com a singular imagem de um grande império, mas tenderá a ilustrar as causas secretas e internas de sua rápida decadência. No exame de qualquer instituição digna de nota podemos com frequência ser levados até os primeiros tempos ou tempos mais recentes da história romana; entretanto, os devidos limites desse exame não ultrapassarão um período de cerca de 130 anos, da elevação de Constantino à publicação do código teodosiano, de que, bem como das *Notitia* do Oriente e do Ocidente, extraímos as informações mais copiosas e autênticas acerca do estado do Império. Tal variedade de objetos interromperá por algum tempo o seguimento da narrativa, mas a interrupção só será censurada por aqueles leitores insensíveis à importância das leis e dos costumes, ao mesmo tempo que avidamente curiosos das intrigas transitórias da corte ou do acidental desfecho de uma batalha.

A soberba viril dos romanos, satisfeitos com o poder substancial, deixara à vaidade do Oriente as formas e cerimônias de grandeza aparatosa. Mas quando eles perderam até mesmo a aparência das virtudes que lhes vinham de sua antiga cidadania livre, a simplicidade dos costumes romanos foi-se corrompendo gradualmente pela pompa afetada das cortes da Ásia. As distinções de mérito e influência pessoais, tão importantes numa república, tão frágeis e obscuras numa monarquia, acabaram sendo abolidas pelo despotismo dos imperadores, que instituíram, em seus aposentos, uma severa subordinação de hierarquia e função, desde escravos titulados que se sentavam nos degraus do trono até os instrumentos mais vis de poder arbitrário. Essa multidão de abjetos serviçais estava interessada na sustentação do governo atual, por medo de que uma revolução viesse a um só tempo frustrar-lhe as esperanças e atalhar a recompensa de seus serviços.

Nessa hierarquia divina (tal como é frequentemente chamada), o lugar de cada classe era assinalado com a mais escrupulosa exatidão, sendo a dignidade de cada uma evidenciada por uma grande variedade de cerimônias triviais e solenes, que era importante aprender e sacrílego negligenciar. A pureza da língua latina se corrompia pela adoção, no intercâmbio de presunções e lisonjas, de um grande número de epítetos que Tully* dificilmente teria entendido e que Augusto rejeitaria com indignação. Os principais dignitários do império eram saudados, pelo mesmo próprio soberano, com os enganosos títulos de Vossa *Sinceridade*, Vossa *Gravidade*, Vossa *Excelência*, Vossa *Eminência*, Vossa *Sublime e Admirável Magnitude*, Vossa *Ilustre Magnificente Alteza*. Os codicilos ou patentes de seus cargos eram curiosamente brasonados com os emblemas mais de molde a explicar-lhes a natureza e alta dignidade: a imagem ou o retrato dos imperadores reinantes; um carro triunfal; o livro de mandatos colocado sobre a mesa coberta de um rico tapete e iluminada por quatro círios; as figuras alegóricas das províncias que governavam; ou os nomes e estandartes das tropas que comandavam. Algumas dessas insígnias oficiais eram realmente exibidas nos respectivos salões de audiência;

* Caio *Túlio* Cícero. (N. T.)

outras precediam a marcha pomposa de seus detentores toda vez que apareciam em público; e cada particularidade de seu modo de proceder, de seu vestuário, ornamentos e séquito tinha por fim inspirar uma funda reverência pelos representantes da majestade suprema. Um observador de espírito filosófico poderia confundir o sistema do governo romano com um teatro esplendoroso, cheio de atores para todos os papéis e posições sociais, que repetiam a linguagem e imitavam as paixões de seu modelo original.

Todos os magistrados de suficiente importância, para poderem ocupar um lugar no quadro geral do Império, eram rigorosamente divididos em três classes: os *ilustres*, os *spectabiles* ou *respeitáveis*, e os *clarrissimi*, que podemos traduzir pelo termo *preclaros*. Nos tempos da simplicidade romana, o epíteto mencionado por último era usado somente como uma vaga expressão de deferência, até tornar-se finalmente o título peculiar e apropriado de todos quantos fossem membros do Senado e por conseguinte de todos quantos, desse corpo venerável, fossem escolhidos para governar as províncias. A vaidade dos que, por sua posição e cargo, podiam alegar superioridade em relação ao restante da ordem senatorial foi subsequentemente ratificada pelo novo título de *respeitável*; mas o de *ilustre* ficava sempre reservado para algumas personalidades eminentes, obedecidas ou reverenciadas pelas classes subalternas. Era atribuído unicamente: I, aos cônsules e patrícios; II, aos prefeitos pretorianos e prefeitos de Roma e Constantinopla; III, aos generais comandantes de cavalaria e infantaria; e, IV, aos sete ministros do palácio, que exerciam suas funções *sagradas* sobre a pessoa do imperador. Entre esses ilustres magistrados, considerados todos de igual categoria, à antiguidade de nomeação se substituía a união de posições. Por via do expediente de codicilos, os imperadores, que gostavam de prodigalizar seus favores, podiam por vezes satisfazer a vaidade, ainda que não a ambição, de cortesãos impacientes.

I. OS CÔNSULES E OS PATRÍCIOS. Enquanto foram os primeiros magistrados de um Estado livre, os cônsules romanos derivam seu direito ao poder da escolha do povo. Enquanto os imperadores condescenderam em disfarçar a servidão que impunham, os cônsules eram ainda eleitos pelo sufrágio real ou aparente do Senado. A partir do reinado de Diocleciano, mesmo esses vestígios de liberdade foram abolidos, e os candidatos vitoriosos, investidos nas honras anuais dos consulados, fingiam deplorar a humilhante condição de seus predecessores. Os Cipiões e os Catões se viram reduzidos a solicitar os votos dos plebeus, a submeter-se aos aborrecidos e dispendiosos trâmites de uma eleição popular e a expor sua dignidade ao vexame de uma recusa pública, enquanto a eles um fado mais ditoso os reservara para uma época e um governo em que as recompensas do mérito eram distribuídas pela infalível sabedoria de um benigno soberano. Nas epístolas que o imperador dirigia aos dois cônsules eleitos, declarava que haviam sido investidos em seus cargos tão só pela autoridade dele. Seus nomes e efígies, gravados em placas douradas de marfim, eram distribuídos pelo Império como presentes às províncias, cidades magistradas, Senado e povo.

A solene investidura se realizava na sede da residência imperial, e durante um período de 120 anos Roma se viu constantemente privada da presença de seus antigos magistrados. Na manhã de 1º de janeiro, os cônsules assumiam as insígnias de seu cargo. Vestiam uma toga púrpura, bordada com seda e ouro, e por vezes ornada de pedras preciosas. Nessa ocasião solene, eram assistidos pelos servidores mais eminentes do Estado e do exército com vestes de senadores; e os fasces inúteis, armados dos outrora temíveis machados, eram levados a sua frente pelos lictores. A procissão deslocava-se do palácio até o foro ou praça principal da cidade, onde os cônsules se guindavam a seu tribunal e se sentavam nas cadeiras curuis, modeladas à maneira dos tempos antigos. Imediatamente exerciam um ato de jurisdição, dando manumissão a um escravo que lhes era trazido à presença para tal propósito; a cerimônia visava a representar a célebre ação de Bruto, o Velho, o autor da cidadania livre do consulado quando admitiu entre seus concidadãos o fiel Vindex, que revelara a conspiração dos Tarquínios.*

* Não se trata aqui do assassino de Júlio César, mas de um seu antecessor

O festival público durava vários dias em todas as cidades principais: em Roma por costume; em Constantinopla por imitação; em Cartago, Antioquia e Alexandria por amor ao prazer e à riqueza supérflua. Nas duas capitais do Império, os jogos anuais do teatro, do circo e do anfiteatro custavam 4 mil libras de ouro, cerca de 160 mil libras esterlinas; e quando soma tão considerável excedia as posses ou a inclinação dos próprios magistrados, o tesouro imperial a supria.

Tão logo se haviam desincumbido desses deveres costumeiros, estavam eles livres para recolher-se à sombra da vida privada e entregar-se pelo resto do ano à tranquila contemplação de sua própria eminência. Não mais presidiam os conselhos nacionais; não mais executavam as resoluções da paz ou da guerra. Seus talentos (a menos que fossem utilizados em cargos mais efetivos) tinham pouca importância; e seus títulos serviam apenas para assinalar a data legal do ano em que haviam ocupado a cadeira de Mário e de Cícero. No entanto, sentia-se e reconhecia-se, mesmo no derradeiro período da servidão romana, que esse título vazio poderia comparar-se, e até mesmo ser preferível, à posse de poder substancial. O título de cônsul ainda constituía o alvo mais esplêndido da ambição, a mais nobre recompensa do mérito e da lealdade. Os próprios imperadores, que desdenhavam a pálida sombra da república, tinham consciência de que se aureolavam de esplendor e majestade adicionais sempre que assumiam as honras anuais da dignidade consular.

A mais altiva e perfeita separação encontrável em qualquer época ou país entre os nobres e o povo talvez seja a entre patrícios e plebeus, tal como foi instituída nos primórdios da República romana. Riqueza e honrarias, os cargos do Estado e as cerimônias da religião eram privilégio daqueles que, preservando

---

distante e semilendário, Lúcio Júnio Bruto; floresceu por volta de 510 a.C. e é considerado fundador da República romana por ter tido papel relevante na derrubada da dinastia dos Tarquínios, família etrusca lendária que governou despoticamente a Roma antiga por mais de cem anos. (N. T.)

a pureza de seu sangue com o mais insultante dos zelos,[1] mantinham seus clientes* numa condição de capciosa vassalagem. Mas tais distinções, por incompatíveis com o espírito de um povo livre, foram eliminadas após uma longa luta graças aos perseverantes esforços dos tribunos.** Os plebeus mais ativos e mais bem-sucedidos juntavam riquezas, aspiravam a honrarias, faziam jus a triunfos,*** firmavam alianças e após algumas gerações assumiram a soberba da antiga nobreza.

As famílias patrícias, por outro lado, cujo número original só foi restaurado no fim da República, ou desapareceram pelo curso normal da natureza, ou se extinguiram nas muitas guerras internas e externas, ou, por falta de mérito ou fortuna, se misturaram aos poucos à massa do povo. Muito poucas restavam cuja origem remontasse, pura e genuína, à infância da cidade, ou sequer da República, quando César e Augusto, Cláudio e Vespasiano criaram, a partir do corpo senatorial, um número adequado de novas famílias patrícias, na esperança de assim perpetuar uma ordem que era ainda considerada respeitável e sagrada. Mas tais suprimentos artificiais (nos quais se incluía sempre a casa reinante) foram rapidamente dizimados pela ira dos tiranos, por revoluções frequentes, pela mudança de costumes e pela mistura de nações. Não restava mais, quando Constantino subiu ao trono, do que uma vaga e incompleta

[1] Casamentos mistos entre patrícios e plebeus eram proibidos pelas leis das Doze Tábuas; e a atuação uniforme da natureza humana pode atestar que tal costume sobreviveu à lei.

* Na época republicana de Roma, o dependente de um patrício ou patrono, ao qual servia em troca de proteção, numa relação semelhante à vassalagem; na época imperial, tal relação se degradou em subserviência quase de mendigo. (N. T.)

** Na Roma antiga, aos chamados tribunos da plebe, escolhidos entre os plebeus, cabia zelar pelos interesses do povo; eram escolhidos anualmente, tinham poder de veto a decisões de qualquer outro magistrado e constituíam uma ameaça aos privilégios da classe dominante, pelo que o cargo acabou perdendo toda a sua importância durante a época imperial (ver, a propósito, p. 91). (N. T.)

*** Procissão festiva, autorizada pelo Senado, para comemorar o êxito de um general romano na guerra contra inimigos externos. (N. T.)

tradição de que os patrícios haviam sido outrora os primeiros dos romanos.

Constituir um corpo de nobres cuja influência pudesse restringir, ao mesmo tempo que assegurar, a autoridade do monarca teria sido assaz incongruente com o caráter e com a política de Constantino; caso, porém, tivesse ele tido a sério tal propósito em vista, ultrapassaria a medida de seu poder ratificar por meio de um édito arbitrário uma instituição que carece de aguardar a sanção do tempo e da opinião pública. Ele ressuscitou em verdade o título de *patrícios*, mas antes como uma distinção de ordem pessoal, não de ordem hereditária. Os patrícios se inclinavam apenas à transitória superioridade dos cônsules anuais; desfrutavam, contudo, de preeminência acima de todos os grandes cargos do Estado, tendo acesso dos mais familiares à pessoa do príncipe. Tão honrosa distinção lhes era conferida pela vida toda e, como se tratava usualmente de favoritos e ministros que tinham envelhecido na corte imperial, a verdadeira etimologia da palavra era deturpada pela ignorância e pela lisonja, sendo os patrícios de Constantino reverenciados como os *pais* adotivos do imperador e da República.

II. OS PREFEITOS PRETORIANOS. As fortunas dos prefeitos pretorianos diferiam essencialmente das dos cônsules e patrícios. Os primeiros viam sua antiga grandeza evaporar-se num título oco. Os outros, elevando-se grau por grau desde a mais humilde condição, eram investidos na administração civil e militar do mundo romano. Do reinado de Severo ao de Diocleciano, os guardas e o palácio, as leis e as finanças, os exércitos e as províncias estavam confiados a seu cuidado fiscalizador; como os vizires do Oriente, tinham numa das mãos o selo e na outra o estandarte do Império. A ambição dos prefeitos, sempre temível e por vezes fatal aos senhores aos quais serviam, apoiava-se na força dos grupos pretorianos; todavia, depois de essas tropas altivas terem sido debilitadas por Diocleciano, e finalmente extintas por Constantino, os prefeitos que lhes sobreviveram à queda foram reduzidos sem dificuldade à condição de úteis e obedientes ministros. Quando deixaram de ser responsáveis pela segurança da pessoa do imperador, renunciaram à jurisdição que tinham até então reivindicado e exercido sobre todos os departamentos do palácio. Constantino privou-os de todos os comandos militares tão logo deixaram de chefiar no campo de batalha, sob suas ordens imediatas, a nata das tropas romanas; e por fim, numa singular e radical mudança, os capitães dos guardas transformaram-se em magistrados civis das províncias.

Em conformidade com o plano de governo instituído por Diocleciano, cada um dos quatro príncipes tinha seu prefeito pretoriano; depois de a monarquia haver sido novamente unificada na pessoa de Constantino, ele continuou a criar o mesmo número de quatro prefeitos, a cujo cuidado confiava as mesmas províncias que já tinham administrado. 1. O prefeito do Oriente estendia sua ampla jurisdição às três partes do globo que eram súditas dos romanos, desde as cataratas do Nilo até as margens do Fásis* e das montanhas da Trácia às fronteiras da Pérsia. 2. As importantes províncias da Panônia, Dácia, Macedônia e Grécia reconheciam outrora a autoridade do prefeito da Ilíria. 3. O poder do prefeito da Itália não se confinava ao país de onde tirava seu título; abrangia outrossim o território da Récia até as margens do Danúbio, as ilhas dependentes do Mediterrâneo e a parte do continente da África que se situa entre os confins de Cirene** e os da Tingitânia.*** 4. O prefeito dos gauleses tinha a seu cargo, sob essa denominação plural, as províncias afins da Britânia e da Hispânia e sua autoridade era reconhecida desde a muralha de Antonino ao sopé do monte Atlas.

Depois de os prefeitos pretorianos terem sido destituídos de qualquer comando militar, as funções civis que lhes coube exercer sobre tantas nações vassalas se adequavam à ambição e aos talentos dos ministros mais consumados. A seu bom tino com-

* Rio da Cólquida (região da Ásia Menor) que deságua no Ponto Euxino (mar Negro). (N. T.)

** Colônia e cidade grega, a oeste do Egito, que passou a ser possessão romana em 96 a.C. (N. T.)

*** Atual Tânger, porto do Marrocos. (N. T.)

petia a suprema administração da justiça e das finanças, as duas áreas que, em tempos de paz, incluíam quase todos os deveres do soberano e do povo, respectivamente; àquele, o de proteger os cidadãos obedientes às leis; a este, o de contribuir com o quinhão de suas propriedades necessário para fazer frente às despesas do Estado. A moeda, as estradas reais, as estações de posta, os celeiros, as manufaturas, tudo quanto pudesse interessar à prosperidade pública era controlado pela autoridade dos prefeitos pretorianos. Como representantes imediatos da majestade imperial, tinham poderes para explicar, fazer cumprir e em certas ocasiões modificar os éditos gerais por via de suas proclamações discricionárias. Eles exerciam vigilância sobre a conduta dos governadores provinciais, removiam os negligentes e impunham punições aos culposos. De todas as jurisdições inferiores, um apelo em qualquer assunto de importância, fosse civil ou criminal, poderia ser levado ao tribunal do prefeito, mas *sua* sentença era final e absoluta, e os próprios imperadores se recusavam a admitir quaisquer queixas contra o juízo ou a integridade de um magistrado a quem honravam com tão ilimitada confiança. Sua alçada estava à altura de seu cargo e, se a avareza fosse sua paixão dominante, tinha frequentes oportunidades de coletar uma rica messe de taxas, de presentes e de emolumentos. Embora os imperadores não mais temessem a ambição de seus prefeitos, cuidavam de contrabalançar o poder desse alto cargo mercê da incerteza e brevidade de sua duração.

Em razão da superior importância e dignidade de que se revestiam, Roma e Constantinopla eram as únicas que estavam isentas da jurisdição dos prefeitos pretorianos. O enorme tamanho da cidade e a experiência da morosa a ineficaz ação das leis haviam fornecido à sagacidade política de Augusto um pretexto especioso para criar um novo magistrado que pudesse conter uma populaça servil e turbulenta com o braço forte de um poder arbitrário. Valério Messala foi nomeado o primeiro prefeito de Roma, para que sua reputação pudesse sancionar uma medida tão odiosa; entretanto, ao cabo de alguns dias, esse renomado cidadão abdicou o cargo declarando, com um brio digno do amigo de Bruto, que se achava incapaz de exercer um poder incompatível com a liberdade pública. À medida que o senso de liberdade se foi fazendo menos refinado, as vantagens do cargo se tornaram mais facilmente compreensíveis, e ao prefeito, que parecia ter sido nomeado como um terror tão só para escravos e vagabundos, permitiu-se estender sua jurisdição civil e criminal às famílias equestres e nobres de Roma. Os pretores, anualmente nomeados como juízes da lei e da equidade, não mais podiam disputar a posse do Foro com um magistrado poderoso e permanente que tinha usualmente acesso à intimidade do príncipe. As cortes dos pretores ficaram desertas; seu número, que outrora flutuara entre doze e dezoito, foi gradualmente reduzido a dois ou três; e suas importantes funções se confinaram à dispendiosa obrigação de organizar jogos para divertimento do povo.

Após o cargo dos cônsules romanos se ter convertido num vão desfile que raramente era apresentado na capital, os prefeitos passaram a assumir-lhes o lugar vago no Senado e em breve eram reconhecidos como os presidentes ordinários daquela venerável assembleia. Recebiam apelos de duas centenas de quilômetros de distância e ficou estabelecido, como um princípio de jurisprudência, que toda a autoridade municipal se originasse somente deles. No desempenho de seu laborioso cargo, o governador de Roma era assistido por quinze oficiais, alguns dos quais haviam sido originariamente seus iguais ou até mesmo seus superiores. Os principais campos de atribuições diziam respeito ao comando da vigilância, instituída como uma salvaguarda contra incêndios, roubos e desordens noturnas; à custódia e distribuição da cota pública de cereais e provisões; ao cuidado do porto, dos aquedutos, dos esgotos comuns e da navegação e leito do Tibre; à inspeção dos mercados, dos teatros e das obras públicas e privadas. Tal vigilância assegurava os três principais objetivos de uma política regular — segurança, abundância e limpeza; e como prova da atenção do governo à preservação do esplendor e dos ornamentos da capital, um inspetor específico foi nomeado como guardião das estátuas, daquela gente por assim dizer inanimada que, segundo a extravagante estimativa de um velho autor, era pouco inferior ao número de habitantes vivos de Roma. Cerca de trinta anos decorridos da fundação de Constantinopla, criou-se um magistrado similar na crescente metrópole, para as mesmas funções e com os mesmos poderes. Estabeleceu-se perfeita igualdade entre a dignidade dos dois prefeitos municipais e a dos quatro prefeitos pretorianos.

Aqueles que, na hierarquia imperial, eram distinguidos com o título de *respeitáveis* constituíam uma classe intermediária entre os *ilustres* prefeitos e os *venerandos* magistrados da província. Nessa classe os procônsules da Ásia, Acaia e África reivindicavam uma preeminência que era concedida à memória de sua antiga dignidade; e o apelo de seu tribunal ao dos prefeitos era quase que a única marca de sua dependência. Mas o governo civil do Império estava distribuído em treze grandes *dioceses*, cada uma das quais correspondia à justa medida de um poderoso reino. A primeira dessas dioceses se submetia à jurisdição do *conde* do Oriente, e podemos fazer uma ideia da importância e variedade de suas funções observando que seiscentos *apparitores*, que hoje seriam chamados secretários, ou amanuenses, ou meirinhos, ou mensageiros, estavam a seu serviço imediato. O cargo de *prefeito augustano* do Egito não era mais preenchido por um cavaleiro romano, mas o título se conservara; e os poderes extraordinários que a situação do país e a índole de seus habitantes outrora tornaram necessários continuavam a ser atribuídos ao governador. As onze dioceses restantes — da Asiana, Pôntica e Trácia; da Macedônia, Dácia e Panônia ou Ilíria ocidental; da Itália e África; da Gália, Hispânia e Britânia — eram governadas por doze *vigários* ou *vice-prefeitos*, cujos títulos explicam por si a natureza e dependência de seu cargo. Pode-se acrescentar que os generais lugares-tenentes dos exércitos romanos, os condes e duques militares, que serão subsequentemente mencionados, recebiam o grau e o título de *respeitáveis*.

À medida que o espírito de inveja e ostentação crescia nos conselhos do imperador, começaram estes a dividir a substância e a multiplicar os títulos de poder. As vastas regiões que os conquistadores romanos haviam unificado sob a mesma forma simples de administração se esfacelaram aos poucos em miúdos fragmentos, até todo o Império estar finalmente distribuído em 116 províncias, cada uma das quais sustentava uma cara e suntuosa estrutura governamental. Três delas eram governadas por *procônsules*, 37 por *consulares*, cinco por *correctores* e 61 por *presidentes*. Os títulos desses magistrados eram diferentes; dispunham-se em ordem sucessiva; as insígnias de seus cargos variavam curiosamente; e suas situações, por força de circunstâncias acidentais, poderiam ser mais ou menos agradáveis ou vantajosas. Mas eram todos (com a só exceção dos procônsules) igualmente incluídos na classe das pessoas *venerandas*; todos estavam igualmente encarregados, enquanto aprouvesse ao príncipe e sob a autoridade dos prefeitos ou seus deputados, da administração da justiça e das finanças em seus respectivos distritos.

Os maciços volumes dos códigos e pandectas forneceriam abundantes elementos para uma investigação minuciosa do sistema de governo provincial, tal como foi sendo aperfeiçoado, no espaço de seis séculos, pelo tino dos estadistas e jurisconsultos romanos. Bastará talvez ao historiador ressaltar duas medidas salutares, que visavam a restringir o abuso da autoridade.

1. Os governadores das províncias estavam armados da espada da lei para a preservação da paz e da ordem. Infligiam punições corporais e exerciam o poder de vida e morte nos crimes capitais. Mas não tinham autoridade para permitir ao criminoso condenado a escolha do modo de sua execução nem para pronunciar uma sentença de exílio de tipo mais brando e honroso. Tais prerrogativas ficavam reservadas aos prefeitos, os únicos que podiam impor a pesada multa de cinquenta libras de ouro; seus delegados tinham de confinar-se ao insignificante peso de umas poucas onças. Essa distinção, que parece atribuir o grau maior de autoridade, ao mesmo tempo que denega o menor, fundava-se num motivo assaz racional. O menor grau era infinitamente mais passível de abuso. As paixões de um magistrado provincial poderiam incitá-lo amiúde a atos de opressão que afetavam tão só a liberdade ou as riquezas do súdito, embora, por uma questão de prudência ou quiçá de humanidade, ele pudesse ser outrossim

aterrorizado pela culpa de sangue inocente. Deve-se igualmente ter em mente que exílio, multas consideráveis ou escolha de uma morte fácil dizem respeito mais particularmente aos ricos e aos nobres, pelo que as pessoas mais expostas à ambição ou ao ressentimento de um magistrado provincial ficavam assim imunes a sua obscura perseguição e sujeitas ao tribunal mais augusto e equânime do prefeito pretoriano.

2. Como justificadamente se reconhecia que a integridade de um juiz poderia ser afetada nos casos em que seu interesse estivesse em jogo ou seus afetos em questão, estabeleceram-se regulamentos dos mais severos para excluir do governo de uma província as pessoas nela nascidas, a menos que houvesse uma dispensa especial dada pelo imperador; proibiu-se também ao governador e a seu filho contrair matrimônio com uma natural ou habitante da província, bem como adquirir escravos, terras ou casas no território de sua jurisdição. Não obstante essas rigorosas precauções, o imperador Constantino, após um reinado de 25 anos, ainda deplora a venal e opressiva administração da justiça e exprime a mais calorosa indignação pelo fato de a audiência do juiz, seu despacho dos assuntos, seus atrasos sazonais e sua sentença final serem publicamente vendidos ou por ele próprio ou pelos funcionários de sua corte. A continuidade e talvez a impunidade desses crimes são atestadas pela repetição de leis impotentes e de ameaças ineficazes.

Todos os magistrados civis eram recrutados na carreira legal. As célebres *Institutas* de Justiniano endereçam-se aos jovens de seus domínios que se consagravam ao estudo da jurisprudência romana; e o soberano se digna a animar-lhes a diligência pela garantia de que sua proficiência e capacidade seriam recompensadas no devido tempo por um quinhão adequado do governo da província. Os rudimentos dessa ciência lucrativa eram ensinados em todas as cidades de importância do Oriente e do Ocidente; a escola mais famosa era, porém, a de Berito (ou Beirute), na costa da Fenícia, que floresceu por mais de três séculos desde a época de Alexandre Severo, quiçá o criador de uma instituição tão benéfica a sua terra natal. Após um curso regular de aprendizagem, que durava cinco anos, os estudantes se dispersavam pelas províncias em busca da fortuna e de honrarias; não lhes faltaria trabalho num grande império já corrompido pela multiplicidade de leis, de estratagemas e de vícios. A corte do prefeito pretoriano do Oriente tinha condições, ela só, de dar emprego a 150 advogados, 64 dos quais eram distinguidos com privilégios peculiares, sendo dois escolhidos para defender, por um salário de sessenta libras de ouro, as causas do tesouro. Fazia-se o primeiro experimento de seus talentos judiciais designando-os para atuar ocasionalmente como assessores dos magistrados; daí eram amiúde promovidos à presidência dos tribunais antes de terem patrocinado causas em juízo. Obtinham o governo de uma província e, com a ajuda de mérito, de reputação ou de favor, ascendiam, por degraus sucessivos, até as *ilustres* dignidades do Estado.

Na prática do foro, esses homens costumavam considerar a razão como instrumento da disputa; interpretavam as leis em conformidade com os ditames do interesse privado; os mesmos hábitos perniciosos poderiam apegar-se-lhes ao caráter na administração pública do Estado. A honra da profissão liberal foi na verdade defendida por advogados antigos e modernos, os quais têm ocupado as mais altas posições desempenhando-se com total integridade e consumado tino; todavia, no declínio da jurisprudência romana, a promoção rotineira dos advogados era causa de muitos danos e desonras. A nobre arte, que fora outrora preservada como sagrada herança dos patrícios, caíra em mãos de libertos e plebeus, os quais, com maior astúcia que perícia, exerciam um sórdido e pernicioso comércio. Alguns deles buscavam imiscuir-se nas famílias com o propósito de fomentar rixas, encorajar demandas e preparar uma seara de ganhos para si mesmos ou para seus companheiros. Outros, reclusos em seus gabinetes, mantinham a seriedade da profissão jurídica com fornecer, a um rico cliente, sutilezas para confundir a verdade mais simples e argumentos para colorir as pretensões mais descabidas. A próspera e popular classe se compunha dos advogados que enchiam o foro com a sonoridade de sua túrgida e loquaz retórica. Indiferentes à fama e à justiça, são descritos, em sua maioria, como guias ignorantes e rapaces que levavam seus clientes a um labirinto de custas, atrasos e desapontamentos, dos quais, ao cabo de uma tediosa enfiada de anos, conseguiam estes afinal livrar-se com a paciência e a fortuna quase exauridas de todo.

III. OS GENERAIS — COMANDANTES DE CAVALARIA E INFANTARIA. No sistema de administração política instituído por Augusto, os governadores, pelo menos os das províncias imperiais, estavam investidos dos plenos poderes do próprio soberano. Ministros da paz e da guerra, a distribuição de recompensas e castigos dependia inteiramente deles, e ora apareciam em seu tribunal com a toga da magistratura civil, ora em armadura completa à testa das legiões romanas. A influência da receita pública, a autoridade da lei e o comando de uma força militar concorriam para tornar-lhes o poder supremo e absoluto; e sempre que se viam tentados a violar seu voto de obediência, as províncias leais que envolviam em sua rebelião mal se davam conta de qualquer mudança em sua situação política. Da época de Cômodo até o reinado de Constantino, poder-se-ia enumerar uma centena de governadores que, com variado êxito, ergueram a bandeira da revolta, e, conquanto os inocentes fossem com demasiada frequência sacrificados, os culpados poderiam ser às vezes obstados pela suspeitosa crueldade de seu senhor.

Para assegurar o próprio trono e a ordem pública contra tão temíveis servidores, Constantino resolveu separar a administração militar da civil e instituir, como distinção profissional permanente, uma prática que fora adotada somente como um expediente ocasional. Transferiu a suprema jurisdição exercida pelos prefeitos pretorianos sobre os exércitos do Império para dois *generais-comandantes* que criou, um para a cavalaria e o outro para a infantaria; e embora cada um desses oficiais *ilustres* fosse mais especialmente responsável pela disciplina das tropas que estavam sob sua inspeção imediata, ambos comandavam indiferentemente, no campo de batalha, os vários corpos de cavalaria ou infantaria que estavam unidos no mesmo exército. O número de generais-comandantes logo duplicou pela divisão entre Oriente e Ocidente; e como generais separados da mesma graduação e título fossem designados para as quatro importantes fronteiras do Reno, do alto Danúbio e do baixo Danúbio e do Eufrates, a defesa do Império Romano ficou finalmente entregue a oito generais-comandantes da cavalaria e da infantaria.

Sob suas ordens, havia 35 comandantes subalternos estacionados nas províncias: três na Britânia, seis na Gália, um na Hispânia, um na Itália, cinco no alto Danúbio e quatro no baixo; oito na Ásia, três no Egito e quatro na África. Os títulos de *condes* e *duques*, que adequadamente os distinguiam, assumiram nas línguas modernas significado tão diverso que seu uso pode suscitar certa surpresa. Mas cumpre lembrar que o segundo desses títulos é apenas uma corruptela da palavra latina que se aplicava indiscriminadamente a qualquer chefe militar. Todos esses generais provinciais eram portanto *duques*; não mais de dez, entre eles, eram honrados com a categoria de *condes* ou companheiros, um título de honra, ou, antes, de mercê, que havia sido recentemente inventado na corte de Constantino. Um cinto dourado distinguia, como insígnia, os cargos de conde e duque; além do soldo, recebiam eles um generoso subsídio, suficiente para manter 190 criados e 158 cavalos. Era-lhes terminantemente proibido interferir em qualquer assunto que dissesse respeito à administração da justiça ou à receita pública; contudo, o comando que exerciam das tropas de seu departamento não dependia da autoridade dos magistrados.

Ao mesmo tempo que dava sanção legal à ordem eclesiástica, Constantino instituía no Império Romano um cuidadoso equilíbrio entre os poderes civil e militar. A emulação e, às vezes, a discórdia que reinava entre as duas profissões de interesses opostos e costumes incompatíveis tinham consequências tanto benéficas quanto perniciosas. Raramente era de esperar que o general e o governador civil de uma província conspirassem para perturbar-lhe a ordem ou se unissem para mais bem servi-la. Enquanto um tardava em oferecer a assistência que o outro desdenhava solicitar, as tropas ficavam muito frequentemente sem ordens ou sem suprimentos, a segurança pública era abandonada e os súditos indefesos viam-se expostos à fúria dos bárbaros. A administração dividida instituída por Constantino relaxava o vigor do Estado ao mesmo tempo que assegurava a tranquilidade do monarca.

A memória de Constantino tem sido merecidamente censurada por outra inovação que corrompeu a disciplina militar e preparou a ruína do Império. Os dezenove anos que lhe precederam a vitória final sobre Licínio haviam sido um período de indisciplina e guerra intestina. Os rivais em luta pela posse do mundo romano tinham deslocado a maior parte de suas forças da guarda da fronteira geral, e as principais cidades que formavam a divisa de seus respectivos domínios estavam repletas de soldados que lhes consideravam os habitantes seus mais implacáveis inimigos. Depois de o uso dessas guarnições internas ter cessado com a guerra civil, ao conquistador faltou ou a sabedoria ou a firmeza para restaurar a severa disciplina de Diocleciano e eliminar uma fatal indulgência para com a ordem militar que o hábito tornara grata e quase inveterada. A partir do reinado de Constantino, uma distinção generalizada e até legal foi admitida entre *palatinos* e *fronteiriços* — as tropas da corte, como eram impropriamente chamadas, e as tropas da fronteira. Àquelas, exalçadas pela superioridade de seu soldo e privilégios, permitia-se, exceto nas emergências extraordinárias de guerra, ocupar seus tranquilos postos no coração das províncias. As cidades mais florescentes eram oprimidas pelo encargo intolerável dos quartéis.

Os soldados esqueceram aos poucos as virtudes de sua profissão e contraíram tão só os vícios da vida civil. Eram degradados pela indústria dos ofícios mecânicos ou desvigorados pelos deleites dos banhos e dos teatros. Logo descuraram seus exercícios marciais, passaram a preocupar-se com o de comer e o de vestir, e, ao mesmo tempo que inspiravam terror aos súditos do Império, tremiam à aproximação hostil dos bárbaros.[1] A linha

[1] Observa Amiano que gostavam de camas fofas e casas de mármore, e que suas taças eram mais pesadas do que suas espadas.

de fortificações que Diocleciano e seus colegas estenderam ao longo das margens dos grandes rios não mais era cuidada com a mesma cautela nem defendida com a mesma vigilância. O número de soldados ainda restantes à guisa de tropas de fronteira poderia ser suficiente para a defesa comum; o espírito deles, todavia, se desalentava à humilhante ideia de que *eles*, que estavam expostos às provações e aos perigos de uma guerra perpétua, recebiam apenas cerca de dois terços do soldo e dos emolumentos prodigalizados às tropas da corte. Mesmo os bandos ou legiões promovidos ao nível mais próximo do desses indignos favoritos se sentiam em certa medida diminuídos pelo título de honra que lhes era consentido assumir. Em vão repetia Constantino as mais terríveis ameaças de ferro e fogo contra os fronteiriços que ousassem desertar seus estandartes, fazer vista grossa às incursões dos bárbaros ou participar da pilhagem. Os danos resultantes de decisões imprudentes raras vezes são remediados pela aplicação de penalidades facciosas, e embora os príncipes que sucederam a Constantino forcejassem por restaurar o poderio e o número das guarnições de fronteira, o Império, até o momento final de sua ruína, continuou a definhar em consequência do ferimento mortal que lhe fora tão pávida e inconsideradamente infligido pela mão de Constantino.

A mesma tímida política de dividir o que esteja unido, de rebaixar o que se destaque, de temer qualquer poder ativo e de esperar que o mais débil se demonstre o mais obediente, parece impregnar as instituições de diversos monarcas, em particular as de Constantino. O orgulho marcial das legiões, cujos acampamentos vitoriosos tantas vezes foram cenário de rebeliões, nutria-se da memória de seus feitos pretéritos e da consciência de seu poderio atual. Enquanto mantiveram o antigo efetivo de 6 mil homens, as legiões subsistiram no reinado de Diocleciano, cada uma delas se destacando com um objeto visível e importante na história militar do Império Romano. Poucos anos depois, esses gigantescos corpos de tropas estavam reduzidos a tamanho assaz diminuto; e quando *sete* legiões, com algumas tropas auxiliares, defenderam a cidade de Amida contra os persas, a guarnição total, juntamente com os habitantes de ambos os sexos e os camponios da região rural desertada, não ultrapassava o número de 20 mil pessoas. Por esse fato e por exemplos similares, há razão de acreditar que a organização das tropas legionárias, a que deviam boa parte de seu valor e disciplina, foi dissolvida por Constantino e que os corpos da infantaria romana que ainda assumiam os mesmos títulos e as mesmas honras consistiam em apenas mil ou 1500 homens. Uma conspiração de tantos destacamentos separados, cada um dos quais se deixava intimidar pela consciência de sua própria debilidade, poderia ser facilmente reprimida; e os sucessores de Constantino poderiam cultivar seu amor da ostentação com dar ordens a 132 legiões inscritas na lista de chamada de seus numerosos exércitos.

O restante das tropas imperiais estava distribuído em várias centenas de coortes* de infantaria e esquadrões de cavalaria. Suas armas, títulos e insígnias visavam a inspirar terror e a pôr à mostra a variedade de nações que marchavam sob a bandeira imperial. Não restava nenhum vestígio daquela severa simplicidade que, nos tempos de liberdade e de vitória, havia distinguido a linha de batalha de um exército romano da confusa multidão de um monarca asiático. Talvez uma enumeração minuciosa, extraída da *Notitia*, possa ocupar a diligência de um antiquário, mas o historiador se contentará com observar que o número de postos ou guarnições permanentes estabelecido nas fronteiras do Império chegava a 583, e que, sob os sucessores de Constantino, a força completa da organização militar era calculada em 645 mil soldados. Tão prodigioso efetivo ultrapassava as necessidades de um período mais recuado ou as capacidades de um período ulterior.

Nos diferentes tipos de sociedade, os exércitos são recrutados por motivos muito diversos. Aos bárbaros incita o amor da guerra; os cidadãos de uma república livre podem ser induzidos por um princípio de dever; os súditos, ou pelo menos os nobres de uma monarquia, são animados de um sentimento de honra;

* A décima parte de uma legião. (N. T.)

os tímidos e sibaríticos habitantes de um império em declínio têm de ser atraídos ao serviço militar pela esperança de lucro ou compelidos pelo temor da punição. Os recursos do tesouro romano se exauriram com o aumento do soldo, com a prodigalidade de donativos e com a criação de novos emolumentos e gratificações que, na opinião do jovem provinciano, poderiam compensar as provações e perigos da vida militar. Contudo, embora se baixasse o limite de estatura, e embora os escravos, por uma conivência tácita, fossem indiscriminadamente admitidos às fileiras, a dificuldade insuperável de obter um suprimento regular e adequado de voluntários obrigou o imperador a adotar métodos mais eficazes e mais coercitivos. As terras outorgadas aos veteranos como recompensa espontânea por sua bravura passaram a ser concedidas sob uma condição que já contém o primeiro rudimento dos títulos feudais de posse — de os filhos deles que lhes sucedessem por herança se devotarem também à carreira das armas tão logo chegassem à idade viril; e sua recusa covarde era punida pela perda da honra, da fortuna e até da vida.

Mas como a safra anual de filhos de veteranos só atendesse em proporção muito reduzida as exigências do serviço militar, passou-se a exigir da província recrutamento de homens, e cada proprietário estava obrigado ou a pegar em armas ou a arranjar um substituto ou a comprar sua isenção mediante o pagamento de pesada multa. A soma de 42 moedas de ouro, a que foi *reduzida*, determina o preço exorbitante dos voluntários e a relutância com que o governo admitia semelhante alternativa. Era tal o horror pela carreira de soldado que se apossara da mente dos degenerados romanos que muitos jovens da Itália e das províncias optavam por decepar os dedos da mão para evitar o recrutamento; esse estranho expediente era tão comumente praticado que mereceu severa repreensão das leis e um nome específico na língua latina.[1]

[1] Eram chamados *Murci*. A pessoa e as propriedades de um cavaleiro romano que mutilara seus dois filhos foram vendidas em leilão público por ordem de Augusto.

O alistamento de bárbaros nos exércitos romanos se tornava dia a dia mais generalizado, mais necessário e mais fatal. Entre os citas, os godos e os germanos, os guerreiros de maior ousadia, que se deleitavam nos combates e achavam mais rendoso defender do que pilhar as províncias, eram alistados não apenas nos corpos auxiliares de suas respectivas nações, mas nas próprias legiões e nas tropas palatinas de maior distinção. Como se misturavam livremente aos súditos do Império, aprenderam aos poucos a desprezar-lhes os costumes e a imitar-lhes as habilidades. Abjuravam a implícita reverência que o orgulho de Roma lhes exigira da ignorância, ao mesmo tempo que adquiriam o conhecimento e a posse das vantagens nos quais amparava ela tão somente sua grandeza em declínio. Os soldados bárbaros que demonstrassem algum talento militar eram sem exceção promovidos para os comandos mais importantes; e os nomes dos tribunos, dos condes e duques, e dos próprios generais, traíam uma origem estrangeira que não mais se davam ao trabalho de esconder. Era-lhes amiúde confiada a condução de uma guerra contra seus compatriotas; embora preferissem, em sua maioria, os vínculos de vassalagem aos de sangue, nem sempre evitavam a culpa, ou pelo menos a suspeita, de manter contatos traiçoeiros com o inimigo, de facilitar-lhe a invasão ou de poupá-lo na retirada. Os acampamentos e o palácio do filho de Constantino eram dirigidos por uma poderosa facção dos francos, que mantinham ligações estreitas uns com os outros e com seu país, e que tomavam qualquer afronta pessoal como uma indignidade nacional.

Quando se suspeitou a intenção do tirano Calígula de investir um candidato assaz extraordinário com a túnica consular, a sacrílega profanação dificilmente teria provocado mais surpresa se, em vez de um cavalo, houvesse ele escolhido o mais nobre dos chefes da Germânia ou da Britânia. O decurso de três séculos produzira uma alteração tão notável nas prevenções do povo que, com a aprovação pública, Constantino deu a seus sucessores o exemplo de outorgar as honras do consulado a bárbaros que, por seu mérito e serviço, haviam merecido figurar entre os primeiros dos romanos. Mas como esses animosos veteranos, que tinham sido criados na ignorância ou desprezo das leis, eram incapazes de exercer quaisquer cargos civis, os poderes da mente humana se viram limitados pela irreconciliável separação de talentos e de profissões. Os consumados cidadãos das repúblicas grega e romana, cujos caracteres podiam se adaptar ao tribunal, ao Senado, ao acampamento ou às escolas, aprendiam a escrever, a falar e a agir com o mesmo espírito e com iguais capacidades.

IV. OS MINISTROS DO PALÁCIO. Além dos magistrados e generais que, distantes da corte, difundiam sua autoridade delegada pelas províncias e exércitos, o imperador conferia o grau de *ilustres* a sete de seus servidores mais imediatos, a cuja fidelidade confiava sua segurança, ou suas deliberações, ou seus tesouros.

1. Os aposentos privados do palácio eram dirigidos por um eunuco favorito que, na linguagem da época, recebia o nome de *praepositus*, ou prefeito da alcova sagrada. Seu dever era assistir o imperador em suas horas de trono ou de diversão, e executar em torno de sua pessoa todos os serviços subalternos cujo esplendor só pode resultar da influência da realeza. Sob um príncipe que merecesse reinar, o camarista de corte (pois assim podemos chamar-lhe) era um útil e humilde criado doméstico; mas um criado ardiloso, que saiba aproveitar toda ocasião de desprotegida confiança, irá adquirindo aos poucos, sobre um espírito fraco, aquele ascendente que raramente alcançam a sabedoria severa ou a virtude não condescendente. Os degenerados netos de Teodósio, que não se mostravam aos súditos e eram desprezíveis aos inimigos, exaltavam os prefeitos de sua alcova acima de todos os ministros do palácio; e mesmo seu delegado, o primeiro do suntuoso séquito de escravos que os serviam em presença, tinha precedência sobre os *respeitáveis* procônsules da Grécia e da Ásia. A jurisdição do camarista de corte era reconhecida pelos *condes*, ou superintendentes, responsáveis pelas duas importantes províncias da magnificência do guarda--roupa e da suntuosidade da mesa imperial.

2. A administração geral dos negócios públicos estava confiada à diligência e ao talento do *mestre dos ofícios*. Era o supremo magistrado do palácio; inspecionava a disciplina das *escolas* civis

e militar e recebia apelos de todas as partes do Império em causas que diziam respeito àquela numerosa hoste de pessoas privilegiadas que, como os servidores da corte, haviam obtido para si e para suas famílias o direito de recusar a autoridade dos juízes ordinários. A correspondência entre o príncipe e seus súditos estava a cargo de quatro *scrinia*, ou escritórios, desse ministro de Estado. O primeiro se destinava a memoriais, o segundo a epístolas, o terceiro a petições e o quarto a documentos e ordens de várias espécies. Cada um tinha a dirigi-lo um *mestre* de grau inferior, com o título de *respeitável*, e todo o trabalho era executado por 148 secretários escolhidos, na sua maioria, na carreira das leis, em razão da diversidade de extratos de informes e correspondências que frequentemente ocorriam no exercício de suas várias funções. Por uma condescendência que em épocas anteriores teria sido considerada indigna da majestade romana, havia um secretário especial para a língua grega e nomeavam-se intérpretes para receber os embaixadores dos bárbaros; todavia, o departamento de assuntos estrangeiros, que constitui parte tão essencial da organização política moderna, raramente solicitava a atenção do mestre dos ofícios. Seu espírito se ocupava mais seriamente da direção geral dos postos e arsenais do Império. Havia 34 cidades, quinze no Oriente e dezenove no Ocidente, nas quais grupos de obreiros cuidavam permanentemente da fabricação de armaduras defensivas, armas ofensivas de todas as espécies e máquinas militares, que eram depositadas em arsenais e de quando em quando entregues para uso das tropas.

3. No curso de nove séculos, o cargo de *quaestor* experimentara modificação assaz singular. Na infância de Roma, dois magistrados inferiores eram anualmente eleitos pelo povo para aliviar os cônsules da desagradável administração do tesouro público; todo procônsul e todo pretor que exercesse um comando militar ou provincial dispunha de um assistente semelhante; com a extensão da conquista, os dois questores se multiplicaram gradativamente, passando a quatro, a oito, a vinte e, por um curto período de tempo, talvez a quarenta; os cidadãos mais nobres solicitavam ambiciosamente um cargo que lhes dava assento no

Senado e uma justa esperança de alcançar posições elevadas na República. Enquanto fingiu manter a liberdade de eleição, Augusto consentiu em aceitar o privilégio anual de recomendar, ou na verdade nomear, uma certa proporção de candidatos; era costume seu escolher um desses jovens de mérito para ler-lhe as orações ou epístolas nas assembleias do Senado. Os sucessores de Augusto imitaram-lhe a prática; a comissão ocasional se firmou como um cargo permanente; e o questor favorecido, assumindo novo e mais ilustre caráter, foi o único a sobreviver à supressão de seus antigos colegas, ora inúteis. Como as orações que compunha em nome do imperador tinham a força e por fim a forma de éditos absolutos, ele era considerado o representante do Poder Legislativo, o oráculo do conselho e a fonte originária da jurisprudência civil. Convidavam-no às vezes para tomar assento na suprema judicatura do consistório imperial, juntamente com os prefeitos pretorianos e o mestre dos ofícios, sendo outrossim solicitado com frequência a resolver as dúvidas de juízes inferiores; como ele não estava sobrecarregado de trabalho subalterno, seu lazer e talentos se empregavam em cultivar aquele estilo elevado de eloquência que, em meio à corrupção do gosto e da linguagem, ainda preserva a majestade das leis romanas. Sob certos aspectos, o cargo do questor imperial pode ser comparado ao de um chanceler moderno; entretanto, o uso de um grande selo, que parece ter sido adotado pelos bárbaros iletrados, nunca o foi para atestar os atos públicos dos imperadores.

4. O título extraordinário de *conde das sacras larguezas* era outorgado ao tesoureiro-geral da receita, com a intenção talvez de inculcar a ideia de que todo pagamento provinha da voluntária munificência do monarca. Conceber até seu quase ínfimo pormenor a despesa anual e diária da administração civil e militar em todas as partes de um grande império excederia os poderes da mais vigorosa das imaginações. O cômputo das receitas e despesas empregava várias centenas de pessoas, distribuídas em onze diferentes repartições, as quais haviam sido engenhosamente ideadas para examinar e controlar suas respectivas atividades. Havia uma tendência natural de o grande número de tais

funcionários aumentar; mais de uma vez se julgou conveniente devolver a seus lugares de origem os supernumerários inúteis que, abandonando seus honestos misteres, se atiraram com demasiado açodamento à lucrativa carreira das finanças. Vinte e nove coletores provinciais, dezoito dos quais eram honrados com o título de *conde*, reportavam-se ao tesoureiro, o qual estendia sua jurisdição às minas de onde se extraíam os metais preciosos, às casas de cunho onde eles eram convertidos em moeda corrente e aos tesouros públicos das cidades mais importantes, onde ficava depositada para uso do Estado. Cabia a esse ministro regulamentar o comércio exterior do Império; ele dirigia de igual modo todas as manufaturas de tecidos de algodão e de lã, nas quais mulheres de condição servil executavam as sucessivas operações de fiar, tecer e tingir os panos, para uso do palácio e do exército. Contavam-se 26 dessas instituições no Ocidente, onde a introdução das artes era mais recente, sendo de supor ainda maior proporção delas nas industriosas províncias do Oriente.

5. Além da receita pública que um monarca absoluto podia arrecadar e despender a seu talante, os imperadores, na condição de cidadãos opulentos, possuíam bens assaz consideráveis que eram administrados pelo *conde* ou tesoureiro *dos bens privados*. Certa parte destes se constituía dos antigos domínios de reis e repúblicas; alguns acréscimos poderiam ter vindo das famílias que foram sucessivamente investidas na púrpura imperial; todavia, a porção mais considerável provinha da impura fonte dos confiscos e multas. As propriedades imperiais estavam espalhadas pelas províncias, da Mauritânia à Britânia; o solo rico e fértil da Capadócia tentava porém o monarca a, nessa região, adquirir suas mais belas possessões, e tanto Constantino quanto seus sucessores aproveitaram a ocasião de justificar a avareza pelo zelo religioso. Aboliram o rico Templo de Comana, onde o alto sacerdote da deusa da guerra sustentava a majestade de um príncipe soberano; tomaram para seu uso privativo as terras consagradas, habitadas por 6 mil súditos ou escravos da deidade e seus ministros. Mas não eram eles os habitantes de valor: as planícies que se estendem do sopé do monte Argeu às margens do Saro

procriam uma nobre raça de cavalos, a mais renomada no mundo antigo pela sua figura majestosa e sua incomparável celeridade. Esses animais sagrados, destinados ao serviço do palácio e dos jogos imperiais, estavam protegidos por lei da profanação de um senhor vulgar. Os domínios da Capadócia eram importantes o bastante para exigir a inspeção de um *conde*; funcionários de grau inferior ficavam postados em outras partes do Império; e os delegados do tesoureiro público e do privado eram mantidos no exercício de suas funções independentes e encorajados a controlar a autoridade dos magistrados provinciais.

6, 7. Os grupos escolhidos de cavalaria e infantaria que guardavam a pessoa do imperador estavam sob o comando imediato de dois condes do serviço interno. O número total era de 3500 homens divididos em sete *escolas*, ou tropas, de quinhentos cada; no Oriente, esse honroso serviço estava quase inteiramente reservado aos armênios. Sempre que, em cerimônias públicas, formavam nos pátios e pórticos do palácio, sua elevada estatura, suas fileiras silentes e suas esplêndidas armas de couro e prata exibiam uma pompa marcial não indigna da majestade romana. Das sete escolas, duas companhias de cavalaria e infantaria eram escolhidas como *protetores*; sua invejada posição se constituía na esperança e na recompensa dos soldados de maior merecimento. Montavam eles guarda aos aposentos interiores e executavam com presteza e vigor as ordens de seus amos. Os condes do serviço interno haviam sucedido aos prefeitos pretorianos; como estes, aspiravam a ser promovidos do serviço do palácio para o comando de exércitos.

O permanente intercâmbio entre a corte e as províncias era facilitado pela construção de estradas e pelo estabelecimento de postas. Mas estas estavam acidentalmente ligadas a um pernicioso e intolerável abuso. Duzentos ou trezentos *agentes*, ou mensageiros, ficavam encarregados, sob a jurisdição de um mestre dos ofícios, de anunciar os nomes dos cônsules anuais e os éditos ou vitórias dos imperadores. Aos poucos, foram eles tomando a liberdade de informar tudo quanto logravam observar da conduta tanto de magistrados como de particulares, pelo que logo passaram a ser considerados os olhos dos monarcas e o flagelo do povo. Sob a morna influência de um reinado fraco, multiplicaram-se até atingir o incrível número de 10 mil; desdenhavam as brandas, embora frequentes, advertências das leis, e exerciam, na vantajosa administração das postas, uma opressão rapace e insolente. Tais espiões oficiais, que se correspondiam regularmente com o palácio, eram encorajados, por mercês e recompensas, a vigiar atentamente o progresso de qualquer intento traiçoeiro, desde os débeis e latentes sintomas de descontentamento até os efetivos preparativos de uma revolta aberta. Sua descuidada, ou criminosa, violação da verdade e da justiça se cobria com a máscara consagrada do zelo; podiam, com toda a segurança, endereçar suas setas envenenadas contra o peito fosse do culpado fosse do inocente que lhes tivesse provocado o ressentimento ou recusado comprar-lhes o silêncio. Um súdito leal da Síria, talvez, ou da Britânia, via-se exposto ao risco, ou pelo menos ao temor, de ser arrastado em cadeias até a corte de Milão ou de Constantinopla para defender sua vida e fortuna contra a acusação maliciosa desses informantes privilegiados. A administração comum se conduzia por métodos que só a extrema necessidade pode desculpar; a falta de provas era diligentemente suprida pelo recurso à tortura.

O falaz e perigoso uso da *quaestio*,* tal como enfaticamente lhe chamavam, era antes admitido do que aprovado na jurisprudência dos romanos. Aplicavam esse sanguinário meio de exame só a corpos servis cujos sofrimentos raramente eram pesados pelos altivos republicanos na balança da justiça ou da humanidade; entretanto, nunca se permitiam eles violar a sagrada pessoa de um cidadão sem possuir incontroversa prova de sua culpabilidade. Os anais da tirania, do reinado de Tibério ao de Domiciano, relatam pormenorizadamente as execuções de muitas vítimas inocentes; enquanto porém se conservou viva uma remota lembrança da liberdade e da honra nacional, as derra-

* Interrogatório acompanhado de tortura. (N. T.)

deiras horas de um romano estavam a salvo do perigo de uma tortura ignominiosa.

A conduta dos magistrados provinciais não se regulava contudo pela prática da cidade ou pelas máximas estritas dos civis. Encontraram o uso da tortura em vigor não só entre os escravos do despotismo oriental mas também entre os macedônios, que obedeciam a um monarca circunscrito; entre os ródios, que floresceram pela liberdade de comércio; e mesmo entre os doutos atenienses, que haviam firmado e opulentado a dignidade humana. A aquiescência dos provincianos encorajava seus governadores a assumir, ou talvez a usurpar, o poder discricionário de utilizar o cavalete de tortura para arrancar de criminosos vadios ou plebeus a confissão de sua culpa; aos poucos passaram eles a não considerar mais as distinções de posição social e a menosprezar os privilégios de cidadão romano.

As apreensões dos súditos incitaram-nos a solicitar, e o interesse do soberano levou-os a outorgar, diversos tipos de isenções especiais, que tacitamente permitiam ou mesmo autorizavam o uso generalizado da tortura. Protegiam todas as pessoas de condição ilustre ou honrosa, bispos e presbíteros, professores de artes liberais, soldados e respectivas famílias, funcionários municipais e sua posteridade até a terceira geração, e todas as crianças pré-púberes. Mas introduziu-se uma máxima fatal na nova jurisprudência do Império: a de que, em casos de traição, o que incluía todos os delitos que a sutileza dos advogados pudesse inferir de uma *intenção hostil* para com o príncipe ou a República, ficavam suspensos todos os privilégios, sendo todas as condições reduzidas ao mesmo nível ignominioso. Como a segurança do imperador tinha declarada precedência sobre qualquer consideração de justiça ou humanidade, a dignidade da velhice e a delicadeza da juventude estavam igualmente expostas às mais cruéis torturas; e os temores de uma denúncia maldosa, que poderia elegê-los como os cúmplices ou mesmo as testemunhas talvez de um crime imaginário, pendiam o tempo todo sobre as cabeças dos principais cidadãos do mundo romano.

Esses males, por terríveis que possam parecer, confinavam-se a um pequeno número de súditos romanos, cuja perigosa situação era em certa medida compensada pelo desfrute de vantagens, da natureza ou da fortuna, que os expunha à inveja do monarca. Os obscuros milhões de um grande império têm muito menos a temer da crueldade que da avareza de seus amos; e *sua* humilde felicidade se vê afetada principalmente pelo gravame dos impostos excessivos que, oprimindo brandamente os abastados, recai com peso acelerado sobre as classes mais medianas e mais indigentes da sociedade. Um filósofo engenhoso calculou a medida geral das imposições públicas pelos graus de liberdade e servidão, aventurando-se a afirmar que, em conformidade com uma lei invariável da natureza, deve sempre aumentar com aquela e diminuir em justa proporção com esta. Mas tal reflexão, que tenderia a aliviar as misérias do despotismo, é contraditada ao menos pela história do Império Romano, que acusa os mesmos príncipes de despojar o Senado de sua autoridade e as províncias de sua riqueza. Sem abolir todos os vários direitos alfandegários e impostos sobre mercadorias, gradualmente resgatados pela escolha aparente do comprador, a administração de Constantino e seus sucessores preferiu um modo simples e direto de taxação, mais congenial ao espírito de um governo arbitrário.

O nome e o uso das *indicções*, que servem para determinar a cronologia da Idade Média, originaram-se da prática regular dos tributos romanos. O imperador assinava com sua própria mão, e em tinta púrpura, o édito ou indicção solene que era fixado na cidade principal de cada diocese durante os dois meses que precediam o primeiro dia de setembro; e, por uma associação de ideias muito natural, a palavra *indicção* passou a designar a medida do tributo que ela preceituava e o prazo anual que consentia para o pagamento. Essa estimativa geral dos suprimentos se ajustava às necessidades reais e imaginárias do Estado; todavia, como a despesa comumente excedia a receita, ou esta ficava aquém do cálculo, um imposto adicional, com o nome de *sobreindicção*, era lançado sobre o povo; transmitia-se o mais valioso atributo da soberania aos prefeitos pretorianos, aos quais se permitia em certas ocasiões atender às exigências imprevistas e extraordinárias do serviço público.

A execução dessas leis (que seria tedioso acompanhar em todos os seus mínimos e intrincados pormenores) consistia em duas operações distintas: a decomposição da imposição geral em suas partes constituintes, por que eram tributadas as províncias, as cidades e os indivíduos do mundo romano; e a coleta das contribuições separadas dos indivíduos, das cidades e das províncias, até as somas acumuladas irem ter aos tesouros imperiais. Mas como as contas entre o monarca e os súditos estavam permanentemente em aberto, e como a renovação da demanda antecipava o perfeito cumprimento da obrigação anterior, a poderosa máquina das finanças era movimentada pelas mesmas mãos em torno do círculo de sua revolução anual. Tudo quanto fosse honroso ou importante na administração da receita ficava confiado ao tino dos prefeitos e de seus representantes provinciais; as lucrativas funções eram reivindicadas por um grande número de funcionários subalternos, alguns dos quais dependiam do tesoureiro, outros do governador da província, e que, nos inevitáveis conflitos de uma jurisdição desorientada, tinham frequentes oportunidades de disputar entre si os despojos do povo. Os laboriosos encargos, que poderiam suscitar somente inveja e censura, gasto e perigo, eram impostos aos *decuriões* que formavam as corporações das cidades e que a severidade das leis imperiais havia condenado a suportar os gravames da sociedade civil.

Toda a propriedade fundiária do Império (sem exceção dos bens patrimoniais do monarca) estava sujeita à taxação ordinária, e cada novo comprador contraía as obrigações do proprietário anterior. Um *censo* ou levantamento acurado se constituía no único modo equitativo de determinar a proporção com que cada cidadão estava obrigado a contribuir para o serviço público; com base no período bem conhecido das indicções, há razões para acreditar que tal difícil e dispendiosa operação se repetia a intervalos regulares de quinze anos. As terras eram medidas por agrimensores enviados às províncias; cabia-lhes informar com precisão a natureza delas, se arável ou de pasto, de vinhas ou de madeira; fazia-se uma estimativa de seu valor comum pela produção média dos últimos cinco anos. O número de escravos e cabeças de gado constituía uma parte essencial do informe; um juramento pronunciado pelos proprietários obrigava-os a revelar o verdadeiro estado de seus negócios; suas tentativas de prevaricar ou burlar a intenção dos legisladores eram severamente observadas e punidas como crime capital, que incluía a dupla culpabilidade de traição e sacrilégio.

Cumpria pagar em dinheiro uma grande parte do tributo, e da moeda corrente do Império só se podia aceitar legalmente a de ouro. O restante dos impostos, em conformidade com as proporções determinadas pela indicção anual, era provido de maneira ainda mais direta e mais opressiva. Segundo a diferente natureza das terras, sua produção real de diferentes gêneros, vinho ou azeite, cereal ou cevada, madeira ou ferro, era transportada, pelo trabalho ou à custa dos provincianos, até os depósitos imperiais, de onde era de quando em quando distribuída para uso da corte, do exército e das duas capitais, Roma e Constantinopla. Os delegados da receita viam-se obrigados a fazer compras consideráveis tão frequentemente que estavam severamente proibidos de permitir qualquer compensação ou de receber em dinheiro o valor dos suprimentos que tivessem sido cobrados em espécie.

Na simplicidade primitiva das pequenas comunidades, esse método seria bem adequado para recolher as oferendas quase voluntárias do povo; demonstra-se porém suscetível à mais extrema latitude e à mais extrema restrição, o que, numa monarquia corrupta e absoluta, deve ocasionar uma pendência perpétua entre o poder de opressão e os estratagemas da fraude. A agricultura das províncias romanas foi-se arruinando gradativamente e, no progresso do despotismo, que tende a frustrar seus próprios desígnios, os imperadores se viam constrangidos a granjear algum mérito pelo perdão das dívidas ou pela remissão dos tributos que seus súditos fossem de todo incapazes de pagar. De acordo com a nova divisão da Itália, a fértil e ditosa província da Campânia, cenário das antigas vitórias e deleitoso refúgio dos cidadãos de Roma, estendia-se entre o mar e os Apeninos, desde o Tibre até o Sílaro.* Sessenta anos após a morte de Constantino, e com base num levantamento coevo, concedeu-se uma isenção em favor de 1 476 051 ares de terra deserta e inculta, que representava um oitavo de toda a superfície da província. Como as pegadas dos bárbaros ainda não haviam sido vistas na Itália, a causa dessa surpreendente desolação registrada nas leis só pode ser atribuída à administração dos imperadores romanos.

Fosse de propósito ou por acaso, o modo de taxação parecia unir a substância de um imposto fundiário com as formas de uma capitação. Os rendimentos que eram enviados de cada província ou distrito exprimiam o número de súditos tributários e o montante dos impostos públicos. A última dessas somas era dividida pela anterior, e a estimativa de que determinada província continha tantas *capita*, ou cabeças de tributo, e de que cada *cabeça* se avaliava por tal preço era universalmente aceita não apenas nos cálculos populares mas também nos oficiais. O valor de uma cabeça tributária deve ter variado em conformidade com muitas circunstâncias fortuitas, ou pelo menos flutuantes; preservou-se, todavia, a notícia de um fato assaz curioso, tanto mais importante quanto diz respeito a uma das mais ricas províncias do Império Romano, que ora floresce como um dos mais brilhantes reinos da Europa. Os ministros rapaces de Constantino haviam exaurido a riqueza da Gália exigindo 25 moedas de ouro como tributo anual por cabeça. A política benévola de seu sucessor reduziu a capitação a sete moedas. Uma média moderada entre esses dois extremos opostos, de insólita opressão e efêmera indulgência, pode portanto ser fixada em dezesseis moedas de ouro, ou cerca de nove libras esterlinas, talvez o padrão comum de tributação da Gália.**

* Rio da Lucânia, região hoje chamada Basilicata, na Itália meridional. (N. T.)

** No original, Gibbon continua, ressaltando que o valor da capitação era moderado pelo fato de um grupo de camponios mais pobres poder unir-se, para fins de tributação, numa só "cabeça". (N. O.)

Mas esse imposto, ou capitação, sobre os proprietários de terra teria possibilitado que uma rica e numerosa classe de cidadãos livres ficasse isenta. Com o propósito de partilhar o tipo de riqueza que se origina da arte ou do trabalho, sob a forma de dinheiro e mercadoria, os imperadores impunham um tributo separado e pessoal ao setor mercantil de seus súditos. Algumas isenções, assaz estritamente confinadas no tempo e no espaço, eram concedidas a proprietários que consumissem a produção de suas propriedades. Tratava-se outrossim com certa indulgência os profissionais liberais; todavia, todos os demais ramos da atividade industrial e comercial estavam sujeitos à severidade da lei. O ilustre comerciante de Alexandria que importava pedras preciosas e especiarias da Índia para uso do mundo ocidental, o usurário que auferia com os juros do dinheiro um silente e ignóbil lucro, o fabricante engenhoso, o mecânico diligente e até o mais obscuro varejista de uma aldeia isolada se viam obrigados a aceitar os funcionários da receita como sócios de seus ganhos; e o soberano do Império Romano que tolerava a profissão das prostitutas públicas consentia em partilhar de seu infame salário.

Como esse imposto geral sobre as atividades era arrecadado a cada quatro anos, tinha o nome de *contribuição lustral*, e o historiador Zósimo lamenta que a aproximação do período fatal fosse anunciada pelas lágrimas e pavores dos cidadãos, os quais se viam amiúde compelidos, pelo iminente flagelo, a recorrer aos métodos mais execrados e anormais para conseguir a soma pela qual fora taxada sua pobreza. Não se pode inquinar de paixão ou preconceito o testemunho de Zósimo; entretanto, pela natureza desse tributo, parece razoável concluir que era arbitrário na sua distribuição e extremamente rigoroso no modo de cobrança. O enriquecimento secreto do comércio e os lucros precários da arte ou trabalho só são suscetíveis de avaliação discricionária, raramente desvantajosa ao interesse do tesouro; e como a pessoa do comerciante supre a falta de uma garantia visível e permanente, o pagamento do imposto, que no caso da taxa fundiária pode ser liquidado com a apreensão da propriedade, raramente poderá ser satisfeito por outro meio que não sejam as punições corporais. O cruel tratamento dispensado aos devedores insolventes do Estado é atestado, e foi talvez mitigado, por um édito muito humanitário de Constantino que, abolindo o uso de cavaletes e açoites, designa uma prisão espaçosa e arejada como local de seu confinamento.

A autoridade absoluta do monarca impunha e arrecadava esses impostos gerais; todavia, as ocasionais oferendas de *ouro coronário* guardavam ainda a denominação e a aparência de consentimento popular. Era antigo o costume dos aliados da República, que confiavam sua segurança ou libertação ao êxito das armas romanas, e mesmo das cidades da Itália, que admiravam as virtudes de seu general vitorioso, adornar-lhe a pompa do triunfo com a doação voluntária de coroas de ouro, as quais, após a cerimônia, eram consagradas no Templo de Júpiter a fim de servirem como monumento duradouro de sua glória nas épocas futuras. O progresso do zelo e da lisonja logo aumentou o número e o tamanho dessas doações populares; o triunfo de César foi enriquecido com 2822 coroas maciças cujo peso chegava a 9248 quilos de ouro. Esse tesouro foi imediatamente mandado fundir pelo prudente ditador, a quem importava que fosse mais útil a seus soldados do que aos deuses; o exemplo não tardou a ser imitado por seus sucessores, e firmou-se o costume de trocar esses esplêndidos ornamentos pelo dom mais aceitável da moeda de ouro corrente no Império.

A oferenda espontânea passou finalmente a ser arrecadada como uma dívida obrigatória e, em vez de confinar-se à ocasião de um triunfo, tinha supostamente de ser outorgada pelas diversas cidades e províncias da monarquia tantas vezes quantas o imperador se dignasse a anunciar sua elevação, seu consulado, o nascimento de um filho, a criação de um César, uma vitória sobre os bárbaros ou qualquer outro acontecimento real ou imaginário que lhe abrilhantasse o reinado. Fixou-se por hábito em 725 quilos de ouro, ou cerca de 64 mil libras esterlinas, a oferenda espontânea específica do Senado de Roma. Os súditos oprimidos celebravam a ventura de o soberano graciosamente consentir em aceitar tal pálido mas voluntário testemunho da lealdade e gratidão deles.

Um povo ensoberbecido de orgulho ou irritado pelo descontentamento raramente está em condições de fazer uma estimativa justa de sua situação real. Os súditos de Constantino não alcançavam discernir o declínio do gênio e do valor viril que então os aviltava, pondo-os abaixo da dignidade de seus antepassados; podiam no entanto sentir e lamentar a violência da tirania, o relaxamento da disciplina e o aumento dos impostos. Ao historiador imparcial, que reconhece a justeza de suas queixas, cumpre tomar em consideração quaisquer circunstâncias favoráveis que tendesse a aliviar-lhes a penosa situação. A ameaçadora tormenta dos bárbaros, que em pouco iria subverter as fundações da grandeza romana, ainda era repelida ou contida nas fronteiras. As artes do fausto e da literatura continuavam a ser cultivadas, e os habitantes de uma considerável porção do globo desfrutavam os prazeres elegantes da sociedade. As formalidades, a pompa e o dispêndio da administração civil contribuíam para conter a desregrada licenciosidade da soldadesca, e conquanto as leis fossem violadas pelo poder ou pervertidas pela sutileza, os sábios princípios da jurisprudência romana mantinham um sentido de ordem e de equidade desconhecido dos governos despóticos do Oriente. Os direitos da humanidade se beneficiaram de alguma proteção de parte da religião e da filosofia; e a palavra "liberdade", que não mais lograva alarmá-los, podia às vezes advertir os sucessores de Augusto de que não reinavam sobre uma nação de escravos ou bárbaros.

Nos capítulos seguintes Gibbon assinala que Constantino, no longo e indiscutido entardecer de seu reinado, parece ter degenerado num "monarca cruel mas dissoluto" cujos "vícios antitéticos mas reconciliáveis de avareza e prodigalidade" ajudavam a agravar a "secreta porém geral decadência" perceptível em todo o Império. A acusação é certamente respaldada pelo ato de Constantino de executar Crispo, seu filho mais velho, de uma primeira esposa, o qual havia tido papel decisivo na vitória final dele, Constantino, sobre Licínio (*ver p.* 232); *o filho de Licínio, sobrinho do próprio Constantino; e talvez a segunda esposa deste, Fausta. No entanto, menos de dois anos antes de a morte pôr-lhe fim ao longo reinado, o fundador de Constantinopla ainda pôde encontrar destreza e vigor para castigar primeiramente os godos e depois os selvagens sármatas pelas depredações que fizeram ao longo da fronteira romana. Ele morreu aos 64 anos, deixando após si sete príncipes do sangue: Constâncio, Constante e Constantino, filhos de sua segunda esposa, Fausta; e quatro sobrinhos, Dalmácio, Anibaliano, Galo e Juliano, todos filhos de seu irmão. O Império foi dividido entre os três filhos e os dois sobrinhos mais velhos (Dalmácio e Anibaliano), todos com o título de César.*

Mal a morte esfriara o corpo de Constantino e já seus numerosos sucessores começaram a voltar-se uns contra os outros. Constâncio, a quem fora confiado o funeral do pai, apresentou um testamento forjado que serviu de desculpa bastante para o "massacre promíscuo" que envolveu dois de seus tios, sete de seus primos, "dos quais Dalmácio e Anibaliano eram os mais ilustres", e muitos de seus amigos e partidários. Os três irmãos tornaram então a dividir o Império, cabendo ao jovem Constantino a nova capital, a Constante as províncias do Ocidente e a Constâncio as do Oriente. Este último foi de pronto chamado a defender seu patrimônio das alarmantes incursões do rei persa Sapor. Perto de nove grandes batalhas foram travadas numa guerra que ora se acendeu ora bruxuleou durante quase toda a longa vida de Constâncio; embora os romanos tivessem sido derrotados na maioria das vezes, duas circunstâncias lograram impedir a perda ao que parecia iminente das ricas províncias orientais. A cidade fortificada de Nisibis, na Mesopotâmia, tentou Sapor a buscar romper-lhe as defesas em repetidos assédios, todos em vão, tendo sido o último finalmente suspenso quando o rei persa se viu obrigado a defender seu próprio reino de uma avalanche de bárbaros.

Mas a autodestruição da linhagem de Constantino prosseguia inexoravelmente. Três anos após a divisão do Império entre os três irmãos, o mais velho (Constantino) chefiou um "bando indisciplinado, que mais servia para a rapina do que para a conquista" contra seu irmão Constante, e, com fazê-lo, só apressou sua própria derrota e morte. Uma década mais tarde, o mesmo Constante foi derrubado por uma revolta, na Gália, dirigida por um soldado ambicioso de nome Mag-

nêncio, o qual alternadamente negociou e pelejou com Constâncio pela posse ou divisão de todo o Império. A primeira proposta de Magnêncio, de abrir mão das províncias orientais em favor de Constâncio, reservando o Ocidente para si, foi recusada; quando então, numa conjuntura duvidosa da guerra civil que se seguiu, Constâncio fez a mesma oferta, Magnêncio a recusou. A questão só se decidiu de fato numa batalha em Mursa, na Hungria, onde o número de mortos foi estimado em 54 mil; embora o desfecho unificasse o Império sob a autoridade única de Constâncio, a perda de tantas tropas veteranas na guerra civil foi sentida durante décadas.

Os dois sobrinhos mais jovens de Constantino, o Grande, Galo e Juliano, haviam escapado, graças a sua tenra idade (doze e seis anos, respectivamente), do massacre em que pereceram Dalmácio e Anibaliano; os ônus do governo levaram Constâncio a eventualmente pôr fim ao confinamento deles e promover Galo à posição de César, com jurisdição sobre as cinco grandes províncias ou dioceses do Oriente. Galo demonstrou possuir, contudo, um temperamento "amargurado pela solidão e pela adversidade", ao mesmo passo que sua esposa, Constantina, "é descrita não como uma mulher, mas como uma das fúrias infernais atormentada por uma sede insaciável de sangue humano". (Dizia-se que, pelo preço de um colar de pérolas, teria assegurado o assassínio de um nobre alexandrino cujo único crime fora "sua recusa de satisfazer os desejos de sua madrasta".) Ficaram as províncias orientais a padecer sob o jugo de Galo até o fim da guerra civil com Magnêncio; todavia, logo depois Constâncio conseguiu levar Galo a sua própria destruição.

Juliano, o outro sobrinho, que é muito provavelmente o preferido de Gibbon entre os últimos imperadores romanos, foi exilado em Atenas após o desaparecimento de seu irmão Galo, e lá estudou muito com mestres e filósofos gregos. A predileção da imperatriz Eusébia por ele trouxe-o afinal de volta de seu estudioso exílio e fê-lo ascender à posição de César, com o comando da província da Gália então afligida pelos bárbaros. A despeito de uma falta total de adestramento e experiência militar (depois de ter realizado desajeitadamente alguns exercícios de rotina, consta que ele teria exclamado: "Ó Platão, Platão, que incumbência para um filósofo!"), Juliano superou imensas dificuldades para derrotar primeiramente os alamanos e em seguida os francos; ainda *que Júlio César pudesse jactar-se de ter atravessado o Reno duas vezes, Juliano levou a cabo três expedições que tais antes de estar fadado a assumir a púrpura.*

Entrementes, o efetivo estabelecimento do cristianismo como religião oficial, começado com Constantino, ia rapidamente alterando a estrutura social do Império. A conversão de Constantino parece ter sido um processo gradual, visto que ele só foi batizado por ocasião de sua última enfermidade. (Gibbon repudia como lenda a tradicional história da grande cruz vista no céu por Constantino e observa, a propósito de tais augúrios históricos, "se os olhos dos espectadores foram algumas vezes iludidos pela fraude, o entendimento dos leitores tem sido com muito mais frequência afrontado pela ficção".) Desde porém o tempo em que Constantino governava a Gália, não pode haver dúvidas quanto e para onde se voltavam suas simpatias.

Em consequência desse favoritismo imperial, os bispos e mestres cristãos tinham fácil e constante acesso ao trono; a Igreja se recuperou e com o tempo adquiriu título legal de posse de todas as terras e propriedades que havia perdido sob a severidade de Diocleciano; a todos os súditos foi dado o direito de legar propriedades à Igreja; os recursos públicos começaram a dar apoio à religião que rapidamente se expandia; o antigo princípio de santuário, outrora limitado aos mais sagrados dos templos pagãos, foi transferido para as Igrejas cristãs; e os bispos adquiriram poder bastante para censurar e excomungar altos funcionários civis que lhes desagradassem. A partir do reinado de Constantino, os assuntos civis e religiosos do Império se misturaram tão inextricavelmente que raras vezes é possível entender uns sem pelo menos certa compreensão dos outros.

10

(312-362 a.C.)
*Perseguição da heresia — O cisma dos donatistas — A controvérsia ariana — Atanásio — Estado de perturbação da Igreja e do Império sob Constantino e seus filhos — Tolerância do paganismo**

O AGRADECIDO APLAUSO DO CLERO consagrou a memória de um príncipe que lhe favoreceu as paixões e lhe promoveu os interesses. Constantino deu ao clero segurança, riqueza, honrarias e vingança; o apoio à fé ortodoxa era considerado o dever mais sagrado e mais importante do magistrado civil. O édito de Milão, a magna carta da tolerância, confirmava a todo indivíduo do Império Romano o privilégio de escolher e professar sua própria religião. Mas esse inestimável privilégio não tardou a ser violado; de par com o conhecimento da verdade, o imperador assimilou as máximas da perseguição; e as seitas que dissentiam da Igreja católica eram importunadas e perseguidas pelo cristianismo triunfante. Constantino não tinha dificuldade em acreditar que os heréticos, os quais presumivelmente questionavam *suas* opiniões ou se opunham a *suas* ordens, fossem culpados da mais absurda e criminosa obstinação, e que uma oportuna aplicação de medidas moderadamente austeras poderia salvar aqueles infelizes do risco de uma eterna condenação.

Não se perdeu um momento sequer em excluir os ministros e mestres das congregações separadas de qualquer quinhão das recompensas e imunidades que o imperador tão liberalmente outorgara ao clero ortodoxo. Mas como os sectários pudessem ainda

* Capítulo 21 do original (N. O.)

sobreviver sob a nuvem da desgraça real, à conquista do Oriente se seguiu imediatamente um édito que lhes anunciava a total destruição. Após um preâmbulo cheio de paixão e de reproche, Constantino proibia totalmente as assembleias dos heréticos e lhes confiscava as propriedades públicas para uso ou da receita ou da Igreja católica. As seitas contra as quais se voltava a severidade imperial parecem ter sido as dos partidários de Paulo de Samosata; os montanistas* da Frígia, que pregavam uma entusiástica série de profecias; os novacianos,** que rejeitavam resolutamente a eficácia temporal do arrependimento; os marcionistas*** e valentinianos,**** sob cujas bandeiras se haviam aos poucos congregado os diversos gnósticos da Ásia e do Egito; e talvez os maniqueus, que tinham recentemente importado da Pérsia uma combinação mais engenhosa de teologia oriental e cristã.

O intento de extirpar a denominação ou pelo menos conter o avanço desses odiosos heréticos continuou vigorosa e eficazmente. Algumas das regulamentações penais foram copiadas dos éditos de Diocleciano, e tal método de conversão mereceu o aplauso dos mesmos bispos que tinham sentido a mão da opressão e reivindicado os direitos de humanidade. Duas circunstâncias espirituais podem servir contudo para provar que a mente de Constantino não fora corrompida de todo pelo espírito de fanatismo e intolerância. Antes de condenar os maniqueus e suas seitas afins,

* Partidários do montanismo, movimento cristão do século II, chefiado por Montano e duas profetisas da Frígia, que dava ênfase à profecia extática e ao ascetismo rigoroso; os montanistas acreditavam no advento imediato do Dia do Juízo, e, a seu ver, um cristão decaído da Graça não poderia ser redimido. (N. T.)

** Partidários de Novaciano, heresiarca do século III, fundador de uma seita que punha em dúvida a bondade de Deus e mostrava extrema severidade para com os cristãos que, pelo temor de torturas, tinham retornado ao paganismo. (N. T.)

*** Seguidores de Márcion, que floresceu em 144 d.C. e fundou a primeira grande heresia anticatólica; ele pregava um dualismo semelhante ao dos gnósticos, rejeitava de todo o Deus do Velho Testamento e encarecia a importância das práticas ascéticas. (N. T.)

**** Seita gnóstica egípcia fundada por Valentim (m. 161 d.C.), que sustentava a existência de dois mundos, um visível e outro invisível. (N. T.)

decidiu ele proceder a um exame da natureza de seus princípios religiosos. Como suspeitava da imparcialidade de seus conselheiros eclesiásticos, confiou a delicada missão a um magistrado civil cujos conhecimentos e moderação tinha em justa estima e cujo caráter venal provavelmente ignorava. Em pouco se convenceu o imperador de que prescrevera com demasiado açodamento a fé ortodoxa e a exemplar moralidade dos novacianos, que haviam dissentido da Igreja em alguns artigos de disciplina que não eram talvez essenciais para a salvação. Por via de um édito específico isentou-os das penalidades gerais da lei, consentiu-lhes edificarem uma igreja em Constantinopla, respeitou os milagres de seus santos, convidou o bispo deles, Acésio, para o Concílio de Niceia e zombou brandamente dos estritos princípios de sua seita numa pilhéria familiar que, vinda da boca de um soberano, deve ter sido recebida com aplauso e gratidão.[1]

No original, Gibbon prossegue com um breve relato da heresia donatista, que começou quando uma acirrada disputa entre dois bispos, Ceciliano e Donato, acerca do governo da Igreja africana, resultou no triunfo do primeiro graças à preferência imperial. Os seguidores de Donato se inculcavam os únicos cristãos verdadeiros, distinguindo-se tanto por seu zelo inflexível como por sua aversão ao credo ortodoxo e sua própria tendência para o cisma. Persistiram por mais de trezentos anos, desaparecendo somente quando os muçulmanos invadiram aquela região da África.

O cisma dos donatistas se confinou à África; os males mais difusos da controvérsia trinitária penetraram sucessivamente todas as partes do mundo cristão. Aquele era uma disputa acidental, ocasionada por abuso de liberdade; esta era um elevado e

[1] "Acésio, toma de uma escada e sobe aos céus por ti mesmo." A maioria das seitas cristãs tomou emprestada, cada qual por sua vez, a escada de Acésio.

misterioso debate originado do desmando da filosofia. Desde a época de Constantino até a de Clóvis e Teodorico, os interesses temporais dos romanos e dos bárbaros estiveram profundamente envolvidos nas disputas teológicas do arianismo. Consinta-se pois ao historiador que respeitosamente corra o véu do santuário e acompanhe o progresso da razão e da fé, do erro e da paixão, desde a escola de Platão até o declínio e a queda do Império.

O gênio de Platão, nutrido por suas próprias meditações ou pelo conhecimento tradicional dos sacerdotes do Egito, se aventurara a explorar a misteriosa natureza da Deidade. Quando sua mente se elevou à sublime contemplação da causa primeira, necessária e incriada do universo, o sábio ateniense sentiu-se incapaz de conceber *como* a simples unidade de sua essência podia admitir a infinita variedade de ideias distintas e sucessivas que compõem o modelo do mundo intelectual; *como* um Ser puramente incorpóreo pudera executar esse modelo perfeito e moldar com mão escultural o caos rudimentar e independente. A vã esperança de safar-se de tais dificuldades, que irão sempre afligir os débeis poderes da inteligência humana, induziria Platão a considerar a natureza divina sob a tríplice modificação: da primeira causa; da razão ou *Logos*; e da alma ou espírito do universo. Sua imaginação poética lograva por vezes fixar e animar essas abstrações metafísicas; os três princípios *árquicos* ou originais eram representados no sistema platônico como três deuses, unidos entre si por uma geração misteriosa e inefável; o Logos era considerado em particular sob a forma mais acessível do filho de um Pai Eterno e Criador e Regente do mundo. Tais parecem ser as doutrinas cautelosamente sussurradas nos jardins da Academia e que, em conformidade com discípulos ulteriores de Platão, só podiam ser perfeitamente entendidas após um estudo assíduo de trinta anos.

As armas dos macedônios difundiram pela Ásia e pelo Egito a língua e o saber da Grécia, e o sistema teológico de Platão passou a ser ensinado, com menos reserva e quiçá com alguns aperfeiçoamentos, na célebre escola de Alexandria. Uma numerosa colônia de judeus fora convidada, por mercê dos Ptolomeus, a estabelecer-se em sua nova capital. Enquanto o grosso da nação praticava as cerimônias legais e se dedicava às lucrativas ocupações do comércio, alguns hebreus de espírito mais liberal devotavam a vida à contemplação religiosa e filosófica. Cultivavam com diligência e perfilhavam com ardor o sistema teológico do sábio ateniense. Todavia, seu orgulho nacional teria sido humilhado por uma franca confissão de sua antiga pobreza, pelo que atrevidamente marcaram, como sagrada herança de seus antepassados, o ouro e as joias que tinham tão mais tarde roubado de seus amos egípcios. Cem anos antes do nascimento de Cristo, um tratado filosófico que manifestamente exibe o estilo e as ideias da escola de Platão foi produzido pelos judeus alexandrinos e unanimemente recebido como genuína e valiosa relíquia da inspirada Sabedoria de Salomão. União similar da fé mosaica com a filosofia grega distingue as obras de Fílon,* que foram escritas em sua maior parte no reinado de Augusto. A alma material do universo poderia ofender a piedade dos hebreus, mas eles atribuíam o caráter do Logos ao Jeová de Moisés e dos patriarcas; e o Filho de Deus era introduzido na terra sob uma aparência visível e até humana para levar a cabo aquelas funções familiares que pareciam incompatíveis com a natureza e os atributos da Causa Universal.

A eloquência de Platão, o nome de Salomão, a autoridade da escola de Alexandria e o consenso dos judeus e dos gregos não bastavam para firmar a autenticidade de uma misteriosa doutrina que podia agradar, mas não satisfazer, a uma mente racional. Um profeta ou apóstolo inspirado pela Divindade é o único que consegue exercer um domínio legítimo sobre a fé dos homens; a teologia de Platão poderia ter se confundido para sempre com as visões filosóficas da Academia, do Pórtico e do Liceu se o nome e os atributos divinos do Logos não houvessem sido confirmados pela pena celestial do último e mais sublime dos evangelistas. A

* Fílon de Alexandria (30 a.C.-50 d.C.): teólogo judeu e filósofo neoplatônico; sustentava que o pensamento grego se valera largamente das doutrinas mosaicas, assim justificando seu próprio uso da filosofia grega na interpretação espiritual das Escrituras. (N. T.)

revelação cristã, que se consumou no reinado de Nerva, revelou ao mundo o assombroso segredo de que o Logos, que estava com Deus desde o princípio e era Deus, que criara todas as coisas e para quem todas as coisas foram feitas, se encarnou na pessoa de Jesus de Nazaré, o qual nascera de uma virgem e sofreu a morte na cruz. Além do propósito genérico de assentar num alicerce perpétuo as honras divinas de Cristo, os mais antigos e respeitáveis autores eclesiásticos atribuíam ao teólogo evangélico uma intenção específica de refutar duas heresias opostas que perturbavam a paz da Igreja primitiva.

A fé dos ebionitas, e talvez a dos nazarenos,* era grosseira e imperfeita. Reverenciavam Jesus como o maior dos profetas, dotado de virtude e poder sobrenatural. Atribuíam-lhe, à pessoa e ao futuro reino, todas as predições dos oráculos hebraicos que dizem respeito ao reino sempiterno e espiritual do Messias prometido. Alguns poderiam admitir que nascera de uma virgem, mas todos rejeitavam obstinadamente a anterior existência e as divinas perfeições do Logos, ou Filho de Deus, tão claramente definidas no Evangelho de São João. Cerca de cinquenta anos depois, os ebionitas, cujos erros são mencionados por Justino Mártir com severidade menor do que a que parecem merecer, constituíam uma parte assaz insignificante da denominação cristã.

Os gnósticos, que se distinguiam pelo epíteto de "docetas", caíram no extremo oposto e negaram a natureza humana de Cristo, ao mesmo tempo que lhe afirmavam a divina. Educados na escola de Platão, habituados à sublime ideia do Logos, prontamente imaginaram que o *Aeon* ou *Emanação* mais brilhante da Divindade assumiria a configuração exterior e as aparências visíveis de um mortal; infundadamente sustentavam, porém, que as imperfeições da matéria são incompatíveis com a pureza de uma substância celestial. Enquanto o sangue de Cristo ainda fumegava no monte do Calvário, os docetas

* Nome de menosprezo dado pelos judeus aos primeiros seguidores de Cristo. (N. T.)

inventaram a ímpia e extravagante hipótese de ele, em vez de sair do ventre da Virgem, ter baixado nas margens do Jordão sob a forma de homem feito; que se impingira aos sentidos de seus inimigos e de seus discípulos; e que os ministros de Pilatos haviam desperdiçado sua ira impotente num fantasma impalpável que *parecera* expirar na cruz para, três dias depois, erguer-se de entre os mortos.

A sanção divina que o apóstolo outorgara ao princípio fundamental da teologia de Platão encorajou os prosélitos doutos dos séculos II e III a admirar e estudar as obras do sábio ateniense, que assim maravilhosamente antecipara uma das mais surpreendentes descobertas da revelação cristã. O nome respeitável de Platão foi usado pelos ortodoxos e abusado pelos hereges como sustentáculo tanto da verdade quanto do erro; a autoridade de seus hábeis comentadores e a ciência da dialética serviram para justificar as remotas consequências de suas opiniões e para suprir o discreto silêncio dos autores inspirados.

As mesmas sutis e profundas questões atinentes à natureza, à geração, à distinção e à igualdade das três divinas pessoas da misteriosa *Tríade* ou *Trindade* vieram à baila nas discussões das escolas filosóficas e cristãs de Alexandria. Um ardente espírito de curiosidade incitou-as a explorar os segredos do abismo, e a presunção dos professores e de seus discípulos se satisfez com a ciência das palavras. Mas o mais sagaz dos teólogos cristãos, o grande Atanásio, candidamente confessou que, sempre que forçava seu entendimento a meditar na divindade do Logos, seus laboriosos e baldados esforços refluíam sobre si mesmos; que quanto mais pensava, menos compreendia, e que quanto mais escrevia, mais incapaz era de exprimir seus pensamentos. A cada passo da investigação, vemo-nos compelidos a sentir e a reconhecer a imensurável desproporção entre o tamanho do objetivo e a capacidade da inteligência humana. Podemos empenhar-nos em abstrair as noções de tempo, de espaço e de matéria, tão intimamente unidas a todas as percepções de nosso conhecimento experimental. Mas tão logo presumimos raciocinar em termos de substância infinita, de geração espiritual, sempre que tiramos qualquer conclusão positiva de uma ideia negativa, vemo-nos envolvidos em treva, perplexidade e inevitável contradição.*

Após o édito de tolerância haver devolvido a paz e o descanso aos cristãos, a controvérsia trinitária reviveu na antiga sede do platonismo, a douta, a opulenta, a tumultuosa cidade de Alexandria, e a chama da discórdia religiosa rapidamente se comunicou das escolas ao clero, ao povo, às províncias e ao Oriente. Agitou-se nas conferências eclesiásticas e nos sermões populares a abstrusa questão da eternidade do Logos; as opiniões heterodoxas de Ário foram em breve tornadas públicas por seu ardor e pelo de seus adversários. Os mais implacáveis destes reconheciam a erudição e a vida imaculada do eminente presbítero, que numa eleição anterior declinara, e talvez generosamente declinasse, suas pretensões ao trono episcopal. Seu competidor, Alexandre, assumiu o cargo de juiz dele. A importante causa foi arguida perante Alexandre; se a princípio pareceu hesitar, pronunciou ele por fim sua sentença definitiva como uma norma absoluta de fé. O indômito presbítero, que se atreveu a resistir à autoridade de seu irado bispo, foi excluído da comunhão da Igreja.

Mas o orgulho de Ário teve o apoio e o aplauso de um partido numeroso. Contava ele, entre seus seguidores imediatos, dois bispos do Egito, sete presbíteros, doze diáconos e (o que pode parecer quase inacreditável) setecentas virgens. Uma grande maioria dos bispos da Ásia parecia apoiar ou favorecer-lhe a causa; as providências deles foram comandadas por Eusébio de Cesareia, o mais douto dos prelados cristãos, e por Eusébio de Nicomédia, que adquirira a reputação de estadista sem perder a de santo. Sínodos na Palestina e na Bitínia se opuseram aos sínodos do Egito. A atenção do príncipe e do povo foi atraída por essa disputa

* Num parágrafo aqui omitido, Gibbon ressalta duas diferenças nas discussões filosóficas e eclesiásticas em torno da mesma questão: os cristãos primitivos abordavam com unção e apaixonado interesse aquilo que o filósofo platônico considerava com sábia moderação; enquanto o filósofo afirmava o direito à liberdade intelectual, a extensa e crescente organização eclesiástica exigia um maior grau de conformidade espiritual da parte de seus membros. (N. O.)

teológica; e a decisão, ao cabo de seis anos, ficou confiada à autoridade suprema do concílio ecumênico de Niceia.*

Se aos bispos do Concílio de Niceia tivesse sido permitido seguir os ditames imparciais de sua consciência, dificilmente Ário e seus seguidores teriam podido entreter esperanças de obter uma maioria de votos em favor de uma hipótese tão radicalmente contrária às duas crenças mais populares do mundo católico. Os arianos logo perceberam o perigo de sua situação e prudentemente afetaram aquelas virtudes modestas que, na fúria das dissensões civis e religiosas, raramente são praticadas ou sequer louvadas, a não ser pela parte mais fraca. Recomendaram o exercício da caridade e moderação cristãs, insistiram na natureza incompreensível da controvérsia, repudiaram o uso de quaisquer termos ou definições que não pudessem ser encontrados nas Escrituras e fizeram concessões assaz liberais a fim de satisfazer os adversários, isso sem renunciar à integridade de seus próprios princípios.

A facção vitoriosa recebeu todas as propostas deles com altaneira suspicácia e ansiosamente as esmiuçou em busca de algum sinal irreconciliável de discriminação cuja rejeição lograsse envolver os arianos no pecado e nas consequências da heresia. Foi publicamente lida e ignominiosamente rasgada uma epístola em que o patrono dos arianos, Eusébio de Nicomédia, candidamente confessava que a admissão do *Homoousiano*, ou Consubstancial, uma palavra já familiar aos platônicos, era incompatível com os princípios de seu sistema filosófico. A ditosa oportunidade foi avidamente aproveitada pelos bispos que geriam as resoluções do sínodo e, segundo as vívidas expressões de Ambrósio, deceparam a cabeça do odiado monstro usando a espada que a própria heresia puxara da bainha. O Concílio de Niceia estabeleceu a consubstancialidade do Pai e do Filho, que foi unanimemente recebida como o artigo fundamental da fé cristã pelo consenso das Igrejas grega, latina, oriental e protestante.

* No original, Gibbon faz ulteriores especulações acerca das três possíveis concepções sobre a natureza da Trindade. (N. O.)

Mas se a dita palavra não houvesse servido para estigmatizar os hereges e para unir os católicos, teria sido inadequada aos propósitos de uma maioria por quem foi introduzida no credo ortodoxo. Essa maioria estava dividida em dois partidos, distinguidos por uma tendência contrária às opiniões dos triteístas* e dos sabelianos.** Mas como esses extremos opostos pareciam derrocar os fundamentos da religião tanto revelada quanto natural, concordaram ambos em restringir o rigor de seus princípios e desautorizar as justas mas desagradáveis consequências que poderiam ser alegadas pelos seus antagonistas. O interesse da causa comum os levava a unir suas hostes e a esconder suas diferenças; a mútua animosidade foi abrandada pelos salutares ditames da tolerância e suas disputas suspensas pelo uso do misterioso Homoousiano, que cada um dos partidos tinha a liberdade de interpretar em conformidade com seus princípios privativos.

O ponto de vista sabeliano, que cerca de cinquenta anos antes obrigara o Concílio de Antioquia a proibir o uso desse célebre termo, o tornara caro àqueles teólogos que entretinham secreto mas apaixonado pendor por uma Trindade nominal. Todavia, os santos mais prestigiados nos tempos arianos, o intrépido Atanásio, o douto Gregório de Nazianzo e os outros pilares da Igreja, que sustentavam com habilidade e sucesso a doutrina nicena, pareciam considerar a expressão "substância" como sinônima de "natureza", e atreviam-se a ilustrar sua opinião afirmando que três homens, por pertencerem à mesma espécie comum, são consubstanciais, ou homoousianos, entre si. Essa pura e nítida igualdade era temperada, de um lado, pela conexão interna e pela penetração espiritual que une indissoluvelmente as pessoas divinas, e, de outro, pela preeminência do Padre, reconhe-

* Partidários do triteísmo, doutrina que afirmava existirem em Deus não apenas três pessoas como igualmente três essências, três substâncias e três deuses. (N. T.)

** Seita herética do século III que negava a Trindade e afirmava haver em Deus uma só pessoa, o Padre, sendo o Filho e o Espírito Santo meros atributos ou emanações Suas. (N. T.)

cida na medida em que fosse compatível com a independência do Filho.

Dentro desses limites, permitia-se que o quase invisível e vacilante pêndulo da ortodoxia balouçasse em segurança. De ambos os lados, para além desse terreno consagrado, emboscavam-se os hereges e os demônios para surpreender e devorar o desditoso andarilho. Mas como os graus do rancor teológico dependem da índole da guerra mais que da importância da controvérsia, os hereges que degradavam a pessoa do Filho eram tratados com maior severidade do que aqueles que a aniquilavam. Atanásio consumiu sua vida numa irreconciliável oposição à ímpia *insanidade* dos arianos, mas defendeu por mais de vinte anos o sabelianismo de Marcelo de Ancira; quando por fim se viu compelido a afastar-se de sua companhia, continuou a mencionar com um sorriso ambíguo os erros veniais de seu respeitável amigo.

A autoridade de um conselho ecumênico, a que os próprios arianos foram obrigados a submeter-se, inscrevia nas bandeiras do partido ortodoxo as letras misteriosas da palavra "homoousiano", a qual contribuía, não obstante algumas obscuras controvérsias e combates noturnos, para manter e perpetuar a unidade da fé, ou pelo menos da linguagem. Os consubstancialistas, que por seu triunfo mereceram e obtiveram o título de *católicos*,* exultavam na simplicidade e firmeza de seu próprio credo e insultavam as repetidas variações de seus adversários, destituídos de qualquer norma certa de fé. A sinceridade ou astúcia dos chefes arianos, o temor das leis ou do povo, sua reverência de Cristo, seu ódio de Atanásio, todas as causas, humanas e divinas, que influenciam e perturbam as opiniões de uma facção teológica, insuflaram nos sectários um espírito de discórdia e inconstância que, no decorrer de poucos anos, erigiu dezoito diferentes modelos de religião e desafrontou a violada dignidade da Igreja. O ardoroso Hilário, que em consequência das provações peculiares a sua posição se inclinava antes a atenuar do que a agravar os

* Em sua acepção etimológica, quer dizer "universal". (N. T.)

desvios do clero oriental, declara que na vasta extensão das dez províncias da Ásia para a qual fora banido muitos poucos prelados se poderiam encontrar que tivessem preservado o conhecimento do verdadeiro Deus. O abatimento que sentira e as irregularidades de que fora espectador e vítima acalmaram por curto intervalo de tempo as iradas paixões de sua alma; na passagem seguinte, de que transcreverei umas poucas linhas, o bispo de Poitiers incautamente incide no estilo dos filósofos cristãos: "É coisa de igual modo deplorável e arriscada", diz Hilário,

> que existam tantos credos quanto opiniões entre os homens, tantas doutrinas quanto inclinações, e tantas fontes de blasfêmias quanto faltas entre nós; pois elaboramos credos arbitrariamente e arbitrariamente os explicamos. O Homoousiano é rejeitado e aceito e explicado por sucessivos sínodos. A semelhança parcial ou total entre o Padre e o Filho são objeto de disputa nestes tempos desditosos. A cada ano, ou melhor, a cada lua, elaboramos novos credos para descrever mistérios invisíveis. Arrependemo-nos do que fizemos, defendemos os que se arrependem; anatematizamos aqueles a quem defendemos. Condenamos ou a doutrina de outrem em nós mesmos ou nossa própria em outrem; e, espedaçando-nos uns aos outros, temos sido a causa da ruína uns dos outros.*

As províncias do Egito e da Ásia, que cultivavam a língua e os costumes dos gregos, tinham absorvido profundamente o veneno da controvérsia ariana. O estudo íntimo do sistema platônico, uma disposição frívola e argumentativa, um idioma copioso e flexível, supriam o clero e o povo do Oriente de um fluxo inexaurível de palavras e distinções; em meio a suas calorosas disputas, eles esqueciam facilmente a dúvida recomendada

* Eliminou-se aqui uma breve passagem em que Gibbon discute as pequenas diferenças entre o credo ortodoxo e os diversos matizes de arianismo simbolizados pela distinção entre as palavras "Homoousiano" e "Homoiousiano". (N. O.)

pela filosofia e a submissão prescrita pela religião. Os habitantes do Ocidente tinham espírito menos indagador; suas paixões não eram tão facilmente excitadas por objetos invisíveis, suas mentes não se exercitavam tão amiúde nos hábitos da controvérsia; era tal a ditosa ignorância da Igreja gaulesa que o mesmo Hilário, cerca de trinta anos após o primeiro concílio ecumênico, não estava ainda familiarizado com o credo niceno.

Os latinos haviam recebido os raios do conhecimento divino pela via obscura e duvidosa de uma tradução. A pobreza e a inflexibilidade de seu idioma nativo nem sempre eram capazes de proporcionar equivalentes justos para as palavras gregas, para os termos técnicos da filosofia platônica que tinham sido consagrados pelo Evangelho ou pela Igreja para exprimir os mistérios da fé cristã; e uma deficiência verbal podia introduzir na teologia latina uma longa série de equívocos ou perplexidades. Mas como os provinciais do Ocidente tinham tido a boa sorte de receber sua religião de uma fonte ortodoxa, preservaram com firmeza a doutrina que haviam recebido com docilidade; quando a pestilência ariana se aproximou de suas fronteiras, eles estavam munidos do profilático oportuno do Homoousiano graças ao paternal desvelo do pontífice romano.

Suas opiniões e sua índole se manifestaram no memorável sínodo de Rimini, que ultrapassou em número de participantes o Concílio de Niceia, visto compor-se de mais de quatrocentos bispos da Itália, da África, da Hispânia, da Gália, da Britânia e da Ilíria. Desde os primeiros debates, evidenciou-se que apenas quatro vintenas de prelados tomavam o partido de Ário, embora fingissem anatematizar-lhe o nome e a memória. Tal inferioridade se compensava porém pelas vantagens de habilidade, experiência e disciplina: a minoria era dirigida por Valente e Ursácio, dois bispos da Ilíria que tinham passado a vida nas intrigas das cortes e concílios e se haviam adestrado, sob a bandeira de Eusébio, nas guerras religiosas do Oriente. Com seus argumentos e discussões de termos, eles perturbaram, confundiram e por fim iludiram a honesta simplicidade dos bispos latinos, os quais permitiram que o paládio da fé lhes fosse arrebatado das mãos pela fraude e pela insistência mais do que pela violência ostensiva. Ao Concílio de Rimini não foi dado dissolver-se antes de seus membros terem imprudentemente subscrito um credo capcioso no qual algumas expressões suscetíveis de serem interpretadas como heréticas apareciam no lugar do Homoousiano. Foi nessa ocasião que, segundo Jerônimo, o mundo, surpreso, se descobriu ariano. Mal haviam porém chegado a suas respectivas dioceses e já os bispos das províncias latinas se davam conta de seu engano e se arrependiam de sua fraqueza. A ignominiosa capitulação foi rejeitada com desdém e execração, e o estandarte homoousiano, que havia sido abalado mas não derrubado, implantou-se de novo, com mais firmeza, em todas as Igrejas do Ocidente.

Tal foi a origem e o progresso, e tais foram as radicais mudanças sofridas por essas controvérsias teológicas que perturbaram a paz da cristandade nos reinados de Constantino e de seus filhos. Mas como esses príncipes se atreviam a estender seu despotismo à fé tanto quanto às vidas e fortunas de seus súditos, o peso do sufrágio real por vezes fez pender a balança eclesiástica, pelo que as prerrogativas do rei do céu foram estabelecidas ou alteradas ou restringidas no gabinete de um monarca terreno.

O infortunado espírito de discórdia que se difundiu pelas províncias do Oriente perturbou o triunfo de Constantino, mas o imperador continuou, durante algum tempo, a encarar com fria e descuidosa indiferença o objeto da disputa. Como ainda não estava informado da dificuldade de pacificar as discórdias dos teólogos, endereçou às facções em luta, a Alexandre e a Ário, uma epístola moderadora, a qual pode ser atribuída com maior razão ao tino inexperiente do soldado e estadista que aos ditames de qualquer um de seus conselheiros episcopais. Atribui ele a origem de toda a controvérsia a uma sutil e insignificante questão, relativa a um incompreensível pormenor da lei, que fora tolamente suscitada pelo bispo e imprudentemente resolvida pelo presbítero. Lamenta que o povo cristão, que tinha o mesmo Deus, a mesma religião e o mesmo culto, fosse dividido por tais distinções de tão pouca monta, e gravemente recomenda ao clero de Alexandria o exemplo dos filósofos gregos, que podiam sustentar seus argumentos sem perder a calma e afirmar sua liberdade sem romper os laços de amizade.

A indiferença e o desdém do soberano teriam sido quiçá o método mais eficaz para silenciar a disputa caso a corrente popular fosse menos rápida e impetuosa e caso o próprio Constantino, em meio ao facciosismo fanático, houvesse mantido a tranquilidade de espírito. Mas seus ministros eclesiásticos logo conseguiram corromper a imparcialidade do magistrado e despertar o ardor do prosélito. Foi ele provocado pelos insultos endereçados a suas estátuas; alarmou-se com a magnitude tanto imaginária quanto real da crescente discórdia e pôs fim às esperanças de paz e tolerância a partir do momento em que reuniu trezentos bispos dentro dos muros do mesmo palácio. A presença do monarca exagerou a importância do debate; sua atenção multiplicou os argumentos; e ele expôs sua pessoa com uma paciente intrepidez que animou o ardor dos combatentes.

Não obstante o aplauso que a eloquência e a sagacidade de Constantino têm merecido, a um general romano cuja religião podia ser ainda motivo de dúvida, e cuja mente não fora esclarecida nem pelo estudo nem pela inspiração, faltavam qualificações para discutir, na língua grega, quer uma questão metafísica, quer um artigo de fé. Mas a confiança no favorito Osio, que parece ter presidido o Concílio de Niceia, poderia ter inclinado o imperador para o partido ortodoxo; e uma insinuação oportuna de que o mesmo Eusébio de Nicomédia que ora protegia o herege havia pouco antes auxiliado o tirano — poderia exasperá-lo com seus adversários. O credo niceno foi ratificado por Constantino, e sua firme declaração de que os que resistissem ao divino juízo do sínodo deviam preparar-se para um exílio imediato, calou os murmúrios de uma débil oposição, a qual, de dezessete bispos, reduziu-se quase instantaneamente a dois. Eusébio de Cesareia deu um relutante e ambíguo assentimento ao Homoousiano, e a vacilante conduta do nicomedense Eusébio só serviu para adiar-lhe por cerca de três meses a desgraça e o exílio. O ímpio Ário foi banido para uma das províncias remotas da Ilíria; sua pessoa e seus discípulos foram estigmatizados, por lei, com o odioso epíteto de "porfirianos";* suas obras foram condenadas às chamas e aqueles em cuja posse as encontrassem incorriam na pena capital. O imperador se deixara impregnar do espírito de controvérsia e o estilo irado, sarcástico de seus éditos visava a infundir nos súditos a aversão que concebera aos inimigos de Cristo.

Mas se a paixão, em vez dos princípios, guiara a conduta do imperador, mal haviam decorrido três anos do Concílio de Niceia e ele já mostrava alguns sinais de piedade, e mesmo de indulgência, para com a seita proscrita, que era secretamente protegida por sua irmã favorita. Os exilados foram chamados de volta, e Eusébio, que aos poucos retomava sua influência sobre o espírito de Constantino, tornou a ocupar o trono episcopal de que havia sido ignominiosamente destituído. O próprio Ário era tratado pela corte toda com o respeito que teria merecido um homem inocente e maltratado. Sua fé teve a aprovação do sínodo de Jerusalém e o imperador parecia impaciente por reparar sua injustiça, pelo que promulgou uma ordem peremptória de que fosse solenemente admitido à comunhão na Catedral de Constantinopla. No mesmo dia fixado para seu triunfo, Ário morreu, e as horríveis e estranhas circunstâncias de seu falecimento poderiam despertar a suspeita de que os santos ortodoxos tinham contribuído de maneira mais eficaz do que com suas preces para livrar a Igreja do mais temível de seus inimigos. Os três principais chefes dos católicos, Atanásio de Alexandria, Eustácio de Antioquia e Paulo de Constantinopla, foram destituídos, sob várias acusações, por sentença de numerosos concílios e subsequentemente banidos para províncias distantes pelo primeiro dos imperadores cristãos, o qual, nos derradeiros momentos de sua vida, recebeu os sacramentos do batismo do bispo ariano de Nicomédia.

O governo eclesiástico de Constantino não pode ser isentado da censura de leviandade e fraqueza. Mas o crédulo monarca,

* Seguidores de Porfírio (século III d.C.), filósofo neoplatônico, discípulo de Plotino. (N. T.)

pouco versado nos estratagemas da guerra teológica, deve ter sido iludido pelas modestas e especiosas profissões de fé dos hereges, cujas opiniões nunca compreendeu perfeitamente; ao mesmo tempo que protegia Ário e perseguia Atanásio, continuava a considerar o Concílio de Niceia como o sustentáculo da fé cristã e a glória distintiva de seu próprio reinado.

Os filhos de Constantino devem ter sido admitidos, na infância, às hostes dos catecúmenos, mas imitaram, no adiamento de seu batismo, o exemplo do pai. Como ele, atreviam-se a pronunciar juízos acerca de mistérios nos quais nunca haviam sido regularmente iniciados; e o destino da controvérsia trinitária dependeu em grande medida das opiniões de Constâncio, que herdou as províncias do Oriente e adquiriria a posse do Império todo. O presbítero ou bispo ariano, que ocultara para seu uso o testamento do falecido imperador, tirou partido da afortunada ocasião que o havia introduzido na familiaridade de um príncipe cujos juízos públicos eram sempre influenciados por seus favoritos domésticos. Os eunucos e escravos difundiam o veneno espiritual pelo palácio, e a perigosa infecção se transmitia, pelas criadas, aos guardas, e pela imperatriz a seu confiante marido.

A inclinação que Constâncio sempre mostrara pela facção eusebiana foi sendo aos poucos fortalecida pela astuciosa habilidade de seus chefes; a vitória por ele conseguida sobre o tirano Magnêncio desenvolveu sua inclinação tanto quanto sua capacidade de utilizar as armas do poder em prol da causa do arianismo. Enquanto os dois exércitos se enfrentavam nas planícies de Mursa, e a sorte dos dois rivais dependia do desfecho da guerra, o filho de Constantino passava os momentos de ansiedade numa igreja dos mártires, sob as muralhas da cidade. Seu confortador espiritual, Valente, o bispo ariano da diocese, tomava as mais ardilosas precauções com vistas a obter a informação precoce capaz de assegurar-lhe ou o favor dele ou sua fuga. Uma cadeia secreta de velozes e fiéis mensageiros informava-o das vicissitudes da batalha; enquanto os cortesões rodeavam, trêmulos, seu afligido senhor, Valente assegurava-lhe que as legiões gaulesas cediam e insinuava, com certa presença de espírito, que o glorioso acontecimento lhe fora revelado por um anjo. O agradecido imperador atribuiu seu êxito aos méritos e à intercessão do bispo de Mursa, cuja fé merecera a pública e miraculosa aprovação do céu. Os arianos, que consideravam sua a vitória de Constâncio, preferiram-lhe a glória à de seu pai. Cirilo, bispo de Jerusalém, imediatamente compôs a descrição de uma cruz celestial, cercada de um esplêndido arco-íris, que durante a festa de Pentecostes, por volta da terceira hora do dia, aparecera sobre o monte das Oliveiras para edificação dos peregrinos devotos e do povo da cidade santa. O tamanho do meteoro foi sendo aos poucos aumentado e o historiador ariano aventurou-se a afirmar que era visível a ambos os exércitos nas planuras da Panônia, e que o tirano, deliberadamente representado como um idólatra, fugiu perante o sinal auspicioso do cristianismo ortodoxo.

As ideias de um forasteiro ponderado, que considerou imparcialmente o progresso da discórdia civil ou eclesiástica, fazem sempre jus a nossa atenção, e uma breve passagem de Amiano, que serviu nos exércitos de Constâncio e lhe estudou o caráter, tem quiçá mais valor que muitas páginas de invectivas teológicas. "A religião cristã, que em si mesma", diz esse moderado historiador,

> é clara e simples, *ele* a confundiu com as bobagens da superstição. Em vez de usar o peso de sua autoridade para conciliar as facções, ele acalentava e propagava, em polêmicas verbais, as diferenças que sua fátua curiosidade suscitara. As estradas reais se cobriam de bandos de bispos que, vindos de todas as partes, galopavam rumo às assembleias, que chamavam de sínodos; e enquanto forcejavam por converter a seita inteira a suas opiniões privativas, o sistema de postas públicas quase se arruinava por suas apressadas e repetidas jornadas.

Nosso conhecimento mais íntimo das transações eclesiásticas do reinado de Constantino propiciaria um amplo comentário dessa notável passagem, que justifica as apreensões judiciosas de Atanásio, de que a incessante atividade do clero, a vagar pelo Império em busca da verdadeira fé, provocaria o desdém e o riso de um mundo incréu.

Tão logo se livrou dos terrores de uma guerra civil, o imperador consagrou os lazeres de seus quartéis de inverno em Arles, Milão, Sirmione e Constantinopla à diversão ou labuta da controvérsia; a espada do magistrado e mesmo do tirano fora desembainhada para reforçar as razões do teólogo; sua oposição à fé ortodoxa de Niceia mostra de pronto que sua incapacidade e ignorância lhe igualavam a presunção. Os eunucos, as mulheres e os bispos que governavam a mente fátua e medíocre do imperador lhe haviam inspirado uma insuperável aversão ao Homoousiano; sua consciência tímida se alarmava com a impiedade de Aécio. A culpa desse ateu era agravada pelo suspeitoso favorecimento do infortunado Galo, e mesmo a morte dos ministros imperiais massacrados em Antioquia se imputava às sugestões desse perigoso sofista.

O espírito de Constâncio, que não podia ser moderado pela razão nem firmado pela fé, via-se impelido às cegas de um para outro lado do negro e vácuo abismo pelo seu temor do extremo oposto; ele ora abraçava ora condenava as mesmas ideias; sucessivamente baniu e chamou de volta os chefes das facções ariana e semiariana. Durante a quadra de atividade ou festividade públicas, ele levava dias inteiros, ou até noites, a selecionar as palavras e a pesar as sílabas que lhe compunham os credos flutuantes. O assunto de suas meditações lhe perseguia e ocupava o sono; os sonhos incoerentes do imperador eram recebidos como visões celestiais; e ele aceitou com complacência o alto título de bispo dos bispos das mãos dos eclesiásticos que esqueciam o interesse de sua ordem a fim de satisfazer suas paixões. O propósito de firmar uma uniformidade de doutrina, que levou Constâncio a convocar tantos sínodos na Gália, na Itália, na Ilíria e na Ásia, era repetidamente frustrado por sua própria leviandade, pelas divisões dos arianos e pela resistência dos católicos; decidiu ele então, num último e decisivo esforço, arrogantemente impor os decretos de um concílio ecumênico. O destrutivo terremoto de Nicomédia, a dificuldade de achar um local conveniente e quiçá certos motivos políticos secretos suscitaram uma alteração nas convocações. Os bispos do Oriente receberam ordem de se reunir na Selêucia,* em Isáuria,** enquanto os do Ocidente tomavam suas deliberações em Rimini, na costa do Adriático; em vez de dois ou três deputados de cada província, todo o corpo episcopal foi convocado.

O concílio oriental, após gastar quatro dias num debate feroz e vão, dissolveu-se sem chegar a nenhuma conclusão definida. O concílio do Ocidente foi prolongado até o sétimo mês. Tauro, o prefeito pretoriano, recebeu ordem de não dispensar os prelados enquanto não se unissem numa mesma opinião; seus esforços foram encorajados pelo poder que lhe foi outorgado de banir quinze dos mais refratários e pela promessa que lhe foi feita de um consulado caso conseguisse levar a cabo façanha tão difícil. Suas preces e ameaças, a autoridade do soberano, a sofisticaria de Valente e Ursácio, os incômodos do frio e da fome, e a tediosa melancolia de um desesperançado exílio lograram por fim arrancar a relutante aquiescência dos bispos de Rimini. Os deputados do Oriente e do Ocidente se apresentaram ao imperador no palácio de Constantinopla e este teve a satisfação de impor ao mundo uma profissão de fé que estabelecia a *aparência*, sem exprimir a *consubstancialidade*, do Filho de Deus. Mas o triunfo do arianismo fora precedido do afastamento do clero ortodoxo, ao qual era impossível intimidar ou corromper; e o reinado de Constâncio foi desonrado pela injusta e ineficaz perseguição ao grande Atanásio.

Raras vezes temos oportunidade de observar, quer na vida ativa, quer na especulativa, que efeitos se podem produzir, ou que obstáculos podem ser superados, quando uma única mente aplica inflexivelmente sua força na perseguição de um só objetivo. O nome imortal de Atanásio está para sempre ligado à doutrina católica da Trindade, a cuja defesa ele consagrou todos os momentos e todas as faculdades de seu ser. Educado na família

* Cidade antiga da Ásia, às margens do Tigre, perto de Bagdá; foi capital da dinastia dos selêucidas, iniciada por Seleuco I Nicátor, lugar-tenente de Alexandre Magno. (N. T.)

** Antiga região da costa sul da Ásia Menor, conquistada pelos romanos em 75 a.C. (N. T.)

de Alexandre, opusera-se vigorosamente aos primeiros avanços da heresia ariana; desempenhou as importantes funções de secretário na gestão do idoso prelado; e os pais do Concílio de Niceia acompanharam com surpresa e respeito as crescentes virtudes do jovem diácono. Em épocas de perigo público, as enfadonhas alegações de idade e precedência são por vezes postergadas, e cinco meses após seu retorno de Niceia o diácono Atanásio ocupava o trono episcopal do Egito. Desempenhou esse cargo eminente por mais de 46 anos, e sua longa administração se consagrou ao constante combate contra as forças do arianismo. Cinco vezes foi Atanásio destituído do trono; passou vinte anos exilado ou fugido; e quase todas as províncias do Império Romano foram, sucessivamente, testemunhas de seus méritos e de seus sofrimentos na causa do Homoousiano, que ele considerava a única ocupação e prazer, o dever e a glória de sua vida.

Em meio à tempestade das perseguições, o arcebispo de Alexandria se mostrava perseverante no trabalho, cioso de sua reputação e descuidoso de sua própria segurança; embora o fanatismo lhe contagiasse o espírito, Atanásio dava provas de uma superioridade de caráter e de talentos que o teria qualificado, muito melhor que os degenerados filhos de Constantino, para governar uma grande monarquia. Sua erudição era menos profunda e menos extensa que a de Eusébio de Cesareia* e sua rude eloquência não podia ser comparada à refinada oratória de Gregório** ou de Basílio;*** todavia, sempre que ao primaz do Egito cumpria justificar

* Historiador e prelado grego (*c.* 263-339 d.C.), considerado pai da historiografia religiosa por sua *História eclesiástica* em dez livros. (N. T.)

** Na história da Igreja do século IV d.C., há dois santos com esse nome, são Gregório de Nazianzo (*c.* 330-390 d.C.), teólogo capadócio, doutor da Igreja, e são Gregório de Nissa (m. 394 d.C.), bispo capadócio e um dos grandes teólogos ortodoxos que versaram o dogma da Santíssima Trindade; o primeiro era amigo íntimo e o segundo irmão de são Basílio. (N. T.)

*** São Basílio, cognominado "O Grande" (*c.* 330-379 d.C.), monge grego que foi um dos doutores da Igreja, autor de duas regras para os monges basilianos, que sucedeu a Eusébio, a quem ajudou na causa da ortodoxia contra o arianismo. (N. T.)

suas ideias ou sua conduta, fazia-o, oralmente ou por escrito, num estilo claro, enérgico e persuasivo. A escola ortodoxa sempre o reverenciou como um dos mestres mais precisos da teologia cristã; acreditava-se que tinha domínio de duas ciências profanas pouco adaptadas à índole episcopal — a jurisprudência e a adivinhação. Certas conjecturas felizes acerca de acontecimentos futuros, que observadores imparciais atribuiriam à experiência e ao discernimento de Atanásio, eram tidas, por seus amigos, como inspiração divina e, por seus inimigos, como magia infernal.

Entretanto, por estar ele sempre às voltas com os preconceitos e as paixões de toda espécie de homens, do monge ao imperador, o conhecimento da natureza humana era a primeira e a mais importante das ciências de Atanásio. Tinha uma visão nítida e ininterrupta de um espetáculo que mudava sem cessar, e nunca deixava de tirar proveito desses momentos decisivos que, antes de serem percebidos pelo olho comum das pessoas, passam irrecuperavelmente. O arcebispo de Alexandria sabia até que ponto podia ousadamente dar ordens e quando devia recorrer a insinuações habilidosas; até que ponto podia competir com o poder e quando devia furtar-se à perseguição; ao mesmo tempo que lançava as fulminações da Igreja contra a heresia e a rebelião, podia mostrar, no seio de sua própria seita, a índole flexível e indulgente de um chefe cauteloso.

A eleição de Atanásio não escapou à censura de irregularidade e precipitação; todavia, a lisura de sua conduta granjeou a simpatia tanto do clero quanto do povo. Os alexandrinos estavam impacientes de pegar armas em defesa de um pastor eloquente e benévolo. Em seus transes, ele sempre encontrava apoio, ou pelo menos consolo, na afetuosa lealdade de seu clero paroquial; outrossim, os cem bispos do Egito perfilhavam, com inabalável ardor, a causa de Atanásio. Provido do mínimo que a dignidade do cargo exigia, ele realizava com frequência a visitação episcopal de suas províncias, desde o estuário do Nilo aos confins da Etiópia, conversando familiarmente com a gente mais simples e saudando humildemente os santos e eremitas do deserto. Tampouco era nas assembleias eclesiásticas, entre homens de educação e maneiras semelhantes às suas, que Atanásio revelava o ascendente de seu gênio. Aparecia com desafetada e respeitosa firmeza nas cortes dos príncipes; nas várias reviravoltas de sua fortuna, ora próspera, ora adversa, jamais perdeu a confiança dos amigos ou a estima dos inimigos.

Na juventude, o primaz do Egito resistiu a Constantino, o Grande, que repetidas vezes manifestou a vontade de Ário ser reintegrado na comunhão católica. O imperador pôde respeitar, e até perdoar, tal inflexível resolução; e a facção que considerava Atanásio seu inimigo mais temível se viu forçada a encobrir o rancor e a preparar-lhe em segredo um ataque indireto e distante. Espalhou boatos e suspeitas, apresentou o arcebispo como um tirano soberbo e opressor, e atrevidamente o acusou de violar o tratado que fora assinado no concílio niceno com os partidários cismáticos de Melécio. Atanásio desaprovara publicamente essa paz ignominiosa e o imperador estava inclinado a crer que ele abusara de sua autoridade eclesiástica e civil ao perseguir tais abomináveis sectários; que sacrilegamente quebrara um cálice numa das igrejas deles em Mareotis; que açoitara ou aprisionara seis de seus bispos; e que Arsênio, um sétimo bispo da mesma facção, havia sido assassinado, ou pelo menos mutilado, pela mão cruel do primaz. Essas acusações, que punham em causa a honra e a vida de Atanásio, foram transmitidas por Constantino a seu irmão Dalmácio, o censor, que residia na Antioquia; os sínodos de Cesareia e de Tiro foram convocados um após o outro; e os bispos do Oriente receberam instruções de julgar a causa de Atanásio antes de consagrarem a nova Igreja da Ressurreição em Jerusalém.

O primaz poderia estar cônscio de sua inocência, mas se dava conta de que o mesmo implacável espírito que ditara a acusação governaria os trâmites do processo e pronunciaria a sentença final. Ele prudentemente declinou do tribunal de seus inimigos, desdenhou as convocações do sínodo de Cesareia e, após um longo e ardiloso atraso, curvou-se às ordens peremptórias do imperador, que ameaçou punir-lhe a criminosa desobediência caso se recusasse a comparecer ao Concílio de Tiro. Antes de zarpar de Alexandria à testa de cinquenta prelados egípcios, Atanásio havia prudentemente assegurado o apoio dos melecianos; e o próprio Arsênio, sua imaginária vítima e amigo secreto, estava escondido no meio de seu séquito. O sínodo de Tiro foi presidido por Eusébio de Cesareia com mais paixão e menos habilidade do que seria de esperar de sua erudição e de sua experiência; sua numerosa facção repetia os apodos de homicida e tirano; tais clamores eram encorajados pela aparente paciência de Atanásio, que aguardava o momento decisivo para apresentar Arsênio vivo e intacto em meio à assembleia. A natureza das outras acusações não comportava réplicas assim tão claras e satisfatórias; no entanto, o arcebispo conseguiu provar que na aldeia onde fora acusado de quebrar um cálice consagrado não podia existir na verdade nem igreja nem altar nem cálice. Os arianos, que haviam secretamente decidido da culpa e da condenação de seu inimigo, tentaram contudo disfarçar a injustiça que cometiam com uma imitação de procedimentos judiciários; o sínodo nomeou uma comissão episcopal de seis delegados para recolher provas no local; e essa medida, que mereceu vigorosa oposição dos bispos egípcios, deu origem a novas cenas de violência e de perjúrio. Após o regresso dos deputados de Alexandria, a maioria do concílio pronunciou a sentença final de degradação e exílio contra o primaz do Egito. O decreto, vazado na furiosa linguagem da malevolência e da vindita, foi comunicado ao imperador e à Igreja católica, tendo os bispos imediatamente reassumido um aspecto brando e devoto, como convinha a sua santa peregrinação até o sepulcro de Cristo.

Todavia, a injustiça desses juízes eclesiásticos não havia sido sancionada pela submissão ou sequer pela presença de Atanásio. Ele se decidiu a fazer um audaz e perigoso experimento, a fim de verificar se o trono seria acessível à voz da verdade; antes de que a sentença final pudesse ser pronunciada em Tiro, o intrépido primaz embarcou num pequeno navio prestes a içar velas rumo à cidade imperial. A solicitação de uma audiência poderia ter sido obstada ou burlada; Atanásio ocultou porém sua chegada, ficou à espera do momento do retorno de Constantino de uma vila próxima e audazmente saiu ao encontro de seu irado soberano quando este passava a cavalo pela rua principal de Constantinopla.

Tão estranha aparição provocou-lhe surpresa e indignação, e os guardas receberam ordem de levar dali o importuno peticionário; entretanto, o ressentimento do imperador cedeu ao involuntário respeito e seu espírito altaneiro se intimidou com a coragem e eloquência de um bispo que lhe implorava a justiça e lhe despertava a consciência.

Constantino ouviu com atenção imparcial e até mesmo benevolente as queixas de Atanásio; os membros do sínodo de Tiro foram convocados para justificar sua conduta; e as artimanhas da facção eusebiana teriam sido desbaratadas se não houvesse ela agravado a culpa do primaz pela hábil suposição de uma afronta imperdoável — o desígnio criminoso de interceptar e deter a frota cerealista de Alexandria, que atendia à subsistência da nova capital. O imperador estava convicto de que a paz do Egito seria garantida pela ausência de um chefe popular, mas se recusava a preencher a vacância do trono arcebispal; a sentença que pronunciou, ao cabo de longa hesitação, foi a de um vigiado ostracismo em vez de um ignominioso exílio. Na remota província da Gália, mas na corte hospitaleira de Treves, Atanásio passou cerca de 28 meses. A morte do imperador alterou o aspecto dos assuntos públicos e, em meio à generalizada indulgência de um novo reinado, o primaz foi trazido de volta a sua pátria por um honroso decreto de Constantino, o Jovem, que exprimia profunda convicção da inocência e do mérito de seu venerável hóspede.

A morte desse príncipe deixou Atanásio exposto a uma segunda perseguição, e o débil Constâncio, soberano do Oriente, logo se tornou o cúmplice secreto dos eusebianos. Noventa bispos dessa seita ou facção se reuniram em Antioquia sob o especioso pretexto de consagrar a catedral. Compuseram um credo ambíguo, tingido com as cores pálidas do semiarianismo, e 25 cânones que ainda regram a disciplina dos gregos ortodoxos. Decidiu-se, com alguns visos de equidade, que um bispo destituído por um sínodo não poderia reassumir suas funções episcopais enquanto não tivesse sido absolvido pelo julgamento de um sínodo equivalente; a lei foi imediatamente aplicada ao caso de Atanásio; o Concílio de Antioquia pronunciou, ou melhor, confirmou-lhe, a degradação; um forasteiro de nome Gregório foi elevado a seu trono, e Filágrio, o prefeito do Egito, recebeu ordens de apoiar o novo primaz com os poderes civil e militar da província.

Oprimido pela conspiração dos prelados asiáticos, Atanásio se retirou de Alexandria e passou três anos como exilado e peticionário no sacro umbral do Vaticano. Pelo estudo assíduo da língua latina, em breve estava em condições de parlamentar com o clero ocidental; sua recatada adulação influenciou e orientou o arrogante Júlio; o pontífice romano foi persuadido a considerar seu apelo como do próprio interesse da sede apostólica e um concílio de cinquenta bispos da Itália proclamou-lhe por unanimidade a inocência. Ao fim de três anos, o primaz foi chamado à corte de Milão pelo imperador Constante, o qual, no desfrute de prazeres ilícitos, ainda professava uma viva consideração pela fé ortodoxa. A causa da verdade e da justiça teve o apoio da influência do ouro, e os ministros de Constante aconselharam o soberano a exigir a convocação de uma assembleia eclesiástica que poderia agir como representante da Igreja católica. Noventa e quatro bispos do Ocidente e 76 bispos do Oriente encontraram-se em Serdica, nos limites dos dois impérios, mas nos domínios do protetor de Atanásio. Seus debates logo degeneraram em altercações hostis; os asiáticos, preocupados com sua segurança pessoal, retiraram-se para Filipópolis, na Trácia; e os sínodos rivais reciprocamente lançaram suas fulminações espirituais contra seus inimigos, aos quais piedosamente condenavam como inimigos do verdadeiro Deus. Seus decretos foram publicados e ratificados em suas respectivas províncias; e Atanásio, reverenciado como um santo no Ocidente, foi apresentado como criminoso à aversão do Oriente. O Concílio de Serdica revela os primeiros sintomas de discórdia e cisma entre as Igrejas grega e latina, que se separaram pela acidental diferença de fé e pela permanente distinção de língua.

Durante seu segundo exílio no Ocidente, Atanásio era admitido com frequência à presença imperial — em Cápua, Lodi, Milão, Veneza, Pádua, Aquileia e Treves. O bispo da diocese assistia habitualmente a essas entrevistas; o mestre dos ofícios ficava de pé diante do véu ou cortina do sacro aposento; e a permanente moderação do primaz podia ser atestada por essas respeitáveis testemunhas, a cujo depoimento Atanásio solenemente fazia apelo. A prudência indubitavelmente lhe sugeriria o brando e respeitoso tom que convinha a um súdito e a um bispo. Nessas conferências íntimas com o soberano do Ocidente, Atanásio deplorava o erro de Constâncio; todavia, intrepidamente denunciava a culpa de seus eunucos e de seus prelados arianos, lamentava o transe e risco da Igreja católica e incitava Constante a emular o zelo e a glória de seu pai. O imperador anunciou a decisão de utilizar as tropas e os tesouros da Europa em prol da causa ortodoxa, e deu a entender, numa epístola concisa e peremptória a seu irmão Constâncio, que, a menos que este consentisse na imediata restauração de Atanásio, ele próprio, com uma esquadra e um exército, cuidaria de repor o arcebispo no trono de Alexandria. Mas essa guerra religiosa, tão contrária à natureza, foi evitada pela oportuna transigência de Constâncio: o imperador do Oriente condescendeu em solicitar uma reconciliação com um súdito a quem prejudicara.

Atanásio ficou à espera, com decorosa altivez, e recebeu três epístolas sucessivas recheadas de ardorosas promessas de proteção, benevolência e estima de seu soberano, que o convidava a reassumir o trono episcopal e que tomava a humilhante precaução de recorrer a seus principais ministros para lhe atestarem a sinceridade das intenções. As mesmas promessas foram expressas de maneira ainda mais pública nas ordens enviadas ao Egito para que chamasse de volta os partidários de Atanásio, restaurasse seus privilégios, proclamasse-lhes a inocência e eliminasse dos registros públicos as atas do processo instaurado durante a predominância da facção eusebiana. Após lhe ter sido dada toda a satisfação e garantia que a justiça ou mesmo a urbanidade exigiam, o primaz seguiu viagem, em lentas jornadas através das províncias da Trácia, Ásia e Síria; seu progresso foi assinalado por abjetas homenagens dos bispos orientais, que lhe suscitaram o desprezo sem lhe iludir a penetração. Na Antioquia, ele se avistou com Constâncio; recebeu com modesta firmeza os abraços e juras de seu senhor; e se esquivou da proposta de permitir aos arianos terem uma única igreja em Alexandria reivindicando, em outras cidades do Império, igual tolerância para sua própria facção — uma resposta que teria parecido justa e moderada na boca de um príncipe independente. A entrada do arcebispo na sua capital se constituiu numa procissão triunfal; a ausência e a perseguição o haviam tornado querido dos alexandrinos; sua autoridade, que ele exercia com rigor, firmou-se ainda mais, e sua fama se difundiu da Etiópia à Britânia, por toda a extensão do mundo cristão.

Mas o súdito que reduziu seu príncipe à necessidade de dissimular não pode jamais esperar um perdão sincero e duradouro; o trágico destino de Constante logo privou Atanásio de um poderoso e generoso protetor. A guerra civil entre o assassino e o único irmão sobrevivente de Constante, guerra que afligiu o Império por mais de três anos, propiciou um intervalo de repouso à Igreja católica; os dois partidos em luta estavam desejosos de granjear a amizade de um bispo que, pelo peso de sua autoridade pessoal, poderia firmar as flutuantes decisões de uma província de importância. Ele recebeu em audiência os embaixadores do tirano, com quem foi posteriormente acusado de manter entendimentos secretos; e o imperador Constâncio repetidamente assegurou a seu caríssimo pai, o reverendíssimo Atanásio, que, não obstante os boatos maldosos postos em circulação por seus inimigos comuns, ele havia herdado as opiniões e o trono de seu falecido irmão.

A gratidão e a clemência disporiam o primaz do Egito a deplorar o intempestivo destino de Constante e a execrar a culpa de Magnêncio; todavia, como claramente percebia que as apreensões de Constâncio eram sua única salvaguarda, quiçá tal percepção moderasse em certa medida o fervor de suas preces pelo êxito da justa causa. A ruína de Atanásio não mais foi maquinada pela obscura malevolência de alguns bispos intolerantes ou irados, que abusavam da autoridade de um monarca crédulo. O próprio monarca declarou sua decisão, que tanto tempo reprimira, de vingar as injúrias a ele feitas; o primeiro inverno após sua vitória, passado em Arles, ele o empregou contra um inimigo que lhe era mais odioso que o derrotado tirano da Gália.

Se o imperador, por um capricho, houvesse decretado a morte dos cidadãos mais eminentes e virtuosos da república, a ordem cruel teria sido executada sem hesitação pelos ministros da ostensiva violência ou da injustiça dissimulada. A precaução, a demora, a dificuldade com que agiram na condenação e punição de um bispo popular revelaram ao mundo que os privilégios da Igreja já tinham avivado, no governo romano, um sentido de ordem e liberdade. A sentença pronunciada pelo sínodo de Tiro e subscrita por larga maioria dos bispos orientais jamais havia sido expressamente rechaçada; e como Atanásio fora outrora destituído de sua dignidade episcopal pelo julgamento de seus confrades, qualquer ato subsequente poderia ser considerado irregular ou até mesmo criminoso. Mas a lembrança do firme e eficaz apoio que o primaz do Egito recebera da lealdade da Igreja ocidental induziu Constâncio a suspender a execução da sentença até ter obtido a concordância dos bispos latinos.

Dois anos se passaram em negociações eclesiásticas, e a importante causa entre o imperador e um de seus súditos foi solenemente debatida, primeiro no sínodo de Arles e depois no grande Concílio de Milão, composto de cerca de trezentos bispos. A integridade destes foi sendo gradualmente minada pelos argumentos dos arianos, pela destreza dos eunucos e pelas prementes solicitações de um príncipe que satisfazia a sede de vingança à custa de sua dignidade e que punha a nu suas próprias paixões, ao mesmo tempo que influenciava as do clero. A corrupção, o mais infalível sintoma da liberdade constitucional, atuou com sucesso; honrarias, presentes e imunidades foram oferecidos e aceitos como preço de um voto episcopal;[1] apresentou-se a condenação do primaz alexandrino como a única medida capaz de restaurar a paz e a união da Igreja católica.

Os amigos de Atanásio não desampararam, contudo, nem seu chefe nem sua causa. Com um espírito viril que a santidade de sua condição tornava menos perigoso, sustentaram eles, nos

[1] As honrarias, presentes e festas que seduziam tantos bispos são mencionados com indignação pelos que eram puros demais ou altivos demais para aceitá-los. "Combatemos", diz Hilário de Poitiers, "Constâncio, o Anticristo, que afaga o ventre em vez de flagelar as costas."

debates públicos e nos colóquios privados com o imperador, o eterno compromisso com a religião e a justiça. Declararam que nem a esperança do favor do soberano nem o receio de seu desagrado poderiam induzi-los a perfilhar a condenação de um irmão ausente, inocente, respeitável. Afirmaram, aparentemente com razão, que os ilegais e obsoletos decretos do Concílio de Tiro de há muito tinham sido tacitamente abolidos pelos éditos imperiais, pela honrosa restauração do arcebispo de Alexandria e pelo silêncio ou retratação de seus adversários mais acirrados. Alegavam que sua inocência fora atestada pela unanimidade dos bispos do Egito e reconhecida nos concílios de Roma e Serdica pelo juízo imparcial da Igreja latina. Deploravam a dura situação de Atanásio, o qual, após fruir por tantos anos sua posição, sua nomeada e a aparente confiança do soberano, via-se novamente chamado a refutar as acusações mais infundadas e mais extravagantes. A linguagem dos conciliares era capciosa e sua conduta, respeitável; entretanto, nessa longa e obstinada disputa, que fixou os olhos de todo o Império na figura de um único bispo, as facções eclesiásticas estavam prontas a sacrificar a verdade e a justiça ao objetivo mais atraente de defender ou remover o intrépido campeão da fé nicena. Os arianos ainda julgavam prudente dissimular numa linguagem ambígua seus verdadeiros sentimentos e propósitos; os bispos ortodoxos, porém, armados da preferência popular e dos decretos de um concílio ecumênico, insistiram em todas as ocasiões, particularmente em Milão, na necessidade de seus adversários se depurarem da suspeita de heresia antes de se atreverem a censurar a conduta do grande Atanásio.

Mas a voz da razão (se é que ela estava mesmo do lado de Atanásio) foi calada pelos clamores de uma maioria facciosa ou venal; os concílios de Arles e Milão não se dissolveram enquanto o arcebispo de Alexandria não foi solenemente condenado e destituído pelo juízo tanto da Igreja ocidental como da oriental. Exigiu-se dos bispos que a ela se haviam oposto que subscrevessem a sentença e se unissem, em comunhão religiosa, aos supostos chefes do partido adversário. Mensageiros do Estado levaram um formulário de anuência aos bispos ausentes, tendo sido imediatamente banidos pelo imperador, que aparentava estar pondo em execução os decretos da Igreja católica, todos quantos se recusassem a sujeitar sua opinião pessoal à inspirada e pública sabedoria dos concílios de Arles e Milão.

Entre os prelados que encabeçaram o honroso contingente de confessores e exilados, Libério de Roma, Osio de Córdova, Paulino de Treves, Dionísio de Milão, Eusébio de Vercellae, Lúcifer de Cagliari e Hilário de Poitiers merecem menção à parte. A elevada posição de Libério, que governava a capital do Império, o mérito pessoal e a longa experiência do venerando Osio, que era acatado como o favorito de Constantino, o Grande, e prócer da fé nicena, colocavam esses prelados à testa da Igreja latina; seu exemplo, fosse de submissão ou de resistência, seria provavelmente imitado pelos círculos episcopais. Todavia, as repetidas tentativas do imperador de seduzir ou intimidar os bispos de Roma e de Córdova mostraram-se ineficazes durante certo tempo. O hispânico declarou-se pronto a sofrer, sob Constâncio, o que sofrera sessenta anos sob seu avô Maximiano. O romano, na presença de seu soberano, reafirmou a inocência de Atanásio e sua própria independência. Quando foi exilado em Bereia, na Trácia, devolveu uma grande soma que lhe havia sido oferecida para suas despesas de viagem e insultou a corte de Milão com o altivo reparo de que o imperador e seus eunucos poderiam precisar daquele ouro para pagar seus soldados e seus bispos. A determinação de Libério e de Osio foi finalmente vencida pelas agruras do exílio e do confinamento. O pontífice romano negociou sua volta em troca de algumas transigências criminosas e posteriormente expiou a culpa por via de um arrependimento oportuno. Já persuasão e violência foram usadas para extorquir a relutante assinatura do decrépito bispo de Córdova, cujo vigor se quebrantara e cujas faculdades estavam talvez comprometidas pelo peso da idade centenária; o insolente triunfo dos arianos levou alguns membros da facção ortodoxa a tratar com desumana severidade o caráter, ou melhor, a memória, de um ancião desafortunado a cujos anteriores serviços tanto devia a própria cristandade.

A queda de Libério e Osio dava maior brilho à firmeza desses bispos que ainda perfilhavam com inabalada fidelidade a causa de Atanásio e da verdade religiosa. A engenhosa malevolência de seus inimigos os havia privado do benefício do conforto e aconselhamento mútuos, separando os ilustres exilados em províncias distantes e cuidadosamente escolhendo os pontos mais inóspitos de um grande império. Eles logo verificaram, porém, que os desertos da Líbia e as regiões mais bárbaras da Capadócia eram menos inóspitas do que a residência naquelas cidades em que um bispo ariano podia saciar, sem restrições, o agudo rancor da aversão teológica. A consolação deles provinha de sua consciência de retidão e independência, do aplauso, das visitas, das cartas e das generosas esmolas de seus partidários, bem como da satisfação que em pouco tiveram de observar as divisões intestinas dos adversários da fé nicena. Era tão exigente e caprichoso o gosto do imperador Constâncio, e tão facilmente se ofendia ele com o menor desvio de seu imaginário padrão de fé cristã, que perseguia, com igual empenho, os que defendiam a *consubstancialidade*, os que sustentavam a *substância similar* e os que negavam a *parecença* do Filho de Deus. Três bispos, destituídos e banidos por tais opiniões adversas, poderiam possivelmente encontrar-se num mesmo lugar de exílio e, em conformidade com a diferença de seus temperamentos, ou deplorar ou insultar o cego entusiasmo de seus antagonistas, cujos sofrimentos de então jamais seriam recompensados por felicidade futura.

A desgraça e o exílio dos bispos ortodoxos do Ocidente visavam, como outros tantos passos preparatórios, à ruína do próprio Atanásio. Vinte e seis meses se haviam passado durante os quais a corte imperial forcejou, por via dos mais insidiosos estratagemas, afastá-lo de Alexandria e suspender o estipêndio que possibilitava sua liberalidade popular. Mas quando o primaz do Egito, abandonado e proscrito pela Igreja latina, se viu destituído de qualquer apoio exterior, Constâncio enviou dois de seus secretários com a incumbência verbal de proclamar e executar a ordem de banimento de Atanásio. Como a justiça da sentença era publicamente reconhecida por toda a facção, o único motivo que podia impedir

Constâncio de dar a seus mensageiros a sanção de um mandato escrito tem de ser atribuído a suas dúvidas quanto às consequências do ato e à noção do perigo a que poderia expor a segunda cidade e a mais fértil província do império caso o povo persistisse na decisão de defender, pela força das armas, a inocência de seu pai espiritual.

Essa extremada precaução propiciou a Atanásio um pretexto especioso para respeitosamente questionar a veracidade de uma ordem que ele não lograva conciliar nem com a equidade nem com as anteriores declarações de seu benévolo senhor. Os poderes civis do Egito não viam como persuadir ou obrigar o primaz a abdicar seu trono episcopal, e foram obrigados a celebrar um tratado com os chefes populares de Alexandria no qual se estipulava que todas as providências e todas as hostilidades ficavam suspensas até que se pudesse conhecer de modo mais seguro a vontade do imperador. Por via dessa aparente moderação, os católicos passaram a sentir-se em ilusória e fatal segurança, enquanto as legiões do alto Egito e da Líbia recebiam ordens secretas de avançar e, em jornadas céleres, sitiar, ou antes surpreender, uma capital habituada à sedição e inflamada de ardor religioso. A posição de Alexandria, entre o mar e o lago Mareotis, facilitava a aproximação e o desembarque das tropas, que se introduziram no coração da cidade antes de quaisquer medidas eficazes poderem ser tomadas para fechar as portas ou ocupar os postos importantes de defesa.

À meia-noite, 23 dias após a assinatura do tratado, Siriano, duque do Egito, à frente de 5 mil soldados armados e preparados para um assalto, investiu inopinadamente contra a igreja de São Teonas, onde o arcebispo, com parte de seu clero, celebrava as devoções noturnas. As portas do sacro edifício cederam à impetuosidade do ataque, que se fez acompanhar de toda a sorte de circunstâncias de tumulto e derramamento de sangue; entretanto, como os corpos dos chacinados e os fragmentos de armas militares permaneceram no dia seguinte como uma prova irrefutável em poder dos católicos, o tentame de Siriano pode ser considerado antes uma incursão bem-sucedida do que uma conquista absoluta. As outras igrejas da cidade foram profanadas por ultrajes semelhantes e durante pelo menos quatro meses Alexandria ficou exposta aos insultos de um exército licencioso, estimulado pelos eclesiásticos de uma facção hostil. Assassinaram-se muitos fiéis, que bem mereceriam o nome de mártires se suas mortes não tivessem sido provocadas ou vingadas; bispos e presbíteros foram tratados com cruel ignomínia; virgens consagradas foram desnudadas, flageladas e violadas; casas de cidadãos abastados foram pilhadas e, sob o disfarce de ardor religioso, a concupiscência, a avareza e o ressentimento pessoal ficaram impunes ou mereceram até aplausos.

Aos pagãos de Alexandria, que constituíam ainda uma facção numerosa e insatisfeita, persuadiu-se com facilidade a desertar um bispo que temiam e estimavam. As esperanças de alguns favores especiais e a apreensão de se verem envolvidos nas penalidades gerais da rebelião levaram-nos a prometer apoio ao sucessor indicado de Atanásio, o famoso Jorge da Capadócia. Após receber a consagração de um sínodo ariano, o usurpador subiu ao trono episcopal garantido pelas armas de Sebastião, que fora nomeado conde do Egito para a execução dessa importante tarefa. No emprego e na obtenção do poder, o tirano Jorge desconsiderou as leis da religião, da justiça e da clemência; as mesmas cenas de violência e escândalo ocorridas na capital se repetiram em mais de noventa cidades episcopais do Egito. Encorajado pelo êxito, Constâncio se atreveu a aprovar a conduta de seus ministros. Numa exaltada epístola pública, o imperador saúda a libertação de Alexandria de um tirano popular que iludia seus cegos devotos com a magia de sua eloquência; discorre sobre as virtudes e a piedade do reverendíssimo Jorge, o bispo eleito; e aspira, como patrono e benfeitor da cidade, a ultrapassar a fama do próprio Alexandre. Mas declara solenemente sua inalterável decisão de perseguir a ferro e fogo os partidários sediciosos do maligno Atanásio, que, com fugir à justiça, confessara sua culpa e escapara da morte ignominiosa que tão amiúde merecera.

Atanásio havia de fato escapado dos perigos mais iminentes, e as aventuras desse homem extraordinário merecem deter nossa atenção. Na noite memorável em que a igreja de São Teonas foi invadida pelas tropas de Siriano, o arcebispo, sentado em seu trono, aguardou com calma e intrépida dignidade a aproximação da morte. Enquanto as devoções públicas eram interrompidas pelos brados de ira e pelos gritos de terror, ele incitava sua trêmula congregação a exprimir sua confiança religiosa entoando um salmo de Davi que celebra o triunfo do Deus de Israel sobre o arrogante e ímpio tirano do Egito. As portas foram por fim arrombadas; uma nuvem de flechas atingiu o povo; os soldados, de espadas desembainhadas, correram para o santuário, e as sagradas luminárias que queimavam em torno do altar lhes refletiram o brilho terrível das armaduras. Atanásio repeliu a piedosa importunação dos monges e presbíteros ligados a sua pessoa e nobremente se recusou a desertar o posto episcopal enquanto não viu fugir em segurança o último membro da congregação. A escuridão e o tumulto da noite favoreceram a retirada do arcebispo; embora oprimido pelas vagas de uma multidão agitada, embora atirado ao solo e ali deixado sem sentidos, conseguiu recobrar sua impávida coragem e esquivar-se da busca ansiosa dos soldados, aos quais os guias arianos haviam advertido de que a cabeça de Atanásio seria o mais agradável dos presentes para o imperador. Desde esse momento, o primaz do Egito desapareceu das vistas de seus inimigos e permaneceu cerca de seis anos escondido em impenetrável obscuridade.

O poder despótico de seu implacável inimigo alcançava toda a extensão do mundo romano e o exasperado monarca diligenciara, por meio de uma epístola muito insistente aos príncipes cristãos da Etiópia, excluir Atanásio das mais remotas e isoladas regiões da terra. Recorreu-se sucessivamente a condes, prefeitos, tribunos, exércitos inteiros para perseguir um bispo fugitivo; a vigilância dos poderes civil e militar eram espicaçadas pelos éditos imperiais; prometiam-se generosas recompensas ao homem que apresentasse Atanásio, vivo ou morto, e as mais severas penalidades recairiam sobre quantos se atrevessem a proteger o inimigo público. Mas os desertos da Tebaída eram então povoados por uma raça de fanáticos bravios e insubmissos, que preferiam as ordens de seu abade às leis de seu soberano.

Os numerosos discípulos de Antônio e de Pacômio receberam o primaz fugitivo como pai, admiraram a paciência e humildade com que se conformava a suas instituições mais rigorosas, recolhiam cada palavra que lhe saía dos lábios como a genuína efusão da sabedoria inspirada e persuadiam-se de que suas próprias preces, jejuns e vigílias eram menos meritórias do que o ardor que exprimiam e os perigos que arrostavam na defesa da verdade e da inocência.

Os mosteiros do Egito estavam situados em lugares solitários e desolados, no topo de montanhas ou nas ilhas do Nilo; e a sagrada trompa ou corneta de Tabena era o sinal bem conhecido que reunia vários milhares de monges robustos e decididos, os quais, em sua maioria, tinham sido campônios da região circunvizinha. Quando seus retiros sombrios eram invadidos por uma força militar a que se tornava impossível resistir, eles ofereciam o pescoço ao verdugo e comprovavam a fama nacional de tortura alguma conseguir arrancar de um egípcio a confissão de um segredo que ele estivesse empenhado em ocultar. O arcebispo de Alexandria, por cuja segurança ardorosamente sacrificavam suas vidas, perdia-se em meio a uma multidão uniforme e bem disciplinada; à aproximação do perigo, as mãos oficiosas dos monges o transferiam prontamente de um esconderijo para outro, até ele atingir os assustadores desertos que a superstição, sombria e crédula, povoara de demônios e monstros selvagens.

Atanásio passou seus anos de afastamento, que só terminaram com a morte de Constâncio, quase sempre na companhia dos monges, que fielmente lhe serviam de guardas, secretários e mensageiros; todavia, a importância de manter ligação mais estreita com a facção católica o induzia, sempre que abrandava a fúria da perseguição, a emergir do deserto, a introduzir-se em Alexandria e a confiar sua pessoa à discrição de amigos e partidários. Suas variadas aventuras poderiam fornecer matéria para um romance muito recreativo. Certa feita foi escondido numa cisterna seca, e mal a deixara quando o denunciou a traição de uma escrava; de outra feita o ocultaram num asilo ainda mais extraordinário, a casa de uma virgem de apenas vinte anos de idade, célebre em toda a cidade por sua peregrina beleza. Conforme narrou ela sua história muitos anos depois, à meia-noite foi surpreendida pelo aparecimento do bispo em vestes sumárias, o qual, adiantando-se em passos rápidos, rogou-lhe a proteção que uma visão celeste lhe ordenara viesse procurar sob seu teto hospitaleiro. A piedosa donzela aceitou e honrou o sagrado compromisso que lhe havia sido confiado à prudência e à coragem. Sem partilhar o segredo com quem quer que fosse, ela prontamente levou Atanásio a seu aposento mais íntimo e velou por sua segurança com a ternura de um amigo e a assiduidade de uma serva. Enquanto durou o perigo, supria-o regularmente de livros e provisões, lavava-lhe os pés, cuidava-lhe da correspondência, e jeitosamente manteve oculto dos olhos da suspeita esse solitário e familiar intercâmbio entre um santo cujo caráter exigia a observação da mais impoluta castidade e uma mulher cujos encantos poderiam suscitar as emoções mais perigosas.

Durante os seis anos de perseguição e exílio, Atanásio repetiu suas visitas a essa bela e leal companheira; e a declaração formal de que ele *havia assistido* aos concílios de Rimini e de Selêucia nos compele a acreditar que estava secretamente presente na época e lugar da convocação deles. A vantagem de poder entender-se pessoalmente com os amigos e de observar e aprofundar as divisões dos inimigos poderia justificar, da parte de um estadista prudente, ato tão audacioso e tão arriscado; ademais, Alexandria estava ligada, por rotas marítimas comerciais, a todos os portos do Mediterrâneo. Do fundo de seu inacessível esconderijo, o intrépido primaz empreendia uma incessante guerra ofensiva contra o protetor dos arianos; seus escritos azados, que eram diligentemente postos em circulação e avidamente lidos, contribuíam para unir e estimular o partido ortodoxo. Em suas apologias públicas, endereçadas ao próprio imperador, ele por vezes simulava louvar a moderação, enquanto, ao mesmo tempo, em invectivas secretas e veementes, denunciava Constâncio como um príncipe fraco e maligno, o verdugo da família, o tirano da república e o Anticristo da Igreja. No auge de sua prosperidade, o vitorioso monarca, que havia castigado o arrebatamento de Galo e reprimido a revolta de Silvano, que arrancara o diadema da cabeça de Vetrânio e vencera no campo de batalha as legiões de Magnêncio, recebia de mão invisível um ferimento que ele não podia nem curar nem vingar; e o filho de Constantino foi o primeiro dos príncipes cristãos a experimentar a força dos princípios que, na causa da religião, alcançavam resistir às maiores violências do poder civil.

A perseguição de Atanásio e de tantos bispos respeitáveis que sofriam pela integridade de suas opiniões, ou pelo menos pela integridade de sua consciência, constituía-se em justo motivo de indignação e descontentamento para todos os cristãos, salvo os que estavam cegamente devotados à facção ariana. O povo lamentava a perda de seu leal pastor, a cujo banimento se seguiu a intrusão de um forasteiro no trono episcopal, e se queixava em voz alta de o direito de eleição ter sido violado e de estar condenado a obedecer a um usurpador mercenário cuja pessoa lhe era desconhecida e cujos princípios eram suspeitos. Os católicos podiam demonstrar ao mundo que não estavam comprometidos com a culpabilidade e a heresia de seu governante eclesiástico, testemunhando publicamente sua discordância ou desligando-se totalmente da comunidade dele. O primeiro desses métodos foi inventado na Antioquia e praticado com tal sucesso que logo se difundia por todo o mundo cristão. A doxologia ou hino sagrado que celebrava a *glória* da Trindade é suscetível de inflexões belíssimas, mas de caráter essencial; a substância de um credo ortodoxo ou herético podia ser expressa pela diferença de uma partícula disjuntiva ou copulativa. Responsos alternados e uma salmodia mais regular foram introduzidos no serviço religioso público por Flaviano e Diodoro, dois leigos devotos e ativos vinculados à fé nicena. Sob sua direção, um enxame de monges emergiu do deserto, bandos de cantores bem disciplinados se postaram na catedral de Antioquia, a Glória ao Padre, *e* ao Filho, *e* ao Espírito Santo era triunfalmente cantada por um coro completo de vozes, e os católicos insultavam, com a pureza de sua doutrina, o prelado ariano que usurpara o trono do venerável Eustácio.

O mesmo ardor que lhes inspirava as canções impeliu os membros mais escrupulosos do partido ortodoxo a constituírem assembleias separadas, as quais eram governadas pelos presbíteros até que a morte de seu bispo exilado possibilitasse a eleição e consagração de um novo pastor episcopal. As mudanças na corte multiplicavam o número de pretendentes e uma mesma cidade foi amiúde disputada, no reinado de Constâncio, por dois, três ou até mesmo quatro bispos, que exerciam sua jurisdição espiritual sobre seus respectivos seguidores e ora perdiam ora recobravam as possessões temporais da Igreja. Os abusos da cristandade introduziram no governo romano novas causas de tirania e sedição; os vínculos da sociedade civil foram despedaçados pela fúria das facções religiosas; e o obscuro cidadão, que poderia ter calmamente assistido à elevação e queda de sucessivos imperadores, imaginava e sentia que sua própria vida e fortuna estavam ligadas aos interesses de um clérigo popular.

Gibbon desenvolve este ponto no original descrevendo a índole religiosa de duas das maiores cidades do Império durante o reinado dos filhos de Constantino. Em Roma, o exílio do bispo ortodoxo Libério ocasionou um tumulto público tão grande que o imperador Constâncio, numa visita ao circo, foi repetidamente agredido com brados de "Um só Deus, um só Cristo, um só bispo!". E a populaça enfurecida de Constantinopla primeiro queimou o palácio do general-comandante da cavalaria imperial e, em seguida, arrastou-lhe, pelos calcanhares, o corpo inerme ao longo das ruas porque ele tentara executar uma sentença de banimento contra um bispo popular.

Tais explosões eram brandas, porém, comparadas com a insanidade da seita donatista conhecida como "os circunceliões", os quais, armados principalmente de enormes cacetes chamados de "israelitas" e gritando seu brado de guerra de "Louvado seja Deus!", atacavam os indefesos provincianos da África. Um de seus principais artigos de devoção parece ter sido o horror à vida. "Frequentemente detinham viajantes nas estradas públicas e os obrigavam a infligir-lhes os golpes de martírio, com a promessa de uma recompensa se consentissem e a ameaça de morte instantânea se se recusassem"; outros, por sua vez, num dia anunciado, atiravam-se do alto de algum precipício. O desaparecimento dos circunceliões foi apressado por essa singular ânsia e prática da autodestruição.

* * *

A mera narração das divisões intestinas que perturbaram a paz e desonraram o triunfo da Igreja confirmará a observação de um historiador pagão e justificará a queixa de um venerável bispo. A experiência de Amiano o convencera de que a inimizade dos cristãos entre si ultrapassava a fúria dos animais selvagens contra o homem, e Gregório de Nazianzo lamenta em tom assaz patético que o reino dos céus se convertesse, por via da discórdia, em imagem do caos, de uma tempestade noturna e do próprio inferno. Os arrebatados e facciosos autores da época, reclamando *toda* a virtude para si e imputando *toda* a culpa a seus adversários, descreveram a batalha dos anjos contra os demônios. Mais tranquila, nossa razão rejeitará tais puros e perfeitos monstros do vício ou da santidade e atribuirá uma medida igual, ou pelo menos indiscriminada, de bem e de mal aos sectários hostis que assumiam e conferiam as denominações de ortodoxos ou heréticos. Haviam eles sido educados na mesma religião e na mesma sociedade civil. Suas esperanças e seus temores na vida presente ou na futura equilibravam-se em igual proporção. De ambos os lados o erro podia ser inocente, a fé, sincera, a prática, meritória ou corrupta. Objetivos similares excitavam-lhes as paixões, e eles podiam, alternativamente, buscar o favor da corte ou do povo. As opiniões metafísicas dos atanasianos e dos arianos podiam não lhes influenciar o caráter moral, e todos eram de modo idêntico tomados pelo espírito de intolerância que fora deduzido das máximas puras e simples dos Evangelhos.

Um autor moderno, que com justificada confiança afixou a sua história os honrosos epítetos de "política" e "filosófica", acusa a tímida prudência de Montesquieu de descurar-se de enumerar, entre as causas do declínio do Império, uma lei de Constantino que suprimia inteiramente o exercício do culto pagão, deixando considerável parte de seus súditos destituída de sacerdotes, de templos e de uma religião pública. A dedicação do historiador filosófico à causa dos direitos humanos levou-o a aquiescer no ambíguo testemunho de eclesiásticos que assaz levianamente atribuíram a seu herói favorito o *mérito* de uma perseguição geral. Em vez de alegar essa lei imaginária, que teria rutilado na frontaria dos códigos imperiais, podemos com maior segurança recorrer à epístola original dirigida por Constantino aos seguidores da antiga religião numa altura em que ele não mais escondia sua conversão nem temia os rivais do seu trono. Nela, convida e exorta, nos termos mais insistentes, os súditos do Império Romano a imitar o exemplo de seu soberano; declara, porém, que aqueles que ainda se recusem a abrir os olhos à luz celestial poderão livremente manter seus templos e cultuar seus deuses de fantasia. A notícia de que as cerimônias do paganismo foram suprimidas é formalmente desmentida pelo próprio imperador, que sensatamente alega, como o princípio de sua moderação, a invencível força do hábito, do preconceito e da superstição.

Sem violar a santidade de sua promessa nem alarmar os temores dos pagãos, o astuto monarca diligenciava, por lentas e cautelosas etapas, minar a estrutura irregular e decadente do politeísmo. Os atos facciosos de severidade que ocasionalmente levou a cabo, conquanto fossem secretamente incitados pelo ardor cristão, assumiam as pretensas cores da justiça e do bem público; ao mesmo tempo que buscava arruinar as fundações da religião antiga, Constantino afetava reformar-lhe os abusos. Seguindo o exemplo do mais sábio de seus predecessores, ele condenava, sob a ameaça das mais rigorosas punições, as ímpias e ocultas artes da adivinhação, as quais suscitavam as vãs esperanças e por vezes as criminosas tentativas dos que estavam descontentes com sua situação presente. Um silêncio ignominioso era imposto aos oráculos que tivessem sido publicamente declarados culpados de fraude ou falsidade; foram abolidos os sacerdotes afeminados do Egito, e Constantino desempenhou os deveres de um censor romano quando ordenou a demolição de diversos templos da Fenícia onde todas as formas de prostituição eram devotamente praticadas à luz do dia e em honra de Vênus. Em certa medida, a cidade imperial foi construída às custas dos opulentos templos da Grécia e da Ásia, e com seus despojos ornamentada; confiscaram-se as propriedades sagradas; transportaram-se as estátuas de deuses e heróis, com rude familiaridade, para o meio de uma gente que as considerava objetos não de adoração mas de curiosidade; o ouro e a prata foram repostos em circulação e os magistrados, os bispos e os eunucos aproveitaram a ocasião afortunada para satisfazer, a um só tempo, seu fervor, sua avareza e seu ressentimento. Tais depredações confinaram-se, porém, a uma pequena parte do mundo romano; as províncias havia muito se tinham acostumado a suportar a mesma sacrílega rapinagem por parte da tirania de príncipes e procônsules, que não era de suspeitar entretivessem qualquer propósito de subverter a religião oficial.

Os filhos de Constantino seguiram as pegadas do pai com mais fervor e menos discrição. Multiplicaram-se aos poucos os motivos de rapina e opressão; davam-se todas as mostras de indulgência para com o comportamento ilegal dos cristãos; explicavam-se todas as dúvidas em detrimento do paganismo; a demolição dos templos era celebrada como um dos acontecimentos auspiciosos do reinado de Constante e Constâncio. O nome de Constâncio ficou ligado a uma lei concisa que poderia ter obviado a necessidade de quaisquer proibições futuras.

> É nossa vontade que em todas as localidades e em todas as cidades os templos sejam imediatamente fechados e cuidadosamente guardados para que ninguém os possa ofender. É igualmente vontade nossa que todos os nossos súditos se abstenham de sacrifícios. Se alguém for culpado de semelhante ato, que sinta a espada da vingança e que, após ser executado, sejam suas propriedades confiscadas para uso público. Nas mesmas penalidades incorrerão os governadores das províncias se deixarem de punir os criminosos.

Há todavia fortes razões de supor que esse édito temível foi lavrado sem ter sido publicado ou publicado sem ter sido posto em execução. O testemunho dos fatos e os monumentos de bronze e mármore ainda subsistentes comprovam o exercício público do culto pagão durante todo o reinado dos filhos de Constantino. Tanto no Oriente quanto no Ocidente, tanto nas cidades quanto no campo, um grande número de templos foi respeitado ou pelo menos poupado; a multidão devota podia ainda entregar-se a sacrifícios, a festivais e a procissões com a permissão ou conivência do governo civil. Cerca de quatro anos após a suposta data desse édito, Constâncio visitou os templos de Roma; a decência de seu comportamento é encarecida por um orador pagão como exemplo digno da imitação dos príncipes que o sucedessem. "Esse imperador", diz Símaco,* "consentiu que os privilégios das virgens vestais permanecessem inviolados; outorgou as dignidades sacerdotais aos nobres de Roma, concedeu o costumeiro estipêndio para atender às despesas dos ritos e aos sacrifícios públicos; e, embora tivesse abraçado outra religião, jamais tentou privar o Império do culto sagrado da antiguidade." Ao Senado ainda era dado consagrar, por decretos solenes, a *divina* memória de seus soberanos, e o próprio Constantino foi associado após sua morte àqueles mesmos deuses a que renunciara e insultara em vida. O título, as insígnias, as prerrogativas de *soberano pontífice*, instituídos por Numa e assumidas por Augusto, aceitaram-nos sem hesitação sete imperadores cristãos que receberam a investidura de autoridade mais absoluta sobre a religião que haviam desertado do que sobre a que professavam.

As divisões da cristandade adiaram a ruína do paganismo; a guerra santa contra os infiéis era levada a cabo com menos vigor por príncipes e bispos que mais prontamente se alarmavam com a culpa e o perigo da rebelião intestina. A extirpação da idolatria poderia ter sido justificada pelos princípios vigentes de intolerância; contudo, as seitas hostis que reinavam alternadamente na corte imperial temiam, todas, indispor-se, exasperando-os, com próceres de uma facção poderosa, embora em declínio. Todas as vantagens em matéria de autoridade e moda, de interesse e razão, militavam agora em favor do cristianismo; duas ou três gerações se passaram, porém, antes de sua influência vitoriosa se

* Orador e prefeito romano (345-405 d.C.) que defendeu as antigas instituições religiosas politeístas da sanha dos cristãos. (N. T.)

fazer sentir. A religião que por tanto tempo e tão tardiamente fora instituída no Império Romano era ainda cultuada por uma numerosa comunidade, menos apegada aos juízos especulativos do que ao antigo costume. As honras do Estado e do exército se atribuíam sem distinções a todos os súditos de Constantino e Constâncio; muito saber, muita riqueza e muito valor ainda estavam a serviço do politeísmo. A superstição do senador e do campônio, do poeta e do filósofo advinham de causas muito diferentes, mas todos eles se encontravam nos templos dos deuses, animados de igual devoção. Seu fervor ia sendo espicaçado pelo triunfo insultuoso da seita proscrita; suas esperanças, outrossim, se avivavam por uma bem fundada confiança no fato de o herdeiro presuntivo do Império, um jovem e valente herói que libertara a Gália das armas dos bárbaros, ter secretamente abraçado a religião de seus maiores.

11

(360-363 d.C.)
*Juliano é proclamado imperador pelas legiões da Gália — Sua marcha e triunfo — A morte de Constâncio — Administração civil de Juliano — Sua tentativa de restaurar a idolatria pagã — Morte de Juliano na campanha persa — Seu sucessor, Joviano, salva o Império Romano por meio de um tratado desonroso**

ENQUANTO OS ROMANOS PENAVAM sob a tirania ignominiosa de eunucos e bispos, os louvores a Juliano eram repetidos com entusiasmo em todas as partes do Império Romano, menos no palácio de Constâncio. Os bárbaros da Germânia haviam experimentado, e ainda as temiam, as armas do jovem César; seus soldados eram-lhe os companheiros de vitória; os provincianos agradecidos desfrutavam as bênçãos de seu reinado; todavia, suas virtudes ofendiam os favoritos que se tinham oposto a sua elevação, e eles com razão consideravam o amigo do povo como o inimigo da corte. Enquanto a fama de Juliano se mostrou duvidosa, os bufões do palácio, hábeis na linguagem da sátira, puseram à prova a eficácia daquelas artes que tão amiúde haviam praticado com êxito. Não tiveram dificuldade em descobrir que à simplicidade dele não faltava uma nota de afetação: os epítetos ridículos de "selvagem peludo", de "macaco investido na púrpura" foram aplicados à vestimenta e à pessoa do guerreiro-filósofo e estigmatizaram-se seus modestos despachos como fátuas e meticulosas ficções de um grego loquaz, de um soldado especulativo que estudara a arte da guerra em meio ao arvoredo da Academia.

* Capítulos 22 a 24 do original. (N. O.)

Os brados de vitória silenciaram por fim a voz da estultícia maligna; o vencedor dos francos e dos alamanos não mais podia ser representado como objeto de desdém, e o próprio monarca ambicionava, mesquinhamente, roubar a seu lugar-tenente a honrosa recompensa de seus esforços. Nas cartas encimadas por laurel, que, de acordo com o antigo costume, eram endereçadas às províncias, omitia-se o nome de Juliano. "Constâncio fizera pessoalmente seus preparativos; destacara-se por *sua* bravura nas fileiras de vanguarda; *sua* conduta militar garantira a vitória, e o rei cativo dos bárbaros fora apresentado a *ele* no campo de batalha", do qual se achava, na época, a uma distância de mais de quatro dias de jornada.

A credulidade pública, contudo, não se deixava enganar por uma fábula tão extravagante; ela tampouco satisfazia o próprio imperador. Intimamente cônscio de que o aplauso e os votos dos romanos acompanhavam a estrela em ascensão de Juliano, o espírito descontente de Constâncio estava preparado para ser inoculado pelo veneno sutil dos astuciosos sicofantas, que revestiam seus desígnios maldosos com os atrativos disfarces da veracidade e da inocência. Em vez de depreciar os méritos de Juliano, eles lhe reconheciam, e até mesmo exageravam, a fama popular, os talentos superiores e os importantes serviços. Mas sombriamente insinuavam que as virtudes do César se poderiam converter dentro em pouco nos crimes mais perigosos, caso a multidão inconstante preferisse seguir suas inclinações em vez de atender a seu dever, ou o general de um exército vitorioso se sentisse tentado a trair seu juramento de fidelidade na esperança de vingar-se ou chegar a uma posição de eminência independente. O conselho de Constâncio lhe interpretava os temores pessoais como uma louvável preocupação com a segurança pública, ao passo que ele próprio, privadamente, e quiçá em seu próprio peito, ocultava, sob a denominação menos odiosa de "temor", os sentimentos de rancor e de inveja que as inimitáveis virtudes de Juliano o haviam feito secretamente conceber.

A aparente tranquilidade da Gália e o perigo iminente das províncias orientais ofereciam um falso pretexto para o desígnio astutamente tramado pelos ministros imperiais. Eles resolveram desarmar o César, chamar de volta as tropas leais que lhe guardavam a pessoa e o cargo, e empregar, numa guerra distante contra o monarca persa, os animosos veteranos que tinham vencido, nas margens do Reno, as nações mais ferozes da Germânia. Enquanto ocupava as horas de trabalho de seus quartéis de inverno, em Paris, na administração do poder, que em suas mãos estava a serviço da virtude, Juliano foi surpreendido pela repentina chegada de um tribuno e de um notário com ordens expressas do imperador, que *eles* tinham instruções de executar e *ele* de não se lhes opor. Constâncio exprimia sua vontade de que quatro legiões inteiras — os celtas e petulantes, os hérulos e os batavos — se desligassem do estandarte de Juliano, sob o qual haviam adquirido sua fama e disciplina; que, em cada uma das restantes, trezentos jovens fossem escolhidos entre os mais bravos; e que esse numeroso destacamento, o esteio do exército gaulês, se pusesse imediatamente em marcha e empenhasse toda a sua diligência para chegar às fronteiras da Pérsia antes do início da campanha.

O César anteviu e deplorou as consequências desse mandato fatal. A maioria de suas tropas auxiliares, que se engajaram voluntariamente, havia estipulado que nunca seria obrigada a cruzar os Alpes. A fé pública de Roma e a honra pessoal de Juliano estavam comprometidas na observância dessa condição. Semelhante ato de traição e opressão destruiria a confiança e provocaria o ressentimento dos guerreiros independentes da Germânia, os quais consideravam a sinceridade como a mais nobre de suas virtudes e a independência como a mais valiosa de suas posses. Os legionários que desfrutavam o título e os privilégios de romanos estavam alistados para a defesa geral da República; as tropas mercenárias, porém, ouviam com fria indiferença os antiquados nomes de República e de Roma. Habituadas pelo nascimento ou pelo longo hábito ao clima e aos costumes da Gália, elas amavam e admiravam Juliano; desprezavam e talvez odiassem o imperador; temiam as agruras da longa marcha, as setas dos persas e os desertos escaldantes da Ásia. Reclamavam como sua a região que haviam salvado e justificavam sua falta de ânimo alegando o dever sagrado e mais imediato de proteger suas próprias famílias e os amigos.

As apreensões dos galos resultavam do conhecimento do iminente e inevitável perigo. Tão logo as províncias fossem esvaziadas de seu poderio militar, os germanos violariam um tratado que havia sido imposto a seus temores; e não obstante os talentos e o valor de Juliano, general de um exército nominal a quem as calamidades públicas seriam imputadas, acabaria ele, após uma inútil resistência, como prisioneiro no acampamento dos bárbaros ou como criminoso no palácio de Constâncio. Se cumprisse as ordens recebidas, estaria subscrevendo sua própria destruição e a de um povo que lhe merecia a estima. Mas uma recusa expressa se constituiria em ato de rebeldia e numa declaração de guerra. O inexorável ciúme do imperador e a natureza peremptória, quiçá insidiosa, de suas ordens não deixavam nenhum espaço para uma desculpa cabível ou para uma interpretação imparcial; outrossim, a situação de dependência do César dificilmente lhe consentiria hesitar ou deliberar.

A solidão aumentava a perplexidade de Juliano; ele não mais podia recorrer aos leais conselhos de Salústio, que fora afastado de seu cargo pela certeira malevolência dos eunucos; não podia sequer reforçar seus protestos com o concurso dos ministros, que teriam estado temerosos ou envergonhados de aprovar a ruína da Gália. Escolhera-se o momento em que Lupicínio, o general da cavalaria, fora enviado à Britânia para repelir as incursões dos escotos e pictos, e Florêncio estava ocupado em Viena com o lançamento do tributo. Este último, um astuto e corrupto estadista, declinando assumir qualquer responsabilidade nessa ocasião perigosa, furtou-se aos repetidos e insistentes convites de Juliano, o qual lhe fazia ver que em toda medida importante era indispensável a presença do prefeito no conselho do príncipe. Entrementes, o César via-se atormentado pelas rudes e importunas solicitações dos mensageiros imperiais, que ousavam sugerir-lhe que se ele esperasse o regresso de seus ministros poderia inculpar-se com a demora e atribuir a eles o mérito da execução. Incapaz de resistir, relutante em cumprir,

Juliano exprimiu, nos termos mais graves, seu desejo e até sua intenção de renunciar à púrpura, que não poderia conservar com honra mas de que não poderia abdicar com segurança.

Após um penoso conflito, Juliano teve de reconhecer que a obediência era a virtude do súdito mais eminente, e que só ao soberano cabia julgar da segurança pública. Publicou as necessárias instruções para pôr em execução as ordens de Constâncio; uma parte das tropas iniciou sua marcha para os Alpes; e os destacamentos das diversas guarnições se movimentaram rumo a seus respectivos locais de encontro. Avançavam com dificuldade através das trêmulas e assustadas turbas de provincianos, que tentavam despertar-lhes a piedade com seu silencioso desespero ou seus altos lamentos, enquanto as mulheres dos soldados, com os filhos nos braços, censuravam a deserção de seus maridos na linguagem mista do pesar, da ternura e da indignação.

Essas cenas de geral aflição contristavam o espírito humanitário do César; ele pôs à disposição das esposas e famílias dos soldados um número suficiente de carros de posta, forcejou por aliviar os padecimentos que fora obrigado a infligir e aumentou, das maneiras mais louváveis, sua própria popularidade e o descontentamento das tropas exiladas. O pesar de uma multidão armada logo se converte em ira; seus murmúrios licenciosos, que a todo momento circulavam de tenda em tenda com crescente audácia e efeito, preparavam-lhe o espírito para os atos mais temerários de sedição; com a conivência de seus tribunos, difundiu-se secretamente um libelo oportuno pintando com as cores mais vivas a desgraça do César, a opressão do exército gaulês e os vícios do tirano da Ásia. Os servidores de Constâncio se surpreenderam e alarmaram com o progresso desse perigoso ânimo. Compeliram o César a apressar a partida das tropas, mas rejeitaram imprudentemente o sensato conselho de Juliano, que propôs não marchassem através de Paris e sugeriu o perigo e a tentação de um último encontro.

Tão logo foi anunciada a aproximação das tropas, o César saiu-lhes ao encontro e subiu até seu assento de magistrado, que fora erigido numa planície diante das portas da cidade. Após distinguir os oficiais e soldados que, por sua graduação ou mérito, faziam jus a atenção especial, Juliano se dirigiu, num discurso calculado, à multidão que o rodeava: celebrou-lhe os feitos com agradecido aplauso, encorajou os soldados a aceitarem com alacridade a honra de servir sob as vistas de um poderoso e benevolente monarca e advertiu-os de que as ordens de Augusto exigiam pronta e prazenteira obediência. Os soldados, que receavam ofender seu general com um clamor indecoroso ou falsear seus próprios sentimentos com aclamações fingidas e venais, mantiveram um silêncio obstinado e, ao fim de breve pausa, foram debandados e mandados de volta a seus quartéis. O César entreteve os principais oficiais, aos quais manifestou, na calorosa linguagem da amizade, seu desejo e sua incapacidade de premiar, em conformidade com seus méritos, os bravos companheiros de suas vitórias. Eles se retiraram da festa cheios de pesar e perplexidade, lamentando as agruras de sua sorte, que os separava de seu idolatrado general e de sua terra natal.

O único expediente capaz de evitar a separação foi temerariamente trazido à baila e aprovado; o ressentimento popular se transformou aos poucos numa verdadeira conspiração; as justas razões de queixa exaltaram-se em paixão e as paixões se inflamaram com o vinho, visto que foi permitida às tropas, na véspera de sua partida, uma festividade desbragada. Por volta da meia-noite, a multidão impetuosa, empunhando espadas, arcos e tochas, precipitou-se pelos subúrbios, cercou o palácio e, sem dar tento a perigos futuros, pronunciou as palavras fatais e irrevogáveis: "*Juliano Augusto!*". O príncipe, que tais aclamações desordenadas tiraram de sua ansiosa expectativa, trancou as portas contra a intrusão e, enquanto lhe foi possível, manteve sua pessoa e sua dignidade apartadas dos acidentes de um tumulto noturno. Ao amanhecer, os soldados, cujo ardor se irritara com a oposição, entraram à força no palácio, apoderaram-se com respeitosa violência do objeto de sua escolha, guardaram Juliano com espadas desembainhadas ao longo das ruas de Paris, colocaram-no na tribuna dos magistrados e com repetidos brados o aclamaram como seu imperador.

A prudência tanto quanto a lealdade inculcavam a Juliano a

conveniência de resistir-lhes aos desígnios traiçoeiros e alegar, para sua própria oprimida virtude, a justificativa da violência. Dirigindo-se ora à multidão, ora a indivíduos, ele umas vezes lhes implorava a clemência e outras exprimia sua própria indignação; conjurava-os a não macular a fama de suas vitórias imortais; atrevia-se a prometer-lhes que, se honrassem de imediato seu dever de obediência, ele diligenciaria obter do imperador não apenas um completo e benévolo perdão, mas inclusive a revogação das ordens que lhes haviam provocado o ressentimento. Mas os soldados, que estavam cônscios de sua culpabilidade, preferiram antes depender da gratidão de Juliano que da clemência do imperador. O ardor deles foi-se aos poucos convertendo em impaciência e a impaciência, em ira. O inflexível César resistiu-lhes, até a hora terceira, aos rogos, às censuras e às ameaças; só cedeu depois de haver-lhe sido repetidamente assegurado que se desejasse viver teria de concordar em reinar. Ele foi erguido num escudo na presença das tropas e em meio a suas aclamações unânimes; um suntuoso colar militar, propiciado pelo acaso, supriu a falta de um diadema; a cerimônia concluiu-se com a promessa de um moderado donativo; e o novo imperador, vencido por um pesar real ou fingido, retirou-se para o recesso mais íntimo de seus aposentos.

O pesar de Juliano só podia advir de sua inocência, mas esta deve parecer extremamente duvidosa aos olhos daqueles que aprenderam a suspeitar os motivos e as declarações dos príncipes. A mente vivaz e ativa de Juliano era suscetível das variadas impressões de esperança e temor, de gratidão e vindita, de dever e ambição, de amor à fama e receio da censura. Mas é-nos impossível estimar o peso e o campo de ação respectivos de cada um desses sentimentos, ou determinar os princípios atuantes que poderiam escapar à observação enquanto guiavam, ou antes impeliam, os passos do próprio Juliano. O descontentamento das tropas era causado pela malevolência de seus inimigos pessoais; o tumulto por elas provocado era consequência natural do interesse e da paixão; e se Juliano tentou ocultar um intento íntimo sob o disfarce do acaso, devia ter empregado o mais consumado dos artifícios sem necessidade e provavelmente sem êxito. Ele solenemente declara, na presença de Júpiter, do Sol, de Marte, de Minerva e de todas as outras deidades, que até o fim da tarde que lhe precedeu a elevação estava absolutamente ignorante dos desígnios dos soldados; e pode parecer pouco generoso desconfiar da honra de um herói e da veracidade de um filósofo. No entanto, a supersticiosa confiança de Constâncio ser o inimigo e, ele próprio, o favorito dos deuses talvez incitasse Juliano a desejar, a solicitar e até mesmo a apressar o auspicioso momento de seu reinado, que estava predestinado a restaurar a antiga religião da humanidade. Após ter recebido a notícia da conspiração, Juliano se entregou a um breve sono; posteriormente relatou aos amigos que vira o Gênio do império algo impaciente à espera diante de sua porta, insistindo em ser admitido e censurando-lhe a falta de ânimo e de ambição. Atônito e perplexo, ele endereçou suas preces ao grande Júpiter, que imediatamente deu a entender, por um claro e manifesto augúrio, que ele deveria submeter-se à vontade do céu e do exército. A conduta que renega as máximas ordinárias da razão suscita nossa suspeição e frustra nossas indagações. Sempre que o espírito do fanatismo, a um só tempo tão crédulo e tão ardiloso, se insinua numa nobre mente, aos poucos lhe corrói os princípios vitais da virtude e da veracidade.

Moderar o ardor de seus partidários, proteger as pessoas de seus inimigos, vencer e menosprezar os tentames secretos contra sua vida e majestade foram os cuidados que ocuparam os primeiros dias de reinado do novo imperador. Embora estivesse firmemente decidido a manter a posição que havia assumido, ele continuava desejoso de salvar seu país das calamidades da guerra civil, de evitar um confronto com as forças superiores de Constâncio e de preservar seu próprio caráter da acusação de perfídia e ingratidão. Adornado com as insígnias da pompa imperial e militar, Juliano mostrou-se aos soldados no Campo de Marte; eles estavam tomados de ardente entusiasmo pela causa de seu pupilo, seu chefe, seu amigo. O César lhes recapitulou as vitórias, lamentou-lhes os sofrimentos, aplaudiu-lhes a resolução, animou-lhes as esperanças e conteve-lhes a impetuosidade; só dissolveu a reunião após ter obtido uma promessa solene das tropas de que, se o imperador do Oriente assinasse um tratado equitativo, eles renunciariam a quaisquer projetos de conquista e se contentariam com a posse pacífica das províncias gaulesas.

Com base nisso, redigiu, em seu próprio nome e no do exército, uma epístola capciosa e moderada que foi entregue a Pentádio, seu mestre de ofícios, e a seu camarista Eutério, dois embaixadores por ele nomeados para receber a resposta e observar a disposição de Constâncio. A epístola é assinada com o título modesto de César, mas nele Juliano solicita, de maneira peremptória, embora respeitosa, a confirmação do título de Augusto. Reconhece a irregularidade de sua própria eleição, ao mesmo tempo que justifica em certa medida o ressentimento e a violência das tropas que lhe haviam arrancado a relutante aquiescência. Admite a supremacia de seu irmão Constâncio e compromete-se a enviar-lhe um presente anual de cavalos hispânicos, a preencher os claros de seu exército com um contingente seleto de jovens bárbaros e a aceitar um prefeito pretoriano de sua escolha, de comprovada discrição e lealdade. Mas reserva para si a nomeação de outros funcionários civis e militares, juntamente com as tropas, as rendas e a soberania das províncias além-Alpes. Exorta o imperador a consultar os ditames da justiça, a suspeitar os estratagemas dos aduladores venais que vivem tão só das discórdias dos príncipes e a aceitar o oferecimento de um tratado justo e honroso, vantajoso tanto para a República quanto para a casa de Constantino.

Nessa negociação, Juliano não reivindicava mais do que aquilo que já possuía. A autoridade delegada que havia muito exercia nas províncias da Gália, da Hispânia e da Britânia era ainda obedecida sob um título mais independente e augusto. Os soldados e o povo rejubilavam numa revolução que não fora maculada sequer pelo sangue dos culpados. Florêncio era um fugitivo, Lupicínio um prisioneiro. As pessoas hostis ao novo governo tinham sido desarmadas e presas, e os cargos vagos distribuídos, em conformidade com a recomendação do mérito, por um príncipe que desprezava as intrigas do palácio e os clamores dos soldados.

As negociações de paz se fizeram acompanhar do apoio dos mais vigorosos preparativos para a guerra. O exército, que Juliano mantinha de prontidão para ação imediata, teve seus claros preenchidos e seu contingente aumentado devido às desordens da época. A cruel perseguição da facção de Magnêncio enchera a Gália de numerosos bandos de facínoras e salteadores. Eles aceitaram prazerosamente a oferta de um perdão geral por um príncipe no qual podiam confiar, submeteram-se às coerções da disciplina militar e só conservaram seu ódio implacável pela pessoa e pelo governo de Constâncio. Tão logo a estação do ano permitiu a Juliano sair em campo, ele apareceu à frente das suas legiões, estendeu uma ponte sobre o Reno na vizinhança de Cleves e preparou-se para castigar a perfídia dos *attuari*, uma tribo de francos que supunha poder assolar impunemente as fronteiras de um império dividido. A dificuldade, bem como a glória dessa empresa, consistia numa marcha laboriosa; e Juliano conquistou, tão logo a pôde penetrar, uma região que príncipes anteriores consideraram inacessível.

Após ter pacificado os bárbaros, o imperador visitou cuidadosamente as fortificações ao longo do Reno, de Cleves a Basileia; inspecionou com especial atenção os territórios que recuperara das mãos dos alamanos; passou por Besançon, que lhe padecera severamente a fúria; e fixou seu quartel-general em Vienne para o inverno seguinte. A barreira da Gália foi melhorada e reforçada com fortificações adicionais; Juliano entretinha algumas esperanças de que os germanos, aos quais vencera tão amiúde, pudessem na sua ausência ser contidos pelo terror de seu nome. Vadomair era o único príncipe dos alamanos a quem estimava ou temia; e enquanto o bárbaro sutil fingia respeitar a fé dos tratados, o progresso de suas armas ameaçava o Estado com uma guerra perigosa e inoportuna. A habilidade política de Juliano cuidou de surpreender o príncipe dos alamanos com seus próprios estratagemas; e Vadomair, que no papel de amigo incautamente aceitara um convite dos governadores romanos, foi detido no meio da recepção e enviado prisioneiro para o centro da Hispânia. Antes de os bárbaros se recuperarem da surpresa, o imperador surgiu com suas armas nas margens do Reno e, cruzando mais uma vez o rio, renovou as fundas impressões de terror e respeito já feitas pelas quatro expedições anteriores.

Os embaixadores de Juliano haviam sido instruídos a executar com a maior diligência sua importante incumbência. Mas, em sua passagem pela Itália e pela Ilíria, se viram detidos pelas tediosas e afetadas dilações dos governadores provinciais; foram levados em lentas jornadas de Constantinopla até Cesareia, na Capadócia; quando por fim tiveram acesso à presença de Constâncio, verificaram que ele já tinha formado, pelos despachos de seus próprios funcionários, a mais desfavorável das opiniões acerca da conduta de Juliano e do exército gaulês. As cartas foram ouvidas com impaciência; os trêmulos mensageiros foram mandados embora com indignação e desprezo; e os olhares, os gestos, a linguagem furiosa do monarca expressaram-lhe a agitação da alma. Os laços domésticos que poderiam ter reconciliado o irmão e o marido de Helena haviam sido recentemente dissolvidos pela morte dessa princesa, cuja gravidez lhe fora infrutífera diversas vezes e por fim lhe foi fatal. A imperatriz Eusébia preservara, até o derradeiro momento de vida, o cálido e até menos ciumento afeto que concebera por Juliano; e a branda influência dela poderia ter moderado o ressentimento de um príncipe que, desde sua morte, estava entregue a suas próprias paixões e às manhas de seus eunucos. O temor de uma invasão estrangeira obrigou-o, porém, a sustar a punição de um inimigo pessoal; ele continuou a marchar rumo aos confins da Pérsia e julgou ser suficiente anunciar as condições capazes de habilitar Juliano e seus culposos seguidores à clemência de seu soberano ofendido. Exigia que o presunçoso César renunciasse expressamente ao título e à posição de Augusto que aceitara dos rebeldes; que se rebaixasse a sua anterior condição de ministro limitado e dependente; que investisse nos poderes do Estado e do exército os oficiais e funcionários que fossem nomeados pela corte imperial; e que confiasse sua segurança às garantias de perdão anunciadas por Epicteto, bispo gaulês que era um dos favoritos arianos de Constâncio.

Vários meses foram baldadamente gastos num tratado negociado à distância de 4800 quilômetros, entre Paris e a Antioquia; e tão logo percebeu que sua atitude respeitosa e moderada só servia para irritar a soberba de um adversário implacável, Juliano audazmente decidiu confiar sua vida e fortuna à sorte de uma guerra civil. Concedeu uma audiência pública e militar ao questor* Leonas; a arrogante epístola de Constâncio foi lida a uma multidão atenta, e Juliano asseverou, com a mais lisonjeira das deferências, que estava pronto a resignar ao título de Augusto, caso lograsse obter o consentimento daqueles aos quais reconhecia como os autores de sua elevação. A tímida proposta foi impetuosamente silenciada, e as aclamações de "Juliano Augusto, continua a reinar pela autoridade do exército, do povo e da república que salvaste" retumbaram imediatamente por todas as partes do campo e aterrorizaram o pálido embaixador de Constâncio. Leu-se posteriormente uma parte da carta em que o imperador censurava a ingratidão de Juliano, a quem ele havia investido nas honras da púrpura, a quem havia educado com tanto cuidado e ternura, a quem protegera na infância, quando ele se tornara um órfão indefeso.

"Um órfão!", interrompeu Juliano, que justificava sua causa entregando-se às suas paixões. "Então o assassino de minha família censura-me por eu me ter tornado órfão? Ele me incita a vingar as injúrias que há tanto tempo procuro esquecer." A reunião foi suspensa, e Leonas, que com alguma dificuldade tinha sido protegido da fúria popular, mandado de volta ao seu senhor com uma epístola em que Juliano exprimia, num estilo da mais veemente eloquência, os sentimentos de desprezo, ódio e ressentimento calados e acirrados por uma dissimulação de vinte anos. Depois dessa mensagem, a qual podia ser considerada um sinal de guerra irreconciliável, Juliano, que poucas semanas antes celebrara a festa cristã da Epifania, fez uma declaração pública de que entregava o cuidado de sua segurança aos *deuses*

* Magistrado que cuidava do tesouro público, arrecadando e registrando as rendas do Estado. (N. T.)

imortais, renunciando assim de público à religião tanto quanto à amizade de Constâncio.

A situação de Juliano exigia uma decisão vigorosa e imediata. Descobrira ele, por cartas interceptadas, que seu adversário, sacrificando o interesse do Estado ao do monarca, tinha novamente incitado os bárbaros a invadir as províncias do Ocidente. A posição de dois depósitos, um deles arrecadado nas margens do lago de Constança, o outro formado no sopé dos Alpes cotianos, parecia assinalar a marcha dos dois exércitos; e o tamanho desses depósitos, cada um dos quais consistia em 600 mil quartéis de trigo, ou melhor, de farinha, constituía um indício ameaçador da força e da magnitude das tropas inimigas que se aprestavam a cercá-lo. Mas as legiões imperiais ainda se encontravam em seus distantes quartéis da Ásia; o Danúbio estava mal guardado e, se Juliano conseguisse ocupar, numa inopinada incursão, as importantes províncias da Ilíria, poderia esperar que uma multidão de soldados se passasse para seu estandarte e que as ricas minas de ouro e prata contribuíssem para as despesas da guerra civil.

Propôs ele essa audaciosa empreitada à assembleia dos soldados, inspirou-lhes uma justificada confiança em seu general e em si próprios, e exortou-os a manter sua reputação de serem terríveis com o inimigo, moderados com seus concidadãos e obedientes a seus oficiais. Seu ardoroso discurso foi recebido com as mais ruidosas aclamações e as mesmas tropas que tinham tomado armas contra Constâncio quando ele as convocara para deixar a Gália agora declaravam com entusiasmo que seguiriam Juliano até os mais remotos confins da Europa ou da Ásia. O juramento de fidelidade foi pronunciado e os soldados, entrechocando os escudos e apontando as espadas desembainhadas para seu pescoço, devotaram-se com imprecações terríveis ao serviço de um chefe a quem celebravam como o libertador da Gália e o conquistador dos germanos.

Tal compromisso solene, que parecia ter sido ditado mais pela afeição do que pelo dever, teve um único oponente em Nebrídio, que fora admitido ao cargo de prefeito pretoriano. Esse fiel ministro, sozinho e sem ajuda, sustentou os direitos de Constâncio em meio a uma multidão enraivecida e armada, de cuja fúria quase foi vítima num honroso mas inútil sacrifício. Depois de perder uma das mãos por um golpe de espada, ele se abraçou aos joelhos do príncipe a quem ofendera. Juliano cobriu o prefeito com seu manto imperial e, protegendo-o do ardor de seus partidários, demitiu-o e mandou-o de volta a sua própria casa, com menos respeito do que o talvez devido à virtude de um inimigo. O alto cargo de Nebrídio foi outorgado a Salústio; e as províncias da Gália, agora libertas da intolerável opressão dos impostos, passaram a desfrutar a branda e equânime administração do amigo de Juliano, a quem foi permitido praticar as virtudes que instilara na mente de seu pupilo.

As esperanças de Juliano dependiam muito menos da magnitude de suas tropas que da celeridade de seus movimentos. Na execução de uma empresa audaciosa, ele se cercava de todas as precauções que a prudência pudesse sugerir; e, onde a prudência não mais lhe conseguisse acompanhar os passos, ele confiava o curso das coisas ao valor e à sorte. Nas vizinhanças de Basileia, congregou e dividiu seu exército. Um corpo, consistente de 10 mil homens, recebeu ordens de avançar, sob o comando de Nevita, general da cavalaria, através das regiões centrais da Récia* e da Nórica.** Outra divisão similar das tropas, sob as ordens de Jóvio e Jovino, preparou-se para seguir o curso oblíquo das estradas reais através dos Alpes e dos confins setentrionais da Itália. As instruções aos generais foram dadas com energia e precisão: apressar a marcha das tropas em colunas cerradas e compactas, as quais, em conformidade com a natureza do terreno, se podiam facilmente mudar em qualquer ordem de batalha; garantir-se das surpresas da noite por meio de fortes postos avançados e guardas vigilantes; atalhar resistências com chegadas inesperadas; esquivar exames com partidas repentinas; difundir a crença em seu

* Região da antiga Helvécia, Suíça atual, que se tornou província do Império em 15 a.C. (N. T.)

** Antiga província romana entre o Danúbio e os Alpes cárnicos. (N. T.)

poderio e o terror de seu nome; e reunir-se a seu soberano sob as muralhas de Sirmione.

Para si mesmo, reservara Juliano uma tarefa mais difícil e extraordinária. Escolheu 3 mil voluntários bravos e ativos, decididos, como seu chefe, a deixar atrás de si qualquer esperança de uma retirada. À frente desse bando leal, destemidamente se embrenhou nos recessos da Floresta Negra ou Marciana, que esconde as fontes do Danúbio; por muitos dias, a sorte de Juliano ficou desconhecida do mundo. O sigilo de sua marcha, sua diligência e vigor levaram de vencida todos os obstáculos; ele abriu caminho entre montanhas e pântanos, ocupou as pontes ou atravessou os rios a nado, seguiu seu itinerário em linha reta sem se preocupar com se atravessava território dos romanos ou dos bárbaros, e por fim emergiu, entre Ratisbona e Viena, no local que designara para embarcar suas tropas no Danúbio. Por meio de um estratagema bem planejado, apoderou-se de uma frota de bergantins ligeiros ali ancorada, obteve um suprimento de provisões grosseiras, suficiente para satisfazer o apetite rude mas voraz do exército gaulês, e audaciosamente se confiou à corrente do Danúbio. As fadigas de seus marinheiros, que manejaram os remos com incessante diligência, e um vento favorável e constante possibilitaram a sua frota percorrer 1126 quilômetros em onze dias; ele desembarcou suas tropas em Bononia, a apenas trinta quilômetros de Sirmione, antes de seus inimigos poderem ter qualquer notícia segura de que ele houvesse deixado as margens do Reno.

No curso dessa longa e rápida viagem fluvial, a mente de Juliano esteve fixa no objetivo de sua empresa; embora aceitasse receber as delegações de algumas cidades, que se apressavam a alegar o mérito de uma submissão precoce, passou diante dos postos hostis situados ao longo do rio sem incorrer na tentação de assinalar-se por feitos de uma bravura inútil e inoportuna. As margens do Danúbio estavam cheias, de ambos os lados, de espectadores que admiravam a pompa militar, anteviam a importância do acontecimento e difundiam pela região circunvizinha a fama de um jovem herói que avançava, em velocidade mais do que mortal, à frente das inumeráveis forças do Ocidente.

Luciliano, que no posto de general de cavalaria comandava as forças militares da Ilíria, ficou alarmado e perplexo com os informes duvidosos, que não podia nem crer nem rejeitar. Havia ele já tomado algumas medidas morosas e irresolutas no sentido de reunir suas tropas quando foi surpreendido por Dagalaifo, um enérgico oficial a quem Juliano, tão logo desembarcara na Bononia, enviara à frente com alguma infantaria ligeira. O general cativo, incerto de sua vida ou morte, foi prontamente atirado em cima de um cavalo e conduzido à presença de Juliano, o qual bondosamente o ergueu do chão e dissipou o terror e espanto que lhe pareciam estupefazer as faculdades. Mal as recobrou, porém, traiu Luciliano sua falta de discrição ao tentar advertir seu vencedor de que havia sido uma temeridade ele expor sua pessoa, com um punhado de homens, no meio dos inimigos. "Guarda para teu senhor Constâncio essas timoratas advertências", replicou Juliano com um sorriso de desdém; "ao dar-te minha púrpura a beijar, não te recebi como conselheiro mas como suplicante."

Cônscio de que só o êxito poderia justificar-lhe a tentativa, e de que só a audácia o poderia levar ao êxito, ele imediatamente iniciou o avanço, à frente de 3 mil soldados, para atacar a mais forte e a mais populosa cidade das províncias ilírias. Ao entrar no longo subúrbio de Sirmione, foi recebido pelas jubilosas aclamações do exército e do povo, os quais, coroados de flores e levando nas mãos pequenos círios acesos, conduziram seu soberano reconhecido até a residência imperial. Dois dias foram consagrados ao júbilo público, celebrado com os jogos do Circo; entretanto, logo ao amanhecer do terceiro dia, Juliano pôs-se em marcha para ocupar o estreito passo de Succi nos desfiladeiros do monte Hemo, que, quase a meio caminho entre Sirmione e Constantinopla, separa as províncias da Trácia e da Dácia com um abrupto descenso rumo àquela e um brando declive do lado desta. A defesa desse importante posto estava confiada ao bravo Nevita, o qual, do mesmo modo que os generais da divisão italiana, executou com êxito o plano de marcha e junção tão habilmente concebido por seu soberano.

A homenagem que Juliano recebeu dos temores ou inclinações do povo se estendeu além do alcance imediato de suas armas. As prefeituras da Itália e da Ilíria eram administradas por Tauro e Florêncio que, com esse importante cargo, acumulavam as vãs honrarias do consulado; como ambos os magistrados se haviam retirado precipitadamente para a corte da Ásia, Juliano, que nem sempre conseguia conter a imprudência de seu temperamento, estigmatizou-lhes a fuga acrescentando, em todos os Atos do Ano, o epíteto de "fugitivo" aos nomes dos dois cônsules. As províncias desertas por seus primeiros magistrados reconheceram a autoridade de um imperador que, congraçando as qualidades de soldados com as de filósofo, era igualmente admirado nos acampamentos do Danúbio e nas cidades da Grécia. De seu palácio, ou, mais propriamente, de seu quartel-general de Sirmione e Naisso, ele distribuiu às principais cidades do Império uma palavrosa apologia de sua própria conduta; deu a público os despachos secretos de Constâncio; e solicitou que a humanidade julgasse dois competidores, um que havia expulsado e o outro que havia convidado os bárbaros.

Juliano, cujo espírito fora profundamente magoado pela censura de ingratidão, aspirava a sustentar por argumentos, tanto quanto pelas armas, os méritos superiores de sua causa, e a avantajar-se não apenas nas artes da guerra como nas da composição. Sua epístola ao Senado e ao povo de Atenas parece ter sido ditada por um elegante entusiasmo, que o incitava a submeter suas ações e seus motivos ao juízo dos degenerados atenienses de sua própria época com a mesma humilde deferência com que, nos dias de Aristides, patrocinaria uma causa no tribunal do Areópago. Sua petição ao Senado de Roma, ainda autorizado a outorgar os títulos do poder imperial, observava as fórmulas de uma república agonizante. Tertulo convocou uma assembleia; foi lida a epístola de Juliano e, como ele parecia ser o senhor da Itália, nenhuma voz discordante se elevou contra a aceitação de suas pretensões. Já os senadores ouviram com menor satisfação sua censura oblíqua às inovações de Constantino e sua apaixonada invectiva contra os vícios de Constâncio; como se Juliano estivesse presente, exclamaram todos a uma só voz: "Respeitai, rogamos, o autor de vossa boa fortuna" — uma capciosa expressão que, segundo o desfecho da guerra, podia ser diferentemente interpretada como uma enérgica censura da ingratidão do usurpador ou como lisonjeira confissão de que um único ato tão benéfico ao Estado bastava para expiar todos os erros de Constâncio.

As notícias de avanço e o rápido progresso de Juliano foram celeremente comunicados a seu rival, que, pela retirada de Sapor, obtivera uma trégua na guerra persa. Disfarçando a angústia da alma sob uma aparência de desdém, Constâncio manifestou a intenção de voltar à Europa e dar caça a Juliano, pois nunca se referia a essa expedição militar em outros termos que não fossem os de uma partida de caça. No acampamento de Hierápolis, na Síria, ele comunicou seu intento ao exército, mencionou desdenhosamente a culpabilidade temerária do César e atreveu-se a assegurar aos soldados que, se os amotinados da Gália ousassem enfrentá-los no campo de batalha, não conseguiriam resistir-lhes ao fogo de seus olhares e à força irresistível de seu brado de ataque. A fala do imperador foi recebida com aplauso militar, e Teodoto, presidente do conselho de Hierápolis, solicitou, com lágrimas de adulação, que *sua* cidade fosse a escolhida para ser adornada com a cabeça do rebelde vencido. Um destacamento de elite partiu em carros de posta com a missão de proteger, como se fosse ainda possível, o passo de Succi; os recrutas, os cavalos, as armas e os depósitos de provisões que haviam sido preparados contra Sapor foram postos a serviço da guerra civil, e as vitórias internas de Constâncio inspiravam a seus partidários a mais ardente confiança no triunfo. O notário Gaudêncio ocupou em nome dele as províncias da África; os meios de subsistência de Roma foram interceptados e um acontecimento inesperado, que poderia ter tido consequências fatais, veio aumentar as aperturas de Juliano.

Recebera ele a submissão de duas legiões e de uma coorte de arqueiros estacionadas em Sirmione; como suspeitava porém, e com razão, da fidelidade dessas tropas que tinham sido distinguidas pelo imperador, julgou prudente, pretextando a situação indefesa da fronteira gaulesa, afastá-las da frente de guerra mais importante. Elas avançaram com relutância até os confins da Itália; temerosas, contudo, da lonjura do caminho e da ferocidade selvagem dos germanos, resolveram, por instigação de seus tribunos, deter-se em Aquileia e içar os estandartes de Constâncio nas muralhas dessa cidade inexpugnável. A vigilância de Juliano percebeu de pronto a extensão do dano e a necessidade de lhe dar um remédio imediato. Por sua ordem, Jovino levou parte do exército de volta à Itália, e o sítio de Aquileia foi feito com diligência e sustentado com vigor. Mas os legionários, que pareciam ter rejeitado o jugo da disciplina, defenderam eficaz e perseverantemente a praça; convidaram o resto da Itália a imitar o exemplo de sua coragem e lealdade, e ameaçaram a retirada de Juliano, caso ele se visse forçado a ceder ante a superioridade numérica dos exércitos do Oriente.

A clemência de Juliano foi todavia poupada da cruel alternativa, que ele pateticamente lamenta, de destruir ou ser ele próprio destruído; a morte oportuna de Constâncio livrou o Império Romano das calamidades da guerra civil. A aproximação do inverno não poderia deter o monarca na Antioquia e seus favoritos não se atreviam a opor-se a seu impaciente desejo de vingança. Uma febre ligeira, talvez ocasionada pela agitação de ânimo, agravou-se com as canseiras da jornada; Constâncio foi obrigado a parar na cidadezinha de Mopsucrene, dezenove quilômetros além de Tarso, e ali, ao cabo de uma breve enfermidade, expirou no 45º ano de idade e no 24º de reinado. Seu verdadeiro caráter, composto de soberba e debilidade, de superstição e crueza, ficou plenamente evidenciado na narrativa precedente dos eventos civis e eclesiásticos. O longo abuso do poder fez Constâncio avultar aos olhos de seus contemporâneos; entretanto, como somente o mérito pessoal vale a atenção da posteridade, o último dos filhos de Constantino pôde ser exonerado do mundo com o reparo de que herdou os defeitos mas não os talentos do pai.

Antes de Constâncio expirar, consta que teria indicado Juliano para seu sucessor; não parece improvável que sua ansiosa preocupação com a sorte de uma esposa jovem e carinhosa, a quem deixou grávida, se possa ter imposto, nos últimos instantes, sobre as paixões mais cruéis de rancor e vindita. Eusébio e seus criminosos comparsas fizeram uma frouxa tentativa de prolongar o reinado dos eunucos com a eleição de outro imperador; suas intrigas foram rejeitadas com desdém, todavia, por um exército que então abominava a ideia de discórdia civil, e dois oficiais de alta patente cuidaram de imediatamente assegurar a Juliano que todas as espadas do Império seriam desembainhadas a seu serviço. Esse acontecimento afortunado obviou os propósitos militares desse príncipe, que organizara três diferentes ataques à Trácia. Sem derramar o sangue de seus concidadãos, ele escapou aos perigos de um conflito duvidoso e obteve as vantagens de uma vitória completa. Impaciente por visitar o lugar de seu nascimento e a nova capital do Império, deixou Naisso e atravessou as montanhas do Hemo e as cidades da Trácia. Quando chegou a Heracleia, à distância de 97 quilômetros, Constantinopla inteira saiu às ruas para recebê-lo, e ele fez sua entrada triunfal em meio às obedientes aclamações dos soldados, do povo e do Senado. Uma incontável multidão se comprimia a sua volta com sôfrego respeito, e talvez se desapontasse ao ver a baixa estatura e a vestimenta simples de um herói cuja inexperiente juventude vencera os bárbaros da Germânia e que agora atravessava, numa marcha triunfal, todo o continente da Europa, das praias do Atlântico às do Bósforo.

Poucos dias depois, quando os restos mortais do imperador falecido chegaram à baía, os súditos de Juliano aplaudiram a benevolência, real ou fingida, de seu soberano. A pé, sem seu diadema e vestido em roupas de luto, ele acompanhou o cortejo fúnebre até a Igreja dos Santos Apóstolos, onde o corpo foi depositado; e se tais mostras de respeito podem ser interpretadas como um tributo egoísta à estirpe e dignidade de um seu parente imperial, as lágrimas de Juliano mostraram ao mundo que ele havia esquecido as injúrias, lembrando-se apenas dos obséquios que recebera de Constâncio. Tão logo as legiões de Aquileia tiveram notícia segura da morte do imperador, abriram as portas da cidade e, com o sacrifício de seus chefes culpados, obtiveram um fácil perdão da prudência ou benignidade de Juliano, o qual, aos 32 anos de idade, adquiria a posse incontroversa do Império Romano.

A filosofia ensinara-lhe a comparar as vantagens da ação com as do afastamento do mundo; seu alto nascimento, porém, e os acidentes de sua vida nunca lhe consentiram liberdade de escolha. Talvez tivesse sinceramente preferido os bosquetes da Academia e a sociedade de Atenas, mas foi constrangido, primeiro pela vontade e depois pela injustiça de Constâncio, a expor sua pessoa e seu renome aos riscos da grandeza imperial e a fazer-se responsável, perante o mundo e a posteridade, pela felicidade de milhões de seres humanos. Juliano recordava com pavor a observação de seu mestre Platão, de que o governo de nossos rebanhos e manadas é sempre atribuído a seres de uma espécie superior e de que a direção das nações exige e merece os poderes celestes dos deuses ou dos gênios. Desse princípio deduziu ele com justeza que o homem que ousa reinar deve aspirar à perfeição da natureza divina; deve purificar a alma de sua parte terrestre e mortal; deve suprimir em si os apetites, esclarecer o entendimento, regrar as paixões e subjugar o animal selvagem que raras vezes, segundo a vívida metáfora de Aristóteles, deixa de ascender ao trono de um déspota.

O trono de Juliano, que a morte de Constâncio assentou numa base permanente, foi sede da razão, da virtude e quiçá da vaidade. Ele desprezava as honrarias, renunciava aos prazeres e cumpria com incessante diligência os deveres de seu alto cargo; poucos, entre seus súditos, teriam consentido em aliviá-lo do peso do diadema caso se vissem forçados a sujeitar seu tempo e seus atos às rigorosas leis que seu filosófico imperador impusera a si próprio. Um de seus amigos mais íntimos, que lhe partilhara amiúde a frugalidade da mesa, observou que sua dieta leve e parca (composta usualmente de verduras e legumes) deixava-lhe a mente e o corpo sempre purificados e dispostos para as diversas e importantes atividades de quem era, a um só tempo, escritor, pontífice, magistrado, general e príncipe. Num mesmo dia, ele recebia em audiência vários embaixadores e escrevia ou ditava um grande número de cartas a seus generais, magistrados civis, amigos particulares e às diferentes cidades de seus domínios. Ouvia os memoriais recebidos, considerava o mérito das petições e manifestava suas decisões mais rapidamente do que as alcançava taquigrafar a diligência de seus secretários. Possuía tal flexibilidade de pensamento e tal firmeza de atenção que podia usar a mão para escrever, o ouvido para ouvir e a voz para ditar, perseguindo a um só tempo três diferentes cursos de ideias sem hesitação nem erro.

Enquanto seus ministros ainda descansavam, o soberano saltava agilmente de uma para outra ocupação, e após um rápido almoço se refugiava em sua biblioteca, até que o assunto público marcado para a tarde o convocasse, interrompendo o prosseguimento de seus estudos. O jantar do imperador era ainda menos substancial do que a refeição; seu sono jamais se toldava pelos vapores da indigestão; e, a não ser no curto intervalo de um casamento que adveio mais de razões políticas que amorosas, o casto Juliano nunca partilhou o leito com uma companheira. Era despertado cedo pela entrada de um novo grupo de secretários que tinham podido dormir no dia anterior; os criados se revezavam em atendê-lo, já que seu infatigável amo mal se permitia outro tipo de descanso que não fosse a mudança de ocupações.

Os predecessores de Juliano, seu tio, irmão e primo, satisfaziam seu gosto pueril pelos jogos do Circo sob o falso pretexto de atender às inclinações do povo; frequentemente permaneciam a maior parte do dia como espectadores ociosos e integrantes do esplêndido espetáculo, até o curso ordinário de 24 corridas completar-se totalmente. Nas festas solenes, Juliano, o qual professava incomum aversão por tais diversões frívolas, condescendia em aparecer no Circo e, após dar uma olhada descuidosa a cinco ou seis das corridas, retirava-se à pressa com a impaciência de um filósofo que considerava perdido todo e qualquer momento que não fosse devotado ao interesse público ou ao aperfeiçoamento de seu próprio espírito. Graças a essa parcimônia de tempo, ele como que prolongou a breve duração de seu reinado; se as datas tivessem sido fixadas com menor precisão, nós nos recusaríamos a crer que apenas dezesseis meses decorreram entre a morte de Constâncio e a partida de seu sucessor para a guerra persa. Só o cuidado do historiador pode preservar os atos de Juliano; todavia, a parte de seus volumosos escritos que chegou até nós permanece como um monumento da aplicação bem como do gênio do imperador. O

Misopogon,* os Césares,** várias de suas orações, a minuciosa obra contra a religião cristã*** foram compostas durante as longas noites de dois invernos, o primeiro dos quais ele passou em Constantinopla e o último na Antioquia.****

A maioria dos príncipes, se fossem desvestidos de sua púrpura e atirados ao mundo, aos poucos decairia até os níveis mais baixos da escala social, sem qualquer esperança de sair de tal obscuridade. O mérito pessoal de Juliano, porém, independia em certa medida de sua fortuna. Qualquer que tivesse sido sua opção de vida, por força da intrépida coragem, do espírito vivo e da intensa aplicação, ele teria sido distinguido, ou pelo menos a elas faria jus, com as mais altas honrarias de sua profissão; Juliano poderia ter ascendido, por si só, à posição de ministro ou general do Estado onde nascera cidadão. Se o ciumento capricho do poder lhe tivesse desapontado as expectativas, se ele se houvesse prudentemente recusado a trilhar os caminhos da grandeza, a utilização dos mesmos talentos na solidão estudiosa teria colocado para além do alcance dos reis sua felicidade presente e sua fama imortal. Quando examinamos com atenção minuciosa e talvez malevolente o retrato de Juliano, algo parece faltar à graça e à perfeição da figura toda. Seu gênio era menos vigoroso e sublime que o de César; ele não possuía a consumada prudência de Augusto. As virtudes de Trajano parecem ter sido mais equilibradas e naturais, e a filosofia

* Em português, "o homem que odeia barbas", sátira contra os sírios da Antioquia, verberando-lhes o amor ao luxo e o caráter efeminado. (N. T.)

** É também uma sátira sob a forma de um simpósio olímpico de que participam Césares romanos e cujos debates são vencidos por Marco Aurélio. (N. T.)

*** *Contra os cristãos* é um tratado satírico de Juliano que chegou até nós apenas na sua refutação por Cirilo de Alexandria. (N. T.)

**** A reforma da corte imperial, descrita pormenorizadamente no original, foi também intentada por Juliano, que levou sua afetação de simplicidade ao ponto de jactar "do comprimento de suas unhas e da caliginosa negrura de suas mãos", bem como de uma "hirsuta e *populosa* barba". Ele despediu um exército de servos e escravos imperiais, buscou restaurar a independência e força dos magistrados civis e assumiu amiúde o papel de orador e juiz, dirigindo-se ao Senado ou ouvindo casos no tribunal. (N. O.)

de Marco Aurélio, mais simples e coerente. No entanto, Juliano enfrentou a adversidade com firmeza e a prosperidade com moderação. Ao fim de um intervalo de 120 anos que se seguiu à morte de Alexandre Severo, os romanos puderam contemplar um imperador que não fazia distinção entre seus deveres e seus prazeres, que forcejava por aliviar o sofrimento e reanimar o espírito de seus súditos, e que procurava sempre conciliar a autoridade e o mérito, a felicidade e a virtude. Mesmo o facciosismo da facção religiosa teve de reconhecer a superioridade de seu gênio na paz como na guerra e confessar num suspiro que o apóstata Juliano amava seu país e mereceu o império do mundo.

A seção seguinte do original trata de como Juliano adquiriu o cognome de "o Apóstata" e de seu conflito com os cristãos. A "devota e sincera fidelidade de Juliano aos deuses de Atenas e Roma" parece ter surgido como reação à estrita educação cristã que lhe foi dada por seu tutor-carcereiro Constâncio, que lhe deu "a educação não de um herói mas de um santo". Todavia os anos de observância devotas não conseguiram fazer com que sua ativa curiosidade "se submetesse à obediência passiva e irresistente que lhe era exigida [...] pelos arrogantes ministros da Igreja"; as reprimendas que sofreu meramente "lhe incitaram o gênio impaciente a repudiar a autoridade de seus guias eclesiásticos"; sua intimidade com a controvérsia ariana o convenceu outrossim de que os contendores "nem compreendiam a religião por que tão ferozmente lutavam nem acreditavam nela". Sua conversão final ao paganismo ocorreu por volta dos vinte anos, durante os estudos em Atenas, conquanto ele dissimulasse suas crenças por mais de dez anos.

E sua conversão foi integral. Juliano acreditava sinceramente que os deuses e as deusas lhe falavam o tempo todo, tocavam-lhe a mão ou os cabelos durante o sono, advertiam-no dos perigos e o guiavam por toda a vida — superstições que (observa Gibbon zangado) "quase degradavam o imperador ao nível de um monge egípcio". Após ter adquirido o poder imperial, ele encheu o palácio e seus jardins de altares e templos pagãos, onde oferecia sacrifícios regulares às respectivas deidades, encarregando-se ele próprio dos atos cerimoniais mais subal-

ternos e repelentes. Tão grande era o morticínio sacrificial de bois que, segundo uma piada popular, se Juliano voltasse vitorioso da guerra persa, "a raça de gado de chifre infalivelmente se iria extinguir".

O conflito de Juliano com a Igreja primitiva não era tanto falta de tolerância como uma questão de contra quem era intolerante. Tendo sensatamente concluído que "nem a ferro e fogo se pode erradicar da mente as opiniões errôneas", Juliano prometeu num de seus primeiros éditos liberdade de culto a todos os habitantes do mundo romano, trouxe de volta todos os cristãos de diversas seitas que tinham sido exilados por Constâncio e ordenou a reabertura de todos os templos pagãos fechados. Mas seu entusiasmo pela religião recém-descoberta o levou a coerentemente favorecer os crentes pagãos, tanto os que tinham conservado suas crenças quanto os "cristãos que prudentemente abraçaram a religião de seu soberano". Esforçou-se particularmente por converter as legiões, lançando mão de recursos como o de exigir que cada soldado lançasse incenso num altar antes de receber seu quinhão de um donativo geral. Há inclusive alguns indícios, embora de duvidosa validade, de que intentou sem êxito a reconstrução de um grande templo judeu em Jerusalém "capaz de eclipsar o esplendor da Igreja da Ressurreição na colina adjacente ao Calvário".

Uma das armas utilizadas por Juliano contra a Igreja foi a sarcástica agudeza que punha nos seus éditos e outros escritos contra "os galileus", conforme gostava de chamar os cristãos; havia, porém, outras e mais temíveis discriminações. Suspenderam-se as honras e imunidades clericais; proibiu-se legar dinheiro à Igreja; excluíram-se os cristãos do estudo de gramática e retórica; foram eles gradualmente afastados dos altos cargos no exército e no governo civil e obrigados a pagar indenizações pelos templos pagãos que haviam destruído — o que mais das vezes significava a destruição de igrejas edificadas nos mesmos lugares. Tais medidas necessariamente envolviam violência ocasional contra proeminentes chefes cristãos, a qual, observa Gibbon, era levada a cabo por ministros provinciais que "satisfaziam os desejos mais que as ordens de seu soberano".

Um clérigo que se tornou famoso por sua morte em mãos pagãs durante o reinado de Juliano foi Jorge da Capadócia, que acumulara uma grande fortuna como fornecedor de toicinho ao exército antes de ter revelado repentina lealdade à causa ariana. Quando Constâncio expulsou o grande Atanásio de seu trono eclesiástico em Alexandria, Jorge da Capadócia foi nele colocado como seu sucessor ariano, "qualificado, por índole e educação, para o exercício das artes da perseguição". Ele "oprimiu com mão imparcial" todas as facções alexandrinas, adquiriu o monopólio de atividades como o comércio de sal, papel e funerais, e pilhou com frequência os ricos templos pagãos da cidade. Quando Juliano subiu ao trono imperial, Jorge da Capadócia foi primeiramente metido na prisão e mais tarde morto por uma turba de pagãos ultrajados. Entretanto, depois de sua morte, os cristãos ortodoxos e arianos o adotaram igualmente como santo, mártir e herói; sua fama se espalhou por toda a Europa durante o período das Cruzadas e foi ele quem eventualmente se transformou, pela ação dos séculos, na resplendente figura de são Jorge da Inglaterra.

A morte de Jorge da Capadócia resultou no retorno de Atanásio, que não tardou a ser exilado por Juliano, tal como, antes dele, o fora por Constâncio. Mais uma vez sumiu Atanásio nos mosteiros do deserto e Juliano também aprendeu que todos os recursos do Império não bastavam para efetuar-lhe a captura, diante da decidida oposição da crescente e poderosa Igreja.

Houvesse Juliano persistido em seu intento de restabelecer o paganismo como a religião romana dominante e teria certamente envolvido o Império nos horrores de uma guerra civil religiosa. Evitou essa terrível eventualidade com sua morte prematura no campo de batalha, durante uma difícil retirada na campanha persa, que ele dirigira com grande vigor e êxito a princípio. Os chefes do fatigado exército, acossado de todos os lados pelos persas, escolheram Joviano como seu novo imperador; e ele imediatamente negociou um tratado de paz que foi talvez necessário mas nem por isso menos ignominioso. Por ele, os persas obtiveram de volta as cinco províncias romanas além-Tigre bem como a inexpugnável cidade de Nisibis. Todavia, a despeito da grita pública contra o tratado, Joviano podia contar com o poderoso apoio cristão, pois era um crente devoto que imediatamente restabeleceu o cristianismo como a religião oficial. Isso e o tratado persa foram os únicos monumentos de seu breve reinado; Joviano morreu aparentemente de morte natural poucos meses após sua elevação ao trono.

12

(363-384 d.C.)

*Eleição de Valentiniano, que se associa ao trono de seu irmão Valente e procede à divisão final dos Impérios do Oriente e do Ocidente — Revolta de Procópio — Administração civil e eclesiástica — Germânia — Britânia — África — O Oriente — O Danúbio — Morte de Valentiniano — Seus dois filhos, Graciano e Valentiniano II, sobem ao trono do Império ocidental**

APÓS A MORTE DE JOVIANO, o trono do mundo romano permaneceu sem dono por dez dias. Os ministros e generais continuaram a reunir-se em conselho, a exercer suas respectivas funções, a manter a ordem pública; pacificamente conduziram o exército à cidade de Niceia, na Bitínia,** escolhida para local da eleição. Numa assembleia solene dos poderes militar e civil do Império, o diadema foi novamente oferecido, por unanimidade, ao prefeito Salústio. Este desfrutou a glória de uma segunda recusa e, quando as virtudes do pai foram alegadas em favor do filho, o prefeito, com a firmeza de um patriota desinteressado, declarou aos eleitores que a débil idade de um e a inexperiente juventude do outro eram igualmente incapazes de dar conta dos laboriosos deveres do governo. Propuseram-se vários candidatos e, depois de se pesarem as objeções de caráter ou situação, foram eles sucessivamente rejeitados; todavia, tão logo se pronunciou o nome de Valentiniano, o

* Capítulo 25 do original. (N. O.)

** Região do Nordeste da Ásia Menor, no litoral do Ponto Euxino (mar Negro) e da Propôntida (mar de Mármara), cujas cidades principais eram Niceia e Nicomédia. (N. T.)

mérito desse oficial logrou unir os sufrágios da assembleia toda e merecer a sincera aprovação do próprio Salústio.

Valentiniano era o filho do conde Graciano, um natural de Cibalis, na Panônia, que de uma obscura condição se alçou, por sua incomparável força e habilidade, ao comando militar da África e da Britânia, no qual se aposentou com avultada fortuna e suspeita integridade. A alta graduação e os serviços de Graciano contribuíram contudo para facilitar os primeiros passos da carreira de seu filho e oferecer-lhe uma oportunidade precoce de mostrar as sólidas e úteis qualificações que lhe erguiam o caráter acima do nível comum de seus companheiros de armas. Valentiniano era de estatura elevada e tinha atrativa e majestosa aparência. Sua fisionomia viril, que dava uma funda impressão de sensatez e inteligência, inspirava respeito aos amigos e temor aos inimigos; secundando-lhe os esforços da impávida coragem, o filho de Graciano herdara as vantagens de uma constituição vigorosa e sadia. Mercê dos hábitos de castidade e temperança, que contêm os apetites e revigoram as faculdades, Valentiniano conservara a autoestima e a estima pública. As ocupações da vida militar haviam-lhe afastado a juventude das elegantes atividades da literatura; ele não era versado nem na língua grega nem na arte da retórica; entretanto, como a mente do orador nunca se deixava confundir pela tímida perplexidade, ele podia, sempre que a ocasião o exigisse, exprimir seus sentimentos resolutos em pronta e destemida elocução. As leis da disciplina militar tinham sido as únicas que estudara, e ele logo se distinguiu pela laboriosa diligência e inflexível severidade com que desempenhava e fazia respeitar os deveres da caserna.

Na época de Juliano, desafiou o perigo da desonra com o desdém que publicamente manifestou pela religião dominante; semelhava, por sua conduta ulterior, que a indiscreta e inoportuna franqueza de Valentiniano era consequência do espírito militar mais que do ardor cristão. Ele foi perdoado, porém, e continuou a serviço de um príncipe que lhe apreciava o mérito; em diversos eventos da guerra persa, aumentou a reputação que adquirira nas margens do Reno. A rapidez e o êxito com que executou um importante encargo recomendaram-no ao favor de Joviano e ao honroso comando de uma segunda *escola* ou companhia de broqueleiros da guarda interna. Na marcha de volta da Antioquia, mal alcançara seu quartel em Ancira quando foi inesperadamente convocado, sem culpa nem intriga, para assumir, aos 43 anos de idade, o governo absoluto do Império Romano.

O convite feito pelos ministros e generais em Niceia não tinha maior valor enquanto não fosse confirmado pela voz do exército. O idoso Salústio, que de há muito observava as irregulares oscilações das assembleias populares, propôs, sob pena de morte, que nenhuma das pessoas cuja alta posição pudesse congregar uma facção em seu favor aparecesse em público no dia da investidura. No entanto, era tal o predomínio da antiga superstição que se acrescentava voluntariamente um dia inteiro a esse perigoso intervalo porque acontecia ser a intercalação do Bissexto.* Finalmente, quando se julgou a hora propícia, Valentiniano mostrou-se do alto de uma tribuna; a escolha judiciosa foi aplaudida e o novo príncipe solenemente investido do diadema e da púrpura em meio às aclamações das tropas, que se dispunham em ordem marcial à volta da tribuna. Mas quando estendeu a mão para dirigir-se à multidão, um murmúrio começou a elevar-se das fileiras e aos poucos se converteu num alto e imperioso clamor, pedindo-lhe que nomeasse sem tardança um colega no império.

A intrépida calma de Valentiniano restabeleceu o silêncio e o respeito; ele então se dirigiu à assembleia:

> Há alguns minutos atrás estava em *vosso* poder, companheiros soldados, ter me deixado na obscuridade de minha condição. Julgando, pelo testemunho de minha vida pretérita, que eu merecia reinar, colocastes-me no trono. É agora *meu* dever cuidar da segurança e do interesse da causa pública. O peso do universo é, sem dúvida alguma, demasiado para as mãos de um fraco mortal. Tenho consciência dos limites de

* Isto é, a repetição do sexto dia antes das Calendas de março, que no calendário romano era tida por ocorrer duas vezes num ano bissexto. (N. O.)

minha capacidade e da incerteza de minha vida, e, longe de declinar, estou ansioso por solicitar a ajuda de um colega condigno. Mas, quando a discórdia se pode revelar fatal, a escolha de um amigo leal exige madura e séria deliberação. Tal deliberação será da *minha* responsabilidade. Que a *vossa* conduta seja respeitosa e coerente. Voltai para vossos quartéis; reanimai vossos corpos e vossas mentes; e esperai o costumeiro donativo pela elevação de um novo imperador.

As tropas atônitas, num misto de orgulho, de satisfação e de temor, reconheceram a voz de seu senhor. Os clamores irados apagaram-se em silenciosa reverência e Valentiniano, rodeado das águias das legiões e das diversas bandeiras da cavalaria e da infantaria, foi levado em pompa marcial até o palácio de Niceia. Como ele estava cônscio, porém, da importância de evitar alguma manifestação temerária dos soldados, consultou a assembleia dos comandantes, cujos sentimentos foram concisamente expressos pela generosa franqueza de Dagalaifo: "Eminentíssimo príncipe", disse esse oficial, "se considerardes tão somente vossa família, tendes um irmão; se amais a República, olhai a vossa volta em busca do mais merecedor dos romanos". O imperador, que dissimulou seu desagrado sem mudar de intento, viajou sem pressa de Niceia a Nicomédia e Constantinopla. Num dos subúrbios desta capital, trinta dias após sua elevação ao trono, conferiu o título de Augusto a seu irmão Valente; como os patriotas mais intrépidos estavam convictos de que sua oposição, sem ser útil ao país, seria fatal a eles próprios, a declaração da vontade absoluta do imperador foi recebida com silenciosa submissão.

Valente estava então com 36 anos, mas seus talentos nunca haviam sido postos à prova em qualquer cargo, militar ou civil, e seu caráter não inspirava ao mundo nenhuma perspectiva otimista. Possuía contudo uma qualidade que o recomendava a Valentiniano e preservava a paz interna do Império: uma devota e agradecida lealdade a seu benfeitor, cuja superioridade de gênio e de autoridade ele prazenteiramente reconhecia em todos os atos de sua vida.

Antes de dividir as províncias, Valentiniano reformou a administração do Império. Todas as classes de súditos que haviam sido prejudicadas ou oprimidas no reinado de Juliano foram convidadas a corroborar suas acusações públicas. O silêncio geral testou a imaculada integridade do prefeito Salústio, e suas insistentes solicitações de que lhe fosse permitido retirar-se da vida pública Valentiniano as rejeitou com as mais honrosas expressões de amizade e estima. Mas entre os favoritos do falecido imperador muitos havia que tinham abusado de sua credulidade ou superstição e que não mais podiam almejar ser protegidos ou pelo favor ou pela justiça. Em sua maior parte, os ministros do palácio e os governadores das províncias foram demitidos de seus respectivos postos; não obstante, por seu alto mérito, alguns oficiais não deixaram de ser distinguidos da turba desprezível e, malgrado os clamores contrários de zelo e ressentimento, todos os trâmites dessa melindrosa investigação parecem ter sido conduzidos com boa dose de prudência e moderação. O regozijo de um novo reinado sofreu breve e suspicaz interrupção em consequência de uma súbita enfermidade dos dois príncipes; tão logo, porém, recobraram a saúde, deixaram Constantinopla no começo da primavera.

No castelo ou palácio de Mediana, a apenas cinco quilômetros de Naisso, procederam eles à solene e final divisão do Império Romano. Valentiniano outorgou ao irmão a rica prefeitura do Oriente, desde o baixo Danúbio até os confins da Pérsia, ao mesmo tempo que reservou para seu governo imediato as belicosas prefeituras da Ilíria, da Itália e da Gália, desde o extremo da Grécia à muralha caledoniana e desta ao sopé do monte Atlas. A administração provincial continuou como antes, mas um duplo contingente de generais e magistrados se tornou necessário para constituir dois conselhos e duas cortes; a divisão se fez com uma justa consideração de mérito e situação peculiar de cada um deles, e logo se criaram sete generais-comandantes tanto de cavalaria quanto de infantaria. Após esse importante assunto ter sido amigavelmente resolvido, Valentiniano e Valente se abraçaram pela última vez. O imperador do Ocidente estabeleceu residência temporária em Milão e o do Oriente retornou a Constantinopla a fim de assumir o domínio de cinquenta províncias cuja língua ignorava totalmente.

Neste ponto do original, Gibbon descreve a revolta de um dos generais de Juliano, de nome Procópio, que fora exilado pelas suspeitas de Valente. Procópio tentou, com algum êxito a princípio, derrubar Valente. Mas esse "tímido monarca foi salvo da desgraça e da ruína pela firmeza dos seus ministros" e Procópio "sofreu o destino habitual de um usurpador malsucedido".

Tais são, na verdade, os frutos naturais e comuns do despotismo e da rebelião. Mas a investigação do crime de magia, rigorosamente levada a cabo no reinado dos dois irmãos, em Roma e na Antioquia, foi interpretada como sintoma fatal ou do desagrado do céu ou da depravação da humanidade.* Não hesitemos em nutrir justificado orgulho de, na época atual, a parte esclarecida da Europa ter abolido um cruel e odioso preconceito que floresceu em todos os climas do globo e se apegou a todos os sistemas de opinião religiosa. As nações e seitas do mundo romano admitiam, com igual credulidade e similar execração, a realidade dessa arte infernal que teria o poder de governar a ordem eterna dos planetas e as atividades voluntárias da mente humana. Temiam o misterioso poder de bruxedos e encantamentos, de ervas poderosas e ritos execráveis, que podiam extinguir ou restaurar a vida, inflamar as paixões da alma, derrocar as obras da criação e arrancar dos demônios relutantes os segredos do porvir. Acreditavam, com a mais insana incoerência, que tal

* "A perseguição contra os filósofos e suas bibliotecas foi empreendida com tanta fúria que desde essa época (374 d.C.) os nomes de filósofos gentios quase desapareceram", diz o deão Milman, um dos anotadores de Gibbon. "Além de vastas pilhas de manuscritos terem sido publicamente destruídas por todo o Oriente, os homens de saber queimavam suas bibliotecas, temendo que algum volume fatal os pudesse expor à malignidade dos informantes e à penalidade da lei." (N. O.)

domínio sobrenatural do ar, da terra e do inferno era exercido, pelos motivos mais vis de maldade ou ambição, por algumas bruxas enrugadas e feiticeiras itinerantes que passavam sua vida obscura na penúria e na ignomínia.

As artes mágicas eram de igual modo condenadas pela opinião pública e pelas leis de Roma; todavia, como visavam satisfazer às mais imperiosas paixões do coração humano, tinham de ser continuamente proscritas e voltavam a ser praticadas. Uma causa imaginária é capaz de produzir os efeitos mais sérios e danosos. As sombrias predições da morte de um imperador ou do êxito de uma conspiração tendiam tão só a estimular as esperanças de ambição e a dissolver os laços de fidelidade; os crimes efetivos de traição e sacrilégio agravavam a culpabilidade intencional da magia. Esses terrores vãos perturbavam a paz da sociedade e a ventura dos indivíduos; a chama inofensiva que derretia aos poucos uma imagem de cera podia extrair uma poderosa e daninha energia da aterrorizada imaginação da pessoa a quem pretendia malevolamente representar. Da infusão de ervas que supostamente possuía uma influência sobrenatural era fácil passar ao uso de um veneno mais eficaz, e a insânia humana se tornava por vezes o instrumento e a máscara dos crimes mais atrozes.

Tão logo encorajaram o zelo dos delatores, os ministros de Valente e Valentiniano não mais puderam recusar-se a ouvir outra acusação que, com grande frequência, se mesclava às cenas de delito doméstico, uma acusação de natureza mais branda e menos maligna para a qual o piedoso, conquanto excessivo, rigor de Constantino pouco antes determinara a pena de morte. Essa mortífera e incoerente mistura de traição e magia, de veneno e adultério, dava margem a infinitas gradações de culpabilidade e inocência, de atenuantes e agravantes, que, nesses processos, parecem ter sido confundidas pelas iradas ou corrompidas paixões dos juízes. Não tardaram eles a descobrir que o grau de sua diligência e discernimento era avaliado, pela corte imperial, em termos do número de execuções fornecido por seus respectivos tribunais. Só com extrema relutância pronunciavam uma sentença de absolvição e impacientemente admitiam testemunhos inquinados pelo perjúrio ou obtidos por tortura para provar as mais improváveis acusações contra as pessoas mais respeitáveis. O progresso do inquérito continuamente propiciava novos motivos de denúncia criminal; os audazes delatores cuja falsidade havia sido desmascarada safavam-se impunes; no entanto, a desgraçada vítima que revelasse seus pretensos ou reais cúmplices dificilmente conseguia receber o prêmio de sua infâmia. Dos confins da Itália e da Ásia, jovens e velhos vinham trazidos em cadeias aos tribunais de Roma e Antioquia. Senadores, matronas e filósofos expiavam em meio a ignominiosas e cruéis torturas. Os soldados designados para vigiar as prisões declaravam, com um murmúrio de piedade e indignação, que seu número não bastava para impedir a fuga ou resistência da multidão de cativos. Multas e confiscos arruinavam as famílias mais abastadas; os mais inocentes cidadãos temiam por sua segurança; podemos formar uma ideia da magnitude da perversidade pela extravagante assertiva de um autor antigo de que, nas detestáveis províncias, os prisioneiros, os exilados e os fugitivos constituíam a maioria dos habitantes.

Quando Tácito descreve a morte de romanos inocentes e ilustres sacrificados à crueldade dos primeiros Césares, a arte do historiador ou o mérito dos sofredores suscitam em nosso peito as mais vivas sensações de terror, de admiração e de piedade. A pena grosseira e pouco discriminativa de Amiano delineou-lhes as sanguinárias figuras com tediosa e nauseante precisão. Todavia, como nossa atenção não é mais atraída pelo contraste entre liberdade e servidão, grandeza recente e sofrimento atual, devemos afastar-nos com horror das frequentes execuções que desgraçaram, em Roma e Antioquia, o reinado dos dois irmãos. Valente tinha índole tímida; Valentiniano a tinha colérica. Uma angustiada preocupação com sua segurança pessoal foi o princípio dominante da administração de Valente. Na condição de súdito, havia ele beijado com temeroso respeito a mão do opressor; quando subiu ao trono, justificadamente supôs que os mesmos temores que lhe haviam subjugado a mente assegurariam a paciente submissão de seu povo. Os favoritos de Valente obtiveram, pelo privilégio da rapina e do confisco, a riqueza que a parcimônia dele lhes teria recusado. Com persuasiva eloquência, instavam que, em todos os casos de traição, a suspeita equivale à prova; que o poder pressupõe a intenção de dano; que a intenção não é menos criminosa que o ato; e que um súdito não mais merece viver se sua vida pode ameaçar a segurança ou perturbar o repouso de seu soberano.

O juízo de Valentiniano era por vezes iludido, e sua confiança, abusada; ele porém teria silenciado os delatores com um sorriso de desprezo caso presumissem alarmar-lhe a fortaleza moral com um aviso de perigo. Eles lhe louvavam o inflexível amor à justiça e, no empenho de praticá-la, o imperador se via facilmente tentado a considerar a clemência como fraqueza e a paixão como virtude. Enquanto disputou com seus pares a audaz competição de uma vida ativa e ambiciosa, Valentiniano raras vezes foi prejudicado e nunca foi insultado impunemente; se lhe censuravam a prudência, aplaudiam-lhe a fibra, e os generais mais soberbos e mais poderosos temiam provocar o ressentimento de um destemido soldado.

Infelizmente, quando se tornou senhor do mundo, Valentiniano olvidou que, onde não possa haver resistência, a coragem não sai a campo; em vez de consultar os ditames da razão e da magnanimidade, ele se entregou às furiosas paixões de seu temperamento numa época em que lhe foram desastrosas e fatais aos indefesos alvos de seu desagrado. No governo dos assuntos de seu palácio ou de seu império, leves ou até imaginárias ofensas — uma palavra imprudente, uma omissão casual, um atraso involuntário — eram castigadas com uma sentença de morte imediata. As palavras que mais prontamente saíam da boca do imperador do Ocidente eram: "Cortem-lhe a cabeça", "Queimem-no vivo", "Que ele seja espancado até morrer"; seus ministros mais estimados não demoraram a entender que, numa temerária tentativa de discutir ou suspender a execução de suas ordens sanguinárias, podiam eles incorrer na culpabilidade e punição da desobediência.

A repetida satisfação de tal justiça selvagem insensibilizou o espírito de Valentiniano à piedade e ao remorso; os hábitos de crueldade confirmavam os arrebatamentos da paixão. Podia contemplar com calma satisfação as agonias convulsivas da tortura e da morte; reservava sua amizade para aqueles servidores leais cuja índole fosse congenial da sua. O mérito de Maximiano, que trucidara as famílias mais nobres de Roma, teve por recompensa a aprovação real e a prefeitura da Gália. Somente dois ursos enormes e ferozes, distinguidos pelos nomes de Inocência e Mica Aurea, mereciam a estima de Maximiano. As jaulas desses dois guardiães fiéis eram sempre colocadas junto ao quarto de Valentiniano, que com frequência deleitava os olhos no aprazível espetáculo de vê-los dilacerar e devorar os membros ensanguentados de malfeitores entregues a sua ferocidade. O imperador romano inspecionava-lhes cuidadosamente a dieta e os exercícios; depois de ter feito jus a sua dispensa, ao fim de uma longa carreira de serviços meritórios, a leal *Inocência* foi devolvida à liberdade de suas florestas natais.

Mas nos momentos de reflexão mais calma, quando o medo não perturbava o espírito de Valente nem a ira de Valentiniano, o tirano retomava as ideias ou pelo menos a conduta do pai de sua pátria. O desapaixonado julgamento do imperador do Ocidente conseguia discernir claramente e atender acuradamente seu interesse próprio e o público; quanto ao soberano do Oriente, que imitava com igual docilidade os exemplos recebidos do irmão mais velho, guiavam-no algumas vezes a sabedoria e a virtude do prefeito Salústio. Ambos os príncipes conservavam, na púrpura, a casta e comedida simplicidade que lhes adornara a vida particular; em seus reinados, os prazeres da corte jamais custaram ao povo um rubor ou um suspiro. Reformaram gradualmente os abusos da época de Constâncio, sensatamente adotaram e aperfeiçoaram os planos de Juliano e de seu sucessor, e evidenciaram um estilo e uma índole de legislação capazes de inspirar à posteridade opinião das mais favoráveis no tocante a seu caráter e governo. Não é do dono de *Inocência* que deveríamos esperar a terna preocupação com o bem-estar de seus súditos que levou Valentiniano a condenar a exposição de recém-nascidos e a nomear catorze médicos competentes, concedendo-lhes estipêndios e privilégios, para atender os catorze bairros de Roma.

O bom senso de um soldado iletrado fundou uma útil e liberal instituição para a educação da juventude e o amparo da ciência em declínio. Era sua intenção que as artes da gramática e da retórica fossem ensinadas, nas línguas grega e latina, na metrópole de cada província; como o tamanho e o mérito da escola eram usualmente proporcionais à importância da cidade, as academias de Roma e Constantinopla reivindicavam uma justa e especial preeminência. Os fragmentos dos éditos literários de Valentiniano dão uma ideia imperfeita da escola de Constantinopla, que foi sendo aos poucos melhorada por regulamentos subsequentes. Essa escola contava 31 professores dos diferentes ramos do saber: um filósofo e dois jurisconsultos; cinco sofistas e dez gramáticos para o grego, e três oradores e dez gramáticos para o latim, além de sete escribas ou, como eram chamados, antiquários, cujas penas laboriosas supriam a biblioteca pública de belas e corretas cópias dos autores clássicos.

A norma de conduta prescrita para os estudantes é tanto mais curiosa quanto antecipa os primeiros lineamentos da estrutura e da disciplina de uma universidade moderna. Era mister que eles trouxessem os competentes certificados fornecidos pelos magistrados de suas províncias natais. Num registro público ficavam anotados seus nomes, as profissões e os locais de residência. Aos jovens estudantes proibia-se terminantemente perder tempo em festas ou no teatro, e o termo de sua educação se limitava à idade de vinte anos. O prefeito da cidade estava investido do poder de castigar os indolentes e os refratários com vergastadas ou expulsão, e cumpria-lhe fazer um relatório anual ao mestre dos ofícios, a fim de que o saber e os talentos dos estudantes pudessem ser utilizados com proveito no serviço público.

As instituições de Valentiniano contribuíram para assegurar os benefícios da paz e da abundância; a guarda das cidades ficou confiada à instituição dos *defensores*, livremente eleitos como os tribunos e advogados do povo com o propósito de apoiar-lhe os direitos e expor-lhe as queixas nos tribunais dos magistrados civis ou mesmo ao pé do trono imperial. As finanças eram diligentemente administradas por dois príncipes havia muito habituados à rígida economia de uma fortuna particular; todavia, na coleta e aplicação da renda pública, um olho poderia observar alguma diferença entre o governo do Oriente e o do Ocidente. Valente estava persuadido de que a liberalidade real só se pode efetivar pela opressão pública, e sua ambição jamais aspirou a assegurar, a tal preço, a futura prosperidade e robustez de seu povo. Em vez de aumentar o peso dos impostos, que, no espaço de quarenta anos, aos poucos duplicara, ele reduziu de um quarto, nos primeiros anos de seu reinado, o tributo do Oriente. Valentiniano parece ter se preocupado bem menos em aliviar o ônus de seu povo. Ele poderia corrigir os abusos da administração fiscal; cuidou, antes, de extorquir sem escrúpulo uma elevada cota da propriedade privada, pois estava convencido de que as rendas que garantiam o luxo de indivíduos seriam utilizadas com muito maior proveito na defesa e melhoria do Estado. Os súditos do Oriente, que desfrutavam de benefícios imediatos, aplaudiam a benevolência de seu príncipe. O sólido mas menos brilhante mérito de Valentiniano só foi percebido e aplaudido pelas gerações subsequentes.

Mas a peculiaridade mais honrosa do caráter de Valentiniano era a firme e moderada imparcialidade que conseguiu invariavelmente manter numa época de lutas religiosas. Seu vigoroso bom senso, não esclarecido mas tampouco corrompido pelo estudo, declinava com respeitosa indiferença as questões sutis do debate teológico. O governo da *terra* lhe reclamava a vigilância e lhe satisfazia a ambição; conquanto se lembrasse de que era o discípulo da Igreja, jamais se esquecia de que era o soberano do clero. No reinado de um apóstata, demonstrara seu zelo pela honra da cristandade; permitia a seus súditos o privilégio que ele próprio se arrogara, e eles deveriam aceitar com gratidão e confiança a generalizada tolerância concedida por um príncipe afeito às paixões mas incapaz de medo ou dissimulação. Os pagãos, os judeus e todas as várias seitas que reconheciam a divina autoridade do Cristo estavam protegidos, por lei, do poder arbitrário e do insulto popular; tampouco proibia Valentiniano qualquer forma de culto, a não ser as práticas secretas e criminosas que abusavam do nome de religião para sombrios intentos de perversidade e desordem.

Como era a mais cruelmente punida, a arte da magia era também a proibida com mais rigor; o imperador admitia contudo uma distinção formal para proteger os antigos métodos divinatórios, aprovados pelo Senado e exercidos pelos arúspices toscanos. Havia ele condenado, com o consentimento dos pagãos mais esclarecidos, a licenciosidade dos sacrifícios noturnos; aceitou porém imediatamente a petição de Pretextado, procônsul da Acaia, que alegou que a vida dos gregos se tornaria árida e desolada se eles fossem privados da bênção dos mistérios eleusinos. A filosofia é a única em poder gabar-se (e talvez não seja mais que gabo da filosofia) de que apenas sua dócil mão é capaz de erradicar da mente humana o princípio mortífero e latente do fanatismo. Mas essa trégua de doze anos, que foi posta em vigor pelo sensato e vigoroso governo de Valentiniano, com suspender a repetição de injúrias de parte a parte, contribuiu para abrandar os costumes e moderar os preconceitos das facções religiosas.*

A estrita regulamentação concebida pelo tino dos legisladores modernos com o fito de conter o enriquecimento e a avareza do clero pode ser originariamente deduzida do exemplo do imperador Valentiniano. Seu édito dirigido a Damaso, bispo de Roma, foi lido publicamente nas igrejas da cidade. Ele exortava os eclesiásticos e monges a não frequentarem as casas de viúvas e virgens e lhes ameaçava a desobediência com a animadversão do juiz civil. Ao diretor de consciência não mais era permitido receber qualquer dádiva, ou legado, ou herança da liberalidade de sua filha espiritual; declarava-se írrito e nulo qualquer testamento contrário a esse édito, confiscando-se para uso do tesouro a doação ilegal.

* Infelizmente, continua Gibbon, Valente não deu mostras de ser tão esclarecido, e seu reinado no Oriente foi marcado por contínua e sangrenta guerra entre os arianos, aos quais apoiava, e os ortodoxos. (N. O.)

Uma regulamentação ulterior cuidou de que as mesmas disposições fossem aplicadas a freiras e bispos e de que todos quantos pertencessem a ordens eclesiásticas ficassem incapacitados de receber quaisquer doações testamentárias e se confinassem estritamente aos direitos naturais e legais de herança.

Como guardião da virtude e da felicidade domésticas, Valentiniano aplicou esse severo remédio ao mal em crescimento. Na capital do Império, as mulheres de casas nobres e opulentas possuíam parte assaz considerável de propriedade independente, e muitas delas, devotas, abraçavam as doutrinas do cristianismo não apenas com a desapaixonada anuência do entendimento mas com o calor da afeição e talvez o ardor da moda. Sacrificavam os prazeres do atavio e do luxo e renunciavam, pelo amor da castidade, aos amenos carinhos do convívio conjugal. Algum clérigo de santidade aparente ou real era escolhido para dirigir-lhes a timorata consciência e recrear a ternura vacante de seus corações; da ilimitada confiança que elas açodamente outorgavam abusavam amiúde marotos e entusiastas, que acorriam dos confins do Oriente para desfrutar, num esplêndido teatro, os privilégios da profissão monástica. Por seu desprezo do mundo, eles lhe iam adquirindo aos poucos as mais cobiçadas vantagens: a intensa dedicação, quiçá, de uma bela e jovem mulher; a refinada abundância de uma casa opulenta; e a respeitosa homenagem dos escravos, dos libertos e dos clientes de uma família senatorial. As imensas fortunas das damas romanas se iam consumindo em pródigas esmolas e peregrinações dispendiosas; e o monge ardiloso, que tinha reservado para si o primeiro e possivelmente o único lugar no testamento de sua filha espiritual, ainda se atrevia a declarar, com a suave máscara da hipocrisia, que *ele* era apenas o instrumento da caridade e o ecônomo do pobre.

O lucrativo mas vergonhoso mister exercido pelo clero para fraudar as expectativas dos herdeiros naturais provocara a indignação de uma época supersticiosa; dois dos mais respeitáveis pais da Igreja latina reconheceram assaz honestamente que o ignominioso édito de Valentiniano era justo e necessário e que os sacerdotes cristãos mereceram perder um privilégio que continuava a ser desfrutado por comediantes, cocheiros e ministros de ídolos. Entretanto, raras vezes a sensatez e a autoridade do legislador saem vitoriosas numa pugna com a vigilante destreza do interesse particular; e Jerônimo e Ambrósio podiam resignadamente concordar com a justiça de uma lei salutar ou ineficaz. Se os clérigos fossem contidos na busca de renda pessoal, passariam a exercer mais louvável diligência no sentido de aumentar a prosperidade da Igreja e dignificar sua ganância com os nomes especiosos de piedade e patriotismo.

Damaso, bispo de Roma, que se viu forçado a estigmatizar a avareza de seu clero com a publicação da lei de Valentiniano, teve a sensatez, ou a boa sorte, de pôr a seu serviço o zelo e os talentos do douto Jerônimo; o santo, agradecido, celebrou o mérito e a pureza de uma personalidade assaz ambígua.[1] Mas os suntuosos vícios da Igreja de Roma no reinado de Valentiniano e Damaso foram indiscretamente observados pelo historiador Amiano, que manifesta sua opinião imparcial nestas palavras expressivas:

> A prefeitura de Juvêncio se fez acompanhar de paz e abundância; a tranquilidade do seu governo foi logo perturbada, porém, por uma sangrenta sedição do povo enfurecido. O ardor de Damaso e Ursino para se apoderarem do trono episcopal ultrapassou a medida habitual da ambição humana. Pelejaram com o furor do facciosismo; a contenda foi sustentada pelas chagas e pelas mortes de seus seguidores; e o prefeito, incapaz de conter ou pacificar o tumulto, viu-se forçado pela violência a retirar-se para os subúrbios. Damaso triunfou; a tão disputada vitória permaneceu em mãos de sua facção; encontraram-se 137 cadáveres na Basílica de Sicínio, onde os cristãos faziam suas assembleias religiosas; os ânimos enfurecidos do povo custaram a voltar a sua costumeira tranquilidade. Não me espanta, quando considero

[1] Os inimigos de Damaso o chamavam de *Auricalpius Matronarum*, "coçador de orelhas de senhores".

o esplendor da capital, que tão valioso prêmio inflamasse os desejos de homens ambiciosos e desse origem a conflitos dos mais ferozes e obstinados. O candidato vitorioso está seguro de que ficará rico com os donativos das matronas; de que, tão logo suas vestes sejam arrumadas com o devido cuidado e elegância, ele poderá desfilar de carruagem pelas ruas de Roma; e de que a suntuosidade da mesa imperial não conseguirá igualar as profusas e delicadas iguarias propiciadas pelo gosto e pela opulência dos pontífices romanos.

Quão mais sensatamente não atenderiam eles a sua verdadeira felicidade se, em vez de alegar a grandeza da cidade como justificativa de seus costumes, imitassem a vida exemplar de certos bispos provinciais cuja temperança e sobriedade, cujo vestuário pobre e expressão abatida lhes recomendam a pura e modesta virtude à Deidade e aos verdadeiros adoradores dela!

O cisma de Damaso e Ursino teve fim com o exílio do primeiro e a sensatez do prefeito Pretextato restaurou a tranquilidade da cidade. Pretextato era um pagão filósofo, um homem de cultura, de gosto e de maneiras polidas, que disfarçou uma censura em facécia quando assegurou a Damaso que se ele conseguisse obter o bispado de Roma, ele, Pretextato, abraçaria imediatamente a religião cristã.[1] Essa viva descrição da opulência e do luxo dos papas no século IV é tanto mais curiosa quanto representa o grau intermédio entre a humilde pobreza do pescador apostólico e o fausto real de um príncipe temporal cujos domínios se estendem dos confins de Nápoles às margens do Pó.

Quando o sufrágio dos generais e do exército confiou o cetro do Império Romano às mãos de Valentiniano, sua reputação nas armas, sua habilidade e experiência militar e sua severa fidelidade às formas e ao espírito da antiga disciplina foram os principais

[1] É mais do que provável que Damaso não tivesse comprado a conversão a tal preço.

motivos dessa escolha judiciosa. A impaciência das tropas, que instaram com ele para que nomeasse seu colega, justificava-se em face da perigosa situação dos assuntos públicos; o próprio Valentiniano tinha consciência de que os talentos da mais ativa das mentes não bastavam para a defesa das fronteiras de uma monarquia invadida. Tão logo a morte de Juliano livrara os bárbaros do terror de seu nome, as mais ardentes esperanças de rapina e conquista animaram as nações do Oriente, do norte e do sul. As incursões bárbaras se demonstravam amiúde vexatórias e algumas vezes temíveis; todavia, durante os doze anos de seu reinado, a firmeza e a vigilância de Valentiniano protegeram-lhe os domínios e seu poderoso gênio pareceu capaz de inspirar e dirigir os débeis desígnios de seu irmão. Talvez o método dos anais pudesse exprimir, de maneira mais convincente, as urgentes e separadas preocupações dos dois imperadores; de igual modo, porém, distrairia a atenção do leitor com uma narrativa tediosa e desconexa. Uma visão em separado dos cinco grandes teatros de guerra — I. Germânia; II. Britânia; III. África; IV. O Oriente; e V. O Danúbio — propiciará uma imagem mais nítida da situação militar do Império nos reinados de Valentiniano e Valente.

I. GERMÂNIA. Os embaixadores dos alamanos se tinham ofendido com a conduta rude e soberba de Ursácio, mestre dos ofícios, que, num ato de intempestiva parcimônia, diminuíra o valor e a quantidade dos presentes a que faziam jus, por costume ou tratado, com a elevação de um novo imperador. Eles manifestaram, e comunicaram a seus compatriotas, um forte sentimento de afronta nacional. O espírito irascível dos chefes se exasperou à suspeita de desdém e a juventude belicosa se apinhou à volta de suas bandeiras de guerra. Antes que Valentiniano pudesse cruzar os Alpes, as aldeias da Gália estavam em chamas; antes que seu general Degalaifo pudesse enfrentar os alamanos, estes haviam posto em lugar seguro, nas florestas da Germânia, os cativos e o espólio. No começo do ano seguinte, o poderio militar da nação inteira, em sólidas e cerradas colunas, rompeu a barreira do Reno durante a severidade de um inverno setentrional. Dois condes romanos foram derrotados e gravemente feridos; e o estandarte dos hérulos e dos batavos caiu em mãos dos conquistadores, que exibiam, com brados e ameaças insultuosos, o troféu de sua vitória.

O estandarte foi recuperado, mas, aos olhos de seu severo juiz, os batavos não se haviam redimido da vergonha de sua desonra e fuga. Era opinião de Valentiniano que seus soldados deviam aprender a temer seu comandante antes de poderem deixar de temer o inimigo. As tropas foram solenemente reunidas e os trêmulos batavos encerrados dentro do círculo do exército imperial. Valentiniano então subiu à tribuna e, como se desdenhasse punir a covardia com a morte, infligiu uma mancha de indelével ignomínia nos oficiais cuja má conduta e pusilanimidade revelaram-se o primeiro motivo da derrota. Os batavos foram rebaixados de seus postos, desarmados e condenados a ser vendidos como escravos pelo lance mais alto. Diante da terrível sentença, as tropas se prosternaram no solo, procuraram aplacar a indignação de seu soberano e juraram que, se ele lhes permitisse uma outra prova, demonstrariam não serem indignas do nome de romanos e soldados dele. Valentiniano, com fingida relutância, cedeu-lhes aos rogos: os batavos retomaram as armas e com elas a invencível resolução de limpar sua desonra com o sangue dos alamanos.

O comando principal fora recusado por Dagalaifo, e este experimentado general, que havia alegado, talvez com prudência excessiva, as extremas dificuldades da empresa, sofreu a humilhação, antes do término da campanha, de ver o seu rival Joviano converter tais dificuldades numa vantagem decisiva sobre as forças dispersas dos bárbaros. À frente de um exército bem disciplinado de cavalaria, infantaria e tropas ligeiras, Joviano avançou rápida e cautelosamente até Escarpona, no território de Metz, onde surpreendeu uma grande divisão de alamanos antes que tivessem tempo de correr para suas armas e inflamou seus soldados com a confiança de uma vitória fácil e incruenta.

Outra divisão, ou melhor, exército, do inimigo, após a cruel e gratuita devastação da região circunvizinha, foi descansar às margens umbrosas do Mosela. Jovino, que examinara o terreno com olhos de general, aproximou-se silenciosamente através de um vale profundo e boscarejo, até poder observar a indolente tranquilidade dos germanos. Alguns banhavam os membros gigantescos no rio; outros penteavam os longos cabelos cor de linho; outros ainda bebiam grandes goles de um vinho generoso. De súbito ouviram o som do clarim romano e viram o inimigo dentro de seu acampamento. O assombro produziu a desordem; à desordem seguiram-se a fuga e o terror; e a multidão confusa de tão bravos guerreiros foi trespassada pelas espadas e azagaias dos legionários e das tropas auxiliares.

Os fugitivos evadiram-se para um terceiro e maior acampamento nas planícies cataláunicas, perto de Châlons, em Champagne; os destacamentos desgarrados foram apressadamente chamados de volta a seu estandarte; e os chefes bárbaros, alarmados e advertidos pela sorte de seus companheiros, prepararam-se para enfrentar numa batalha decisiva as forças vitoriosas do lugar-tenente de Valentiniano. O obstinado e sangrento conflito durou todo um dia de verão, com igual bravura e êxito alternado dos contendores. Os romanos finalmente preponderaram, com a perda de cerca de 12 mil homens. Seis mil alamanos foram mortos e 4 mil, feridos; o bravo Jovino, após perseguir os remanescentes em fuga até as margens do Reno, voltou a Paris para receber o aplauso de seu soberano e as insígnias do consulado para o ano seguinte.

O triunfo dos romanos foi conspurcado todavia pelo tratamento que deram ao rei cativo, a quem penduraram na forca, sem o conhecimento de seu indignado general. A esse vergonhoso ato de crueldade, que poderia ser imputado à fúria das tropas, seguiu-se o assassínio deliberado de Withicab, o filho de Vadomair, um príncipe germânico de débil e doentia constituição mas de ânimo ousado e temível. O assassínio político foi instigado e protegido pelos romanos; a violação das leis da humanidade e da justiça traía sua secreta percepção da fraqueza do império em declínio. O uso da adaga raramente é adotado pelos conselhos públicos enquanto estes tiverem alguma confiança no poder da espada.*

* Gibbon prossegue no original descrevendo uma das campanhas de Valentiniano contra os alamanos, a cadeia de fortificações que construiu ao longo de toda

II. BRITÂNIA. Seis anos após a morte de Constantino, as incursões destrutivas dos escoceses e dos pictos exigiram a presença de seu filho mais moço, o qual reinava no império do Ocidente. Constâncio visitou seus domínios britânicos; podemos fazer uma estimativa aproximada da importância de seus feitos pela linguagem do panegírico que lhe celebra o triunfo sobre os elementos, ou, em outras palavras, a boa fortuna de uma travessia fácil e segura do porto de Boulogne à baía de Sandwich. As calamidades que os provincianos afligidos continuaram a sofrer da guerra estrangeira e da tirania nacional agravaram-se pela administração medíocre e corrupta dos eunucos de Constâncio; o alívio transitório que puderam obter pelas virtudes de Juliano logo se perdeu com a ausência e morte de seu benfeitor. As somas de ouro e prata que haviam sido penosamente coletadas ou liberalmente enviadas para pagamento das tropas eram interceptadas pela avareza dos comandantes; vendiam-se publicamente baixas ou pelo menos dispensas do serviço militar; o padecimento dos soldados, insultantemente privados de sua minguada subsistência legal, incitava-os a frequente deserção; relaxaram-se os nervos da disciplina; e as estradas reais estavam infestadas de assaltantes.

A opressão dos bons e a impunidade dos iníquos contribuíam de igual modo para difundir pela ilha um espírito de descontentamento e de revolta; qualquer súdito ambicioso, qualquer exilado em desespero poderia entreter razoável esperança de subverter o débil e perturbado governo da Britânia. As tribos hostis do norte, que detestavam a soberba e o poder do Rei do Mundo, suspenderam suas contendas internas; e os bárbaros da terra e do mar, os escoceses, os pictos e os saxões espalharam-se com célere e irresistível fúria da muralha de Antonino até as praias de Kent.

Todos os produtos da arte e da natureza, todos os objetos de utilidade e de luxo que eles eram incapazes de criar pelo trabalho

---

a extensão do Reno e sua diligência em lançar os bárbaros uns contra os outros. Esse período foi também o da primeira aparição dos saxões, que, como piratas marítimos, devastaram a costa europeia e parte do curso dos rios navegáveis. (N. O.)

ou conseguir pelo escambo se acumulavam na rica e produtiva província da Britânia. Um filósofo pode deplorar a eterna discórdia da raça humana, mas terá de reconhecer que a ambição de espólio constitui uma incitação mais racional que a vaidade de conquista. Da época de Constantino até a dos Plantagenetas, esse espírito rapace continuou a instigar os pobres e animosos caledonianos; todavia, o mesmo povo cuja generosa humanidade parece inspirar os cantos de Ossian foi desonrado por uma selvagem ignorância das virtudes da paz e das leis de guerra. Seus vizinhos do sul sentiram, e quiçá exageraram, as cruéis depredações dos escoceses e dos pictos; e uma tribo valente da Caledônia, os *attacotti*, inimigos e depois soldados de Valentiniano, é acusada por uma testemunha de vista de se deliciarem com o sabor de carne humana. Quando caçavam pelas florestas, consta que atacavam antes o pastor que seu rebanho, e que cuidadosamente escolhiam as partes mais delicadas e carnudas tanto dos varões quanto das fêmeas que preparavam para seus horrendos repastos. Se existiu de fato nas vizinhanças da cidade comercial e literária de Glasgow uma raça de canibais, podemos admirar no mesmo período da história escocesa os extremos opostos de vida civilizada e selvagem. Tais reflexões tendem a alargar o círculo de nossas ideias e a encorajar a grata esperança de a Nova Zelândia produzir nalguma época futura o Hume do hemisfério sul.

Cada mensageiro que lograva atravessar o canal da Mancha levava as notícias mais entristecedoras e alarmantes até os ouvidos de Valentiniano, e o imperador logo foi informado de que os dois comandantes militares da província haviam sido surpreendidos e isolados pelos bárbaros. Severo, conde dos assuntos internos, foi despachado à pressa e de inopino chamado de volta à corte de Treves. As exposições de Jovino só serviram para dar conta da magnitude do mal e, ao cabo de uma longa e grave deliberação, a defesa, ou melhor, a recuperação da Britânia ficou confiada aos talentos do bravo Teodósio.

Os feitos desse general, o pai de uma linhagem de imperadores, foram celebrados com especial ufania pelos autores da época; contudo, seu mérito efetivo fazia jus ao aplauso, e o exército e a província receberam sua nomeação como presságio seguro da vitória iminente. Ele se aproveitou da ocasião favorável para a travessia e desembarcou em segurança as numerosas e veteranas hostes de hérulos e batavos, os Jovianos e os Vitoriosos. Em sua marcha de Sandwich a Londres, Teodósio derrotou vários bandos de bárbaros, libertou uma multidão de cativos e, após distribuir aos soldados uma pequena parte do espólio, firmou a fama de retidão desinteressada ao restituir o restante a seus legítimos proprietários. Os cidadãos de Londres, que já haviam quase desesperado de sua segurança, abriram seus portões e, tão logo Teodósio obteve do conde de Treves a importante ajuda de um lugar-tenente militar e de um governador civil, levou a cabo com sensatez e vigor a laboriosa tarefa de libertação da Britânia. Os soldados errantes foram chamados de volta a seu estandarte, um édito de anistia dissipou as apreensões gerais e seu jovial exemplo abrandou o rigor da disciplina militar.

A campanha irregular e dispersa dos bárbaros que infestavam a terra e o mar privou Teodósio de uma vitória assinalada; no entanto, o espírito prudente e a arte consumada do general romano demonstraram nas operações das duas campanhas que foram resgatando as várias partes da província das mãos de um inimigo cruel e rapace. O cuidado paternal de Teodósio restaurou diligentemente o esplendor das cidades e a segurança das fortificações; com mão firme, ele confinou os receosos caledonianos à ponta norte da ilha e perpetuou, com o nome e a colonização da nova província de *Valentia*, as glórias do reinado de Valentiniano. A voz da poesia e do panegírico pode aduzir, talvez com certo grau de veracidade, que as ignotas regiões de Tule foram manchadas com o sangue dos pictos, que os remos de Teodósio golpearam as ondas do mar hiperbóreo e que as distantes Órcades se tornaram cena de sua vitória naval sobre os piratas saxões. Ele deixou a província revestido de esplêndida e justa reputação, e foi imediatamente promovido ao posto de general-comandante da cavalaria por um príncipe que sabia aplaudir sem inveja o mérito de seus servidores. No importante bastião militar do alto Danúbio o conquistador da Britânia deteve e derrotou os exércitos dos alamanos antes de ser escolhido para esmagar a revolta da África.

III. ÁFRICA. O príncipe que se recusa a ser juiz ensina seu povo a considerá-lo cúmplice de seus ministros. O comando militar da África fora exercido havia muito pelo conde Romano, e seus talentos não eram inadequados a seu cargo; todavia, como só o sórdido interesse lhe motivava a conduta, ele agiu na maior parte das vezes como se fora o inimigo de sua província e o amigo dos bárbaros do deserto. As três florescentes cidades de Ea, Leptis e Sabrata, que com o nome de Trípoli havia muito formavam uma união federal, viram-se forçadas pela primeira vez a fechar as portas contra uma invasão inimiga; vários de seus mais ilustres cidadãos foram surpreendidos e massacrados, as aldeias e até mesmo os subúrbios sofreram pilhagem e os vinhedos e pomares desse rico território extirparam-nos os malevolentes selvagens de Getúlia.

Os infelizes provincianos imploraram a proteção de Romano; logo porém verificaram que seu governador militar não era menos rapace e cruel do que os bárbaros. Como não tinham condições de fornecer os 4 mil camelos e a dádiva exorbitante exigida por ele para vir assistir Trípoli, a exigência equivalia a uma recusa, pelo que ele podia com razão ser acusado de autor de calamidade pública. Na assembleia anual das três cidades, estas nomearam três representantes para depor aos pés de Valentiniano a costumeira oferenda de uma vitória de ouro e fazer acompanhar esse tributo de direito menos da gratidão que da humilde queixa delas de terem sido arruinadas pelo inimigo e traídas por seu governador.

Se a severidade de Valentiniano houvesse tomado a direção certa, teria recaído sobre a cabeça culpada de Romano. Mas o conde, há tanto tempo versado nas artes da corrupção, enviara um veloz e fiel mensageiro para assegurar a amizade venal de Remígio, mestre dos ofícios. O bom senso do conselho imperial foi ludibriado pelo artifício e sua honesta indignação, esfriada pela demora. Por fim, quando a repetição da queixa se justificara pela repetição dos infortúnios públicos, o notário Paládio partiu da corte de Treves com a incumbência de examinar a situação da África e a conduta de Romano. A severa imparcialidade de Paládio foi facilmente desarmada; tentaram-no a guardar para si uma parte do tesouro público que ele havia trazido para o pagamento das tropas; e a partir do momento em que teve consciência de sua própria culpabilidade, não mais podia ele se recusar a atestar a inocência e o mérito do conde. Declarou-se falsa e frívola a acusação dos tripolitanos, e o próprio Paládio voltou de Treves para a África com a missão especial de descobrir e processar os autores dessa ímpia conspiração contra os representantes do soberano. Houve-se com tanta habilidade e êxito em suas investigações que compeliu os cidadãos de Leptis, que havia recentemente resistido a um sítio de oito dias, a contradizer a veracidade de seus próprios mandatos e a censurar a conduta de seus próprios representantes. Uma sentença sangrenta foi pronunciada sem hesitação pela arrebatada e ferrenha crueldade de Valentiniano. O presidente de Trípoli, que ousara lastimar o sofrimento da província, foi executado publicamente em Utica; quatro cidadãos ilustres sofreram o mesmo fim como cúmplices da imaginária fraude, e por ordem expressa do imperador dois outros tiveram as línguas cortadas. Romano, estimulado pela impunidade e irritado pela resistência, continuou no comando militar da África, até os africanos, provocados por sua avareza, se juntarem à bandeira sediciosa de Firmo, o Mouro.

O pai deste, Nabal, era um dos mais ricos e poderosos príncipes mouros que reconheceram a supremacia de Roma. Mas como deixara, tanto pelas esposas quanto pelas concubinas, uma descendência assaz numerosa, esta disputou-lhe porfiadamente a rica herança, e Zama, um de seus filhos, morreu assassinado numa altercação doméstica com o irmão Firmo. O zelo implacável com que Romano levou a cabo a vindita legal desse homicídio só pode ser atribuído a um motivo de avareza ou rancor pessoal; nessa ocasião, porém, suas alegações eram justas, sua influência, poderosa, e Firmo compreendeu claramente que tinha de apresentar o pescoço ao verdugo ou apelar da sentença do consistório imperial a sua própria espada e ao povo. Este o recebeu como o libertador de seu país, e tão logo se evidenciou que Romano só era temível para uma província submissa, o tirano da África se tornou objeto de generalizado desprezo. A ruína de Cesareia, pilhada e incendiada pelos bárbaros licenciosos, convenceu as cidades refratárias do perigo da resistência; a autoridade de Firmo se fixou pelo menos nas províncias da Mauritânia e da Numídia, e parecia que sua única dúvida era se iria assumir o diadema de um rei mouro ou a púrpura de um imperador romano.

Mas os imprudentes e desditosos africanos não tardaram a descobrir que, nessa precipitada insurreição, não haviam ponderado suficientemente sua própria força nem os talentos de seu chefe. Antes de conseguir obter qualquer informação segura de que o imperador do Ocidente determinara a escolha de um general ou de que uma armada de transportes se congregara no estuário do Ródano, foram inopinadamente informados de que o grande Teodósio, com um pequeno contingente de veteranos, havia desembarcado perto de Igilgilis, ou Gigeri, na costa africana, e o timorato usurpador se abateu sob o ascendente do valor e do gênio militar. Embora Firmo possuísse armas e tesouros, seu desespero da vitória imediatamente o reduziu ao uso dos estratagemas que, no mesmo país e numa situação semelhante, tinham sido anteriormente aplicados pelo ardiloso Jugurta.* Ele tentou iludir, por via de uma submissão aparente, a vigilância do general romano, subornar a fidelidade de suas tropas e prolongar a duração da guerra exortando as tribos independentes da África, uma após outra, a lhe esposarem a causa ou a lhe protegerem a retirada.

Teodósio imitou o exemplo e obteve o êxito de seu predecessor Metelo. Quando Firmo, no papel de suplicante, confes-

* Filho ilegítimo do rei da Numídia, antiga região do Nordeste da África, serviu sob o comando de Cipião, o Africano, e se destacou por seu valor; suas ambições o levaram porém a assassinar os pretendentes ao trono da Numídia e a assumi-lo; Roma enviou contra ele Metelo, que o derrotou em repetidos combates; Jugurta foi finalmente aprisionado, levado para Roma e morto em 104 d.C. (N. T.)

sou seu próprio arrebatamento e humildemente solicitou a clemência do imperador, o lugar-tenente de Valentiniano o recebeu e o despediu com um abraço amistoso; diligentemente exigiu-lhe, porém, garantias úteis e substanciais de um sincero arrependimento, e não se deixou persuadir, pelos protestos de paz, a suspender um instante que fosse as operações de guerra. A sagacidade de Teodósio percebeu uma sombria conspiração e satisfez sem muita relutância uma indignação pública que ele próprio havia secretamente suscitado. Vários dos cúmplices culpados de Firmo foram entregues, de acordo com o antigo costume, ao tumulto de uma execução militar; muitos outros, após a amputação de ambas as mãos, continuaram a exibir um instrutivo espetáculo de horror; o rancor dos rebeldes fez-se acompanhar de medo, e ao medo dos soldados romanos misturou-se uma respeitosa admiração.

Em meio às ilimitadas planícies de Getúlia e aos inumeráveis vales do monte Atlas seria impossível impedir a fuga de Firmo, e, se o usurpador pudesse ter exaurido a paciência de seu antagonista, conseguiria pôr-se a salvo nas profundezas de algum ermo remoto para ali entreter as esperanças de uma futura revolução. Foi ele porém vencido pela perseverança de Teodósio, que tomara a inflexível resolução de só terminar a guerra com a morte do tirano e de envolver na ruína deste toda nação da África que se tivesse atrevido a apoiar-lhe a causa. À frente de um pequeno corpo de tropa que raramente excedeu 3500 homens, o general romano avançou com disciplinada prudência, sem açodamento nem receio, até o imo de uma região onde se viu às vezes atacado por exércitos de 20 mil mouros. O arrojo de sua arremetida aterrorizou os bárbaros indisciplinados, que se desconcertaram com suas oportunas e ordeiras retiradas; confundiam-nos continuamente os recursos desconhecidos da arte militar, e eles tiveram de reconhecer a justa superioridade do chefe de uma nação civilizada.

Quando Teodósio penetrou nos vastos domínios de Igmazen, rei dos isaflenses, o altivo selvagem exigiu dele, com palavras de desafio, que declinasse seu nome e o objetivo de sua expedição. "Eu sou", replicou o severo e desdenhoso conde, "eu sou o general de Valentiniano, senhor do mundo, que me mandou até aqui perseguir e castigar um salteador desesperado. Entregai-o imediatamente às minhas mãos, e ficai certo de que se não obedecerdes às ordens do meu invencível soberano, vós e o povo sobre quem reinais sereis totalmente aniquilados." Tão logo Igmazen se persuadiu de que seu inimigo tinha força e determinação para executar a fatal ameaça, concordou em negociar uma paz necessária mediante o sacrifício de um fugitivo culpado. Os guardas postos para garantir a pessoa de Firmo privaram-no da esperança de fuga, e o tirano mouro, após o vinho lhe haver obliterado a consciência do perigo, frustrou o insultante triunfo dos romanos enforcando-se durante a noite. Seu cadáver, o único presente que Igmazen podia oferecer ao conquistador, foi descuidosamente atirado para cima do lombo de um camelo e Teodósio, conduzindo de volta a Sitifi suas tropas vitoriosas, foi saudado com as mais calorosas aclamações de júbilo e lealdade.

A África se perdera pelos vícios dos romanos; restauraram-se as virtudes de Teodósio; e nossa curiosidade pode utilmente se voltar para a indagação do tipo de tratamento que cada um dos dois generais recebeu da corte imperial. A autoridade do conde Romano havia sido suspensa pelo general-comandante da cavalaria, e ele ficou sob segura e honrosa custódia até o fim da guerra. Seus crimes foram provados por indícios dos mais autênticos e o público esperou com certa impaciência a sentença severa da justiça. Mas o faccioso e potente favor de Melobaude encorajou-o a desafiar seus juízes legais, a obter repetidos adiamentos a fim de aliciar um grande número de testemunhas favoráveis e, finalmente, a agravar sua conduta culposa com a falta adicional de fraude e contrafação. Pela mesma época, o restaurador da Britânia e da África, por uma vaga suspeita de seu renome e serviços serem superiores à posição de súdito, era ignominiosamente decapitado em Cartago. Valentiniano não mais reinava; e a morte de Teodósio, bem como a impunidade de Romano, pode com razão ser imputada às artimanhas dos ministros, que abusaram da confiança e ludibriaram a inexperiente juventude dos filhos dele.*

IV. O ORIENTE. O tratado ignominioso que salvara o exército de Joviano havia sido lealmente cumprido da parte dos romanos; como eles tinham solenemente renunciado à soberania e à aliança da Armênia e da Ibéria, esses dois reinos tributários ficaram expostos, sem proteção, às armas do monarca persa. Sapor invadiu os territórios armênios à frente de um formidável exército de couraceiros, de arqueiros e de infantaria mercenária; era todavia sua prática invariável misturar guerra e negociação, e considerar a falsidade e o perjúrio como os mais poderosos instrumentos da política real. Fingiu louvar a conduta moderada e prudente do rei da Armênia; e, de nada suspeitando, Tirano foi persuadido, pelos repetidos protestos de insidiosa amizade, a colocar sua própria pessoa nas mãos de um inimigo pérfido e cruel. No meio de uma esplêndida recepção, ele foi posto em cadeias de prata, como honraria devida à estirpe dos arsácidas;** e, ao cabo de um breve confinamento na Torre do Olvido em Ecbátana, libertou-se das misérias da vida ou por sua própria adaga ou pela de um assassino. O reino da Armênia foi reduzido à condição de província persa; um sátrapa de prestígio e um eunuco favorito partilharam sua administração; e sem mais demora Sapor se pôs em marcha para subjugar o espírito marcial dos ibéricos. Sauromaces, que reinava naquele país com a permissão dos imperadores, foi expulso por uma força militar mais poderosa; e como insulto à majestade de Roma, o rei dos reis colocou um diadema na cabeça de seu abjeto vassalo Aspacuras.

A cidade de Artogerassa era a única localidade da Armênia que se atrevia a resistir-lhe à pressão das armas. O tesouro depositado nessa bem guardada fortaleza tentava a avareza de Sapor; todavia, o perigo que ameaçava Olímpias, a esposa ou viúva do

* Gibbon continua neste ponto com uma breve descrição do cenário africano em que se travou a campanha de Teodósio. (N. O.)

** Dinastia fundada por Ársaces, fundador igualmente do império parta, no Nordeste do Irã; os arsácidas ali reinaram de 250 a.C. a 220 d.C. (N. T.)

rei armênio, despertou a compaixão pública e estimulou a desesperada bravura de seus súditos e soldados. Os persas foram surpreendidos e rechaçados sob as muralhas de Artogerassa por uma audaz e bem planejada surtida dos sitiados. Mas as forças de Sapor renovavam-se e cresciam sem parar; exauriu-se a desesperada coragem da guarnição; a resistência das muralhas cedeu ao assalto; e o arrogante conquistador, depois de devastar a cidade rebelde a ferro e fogo, levou cativa uma infortunada rainha que, em ocasião mais auspiciosa, fora a noiva destinada ao filho de Constantino.

Embora Sapor já houvesse triunfado na fácil conquista de dois reinos dependentes, logo percebeu que um país permanece inconquistado enquanto o espírito do povo for instigado por um ânimo hostil e contumaz. Os sátrapas, nos quais tivera de confiar, aproveitaram a primeira oportunidade que se lhes ofereceu de reconquistar a afeição de seus conterrâneos e de dar a conhecer seu ódio imorredouro ao nome persa. Desde a conversão dos armênios e dos iberos, essas nações consideravam os cristãos como os favoritos e os persas como os adversários do Ser Supremo; a influência do clero sobre um povo supersticioso se exercia invariavelmente em favor da causa de Roma; e enquanto os sucessores de Constantino disputaram com os de Artaxerxes a soberania das províncias intermédias, a conexão religiosa sempre pesou decisivamente na balança do Império. Uma facção numerosa e ativa reconhecia Para, o filho de Tirano, como o legítimo soberano da Armênia; seu título ao trono tinha fundas raízes na sucessão hereditária de quinhentos anos. Pela aquiescência unânime dos iberos, o país foi igualmente dividido entre os príncipes rivais, e Aspacuras, que devia seu diadema à escolha de Sapor, viu-se obrigado a declarar que só sua preocupação com os filhos, que haviam sido detidos como reféns pelo tirano, o impedia de renunciar abertamente à aliança com a Pérsia.

O imperador Valente, o qual respeitava as obrigações do tratado e temia envolver o Oriente numa guerra perigosa, aventurou-se, com medidas lentas e cautelosas, a apoiar a facção romana nos reinos da Ibéria e da Armênia. Doze legiões firmaram a autoridade de Sauromaces nas margens do Ciro.* O Eufrates foi protegido pelo valor de Arinteu. Um poderoso exército, sob o comando do conde Trajano e de Vadomair, rei dos alamanos, estabeleceu seu acampamento nos confins da Armênia. Mas tinha ordens estritas de não abrir as hostilidades, que poderiam ser entendidas como um rompimento do tratado; era tal a implícita obediência do general romano que ele se retirou com exemplar resignação sob uma chuva de setas dos persas, até estes terem feito jus, de modo indiscutível, a uma honrosa e legítima vitória.

No entanto, tais simulacros de guerra se amainaram aos poucos numa vã e tediosa negociação. As facções em luta sustentavam suas alegações com mútuas acusações de perfídia e ambição; ao que parece, o tratado original estava enunciado em termos assaz obscuros, pois ambas se viram reduzidas à necessidade de fazer apelo inconclusivo ao testemunho faccioso dos generais das duas nações que haviam assistido às negociações. A invasão dos godos e dos hunos, que logo depois sacudiu os alicerces do Império Romano, expôs as províncias da Ásia às armas de Sapor. Mas a idade avançada, e talvez a falta de saúde do monarca, sugeriu-lhe novas máximas de tranquilidade e moderação. Sua morte, ocorrida na plena maturidade de um reinado de setenta anos, mudou de um momento para outro a corte e os conselhos da Pérsia; a atenção de ambas estava muito provavelmente voltada para as perturbações internas e os distantes esforços de uma guerra carmana. A lembrança das antigas injúrias se apagou no desfrute da paz. Os reinos da Armênia e da Ibéria puderam, por mútuo, embora tácito, acordo de ambos os impérios, retomar sua duvidosa neutralidade. Nos primeiros anos do reinado de Teodósio, uma embaixada persa veio a Constantinopla pedir desculpas pelas injustificáveis medidas do reinado anterior e oferecer, como tributo

* Rio da Ásia que deságua no mar Cáspio. (N. T.)

de amizade ou até de respeito, uma esplêndida dádiva de gemas, seda e elefantes da Índia.*

V. O DANÚBIO. Durante um período de paz de trinta anos, os romanos mantiveram suas fronteiras e os godos estenderam seus domínios. As vitórias do grande Hermanrico, rei dos ostrogodos e o mais nobre da raça dos *amali*, têm sido comparadas, pelo entusiasmo de seus compatriotas, aos feitos de Alexandre, com uma singular e quase incrível diferença: a de que o espírito marcial do herói gótico, em vez de ser sustentado pelo vigor da juventude, se evidenciou com glória e êxito no período final da vida humana, entre as idades de oitenta e 110 anos. As tribos dependentes foram persuadidas ou compelidas a reconhecer o rei dos ostrogodos como o soberano da nação gótica; os chefes dos visigodos, ou tervíngios, renunciaram ao título real e assumiram a designação mais modesta de *juízes*; entre tais juízes, Atanarico, Fritigerno e Alavivo foram os mais ilustres, tanto por seu mérito pessoal como por sua proximidade das províncias romanas. Essas conquistas internas, que aumentaram o poderio militar de Hermanrico, alargaram-lhe os propósitos ambiciosos. Ele invadiu as regiões adjacentes do norte e doze nações consideráveis, cujos nomes e limites não podem ser definidos com precisão, cederam uma após outra à superioridade das armas góticas.

Os hérulos, que habitavam as terras pantanosas próximas à lagoa Meótida, assinalavam-se por sua força e agilidade; a assistência de sua infantaria ligeira era ansiosamente solicitada e altamente apreciada em todas as guerras dos bárbaros. Todavia, o ânimo ativo dos hérulos acabou sendo subjugado pela lenta e firme perseverança dos godos; após uma ação sanguinária em que o rei pereceu, os sobreviventes dessa tribo guerreira se tornaram um valioso acréscimo ao acampamento de Hermanrico. Ele então marchou contra os vênetos, pouco hábeis no uso de armas e temíveis apenas por seu grande número, que enchia a

* As emocionantes aventuras de Para, herdeiro do trono armênio, são relatadas neste ponto do original. Para viver entre os romanos, foi apoiado por eles, que finalmente o assassinaram num banquete romano de que era um dos convidados. (N. O.)

vasta extensão das planícies da Polônia moderna. Os godos vitoriosos, que não eram inferiores em número, venceram a luta pelas decisivas vantagens do exercício e da disciplina.

Após a submissão dos vênetos, o conquistador avançou sem resistência até os confins dos *aesti*, um antigo povo cujo nome ainda se preserva na província da Estônia. Esses remotos habitantes da costa báltica se mantinham com os labores da agricultura, enriqueciam com o comércio do âmbar e se consagravam ao culto peculiar da Mãe dos Deuses. Mas a escassez de ferro obrigava os guerreiros aestianos a se contentarem com maças de madeira; a redução dessa rica região é atribuída antes à prudência que às armas de Hermanrico. Seus domínios, que se estendiam do Danúbio ao Báltico, incluíam os sítios nativos e as recentes aquisições dos godos; ele reinava sobre a maior parte da Germânia e da Cítia com a autoridade de um conquistador e por vezes com a crueldade de um tirano. Mas reinava sobre uma parte do globo incapaz de perpetuar e ornar a glória de seus heróis. O nome de Hermanrico está quase sepultado no esquecimento; seus feitos são mal conhecidos; os próprios romanos semelhavam não se dar conta do progresso de um poder ambicioso que ameaçava a liberdade do norte e a paz do Império.

Os godos haviam estabelecido uma vinculação hereditária com a casa imperial de Constantino, de cujo poder e liberalidade tinham recebido tantas provas notáveis. Respeitavam a ordem pública e se um bando hostil às vezes se atrevia a passar a fronteira romana, sua conduta irregular era benevolentemente atribuída ao espírito indomável da juventude bárbara. Seu desdém pelos dois novos e obscuros príncipes que haviam galgado o trono por uma eleição popular infundiu nos godos esperanças mais atrevidas; e enquanto deliberavam um plano de pôr em marcha suas forças confederadas sob a bandeira nacional, deixaram-se facilmente tentar a tomar o partido de Procópio e fomentar, com sua perigosa ajuda, a discórdia civil dos romanos. O tratado público estipulava tropas auxiliares de não mais que 10 mil soldados; entretanto, o plano foi tão ardorosamente perfilhado pelos chefes visigodos que o exército que atravessou o Danúbio contava 30 mil homens.

Eles avançaram com a firme confiança de que seu invencível

valor decidiria a sorte do Império Romano, e as províncias da Trácia gemeram sob a opressão de bárbaros que exibiam insolência de senhores e licenciosidade de inimigos. Mas a intemperança que lhes satisfez o apetite retardou-lhes o avanço; antes de terem recebido qualquer notícia segura da derrota e morte de Procópio, os godos perceberam, pela condição hostil da região, que os poderes civil e militar haviam sido retomados por seu rival triunfante. Uma cadeia de postos e de fortificações militares, habilmente disposta por Valente ou por seus generais, resistiu-lhes ao avanço, impediu-lhes a retirada e lhes interceptou a subsistência. A fome se encarregou de domar a ferocidade dos bárbaros, os quais atiraram afrontosamente suas armas aos pés do conquistador que lhes oferecia comida e cadeias; os numerosos cativos foram distribuídos por todas as cidades do Oriente, e os provincianos, que logo se habituaram à selvagem aparência deles, atreveram-se gradualmente a medir suas forças com a desses terríveis adversários cujo nome por tanto tempo lhes despertara terror.

O rei da Cítia (e só Hermanrico podia merecer tão exaltado título) ficou contristado e exasperado com essa calamidade nacional. Seus embaixadores se queixaram veementemente, na corte de Valente, da infração da antiga e solene aliança que havia tanto existia entre os romanos e os godos. Alegaram ter cumprido o dever de aliados assistindo os parentes e sucessores do imperador Juliano; exigiram a imediata restituição dos nobres cativos; e apresentaram uma reivindicação assaz singular, de que os generais góticos que avançavam em armas e formação hostil fizessem jus à sagrada dignidade e privilégio de embaixadores. A Victor, general-comandante de cavalaria, coube transmitir aos bárbaros a moderada mas peremptória recusa dessas exigências extravagantes; com ênfase e dignidade, manifestou ele as justificadas queixas do imperador do Oriente. A negociação se interrompeu e as briosas exortações de Valentiniano encorajaram seu timorato irmão a defender a insultada majestade do Império.

O esplendor e a magnitude dessa guerra gótica são celebrados por um historiador contemporâneo, mas os sucessos dificilmente merecem a atenção da posteridade a não ser como etapas preliminares do próximo declínio e queda do Império. Em vez de chefiar as nações da Germânia e da Cítia até as margens do Danúbio, ou mesmo até as portas de Constantinopla, o idoso monarca dos godos confiou ao bravo Atanarico o risco e a glória de uma guerra defensiva contra um inimigo que manejava com mãos débeis os poderes de um enorme Estado. Formou-se uma ponte de barcos sobre o Danúbio, a presença de Valente animou as tropas e sua ignorância da arte militar foi compensada pela bravura pessoal e uma sábia deferência para com o conselho de Victor e Arinteu, seus generais-comandantes de cavalaria e infantaria. A habilidade e a experiência deles dirigiram as operações da campanha; verificaram porém ser impossível deslocar os visigodos de suas bem defendidas posições nas montanhas, e a devastação das planícies obrigou os próprios romanos a tornarem a cruzar o Danúbio à aproximação do inverno. As chuvas incessantes, que avolumaram as águas do rio, ocasionaram uma tácita suspensão dos combates e confinaram o imperador Valente, no decorrer de todo o verão seguinte, a seu acampamento de Marcianópolis.

O terceiro ano da guerra se revelou mais favorável aos romanos e mais pernicioso aos godos. A interrupção do tráfico comercial privou os bárbaros dos objetos de luxo, que eles já confundiam com os imprescindíveis à vida, e a desolação da maior parte da região os ameaçava com os horrores da guerra. Atanarico foi provocado ou compelido ao risco de uma batalha nas planícies, que perdeu; o confronto se tornou ainda mais sanguinário pela cruel precaução dos generais vitoriosos, que haviam prometido uma grande recompensa por cada cabeça de godo que fosse trazida ao acampamento imperial. A submissão dos bárbaros aplacou o ressentimento de Valente e de seu conselho; o imperador ouviu com satisfação as lisonjeiras e eloquentes manifestações do Senado de Constantinopla, que pela primeira vez tomava parte nas deliberações públicas; os mesmos generais, Victor e Arinteu, que tinham dirigido com êxito as operações de guerra, receberam poderes para tratar das condições de paz. A liberdade de comércio que os godos até então desfrutavam ficou restrita a duas cidades do Danúbio; o arrebatamento de seus chefes foi severamente punido pela supressão de suas pensões e subsídios; a única exceção, estipulada em favor de Atanarico, era mais vantajosa do que honrosa para o juiz dos visigodos.

Atanarico, que parece nessa ocasião ter atendido ao interesse pessoal sem aguardar as ordens de seu soberano, sustentou sua própria dignidade e a de sua tribo na entrevista pessoal proposta aos ministros de Valente. Insistiu na declaração de que lhe era impossível, sem incorrer em crime de perjúrio, jamais pôr o pé em território do Império, e é mais do que provável que sua preocupação com a santidade de um juramento tivesse sido confirmada pelos recentes e fatais exemplos de traição romana. O Danúbio, que separava os domínios das duas nações independentes, foi escolhido como local da conferência. O imperador do Oriente e o juiz dos visigodos, acompanhado de igual número de seguidores armados, avançaram em seus respectivos batelões até o meio do rio. Após a ratificação do tratado e a entrega dos reféns, Valente voltou em triunfo para Constantinopla; e os godos permaneceram tranquilos por cerca de seis anos, até serem violentamente impelidos contra o Império Romano por uma inumerável hoste de citas, que pareciam ter vindo das gélidas regiões do norte.

Uma primeira escaramuça, antes de toda a fúria dos bárbaros desencadear-se sobre o Império, custou a Valentiniano a vida. Um rei bárbaro havia sido atraído a um banquete romano onde foi morto; sua tribo, os quadi, *vingou-se devastando várias províncias romanas, e Valentiniano chefiou a maior parte de suas forças numa campanha de retaliação. Num intervalo de calma, durante a guerra, os embaixadores dos* quadi *foram levados à presença de Valentiniano para implorarem clemência. Em resposta, o imperador "invectivou-lhes* [...] *a baixeza, a ingratidão, a insolência. Seus olhos, sua voz, sua cor, seus gestos exprimiam a violência de uma fúria incontrolável; enquanto todo o seu corpo tremia num arrebatamento convulsivo, um grande vaso sanguíneo rompeu-se-lhe no corpo e Valentiniano tombou sem fala nos braços de seus servidores". Morreu em poucos minutos, e o governo do Ocidente passou às mãos do seu filho, Graciano.*

13

(365-398 d.C.)

*Costumes das nações pastoris — Avanço dos hunos da China até a Europa — Fuga dos godos — Eles atravessam o Danúbio — A guerra gótica — Derrota e morte de Valente — Graciano entrega a Teodósio o Império do Oriente — Caráter e êxito de Teodósio — Paz e assentamento dos godos — Triunfo da ortodoxia e destruição final do paganismo — As guerras civis e a morte de Teodósio — Divisão final do Império entre seus filhos**

NO SEGUNDO ANO DO REINADO de Valentiniano e Valente, na manhã do 21º dia de julho, a maior parte do Império Romano foi sacudida por um terremoto violento e destruidor. O abalo se transmitiu às águas; as praias do Mediterrâneo secaram pelo repentino recuo do mar; cardumes de peixes eram apanhados à mão; grandes barcos encalharam no lodo; e um curioso espetáculo divertia os olhos, ou melhor, a fantasia, quando se contemplava a variada aparência de vales e montanhas que, desde a formação do globo, nunca se tinham exposto à luz do sol. Mas a maré logo voltou com a força de um imenso e irresistível dilúvio, intensamente sentido nas costas da Sicília, da Dalmácia, da Grécia e do Egito; grandes barcos foram arrastados e instalados sobre os tetos das casas ou à distância de três quilômetros da praia; as águas varreram as pessoas e suas habitações; e a cidade de Alexandria passou a comemorar anualmente o dia em que 50 mil seres humanos perderam a vida na inundação.

* Capítulos 26 a 29 do original. (N. O.)

Essa calamidade, cuja descrição era exagerada ao passar de uma para outra província, assombrou e aterrorizou os súditos de Roma: suas imaginações assustadas aumentaram as verdadeiras proporções de uma calamidade momentânea. Relembraram eles os terremotos passados, que tinham destruído as cidades da Palestina e da Bitínia; consideraram esses abalos alarmantes como tão só o prelúdio de calamidades ainda mais terríveis; e sua temerosa vaidade se dispôs a confundir os sintomas de um império em decadência com os de um mundo que soçobrava.

Era moda dos tempos atribuir todo acontecimento digno de nota à vontade pessoal da Divindade; as alterações da natureza estavam ligadas por uma invisível corrente às opiniões morais e metafísicas da mente humana; e os teólogos mais sagazes podiam perceber, segundo a cor de seus respectivos preconceitos, que o estabelecimento da heresia tendia a produzir um terremoto ou que um dilúvio seria a inevitável consequência do progresso do pecado e do erro. Sem ousar discutir a veracidade ou pertinência dessas elevadas especulações, o historiador há de se contentar antes com uma observação que parece justificar-se pela experiência: a de que o homem tem muito mais a temer das paixões de seus semelhantes que das convulsões dos elementos. Os efeitos nocivos de um terremoto ou de um dilúvio, de um furacão ou da erupção de um vulcão são proporcionalmente modestos em comparação com as calamidades habituais da guerra, tais como hoje atenuadas pela prudência ou humanidade dos príncipes da Europa, que distraem seu lazer e põe à prova a coragem de seus súditos na prática da arte militar.

Mas as leis e os costumes das nações modernas protegem a segurança e a liberdade do soldado vencido; o cidadão pacato, outrossim, raras vezes tem razões de queixar-se de que sua vida ou mesmo sua fortuna ficaram expostas à fúria da guerra. No desastroso período da queda do Império Romano, que pode ser justificadamente datada do reinado de Valente, a felicidade e a segurança de cada indivíduo eram atacadas, e as artes e as obras de séculos, rudemente desfiguradas pelos bárbaros da Cítia e da Germânia. A invasão dos hunos impeliu, nas províncias do Oriente, a nação gótica, que em menos de quarenta anos avançou do Danúbio ao Atlântico e abriu caminho, pelo sucesso de suas armas, às invasões de tantas tribos hostis, mais selvagens do que ela própria.

Um exame minucioso das origens e da formação dos povos bárbaros da Ásia oriental, especialmente os hunos (cujo talento para a guerra Gibbon atribui à dieta, à mobilidade de habitação e à prática do exercício semimilitar da caça), é feito na seção seguinte do original. Muito antes da era cristã, os hunos, que viviam normalmente um pouco ao norte da Grande Muralha da China, haviam estabelecido um domínio tão amplo que exerciam considerável poder sobre o próprio império chinês; entretanto, o imperador chinês Vouti, da dinastia Han, humilhou os hunos com derrotá-los militarmente e ao mesmo tempo destruir-lhes os aliados.

Subsequentemente, os hunos parecem ter se dividido em três grandes grupos: um permaneceu no seu país natal e logo foi conquistado e absorvido por outra tribo tártara conhecida como os sienpi; *um segundo grupo foi se estabelecer no Sudoeste da China, numa região a eles cedida pelo imperador chinês; finalmente, um terceiro grupo, mais audaz, arremessou-se para o Ocidente. Esse terceiro grupo, por sua vez, tornou a dividir-se em dois, um ramo meridional que construiu uma vasta civilização à volta do mar Cáspio, e um ramo setentrional que atravessou toda a Ásia e Europa oriental e, lá pelo fim do século IV, subitamente surgiu entre os povos bárbaros, ao longo das fronteiras ao nordeste do Império Romano.*

Os hunos prontamente conquistaram e absorveram a grande nação dos alanos e então se precipitaram sobre os aterrados godos, que acreditavam piamente que "as bruxas da Cítia [...] *tinham copulado no deserto com espíritos infernais, e que os hunos eram a prole dessa execrável conjunção". Os ostrogodos foram os seguintes a serem derrotados, e muitos deles se tornaram súditos dos hunos; o grosso da nação visigótica fugiu, porém, para as margens do Danúbio e "implorou a proteção do imperador romano do Oriente".*

Após Valente ter concluído a guerra gótica com certos visos de glória e de sucesso, percorreu seus domínios da Ásia e fixou por fim sua residência na capital da Síria. Os cinco anos que se demorou em Antioquia foram usados para vigiar, de uma distância segura, os intentos hostis da monarquia persa; para deter as depredações dos sarracenos e dos isauros; para reforçar com argumentos de maior peso que os da razão e da eloquência a crença da teologia ariana; e para tranquilizar suas inquietas suspeitas com a indiscriminada execução de inocentes e culpados. Todavia, o que mais seriamente solicitava a atenção do imperador era a importante informação que recebera dos funcionários civis e militares encarregados da defesa do Danúbio. Informavam-no de que uma furiosa tempestade agitava o norte; que a irrupção dos hunos, uma desconhecida e monstruosa raça de selvagens, destruíra o poder dos godos; e que as multidões suplicantes dessa nação belicosa, cujo orgulho ora jazia no pó, cobriam o espaço de muitas milhas às margens do rio. De braços estendidos e com lamentações patéticas, os vencidos deploravam aos brados seus infortúnios passados e seu transe presente; reconheciam que sua única esperança de salvação estava na clemência do governo romano; e solenemente juravam que, se a generosa liberalidade do imperador lhes consentisse cultivar a terra erma da Trácia, eles se sentiriam para sempre obrigados, pelo mais profundo dever de gratidão, a obedecer as leis e a respeitar os limites da República. Tais garantias eram confirmadas pelos embaixadores dos hunos, os quais esperavam com impaciência, da boca de Valente, uma resposta que decidiria finalmente a sorte de seus infelizes compatriotas. Não mais guiavam o imperador do Oriente a sabedoria e a autoridade de seu irmão mais velho, cuja morte ocorrera em fins do ano anterior; e como a desastrosa situação dos godos exigia uma decisão imediata e peremptória, via-se ele privado do recurso favorito das mentes fracas e timoratas, que consideram o uso de medidas dilatórias e ambíguas o mais admirável esforço da prudência consumada.

Enquanto as mesmas paixões e interesses persistirem na humanidade, as questões de guerra e paz, de justiça e política debatidas nos conselhos da Antiguidade se apresentarão com frequência à deliberação dos conselhos modernos. Mas o mais experiente estadista da Europa jamais se viu chamado a considerar a conveniência ou o perigo de admitir ou rejeitar uma incontável multidão de bárbaros impelidos pelo desespero e pela fome a solicitar seu estabelecimento nos territórios de uma nação civilizada. Quando essa importante proposta, ligada tão intimamente à segurança pública, foi levada ao conhecimento dos ministros de Valente, estes se desconcertaram e se dividiram; logo, porém, chegaram a um acordo e tomaram a decisão que melhor parecia favorecer e lisonjear o orgulho, a indolência e a avareza do soberano. Os escravos que haviam sido condecorados com os títulos de prefeitos e generais dissimularam ou desconsideraram os temores dessa emigração nacional — tão diametralmente diversa das colônias parciais e acidentais aceitas nos limites extremos do Império. Mas aplaudiram a generosidade da fortuna que trouxera, das mais distantes regiões do globo, um numeroso e invencível exército de forasteiros para defender o trono de Valente, que agora poderia acrescentar aos tesouros reais as imensas somas de ouro pagas pelos provincianos para indenizar sua proporção anual de recrutas.

As súplicas dos godos foram atendidas e seu serviço, aceito pela corte imperial, a qual enviou imediatamente ordens aos governadores civil e militar da diocese trácia de que fizessem os necessários preparativos para a passagem e subsistência de um grande povo, até que território adequado e suficiente lhes pudesse ser designado como sua futura residência. A liberalidade do imperador se fazia acompanhar, porém, de duas condições severas e rigorosas, que a prudência poderia justificar da parte dos romanos, mas que só o sofrimento lograria extorquir da parte dos godos indignados. Antes de atravessar o Danúbio, teriam de depor as armas; era indispensável outrossim que entregassem seus filhos para serem distribuídos pelas províncias da Ásia, onde pudessem ser civilizados pelas artes educativas e servir de reféns para garantir a fidelidade de seus pais.

Durante esse intervalo de expectativa, enquanto se processavam as distantes e duvidosas negociações, os godos impacientes fizeram algumas impetuosas tentativas de atravessar o Danúbio sem a permissão do governo cuja proteção haviam implorado. Seus movimentos eram cuidadosamente vigiados pelas tropas estacionadas ao longo do rio e seus destacamentos de vanguarda foram derrotados com grande morticínio; no entanto, os timoratos conselhos do reinado de Valente puniram os bravos oficiais que serviram seu país na execução do dever: eles perderam o emprego e quase perderam as cabeças.

Chegou afinal o mandato imperial ordenando o transporte, através do Danúbio, de toda a nação gótica; todavia, a execução da ordem envolvia considerável trabalho e dificuldade. A caudal do Danúbio, que naquela região ultrapassa 1,5 quilômetro de largura, engrossara com as chuvas incessantes, e nessa tumultuosa passagem muitos foram arrastados e afogados pela rapidez e violência da corrente. Proveu-se uma grande frota de navios, de botes e de canoas; por muitos dias e noites eles passaram e repassaram o rio a duras penas; os oficiais de Valente empenharam a mais estrênua diligência para que nem um só bárbaro, daqueles destinados a subverter as fundações de Roma, fosse deixado na margem oposta. Julgou-se conveniente fazer um acurado registro do número deles, mas as pessoas encarregadas logo desistiram, tomadas de espanto e desalento, de prosseguir na tarefa intérmina e impraticável; o principal historiador da época afirma que os exércitos prodigiosos de Dario e Xerxes, por tanto tempo considerados fábulas da infundada e crédula Antiguidade, justificaram-se então aos olhos de todos pela evidência do fato e da experiência. Uma testemunha verossímil fixou o número de guerreiros godos em 250 mil homens; se nos atrevermos a acrescentar-lhe a devida proporção de homens, crianças e escravos, a totalidade da gente que compunha tão formidável emigração deve ter chegado a cerca de 1 milhão de pessoas de ambos os sexos e de todas as idades.

Os filhos dos godos, pelo menos os de categoria ilustre, foram separados da multidão e levados, sem delonga, até os distantes sítios escolhidos para sua residência e educação; e, quando passava pelas cidades, o numeroso cortejo de reféns ou cativos excitava a surpresa e a inveja dos provincianos pela vestimenta vistosa e esplêndida, pelo porte robusto e marcial.

Mas a exigência mais ofensiva para os godos e mais importante para os romanos foi vergonhosamente burlada. Os bárbaros, que consideravam suas armas como insígnias de honra e garantias de segurança, estavam dispostos a oferecer por elas um preço que facilmente tentou a concupiscência ou a avareza dos oficiais imperiais. Para conservar as armas, os altivos guerreiros consentiram, com alguma relutância, em prostituir suas mulheres ou suas filhas; os encantos de uma donzela formosa ou de um rapaz bem-parecido obtiveram a conivência dos inspetores, que às vezes lançavam um olhar de cobiça aos tapetes franjados e aos trajes de linho de seus novos aliados, ou sacrificavam o dever à mesquinha consideração de encher suas granjas de gado e suas casas de escravos. Permitiu-se aos godos entrar nos botes de armas na mão; e quando suas forças se reuniram do outro lado do rio, o imenso acampamento que se estendia pelas planícies e colinas da baixa Mésia assumiu um aspecto ameaçador e até mesmo hostil. Os chefes dos ostrogodos, Alateu e Safrax, guardiães do rei infante, surgiram pouco depois nas margens setentrionais do Danúbio e despacharam imediatamente seus embaixadores para a corte de Antioquia, encarregando-os de solicitar, com iguais protestos de obediência e gratidão, o mesmo favor que fora concedido aos suplicantes visigodos. A recusa peremptória de Valente lhes deteve o avanço e pôs a nu o arrependimento, as suspeitas e os temores do conselho imperial.

Uma nação indisciplinada e nômade de bárbaros exigia, no governá-la, mão das mais destras e têmpera das mais firmes. A subsistência diária de quase 1 milhão de súditos extras só podia ser atendida por via de constante e hábil diligência, sendo amiúde interrompida por equívocos e acidentes. A insolência ou a indignação dos godos, caso se imaginassem objetos quer de temor quer de desdém, podia levá-los aos extremos mais desesperados, e a sorte do Estado parecia depender da prudência tanto quanto da integridade dos generais de Valente.

Nessa crise momentosa, o governo militar da Trácia era exercido por Lupicínio e Máximo, em cujas mentes venais a mínima esperança de ganho pessoal levava de vencida qualquer consideração do bem público, e cuja culpabilidade só era aliviada pela incapacidade de discernir os efeitos perniciosos de sua administração imprudente e criminosa. Em vez de obedecer às ordens do soberano e satisfazer com decorosa liberalidade as solicitações dos godos, lançaram um imposto iliberal e opressivo sobre a penúria dos bárbaros famintos. Vendia-se o alimento mais vil a preço exorbitante e, em lugar de provisões salutares e substanciosas, os mercados estavam cheios de carne de cachorro ou de animais imundos mortos de doença. Para obter um valioso grama de pão, os godos tinham de abrir mão de um dispendioso mas prestável escravo; e uma pequena quantidade de carne era avarentamente adquirida por dez libras de um precioso mas inútil metal. Quando esgotaram suas propriedades, os godos continuaram a manter esse tráfico necessário com a venda de seus filhos e filhas; não obstante o amor à liberdade encher todo peito gótico, eles se submeteram à máxima humilhante de que era melhor para sua prole subsistir numa condição servil do que perecer numa condição de miserável e desamparada independência.

O mais vivo ressentimento é suscitado pela tirania de pretensos benfeitores que intolerantemente cobram o débito de gratidão abolido por agravos subsequentes; um espírito de descontentamento se difundiu aos poucos pelo acampamento dos bárbaros, que alegavam sem êxito o mérito de seu comportamento paciente e submisso e se queixavam clamorosamente do tratamento inóspito que haviam recebido de seus novos aliados. Contemplavam em derredor a riqueza e a abundância de uma fértil província no meio da qual sofriam as intoleráveis agruras de uma fome artificial. Mas os meios de alívio, e até de vingança, estavam em suas mãos, já que a rapacidade de seus tiranos deixara a um povo injuriado a posse e o uso de armas.

Os clamores de uma multidão que não sabia esconder os sentimentos anunciaram os primeiros sintomas de resistência e alarmaram o espírito timorato e culposo de Lupicínio e Máximo. Esses ministros ardilosos, que substituíam pela astúcia os sábios e salutares conselhos de prudência política, tentaram remover os godos de sua perigosa localização junto às fronteiras do Império e dispersá-los por sítios de acantonamento separados, nas províncias interiores. Cônscios de quão pouco mereciam o respeito ou a confiança dos bárbaros, diligentemente reuniram, de várias partes, uma força militar capaz de apressar a marcha vagarosa e relutante de um povo que não havia ainda renunciado nem ao título nem aos deveres de súditos romanos. Mas os generais de Valente, cuja atenção estava toda voltada para os visigodos descontentes, desarmaram imprudentemente os navios e fortificações que constituíam a defesa do Danúbio. O descuido fatal foi observado e aproveitado por Alateu e Safrax, que ansiosamente aguardavam o momento favorável para escapar à perseguição dos hunos. Com a ajuda das jangadas e embarcações que puderam ser arranjadas às pressas, os chefes dos ostrogodos transportaram sem oposição seu rei e seu exército e audaciosamente instalaram um acampamento hostil e independente nos territórios do Império.

Com o título de *juízes*, Alavivo e Fritigerno eram os chefes dos visigodos na paz e na guerra; a autoridade que lhes vinha do nascimento ratificava o livre consentimento da nação. Em época de tranquilidade, o poder de ambos e sua autoridade se equivaliam; no entanto, quando seus compatriotas se exasperaram em consequência de fome e de opressão, os talentos superiores de Fritigerno assumiram o comando militar, que estava habilitado a exercer em prol do bem-estar público. Ele conteve o ânimo impaciente dos visigodos até que os agravos e os insultos de seus tiranos lhes justificassem a resistência na opinião geral; Fritigerno não estava disposto, porém, a sacrificar quaisquer vantagens substanciais à fútil exaltação da justiça e da moderação. Consciente das vantagens que resultariam de uma união com o poderio gótico sob o mesmo estandarte, ele cultivou secretamente a amizade dos ostrogodos; enquanto professava uma obediência implícita às ordens dos generais romanos, avançava em marcha vagarosa rumo a Marcianópolis, capital da baixa Mésia, a cerca de cem quilômetros das margens do Danúbio.

Naquele sítio fatal irromperam as chamas da discórdia e do

mútuo rancor numa terrível conflagração. Lupicínio havia convidado os chefes godos para uma festa grandiosa e o séquito destes permaneceu em armas à entrada do palácio. As portas da cidade estavam, porém, fortemente guardadas, e aos bárbaros era estritamente vedado o acesso a um rico mercado, embora alegassem direitos iguais como súditos e aliados. Suas humildes solicitações foram rejeitadas com insolência e troça; como a paciência deles se houvesse esgotado, os citadinos, os soldados e os godos logo se envolveram num conflito de altercações iradas e coléricos doestos. Um murro imprudente foi dado e uma espada açodadamente puxada; o primeiro sangue derramado nessa briga ocasional se tornou o sinal de uma guerra longa e destrutiva.

Em meio ao tumulto e à intemperança brutal, Lupicínio foi informado por um mensageiro secreto de que muitos de seus soldados tinham sido mortos e despojados de suas armas; como já estivesse inflamado pelo vinho e afligido pelo sono, deu a ordem temerária de a morte deles ser vingada pela chacina dos guardas de Fritigerno e Alavivo. O clamor dos vivos e os gemidos dos agonizantes advertiram Fritigerno do extremo perigo; como ele possuía a calma e a intrepidez de um herói, viu que estaria perdido se consentisse um só momento de deliberação ao homem que o havia agravado tão profundamente: "Uma frívola disputa", disse o chefe gótico em voz firme mas branda, "parece ter surgido entre as duas nações; ela pode ter, no entanto, as mais graves consequências se o tumulto não for imediatamente pacificado pela confirmação de nossa segurança e pela autoridade de nossa presença." Com tais palavras, Fritigerno e seus companheiros desembainharam as espadas, abriram caminho por entre a multidão irresistente que enchia o palácio, as ruas e as portas de Marcianópolis, e, montando seus cavalos, prontamente sumiram das vistas dos atônitos romanos.

Os generais dos godos foram saudados pelas ruidosas e alegres aclamações do acampamento; decidiu-se imediatamente a guerra, resolução executada sem mais demora. Içaram-se as bandeiras em conformidade com os costumes dos antepassados e os ares ressoaram com a rude e lamentosa música das trombetas bárbaras. O fraco e culposo Lupicínio, que se havia atrevido a provocar, que negligenciara destruir e que ainda ousava desdenhar seu temível inimigo, marchou contra os godos à frente da força militar que conseguira reunir naquela repentina emergência. Os bárbaros o aguardavam a cerca de quinze quilômetros de Marcianópolis, e nessa ocasião os talentos do general se revelaram de maior eficácia do que as armas e a disciplina das tropas. A bravura dos godos, dirigida pelo gênio de Fritigerno, rompeu, num vigoroso ataque cerrado, as fileiras das legiões romanas. Lupicínio abandonou suas armas e estandartes, seus tribunos e seus bravos soldados, no campo de batalha; e o denodo deles só serviu para proteger a ignominiosa fuga de seu chefe.

> Aquele dia do triunfo pôs fim ao sofrimento dos bárbaros e à segurança dos romanos; a partir de então, os godos, renunciando à precária condição de forasteiros e exilados, assumiram a de cidadãos e senhores, reclamaram domínio absoluto sobre os donos de terras e mantiveram por direito próprio as províncias setentrionais limitadas pelo Danúbio.

Essas são as palavras do historiador gótico que celebra com rude eloquência a glória dos seus compatriotas. Mas o domínio dos bárbaros se exerceu tão só para fins de rapina e destruição. Como eles tinham sido privados pelos ministros do Império dos benefícios comuns da natureza e do ameno intercâmbio da vida social, vingaram-se da injustiça nos súditos do Império; e os crimes de Lupicínio foram expiados pela ruína dos pacíficos lavradores da Trácia, pela conflagração de suas aldeias e pelo massacre ou cativeiro de suas inocentes famílias. A notícia da vitória gótica logo se difundiu pela região circunvizinha; ao mesmo tempo que enchia os espíritos dos romanos de terror e consternação, a açodada imprudência destes contribuía para aumentar as forças de Fritigerno e as calamidades da província.

Pouco tempo antes da grande imigração, um numeroso contingente de godos, sob o comando de Sueride e Colias, fora aceito sob a proteção e para o serviço do Império. Ficaram acampados sob as muralhas de Adrianópolis, mas os ministros de Valente estavam ansiosos por removê-los para além do Helesponto, para longe da perigosa tentação que tão facilmente podia advir da vizinhança e do triunfo de seus compatriotas. A respeitosa submissão com que acataram a ordem de partir podia ser considerada como prova de sua fidelidade; outrossim, o moderado pedido de uma quantidade suficiente de provisões e de um adiamento de apenas dois dias foi expresso nos termos mais reverentes. Mas o primeiro magistrado de Adrianópolis, exasperado por certos distúrbios ocorridos em sua casa de campo, recusou tal indulgência e, armando contra eles os habitantes e fabricantes de uma cidade populosa, instou com ameaças hostis na sua imediata partida.

Os bárbaros permaneceram calados e surpresos até os exasperarem os clamores insultuosos e as armas de arremesso da populaça; quando a paciência ou o desdém deles se cansou, esmagaram a multidão indisciplinada, infligiram muito ferimento vergonhoso nas costas de seus inimigos em fuga e despojaram-nos da esplêndida armadura que eram indignos de envergar. A similitude de seus agravos e de suas ações logo uniu esse vitorioso destacamento à nação dos visigodos; as tropas de Colias e Sueride aguardaram a aproximação do grande Fritigerno, alinharam-se sob seu estandarte e destacaram-se por seu ardor no sítio de Adrianópolis. Mas a resistência da guarnição mostrou aos bárbaros que, contra fortificações regulares, dificilmente são eficazes os esforços da bravura imperita. O general deles reconheceu o erro, levantou o cerco, declarou que "estava em paz com muralhas de pedra" e vingou seu desapontamento na região em derredor. Aceitou com prazer o útil reforço de trabalhadores animosos que mourejavam nas minas auríferas da Trácia por salário e sob o relho de um senhor insensível; esses novos associados conduziram os bárbaros, por caminhos secretos, até os locais mais apartados escolhidos para proteger os habitantes, o gado e os depósitos de cereal.

Com a ajuda de tais guias, nada podia permanecer impenetrável ou inacessível: a resistência seria fatal, a fuga impraticável e a paciente submissão da inocência desamparada raras vezes merecia a compaixão do conquistador bárbaro. No curso dessas depredações, inúmeros filhos dos godos, que haviam sido vendidos como cativos, voltaram aos braços de seus pais aflitos; esses reencontros enternecedores, que poderiam ter-lhes revivido e acalentado na mente alguns sentimentos de humanidade, só serviram para estimular-lhes a ferocidade natural pelo desejo de vingança. Ouviram com ansiosa atenção as queixas dos filhos cativos, que tinham sofrido as mais cruéis indignidades das paixões iradas ou concupiscentes de seus amos, e as mesmas crueldades, as mesmas indignidades foram severamente infligidas, em retaliação, aos filhos e filhas dos romanos.

A imprudência de Valente e de seus ministros introduzira no imo do Império uma nação de inimigos, mas os visigodos poderiam até ter sido conciliados pela briosa confissão dos erros passados e pelo cumprimento sincero de compromissos anteriores. Tais medidas sanativas e temperadas pareciam acordar-se com a índole timorata do soberano do Oriente; só nessa ocasião, porém, Valente quis ser corajoso, e sua inoportuna coragem foi fatal a eles e a seus súditos. Manifestou ele a intenção de marchar de Antioquia a Constantinopla para sufocar a perigosa rebelião e, como não ignorava as dificuldades da empresa, solicitou a ajuda de seu sobrinho, o imperador Graciano, que comandava todas as forças do Ocidente. As tropas veteranas foram convocadas à pressa para a defesa da Armênia; essa importante fronteira estava abandonada à discrição de Sapor; e a condução imediata da guerra gótica ficou confiada, durante a ausência de Valente, a seus lugares-tenentes, Trajano e Profuturo, dois generais que nutriam uma opinião muito favorável e falsa acerca de sua própria capacidade. À sua chegada à Trácia, foi-lhes ao encontro Richomer, conde das tropas internas; as tropas auxiliares do Ocidente sob sua bandeira compunham-se das legiões gaulesas, reduzidas, contudo, por um espírito de deserção, a vãs aparências de força e número.

Num conselho de guerra influenciado antes pela soberba do que pela razão, ficou resolvido ir-se ao encontro dos bárbaros, que acampavam nos prados férteis e espaçosos perto da mais meridional das seis embocaduras de Danúbio. O acampamento estava circundado pela habitual fortificação de carroças e os bárbaros, seguros dentro do vasto círculo do cercado, gozavam dos frutos de sua bravura e dos despojos da província. Em meio à ruidosa intemperança, o vigilante Fritigerno observava os movimentos e adivinhava os desígnios dos romanos. Percebeu que o inimigo aumentava continuamente de número; e como lhe notou a intenção de atacar-lhe a retaguarda tão logo a escassez de forragem o obrigasse a mudar o acampamento, chamou de volta a seu estandarte os destacamentos predatórios que vasculhavam a região adjacente.

Assim que avistaram os sinais acesos, obedeceram eles com incrível rapidez ao chamado de seu chefe; o acampamento se encheu de uma multidão bélica de bárbaros; seus clamores impacientes reclamavam por batalha e o ardor tumultuoso era aprovado e vigorado pelo ânimo de seus chefes. A tarde já ia avançada e dois exércitos se preparavam para o combate iminente, que só foi adiado até o romper do dia. Quando as trombetas chamaram às armas, a indômita coragem dos godos se confirmou no compromisso mútuo de um juramento solene; quando avançaram ao encontro do inimigo, os rudes cantos que celebravam a glória de seus antepassados se misturaram a seus brados selvagens e dissonantes, nisto opostos à harmonia artificial da grita romana. Certa habilidade militar foi demonstrada por Fritigerno no conquistar a vantagem de uma posição elevada; o sanguinário conflito, porém, que principiou e terminou com a luz do dia, sustentou-se de ambos os lados pela força, o valor e a agilidade de obstinados esforços. As legiões da Armênia confirmaram sua fama nas armas, mas subjugou-as o peso irresistível da multidão hostil; a ala esquerda dos romanos se desfez em desordem e o campo se cobriu de seus cadáveres estropiados. Essa derrota parcial compensou-se, entretanto, por um êxito parcial; e quando os dois exércitos, no fim da tarde, se retiraram para seus respectivos acampamentos, nenhum deles podia reclamar as honras ou os resultados de uma vitória decisiva.

A perda real foi mais severamente sentida pelos romanos, dada sua menor proporção numérica; os godos ficaram todavia tão perplexos e tão consternados com essa vigorosa e quiçá inesperada resistência que permaneceram por sete dias encerrados no círculo de suas fortificações. Alguns ritos funerais permitidos pelas circunstâncias de tempo e de lugar foram piedosamente prestados a alguns oficiais de alta patente; o vulgo indiscriminado ficou porém insepulto na planície. Aves de rapina lhes devoraram vorazmente a carne, já que naquela época desfrutavam elas com muita frequência opíparos banquetes; alguns anos mais tarde, os ossos alvos e descarnados que cobriam a vasta extensão dos campos apresentaram aos olhos de Amiano o pavoroso monumento da batalha de Salice.

O avanço dos godos fora detido pelo duvidoso desfecho desse dia de sangue e os generais imperiais, cujo exército teria sido consumido pela repetição de uma peleja que tal, adotaram o plano mais racional de destruir os bárbaros por via das necessidades e da pressão de suas próprias multidões. Prepararam-se para confinar os visigodos no estreito canto de terra entre o Danúbio, o deserto da Cítia e as montanhas de Hemo, até que seu ânimo e vigor se fossem desgastando pela inevitável ação da fome. O plano foi levado a cabo com certo método e algum êxito; os bárbaros haviam esgotado quase todas as suas reservas de mantimentos e as colheitas da região; Saturnino, o general-comandante da cavalaria, aplicou sua diligência no sentido de aumentar a força e diminuir a extensão das fortificações romanas. As obras por ele empreendidas foram interrompidas pela notícia alarmante de que novas levas de bárbaros tinham atravessado o Danúbio desprotegido para apoiar a causa ou imitar o exemplo de Fritigerno. O justificado receio de ver-se ele próprio cercado e sobrepujado pelas armas de nações hostis e desconhecidas levou Saturnino a suspender o cerco do acampamento gótico, e os visigodos irados, irrompendo do confinamento, saciaram a fome e a ânsia de vingança em repetidas devastações da fecunda região que se estende cerca de 480 quilômetros acima das margens do Danúbio ao estreito do Helesponto.

O sagaz Fritigerno havia apelado com êxito para as paixões tanto quanto para os interesses de seus aliados bárbaros; o gosto da rapina e a aversão aos romanos secundavam, ou até escusavam, a eloquência de seus embaixadores. Firmou ele uma estreita e valiosa aliança com um grande grupo de seus compatriotas que obedeciam a Alateu e Safrax como guardiães de seu rei infante; o interesse comum suspendeu a longa animosidade entre tribos rivais; a parte independente da nação unificou-se sob uma mesma bandeira; e os chefes dos ostrogodos parecem ter se submetido ao gênio superior do general dos visigodos. Conseguiu este a formidável ajuda dos taifalos, cujo renome militar era desonrado e manchado pela infâmia pública de seus hábitos pessoais. Ao ingressar no mundo, todo jovem se unia pelos vínculos de honrosa amizade e amor bestial a algum guerreiro da tribo; não lhe era dado libertar-se dessa ligação antinatural enquanto não provasse sua coragem viril matando, em combate singular, um urso gigantesco ou um javali selvagem da floresta.

Mas as tropas auxiliares mais poderosas dos godos foram recrutadas no acampamento dos inimigos que os haviam expelido de seu torrão natal. A frouxa subordinação e as extensas posses dos hunos e dos alanos retardaram as conquistas e dividiram os conselhos desse povo vitorioso. Várias das hordas foram atraídas pelas generosas promessas de Fritigerno e a rápida cavalaria da Cítia deu peso e energia aos firmes e estrênuos esforços da infantaria gótica. Os sármatas, que nunca puderam perdoar o sucessor de Valentiniano, aproveitaram-se da confusão geral, que incrementaram; e uma oportuna irrupção dos alamanos nas províncias da Gália atraiu a atenção e desviou as forças do imperador do Ocidente.*

O imperador Valente, que finalmente retirara sua corte e seu exército de Antioquia, foi recebido pelo povo de Constantinopla como o causador da calamidade pública. Mal havia repousado dez dias na capital, viu-se instado pelos clamores licenciosos do Hipódromo a marchar contra os bárbaros que convidara para

* Numa breve passagem aqui omitida, Gibbon descreve a vigorosa campanha de Graciano contra os alamanos, que esperavam poder usar a ameaça gótica como um disfarce de suas próprias depredações na Gália. (N. O.)

seus domínios; e os cidadãos, que sempre são corajosos quando longe de qualquer perigo real, declaravam com confiança que, se lhes fossem dadas armas, *eles* sozinhos tomariam a peito livrar a província dos estragos causados por um inimigo ultrajoso.

As vãs censuras de uma multidão ignorante apressaram a queda do Império Romano; provocaram a desesperada precipitação de Valente, que não achava nem em sua reputação nem em sua mente quaisquer motivos de suportar com firmeza o desprezo público. Os cometimentos bem-sucedidos de seus lugares-tenentes logo o persuadiram a desprezar o poderio dos godos, os quais, pela diligência de Fritigerno, estavam agora concentrados nas proximidades de Adrianópolis. A marcha dos taifalos fora interceptada pelo valente Frigerido; o rei desses bárbaros licenciosos havia sido morto em batalha e os cativos suplicantes mandados, num exílio distante, cultivar as terras da Itália escolhidas para seu assentamento em territórios vacantes de Módena e Pádua. Os feitos de Sebastião, havia pouco admitido no serviço de Valente e promovido ao posto de general-comandante da infantaria, foram ainda mais honrosos para ele e úteis à República. Obteve permissão de selecionar trezentos soldados de cada uma das legiões, e esse destacamento separado em breve adquiria o espírito de disciplina e a destreza nas armas que quase haviam ficado esquecidos no reinado de Valente. Graças ao vigor e à direção de Sebastião, um grande corpo de godos foi surpreendido em seu acampamento; o imenso espólio recuperado de suas mãos encheu a cidade de Adrianópolis e a planície adjacente.

As esplendorosas narrativas que o general fez de seus próprios feitos alarmaram a corte imperial pela demonstração de superioridade de mérito; embora ele cautelosamente insistisse nas dificuldades da guerra gótica, seu valor foi louvado e seu conselho recusado; Valente, que ouvia com desvanecimento e prazer as lisonjeiras sugestões dos eunucos do palácio, estava impaciente por alcançar a glória de uma conquista fácil e segura. Seu exército foi reforçado pelo acréscimo de numerosos veteranos e sua marcha de Constantinopla a Adrianópolis se realizou com tanta perícia militar que ele evitou a atividade dos bárbaros, os quais planejaram ocupar os desfiladeiros intermediários e interceptar ou as próprias tropas ou seus comboios de provisões. O acampamento de Valente, que ele assentou sob as muralhas de Adrianópolis, foi fortificado, de acordo com a prática dos romanos, por um dique e um reparo; convocou-se um conselho de maior importância para decidir a sorte do imperador e do Império.

O partido da razão e do adiamento foi estrenuamente defendido por Victor, que corrigira com as lições da experiência o arrebatamento natural do caráter sármata; por sua vez, Sebastião, com a flexível e obsequiosa eloquência de um cortesão, pintou toda precaução e toda medida que implicasse dúvida quanto à vitória imediata como indigna da coragem e da majestade de seu invencível monarca. Precipitaram a ruína de Valente os enganosos estratagemas de Fritigerno e as prudentes advertências do imperador do Ocidente. As vantagens de negociar no meio da guerra eram perfeitamente entendidas pelo general dos bárbaros e um sacerdote cristão foi enviado, como santo ministro da paz, para introduzir-se nos conselhos do inimigo e confundi-lo. Os infortúnios, tanto quanto as provocações sofridas pela nação gótica, foram enérgica e verazmente descritos por seu embaixador, o qual asseverou, em nome de Fritigerno, que ainda estava disposto a depor as armas ou usá-las tão só na defesa do Império se conseguisse obter para seus compatriotas errantes um tranquilo assentamento nas terras ermas da Trácia e uma cota suficiente de cereal e gado. Mas acrescentou, num sussurro de confidencial benevolência, que os bárbaros exasperados eram contrários a tais condições sensatas e que Fritigerno tinha dúvidas de poder concluir o tratado sem estar apoiado pela presença e pelos terrores de um exército imperial.

Aproximadamente na mesma ocasião, o conde Richomer voltava do Ocidente para anunciar a derrota e a submissão dos alamanos; para informar Valente de que seu sobrinho avançava em marchas céleres à frente das veteranas e vitoriosas legiões da Gália; e para solicitar, em nome de Graciano e da República, que qualquer medida decisiva e perigosa fosse suspensa até que a junção dos dois imperadores assegurasse o êxito da guerra gótica. Mas o fraco soberano do Oriente estava dominado somente pelas ilusões fatais do orgulho e da inveja. Desdenhou o conselho importuno; rejeitou a ajuda humilhante; secretamente comparou o ignominioso, ou pelo menos inglório, período de seu próprio reinado com a fama de um jovem imberbe; e atirou-se ao campo de batalha para erigir seu imaginário troféu antes que a diligência de seu colega pudesse usurpar qualquer quinhão dos triunfos do dia.

Aos 9 de agosto, um dia que mereceu assinalar-se entre os mais inauspiciosos do calendário romano, o imperador Valente, deixando sob forte guarda sua bagagem e seu tesouro militar, saiu de Adrianópolis para atacar os godos, que estavam acampados a cerca de vinte quilômetros da cidade. Devido a alguma ordem equivocada ou à ignorância do terreno, o flanco ou coluna de cavalaria direita chegou à vista do inimigo enquanto a esquerda ainda se achava a considerável distância; os soldados foram obrigados, no escaldante calor do verão, a acelerar o passo, e a linha de batalha se formou com fastidiosa confusão e desregrado atraso. A cavalaria gótica havia sido mandada devastar a região circunvizinha, e Fritigerno continuou a pôr em prática seus costumeiros estratagemas. Despachou mensageiros de paz, fez propostas, exigiu reféns; gastou horas nisso, até os romanos, expostos sem abrigo aos raios abrasadores do sol, se exaurirem de sede, de fome e de intolerável cansaço. O imperador foi persuadido a enviar um embaixador ao acampamento gótico; o zelo de Richomer, o único que teve coragem de aceitar o perigoso encargo, colheu aplausos; o conde das tropas internas já havia percorrido parte do espaço que separava os dois exércitos quando o alarme de batalha o chamou inopinadamente de volta.

O apressado e imprudente ataque foi feito por Bacúrio, o Ibero, que comandava um corpo de arqueiros e broqueleiros; como avançaram com precipitação, tiveram de retirar-se com perdas e desonra. No mesmo momento, os esquadrões volantes de Alateu e Safrax, cuja volta era ansiosamente aguardada pelo general dos godos, desceu como um redemoinho das colinas, varreram a planície e acrescentaram novos terrores à carga tumultuosa mas irresistível das hostes bárbaras. A batalha de Adrianópolis, tão fatal a Valente e ao Império, pode ser descrita em poucas palavras: a cavalaria romana fugiu; a infantaria ficou abandonada, cercada e despedaçada. As mais hábeis evoluções, a coragem mais firme não bastam para livrar um corpo de infantaria rodeado em campo aberto por um número superior de cavalarianos; as tropas de Valente, todavia, oprimidas pelo peso do inimigo e por seus próprios temores, apinharam-se num espaço estreito onde lhes era impossível abrir as fileiras ou sequer usar com eficácia suas espadas e azagaias. No meio do tumulto, da matança e da consternação, o imperador, desertado por seus guardas e ferido, segundo se supôs, por uma seta, buscou proteção junto aos *lancearii* e aos *mattiarii*, que ainda conservavam suas posições com alguma demonstração de ordem e firmeza. Seus fiéis generais, Trajano e Victor, que perceberam o perigo em que se encontrava, exclamaram em voz alta que tudo estaria perdido se não se pudesse salvar a pessoa do imperador. Algumas tropas, animadas pelas exortações deles, avançaram em seu socorro; encontraram apenas uma mancha sangrenta, coberta de uma pilha de braços quebrados e corpos mutilados, mas não conseguiram descobrir o infortunado príncipe nem entre os vivos nem entre os mortos. Sua busca não poderia mesmo ter êxito se há de fato alguma verdade nas circunstâncias que alguns historiadores relataram acerca da morte do imperador. Servidores zelosos removeram Valente do campo de batalha até uma cabana das vizinhanças onde tentaram pensar-lhe os ferimentos e cuidar de sua segurança futura. Mas esse humilde refúgio foi imediatamente cercado pelo inimigo; tentaram forçar a porta; caiu sobre eles uma provocadora chuva de setas vinda do teto; por fim, impacientes com a demora, eles atearam fogo a uma pilha de gravetos secos e queimaram a cabana juntamente com o imperador romano e seus acompanhantes. Valente pereceu nas chamas e somente um rapaz, que pulou a janela, logrou evadir-se para testificar o triste acontecimento e informar os godos do prêmio inestimável que haviam perdido com sua precipitação.

Um grande número de ilustres e bravos oficiais pereceu na batalha de Adrianópolis, que igualou a perda real e ultrapassou de muito nas consequências fatais o infortúnio experimentado por Roma nos campos de Canas. Dois generais-comandantes da cavalaria e da infantaria, dois altos oficiais do palácio e 35 tribunos foram encontrados entre os mortos; e a morte de Sebastião pôde confirmar ao mundo ter sido ele a vítima bem como o autor da calamidade pública. Cerca de dois terços do exército romano foram destruídos; e a escuridão da noite se constituiu em circunstância muito favorável, já que serviu para ocultar a fuga da multidão e proteger a retirada mais ordeira de Victor e Richomer, os únicos a manter a vantagem de uma tranquila coragem e disciplina regular em meio à consternação geral.*

O imperador Graciano já avançara bastante em sua marcha até as planuras de Adrianópolis quando foi informado, primeiramente pela voz confusa do boato, depois pelos informes mais acurados de Victor e Richomer, de que seu impaciente colega morrera em batalha e de que dois terços do exército romano haviam sido exterminados pela espada dos godos vitoriosos. Qualquer que fosse o ressentimento que pudesse merecer a precipitada e invejosa vaidade de seu tio, num espírito generoso o ressentimento é facilmente vencido pelas emoções mais brandas do pesar e da compaixão; mesmo o sentimento de piedade logo se perdeu na grave e alarmante consideração do estado da República. Graciano chegara tarde demais para assistir, e era fraco demais para vingar, ao seu infortunado colega; o bravo e modesto rapaz não se sentia com força bastante para aguentar um mundo que desmoronava. Uma terrível tempestade de bárbaros da Germânia parecia prestes a rebentar sobre as províncias da Gália, e a mente de Graciano estava oprimi-

* Mas os godos, conforme relata o original, não conseguiram tomar Adrianópolis nem qualquer outra grande cidade; tiveram de contentar-se com saquear a região rural desde as próprias muralhas de Constantinopla até as fronteiras da Itália. De sua parte, os romanos contribuíram para a carnificina geral reunindo todos os reféns góticos espalhados pelas províncias orientais (ver p. 450) e massacrando o grupo todo de um só golpe. Quanto a "urgente consideração da segurança pública [...] pode atuar no sentido de dissolver as naturais obrigações de humanidade e justiça é", observa Gibbon, "uma doutrina que ainda prefiro ignorar". (N. O.)

da e absorvida pela administração do Império ocidental. Nessa momentosa crise, o governo do Oriente e a condução da guerra gótica exigiam a atenção indivisa de um herói e de um estadista. Um súdito investido em tão amplo comando não preservaria por muito tempo sua fidelidade a um benfeitor distante e o conselho imperial tomou a sábia e enérgica decisão de conferir uma obrigação mais do que ceder a um insulto. Era desejo de Graciano atribuir a púrpura como prêmio da virtude, mas na idade de dezenove anos não é fácil para um príncipe educado na mais alta esfera entender o verdadeiro caráter de seus ministros e generais. Tentou avaliar-lhes com mão imparcial os diversos méritos e defeitos, e, ao mesmo tempo que refreava a temerária confiança da ambição, desconfiava da cautelosa prudência que desesperava da República. Como cada momento de retardação diminuía mais um pouco o poder e os recursos do futuro soberano do Oriente, a situação dos tempos não consentia um debate prolongado.

A escolha de Graciano logo recaiu sobre um exilado cujo pai, havia apenas três anos, sofrera, sob a sanção de *sua* autoridade, morte injusta e ignominiosa. O grande Teodósio, um nome célebre na História e caro à Igreja católica, foi chamado à corte imperial, que se havia gradualmente retirado dos confins da Trácia para o sítio mais seguro de Sirmione. Cinco meses após a morte de Valente, o imperador Graciano apresentou às tropas reunidas o *seu* colega e chefe *delas*, o qual, após moderada e talvez sincera relutância, se viu compelido a aceitar, em meio às aclamações gerais, o diadema, a púrpura e o mesmo título de Augusto. As províncias da Trácia, da Ásia e do Egito, sobre as quais Valente havia reinado, ficaram confiadas à administração do novo imperador; como, porém, competia-lhe especialmente a condução da guerra gótica, desmembrou-se a prefeitura ilíria e as duas grandes dioceses da Dácia e da Macedônia foram acrescentadas ao Império oriental.*

* Neste ponto do original, Gibbon descreve com algum pormenor a educação do jovem Teodósio e o decisivo papel que o puro mérito desempenhou em sua ascensão ao trono do Império. (N. O.)

Não é sem o mais sincero pesar que tenho agora de me despedir de um guia preciso e fiel que compôs a história de sua própria época sem incorrer nos preconceitos e paixões que usualmente afetam a mente de um contemporâneo. Amiano Marcelino, que concluiu sua valiosa obra com a derrota e morte de Valente, recomenda o tema mais glorioso do reinado seguinte à eloquência e ao juvenil vigor da geração nascente. Essa geração não estava disposta a aceitar-lhe o conselho ou a imitar-lhe o exemplo; no estudo do reinado de Teodósio, vemo-nos constrangidos a ilustrar a narrativa parcial de Zósimo com obscuras alusões de fragmentos e crônicas, com o estilo figurativo da poesia ou do panegírico, e com a precária ajuda dos autores eclesiásticos que, no calor do facciosismo religioso, tendem a desprezar as virtudes profanas da sinceridade e da moderação. Cônscio dessas desvantagens, que continuarão a afetar uma considerável parte do declínio e da queda do Império Romano, cuidarei de avançar com passos timoratos e suspeitosos. No entanto, atrevo-me a declarar que a batalha de Adrianópolis jamais foi vingada por qualquer assinalada ou decisiva vitória de Teodósio sobre os bárbaros; o silêncio expressivo de seus oradores venais pode ser confirmado pela observação das condições e circunstâncias da época.

A estrutura de um poderoso Estado erigido pelos esforços de séculos sucessivos não pode ser subvertida pelo infortúnio de um único dia, se é que o fatal poder da imaginação não exagerou a verdadeira medida da calamidade. A perda de 40 mil romanos tombados nas planuras de Adrianópolis poderia ter sido logo compensada pelo recrutamento nas populosas províncias do Oriente, as quais tinham muitos milhões de habitantes. A coragem de um soldado demonstra ser a qualidade mais barata e mais comum da natureza humana, e destreza suficiente para fazer frente a um contendor indisciplinado poderia ter sido rapidamente ensinada pelo desvelo dos centuriões sobreviventes. Se os bárbaros montavam os cavalos e estavam equipados com as armaduras de seus inimigos vencidos, as numerosas coudelarias da Capadócia e da Hispânia tinham capacidade de fornecer novos esquadrões de cavalaria; os 34 arsenais do Império dispunham de um abundante suprimento de armas ofensivas e defensivas; e a opulência da Ásia poderia ter propiciado amplos recursos financeiros para atender às despesas de guerra. Todavia, os efeitos produzidos pela batalha de Adrianópolis na mente dos bárbaros e dos romanos estendiam a vitória daqueles e a derrota destes muito além dos limites de um único dia. De um chefe gótico ouviu-se dizer, com insolente moderação, que de sua parte ele estava cansado de morticínio, mas que o surpreendia um povo que dele fugia como um rebanho de carneiros ainda atrever-se a disputar a posse de seus tesouros e províncias. Os mesmos terrores que a fama dos hunos difundira entre as tribos góticas eram inspirados pela terrível fama dos godos entre os súditos e soldados do Império Romano. Se Teodósio, reunindo à pressa suas forças dispersas, as houvesse levado ao campo de batalha para enfrentar um inimigo vitorioso, seu exército teria sido vencido por seus próprios temores e sua precipitação não teria a desculpa de uma possibilidade de êxito. Mas o *Grande* Teodósio, um epíteto a que honrosamente fazia jus naquela momentosa ocasião, conduziu-se como o firme e leal guardião da República. Fixou seu quartel-general na Tessalônica, a capital da diocese da Macedônia, de onde poderia vigiar os movimentos irregulares dos bárbaros e dirigir as operações de seus lugares-tenentes, desde as portas de Constantinopla até as praias do Adriático. As fortificações e guarnições das cidades foram reforçadas, e as tropas, entre as quais renasceu um espírito de ordem e disciplina, aos poucos se animaram de confiança em sua própria segurança. Foram encorajadas a, com base nessas posições inexpugnáveis, fazer frequentes surtidas contra os bárbaros que infestavam a região adjacente; como raramente tinham de avir-se com alguma superioridade decisiva quer de terreno, quer de número, tais surtidas obtinham êxito na maior parte das vezes; as tropas logo se convenceram, por sua própria experiência, da possibilidade de vencer seus *invencíveis* inimigos.

Os destacamentos dessas guarnições separadas foram-se aos poucos unindo em pequenos exércitos; as mesmas medidas de cautela eram adotadas em conformidade com um extenso e bem organizado plano de operações; os acontecimentos de cada dia aumentavam a força e o ânimo das armas romanas; e a ardilosa diligência do imperador, que fazia circular os mais favoráveis informes acerca do sucesso da guerra, contribuía para abater a soberba dos bárbaros e alentar as esperanças e a coragem de seus súditos. Se, em vez desse descorado e imperfeito esboço, pudéssemos descrever acuradamente as deliberações e ações de Teodósio em quatro campanhas sucessivas, haveria razão para se acreditar que sua consumada perícia mereceria o aplauso de todo leitor militar. A república fora outrora salva pelos delongamentos de Fábio,* e, ao mesmo tempo que os esplêndidos troféus de Cipião nos campos de Zama atraem os olhos da posteridade, os acampamentos e marchas do ditador por entre as colinas da Campânia podem pretender uma proporção mais justa da fama genuína e independente que o general não está obrigado a partilhar nem com a fortuna nem com suas tropas. Dessa natureza foi o mérito de Teodósio; e os achaques de seu corpo, que tão inoportunamente se consumiu numa longa e fatal doença, não puderam vencer-lhe a mente nem afastar sua atenção dos negócios públicos.

A libertação e a pacificação das províncias romanas foram obra mais de prudência que de valor; a prudência de Teodósio tinha a secundá-la a fortuna, e o imperador nunca deixou de aproveitar qualquer circunstância favorável. Enquanto o gênio superior de Fritigerno manteve a união e dirigiu os movimentos dos bárbaros, o poderio deles esteve à altura da conquista de um grande império. A morte desse herói, predecessor e mestre do renomado Alarico, livrou uma multidão impaciente do intolerável jugo da disciplina e da discrição. Os bárbaros, que haviam sido contidos por sua autoridade, entregaram-se aos ditames de

* Trata-se de Fábio Máximo Verrucoso, cognominado o Temporizador (*c.* 275-m. 203 a.C.), que, depois de ter sido por cinco vezes cônsul de Roma, tornou-se ditador quando da vitória do general cartaginês Aníbal sobre os romanos, na batalha de Trasimeno (217 a.C.), da Segunda Guerra Púnica. Com sua tática prudente, Fábio conseguiu deter os avanços de Aníbal. Este fora anteriormente vencido por Cipião, o Africano, na batalha de Zama (202 a.C.), donde a contraposição feita por Gibbon de Fábio (o ditador) a Cipião (o general). (N. T.)

suas paixões, as quais raras vezes eram uniformes ou coerentes. Um exército de conquistadores se desfez em muitos bandos desordenados de selvagens salteadores, cuja fúria irregular e cega se demonstrava não menos perniciosa a eles próprios do que a seus inimigos. Sua disposição nociva transparecia na destruição de todo objeto que lhes faltasse força para remover ou gosto para desfrutar; amiúde consumiam, com furor imprevidente, as colheitas ou celeiros que pouco depois se tornavam necessários para sua própria subsistência. Um espírito de discórdia surgiu entre as tribos e nações independentes que só se tinham unido pelos laços de uma aliança frouxa e voluntária. As tropas dos hunos e dos alanos naturalmente censurariam a fuga dos godos, que não estavam dispostos a usar com moderação as vantagens de sua fortuna; a antiga rivalidade entre ostrogodos e visigodos não mais pôde ser sustada; e os orgulhosos chefes ainda recordavam os insultos e as injúrias que haviam reciprocamente lançado ou sofrido quando a nação estava sediada nas regiões além-Danúbio. O progresso do facciosismo interno amorteceu o sentimento mais difuso de animosidade nacional e os oficiais de Teodósio receberam instruções de conseguir, por via de presentes e promessas generosas, a retirada ou os serviços da facção descontente. A aquisição de Modar, um príncipe do sangue real dos *amali*, trouxe um audaz e leal campeão para a causa de Roma. O ilustre desertor em pouco alcançava o posto de general de um importante comando; surpreendeu ele um exército de seus compatriotas mergulhado no vinho e no sono, e, após um cruel morticínio dos godos atônitos, voltou com um imenso espólio e 4 mil carros para o acampamento imperial.

Nas mãos de um político habilidoso, os mais diferentes meios podem ser aplicados com êxito em prol dos mesmos fins; e a paz do Império, que havia sido fomentada pelas divisões, fez-se acompanhar da união da nação gótica. Atanarico, que fora um paciente espectador desses extraordinários sucessos, viu-se finalmente levado, pelo acaso das armas, até os recessos sombrios das florestas de Caucalândia. Não mais hesitou em atravessar o Danúbio, e uma parte assaz considerável dos súditos de Fritigerno que já havia percebido os inconvenientes da anarquia foi facilmente persuadida a reconhecer como rei um juiz gótico cujo nascimento respeitavam e cuja capacidade conheciam por experiência. Mas a idade havia esfriado o ânimo audaz de Atanarico; em vez de conduzir seu povo ao campo de batalha e à vitória, ele prudentemente deu ouvidos à atrativa proposta de um tratado honroso e vantajoso. Teodósio, que já tinha notícia do mérito e do poder de seu novo aliado, condescendeu em encontrá-lo a uma distância de vários quilômetros de Constantinopla e o recebeu na cidade imperial com a confiança de um amigo e a magnificência de um monarca.

> O príncipe bárbaro observou com curiosidade a variedade de objetos que lhe atraíam a atenção, e por fim rompeu numa sincera e apaixonada exclamação de pasmo. Ora contemplo (disse) o que nunca poderia acreditar, as glórias desta estupenda capital! E, conforme olhava à volta, observava e admirava a imponente situação da cidade, a solidez e beleza das muralhas e edifícios públicos, a espaçosa baía coberta de inúmeros navios, o perpétuo afluxo de nações distantes, e as armas e disciplina das tropas. Em verdade (continuou Atanarico), o imperador dos romanos é um deus sobre a terra; e o homem presunçoso que ouse erguer a mão contra ele se inculpa de seu próprio sangue.

O rei godo não desfrutou por muito tempo tal esplêndida e honrosa recepção; como a temperança não era virtude de sua nação, é bem de suspeitar que sua mortal doença ele a contraiu entre os prazeres dos banquetes imperiais. Mas a habilidade política de Teodósio tirou da morte de seu aliado vantagens bem maiores que dos mais leais serviços que dele pudesse esperar. O funeral de Atanarico se realizou com ritos solenes na capital do Oriente; um imponente monumento foi erigido a sua memória; e todo o seu exército, conquistado pela generosa cortesia e decoroso pesar de Teodósio, se alistou sob a bandeira do exército romano. A submissão de um corpo tão avultado de visigodos teve as mais salutares consequências, e a influência mista da força, da razão e da corrupção se fez a cada dia mais vigorosa e mais extensa. Cada chefe independente se apressou em conseguir um tratado em separado, por temer que um atraso obstinado *o* pudesse expor, sozinho e sem proteção, à vindita ou à justiça do conquistador. A capitulação geral, ou antes final, dos godos pode ser datada de quatro anos, um mês e 25 dias após a derrota e morte do imperador Valente.*

O tratado original, que fixava o assentamento dos godos, lhes determinava os privilégios e lhes estimulava as obrigações, ilustraria a história de Teodósio e de seus sucessores. A sequência da história deles preservou de modo imperfeito o espírito e a substância desse singular acordo. As devastações da guerra e da tirania haviam fornecido muitas e grandes extensões de terra fértil mas inculta para o uso desses bárbaros que quiçá não desdenhassem a prática da agricultura. Uma numerosa colônia de visigodos se fixou na Trácia; o restante dos ostrogodos foi assentado na Frígia e na Lídia; suas necessidades imediatas eram supridas por um fornecimento de cereal e gado; e uma isenção de tributos durante certo número de anos lhes encorajou a futura diligência.

Os bárbaros teriam merecido sentir a cruel e pérfida política da corte imperial caso houvessem aceitado ser dispersos pelas províncias. Solicitaram e obtiveram posse exclusiva das aldeias e distritos escolhidos para sua residência; ainda acalentavam e perpetuavam seus costumes e sua língua materna; sustentavam, no seio do despotismo, a liberdade de seu governo interno; e reconheciam a soberania do imperador sem se submeter à jurisdição inferior das leis e dos magistrados de Roma. Aos chefes hereditários das tribos e famílias se permitia ainda comandar seus seguidores na paz e na guerra; aboliu-se todavia a dignidade

* No original, Gibbon se demora, neste ponto, sobre as aventuras dos ostrogodos, que desdenharam o tratado com Teodósio. Retiraram-se para fortalezas desconhecidas do norte; celebraram e violaram um tratado com o imperador do Ocidente; e eventualmente regressaram, quatro anos mais tarde, ao baixo Danúbio, onde um dos generais de Teodósio lhes infligiu uma derrota tão severa que lhes invalidou temporariamente o poder belicoso enquanto nação. (N. O.)

real, e os generais dos godos eram nomeados e removidos pelo arbítrio do imperador. Manteve-se um exército de 40 mil godos para o serviço permanente do Império do Oriente; e essas tropas altivas, que receberam o título de *foederati*, ou aliados, se distinguiam por seus colares de ouro, seu elevado soldo e seus licenciosos privilégios. A coragem natural delas era incrementada pelo uso de armas e o conhecimento da disciplina; e enquanto a República passava a ser guardada ou ameaçada pela duvidosa espada dos bárbaros, os últimos lampejos da chama militar finalmente se apagaram no espírito dos romanos.

Teodósio teve a habilidade de persuadir seus aliados de que as condições de paz que lhe haviam sido extorquidas pela prudência e pela necessidade eram expressões voluntárias de sua sincera amizade pela nação gótica.[1] Outro tipo de defesa ou apologia buscou responder às queixas do povo, que em voz alta censurava tais vergonhosas e arriscadas concessões. As calamidades da guerra eram pintadas com as cores mais vivas, exagerando-se diligentemente os primeiros sintomas do retorno à ordem, à abundância e à segurança. Os advogados de Teodósio podiam afirmar, com alguns visos de verdade e razão, que era impossível extirpar tantas tribos guerreiras, as quais ficavam desatinadas pela perda de sua terra natal, e que as províncias exauridas reviveriam com um novo afluxo de soldados e lavradores. Os bárbaros ainda ostentavam um aspecto irado e hostil, mas a experiência de épocas passadas poderia alentar a esperança de que adquirissem hábitos de diligência e obediência, de que suas maneiras se polissem com o tempo, a educação e a influência do cristianismo, e de que sua posteridade se fundisse aos poucos com o grosso do povo romano.

A despeito desses argumentos especiosos e dessas expectativas otimistas, evidenciava-se a todos os olhos penetrantes que os godos continuariam a ser os inimigos e talvez em breve se tor-

[1] O historiador gótico [Jornandes] descreve sua nação como composta de homens inocentes, pacíficos, lentos no irritar-se e pacientes com as injúrias. Segundo Lívio, os romanos conquistaram o mundo para se defender.

nassem os conquistadores do Império Romano. Seu comportamento rude e insolente exprimia-lhes o desprezo pelos cidadãos e provincianos, aos quais insultavam impunemente. Ao zelo e valor dos bárbaros devia Teodósio o triunfo de suas armas; a assistência deles, porém, era precária, e uma disposição inconstante e traiçoeira os levava por vezes a abandonar seu estandarte no momento que seus serviços se tornavam mais necessários. Durante a guerra civil contra Máximo, um grande número de desertores godos se retirou para os pauis da Macedônia, devastou as províncias adjacentes e obrigou o intrépido monarca a expor sua pessoa e a exercer seu poder para apagar a chama nascente da rebelião.

As apreensões públicas eram fortalecidas pela forte suspeita de que esses tumultos não advinham de paixões ocasionais mas resultavam de um desígnio premeditado e profundo. Acreditava-se, no geral, que os godos tinham assinado o tratado de paz com espírito hostil e insidioso, e que os chefes deles se haviam obrigado, por um juramento secreto e solene, a jamais honrar seu compromisso com os romanos, mas antes manter as mais convincentes aparências de lealdade e amizade, e a aguardar atentamente o instante mais favorável para a rapina, a conquista e a vingança. Todavia, como a mente dos bárbaros não era insensível à força da gratidão, vários dos chefes godos se devotaram sinceramente ao serviço do Império, ou pelo menos do imperador; a nação toda se dividiu aos poucos em duas facções opostas e muita sofística se empenhou, na conversação e no debate, em comparar as obrigações atinentes ao primeiro e ao segundo contrato deles. Os godos que se consideravam amigos da paz, da justiça e de Roma eram dirigidos pela autoridade de Fravita, um jovem valoroso e honrado, distinguido do resto de seus compatriotas pela polidez de suas maneiras, pela generosidade de seus sentimentos e pelas amenas virtudes da vida social. Mas uma facção mais numerosa aderia ao feroz e desleal Priulfo, que insuflava as paixões e sustentava a independência de seus belicosos seguidores.

Numa festa solene, em que os chefes de ambas as facções tinham sido convidados à mesa imperial, eles se inflamaram aos poucos com vinho até esquecer os freios habituais da discrição e do respeito e trair na presença de Teodósio o fatal segredo de suas disputas internas. O imperador, que fora a testemunha relutante dessa extraordinária controvérsia, dissimulou seus temores e ressentimentos e dissolveu logo a tumultuada reunião. Fravita, alarmado e exasperado pela insolência de seu rival, cuja saída do palácio poderia ter sido o sinal de uma guerra civil, seguiu-o temerariamente e, puxando da espada, matou Priulfo. Os companheiros deste correram às armas e o leal campeão de Roma teria sido vencido pela superioridade numérica se a oportuna intervenção dos guardas imperiais não o houvesse protegido. Tais foram as cenas de furor barbaresco que desonraram o palácio e a mesa do imperador romano; como os godos impacientes só podiam ser contidos pelo caráter firme e moderado de Teodósio, a segurança pública parecia depender da vida e dos talentos de um único homem.

Dos momentosos eventos da época de Teodósio, narrados pormenorizadamente no original, nenhum excede em importância o triunfo final do grupo ortodoxo dos cristãos e a destruição final e efetiva do paganismo. "Acreditemos", diz Teodósio no primeiro dos quinze severos éditos dirigidos principalmente aos arianos, "tão só na divindade do Padre, do Filho e do Espírito Santo, de igual majestade e numa pia trindade." Pessoas que acreditassem nisso poderiam "assumir o título de cristãos católicos; e, como julgamos todos os outros doidos extravagantes, nós os estigmatizamos com o nome infame de heréticos [...]". *Proibiu-se que as seitas heréticas se reunissem; seus chefes estavam sujeitos a pesadas multas; e os que os seguissem se desqualificaram aos poucos para muitos empregos, ficaram proibidos de fazer testamento etc. O principal monumento do zelo ortodoxo de Teodósio foi a destruição do arianismo em Constantinopla, sua principal sede e fortaleza.*

Até os reinados de Graciano e Teodósio, mesmo os imperadores romanos tinham permitido que subsistisse relativamente intacta a "antiga estrutura da superstição romana, que se fundamentava nas opiniões e nos hábitos de setecentos anos". Graciano suspendeu, porém, os direitos, as imunidades e as rendas oficiais que ainda restavam ao clero pagão, ao passo que Teodósio colocou formalmente ao Senado a questão de "se o culto de Júpiter ou o de Cristo deve ser a religião dos romanos". Sob a forte pressão do imperador, o voto em prol do cristianismo foi esmagador; a ele se seguiu, nas províncias, a apreensão ou destruição de todos os templos pagãos e lugares consagrados, bem como a proibição de todas as reuniões, ritos e sacrifícios pagãos.

Mas os pagãos haveriam de ter uma vindita sutil. Como grande número de prosélitos pagãos enchessem as igrejas, estas os acomodaram com aos poucos adotar, no culto de santos e relíquias, um equivalente da mitologia pagã. "Os bispos mais respeitáveis", diz Gibbon, "se haviam persuadido de que os rústicos ignorantes renunciariam de melhor grado às superstições do paganismo se pudessem encontrar, no seio do cristianismo, alguma compensação. A religião de Constantino ultimou, em menos de um século, a conquista do Império Romano, mas os vencedores foram eles próprios subjugados aos poucos pelas artimanhas de seus rivais vencidos."

Na esfera política, Graciano não manteve por muito tempo as esperanças que suscitara a princípio como imperador do Ocidente. Não muito depois de ter escolhido Teodósio como seu colega oriental, pereceu nas mãos de um certo Máximo, que ergueu na Britânia o estandarte da rebelião; a crescente ameaça bárbara induziu Teodósio a aceitar Máximo temporariamente como colega, embora ele especificasse que o irmão mais moço de Graciano, Valentiniano, reinaria sobre a Itália, a África e a Ilíria ocidental. Mas Máximo se apoderou também da Itália, ambiciosamente, fazendo com que Valentiniano, sua irmã Gala e sua mãe Justina fossem solicitar a ajuda de Teodósio. Avivou-lhes as súplicas o interesse de Teodósio pela beleza de Gala; nas palavras de Gibbon, "a celebração das núpcias reais se constituiu na garantia e no sinal da guerra civil". Máximo foi rapidamente derrotado e executado; no breve período antes de Valentiniano ser confirmado como imperador do Ocidente, o Império teve mais uma vez a governá-lo um único soberano.

A juventude e a inexperiência de Valentiniano o tornaram, contudo, alvo fácil para um usurpador ambicioso. Assim que Teodósio voltou a Constantinopla, as rédeas reais do poder foram parar em mãos de um certo Arbogastes, um franco que comandava os exércitos da Gália. Encontrou-se o corpo de Valentiniano estrangulado pouco depois de uma discussão com Arbogastes, que elevou à púrpura um associado de nome

Eugênio. Mais uma vez Teodósio depôs um usurpador ocidental e voltou a governar o Império todo. Morreu poucos meses depois, legando o Império a dois filhos moços e débeis e deixando os romanos "aterrados com os iminentes perigos e uma administração fraca e dividida".

Arcádio e Honório, os filhos que herdaram respectivamente os impérios do Oriente e do Ocidente, lograram confirmar esses temores com se deixarem dominar, na maior parte do tempo, por cortesãos incompetentes, avaros e venais. A única figura notável dos reinados deles foi o grande general Estílico, a quem Teodósio, no leito de morte, confiara o cuidado de seus filhos e da República. Estílico, que provocou o ciúme e os temores de Arcádio a ponto de ser declarado inimigo da República pelo Senado de Constantinopla, teve de avir-se com obstáculos tais como ter repetidamente de defender sua vida contra assassinos contratados pelo imperador do Oriente; conseguiu no entanto reaver as províncias a um rebelde mouro chamado Gildo, e organizou a única resistência séria à avalancha bárbara. Quanto a Honório, "passou o sono que lhe foi a vida como um cativo em seu palácio, um forasteiro em sua pátria e o espectador paciente, quase indiferente, da ruína do Império ocidental".

14

(398-408 d.C.)
*Revolta dos godos — Eles saqueiam a Grécia — Duas grandes invasões da Itália por Alarico e Radagásio — São repelidos por Estílico — Os germanos invadem a Gália — Desgraça e morte de Estílico**

SE OS SÚDITOS DE ROMA puderam ignorar as obrigações que deviam ao grande Teodósio, muito cedo se convenceriam de quão penosamente o ânimo e os talentos de seu falecido imperador haviam sustentado o frágil edifício da República prestes a desintegrar-se. Ele morreu no mês de janeiro; antes do fim do inverno do mesmo ano, a nação gótica estava em armas. As tropas auxiliares bárbaras içaram seu estandarte independente e atrevidamente confessaram os desígnios hostis que por tanto tempo acalentaram nas mentes ferozes. Seus compatriotas, que tinham sido condenados, pelas condições do último tratado, a uma vida de tranquilidade e de trabalho, desertaram suas quintas ao primeiro som da trombeta e com impaciência retomaram as armas que haviam deposto com tanta relutância. As barreiras do Danúbio foram postas abaixo; os selvagens guerreiros da Cítia saíram de suas florestas; e a incomum aspereza do inverno fez o poeta observar que "eles rolavam seus pesados carroções sobre o dorso amplo e gélido do rio indignado". Os desditosos naturais das províncias ao sul do Danúbio sujeitaram-se a calamidades que, no curso de vinte anos, se haviam tornado quase familiares a sua imaginação; e os diversos bandos de bárbaros que se ufanavam do renome gótico se espa-

* Capítulo 30 do original. (N. O.)

lharam irregularmente desde o litoral boscarejo da Dalmácia até as muralhas de Constantinopla.

A interrupção, ou pelo menos a diminuição, do subsídio que os godos tinham recebido da prudente liberalidade de Teodósio se tornou o especioso pretexto de sua revolta; agravou a afronta o desprezo deles pelos filhos pouco belicosos de Teodósio; e inflamou-lhes o ressentimento a fraqueza ou traição dos ministros de Arcádio. As frequentes visitas de Rufino* ao acampamento dos bárbaros, cujas armas e cujos trajes ele gostava de imitar, foram consideradas como indício bastante de entendimentos culposos; e o inimigo público, por motivo de gratidão ou de política, cuidava, em meio à devastação generalizada, de poupar as propriedades privadas do prefeito impopular.

Os godos, em vez de serem impelidos pelas paixões obstinadas e cegas de seus chefes, estavam agora sob a direção do gênio audaz e ardiloso de Alarico. Esse renomado líder descendia da nobre raça dos baltos, só superada pela dignidade real dos *amali*; ele havia solicitado em vão o comando dos exércitos romanos, e a corte imperial instigou-o a demonstrar a insensatez da recusa e a magnitude da perda consequente. Quaisquer esperanças que pudessem ser nutridas quanto à conquista de Constantinopla, o judicioso general logo as abandonou por se tratar de empresa impraticável. Em meio a uma corte dividida e um povo descontente, o imperador Arcádio apavorava-se com o aspecto das armas góticas; todavia, a ausência de sensatez e de valor se compensava pela polidez da cidade; as fortificações, tanto de terra como de mar, podiam arrostar os dardos impotentes e fortuitos dos bárbaros. Alarico desdenhou espezinhar por mais tempo as regiões abatidas e arruinadas da Trácia e da Dácia, e decidiu ir buscar uma abundante colheita de fama e riquezas numa província que até então havia escapado das devastações da guerra.

* Um ministro velhaco nomeado por Teodósio e conservado por Arcádio. (N. O.)

O caráter dos funcionários civis e militares aos quais Rufino entregara o governo da Grécia confirmava a suspeita pública de que ele traíra o antigo assento da liberdade e do saber ao invasor godo. O procônsul Antíoco era o indigno filho de um pai respeitável; e Gerôncio, que comandava as tropas provinciais, estava muito mais bem qualificado para executar as ordens opressivas de um tirano do que para defender com coragem e competência um país admiravelmente fortificado pela mão da natureza. Alarico atravessara sem resistência as planícies da Macedônia e da Tessália até o sopé do monte Oeta, uma escarpada e boscareja cadeia de montanhas quase impenetrável a sua cavalaria. Estendia-se de leste a oeste até a beira do litoral e deixava, entre o precipício e o golfo Malíaco, um intervalo de noventa metros que, em certos lugares, se estreitava numa estrada que só permitia a passagem de um único carro. Nesse apertado passo das Termópilas, onde Leônidas e os trezentos espartanos gloriosamente consagraram suas vidas, os godos poderiam ter sido detidos ou destruídos por um general habilidoso, e talvez a visão daquele sítio sagrado pudesse ter acendido algumas centelhas de ardor militar no peito dos degenerados gregos. As tropas que haviam sido postadas nos estreitos de Termópilas para defendê-lo se retiraram, como lhes tinha sido ordenado, sem tentar perturbar a segura e rápida passagem de Alarico; e os campos férteis da Fócida e da Beócia se cobriram num instante de um dilúvio de bárbaros, que massacraram os varões em idade de empunhar armas e carregaram as belas mulheres juntamente com o espólio e o gado das aldeias em chamas. Os viajantes que visitaram a Grécia vários anos depois puderam facilmente discernir os fundos e sangrentos vestígios da marcha dos godos; por sua preservação, Tebas deveu menos à solidez de suas sete portas do que à impaciência de Alarico, que avançou para ocupar a cidade de Atenas e a importante baía do Pireu.

A mesma impaciência o levou a evitar a demora e o perigo de um cerco mediante o oferecimento de uma capitulação; assim que ouviram a voz do arauto gótico, os atenienses foram facilmente persuadidos a entregar a maior parte de suas riquezas como resgate da cidade de Minerva e dos seus habitantes. Juramentos solenes ratificaram o tratado, cumprido fielmente por ambas as partes. O príncipe godo, com um pequeno séquito escolhido, foi admitido ao interior das muralhas; permitiu-se o refrigério de um banho, aceitou um esplêndido banquete oferecido por um magistrado e mostrou não ser ignorante dos costumes das nações civilizadas. Mas todo o território da Ática, do promontório de Súnio à cidade de Megara, foi assolado por sua maléfica presença; e se nos é permitido usar a comparação de um filósofo contemporâneo, a própria Atenas parecia a pele sangrenta e vazia de uma vítima trucidada. A distância entre Megara e Corinto talvez não excedesse muito 45 quilômetros, mas a Estrada Má, nome expressivo que os gregos ainda conservam, era intransitável, ou poderia ter sido tornada intransitável, ao avanço do inimigo. As cerradas e sombrias florestas do monte Citéron cobriam a região interior; os rochedos cironianos chegavam até a beira da água e confinavam uma senda estreita e tortuosa que se estendia por dez quilômetros ao longo da costa. A passagem desses rochedos, tão infame em todas as épocas, terminava no istmo de Corinto, e uma pequena tropa de soldados decididos e intrépidos poderia ter defendido com êxito um entrincheiramento temporário de nove ou dez quilômetros entre o mar Jônico e o Egeu.

A confiança das cidades do Peloponeso em seus baluartes naturais as tinha levado a negligenciar os cuidados com suas antigas muralhas, e a avareza dos governadores romanos esgotara e traíra a infeliz província. Corinto, Argos, Esparta renderam-se sem resistência às armas dos godos, e os habitantes mais afortunados se salvaram da morte aceitando contemplar a escravidão de suas famílias e o incêndio de suas cidades. Os vasos e as estátuas foram distribuídos entre os bárbaros, que atentavam mais para o valor dos materiais de que eram feitos do que para a elegância do artesanato; as mulheres cativas submeteram-se às leis da guerra; o desfrute da beleza premiava o valor e os gregos não tinham razão de queixar-se de um abuso que o exemplo das épocas heroicas justificava. Os descendentes desse povo extraordinário, que haviam considerado a bravura e a disciplina como as muralhas de Esparta, não mais lembravam a nobre resposta de seus antepassados a um invasor mais temível do que Alarico. "Se és um deus, não ferirás quem jamais te injuriou; se és um homem, avança, que encontrarás homens iguais a ti."

De Termópilas a Esparta o chefe dos godos prosseguiu em sua marcha vitoriosa sem encontrar qualquer antagonista mortal; entretanto, um dos advogados do paganismo agonizante confiantemente asseverara que as muralhas de Atenas eram guardadas pela deusa Minerva com seu formidável escudo, bem como pelo irado fantasma de Aquiles, e que o conquistador estava intimidado pela presença das divindades hostis da Grécia. Numa época de milagres, seria talvez injusto pôr em dúvida a pretensão do historiador Zósimo* ao benefício comum; contudo, não se pode encobrir o fato de que a mente de Alarico estava mal preparada para receber, quer em visões oníricas, quer em ambulantes, as impressões da superstição grega. Os cantos de Homero e a fama de Aquiles jamais haviam chegado provavelmente a seus ouvidos de bárbaro iletrado, e a fé cristã, que ele devotamente professava, ensinara-lhe a desprezar as divindades imaginárias de Roma e de Atenas. A invasão dos godos, em vez de sustentar as glórias, contribuiu, ao menos acidentalmente, para extirpar os últimos restos de paganismo, e os mistérios de Ceres, que haviam subsistido 1800 anos, não sobreviveram à destruição de Elêusis e às calamidades da Grécia.

A última esperança de um povo que não mais podia depender de suas armas, de seus deuses ou de seu soberano estava posta na poderosa assistência do general do Ocidente; e Estílico, que não permitira fossem repelidos, avançou para castigar os invasores da Grécia. Uma numerosa frota foi equipada nos portos da Itália e as tropas, após uma rápida e próspera travessia do mar Jônico, desembarcaram em segurança no istmo perto das ruínas de Corinto. A região boscareja e montanhosa da Arcádia, fabulosa residência de

* Autor de uma história, em grego, do Império Romano até cerca de 410 d.C., da qual chegaram até nós cinco livros. (N. T.)

Pan e das dríades, tornou-se o cenário de um longo e incerto conflito entre dois generais não indignos um do outro. A habilidade e a perseverança do romano afinal venceram; e os godos, após sofrerem considerável perda em consequência da doença e da deserção, aos poucos se retiraram para as altas montanhas de Foloé, perto das fontes do Peneu* e nas fronteiras de Élis** — uma região sagrada que outrora estivera a salvo das calamidades da guerra.

O acampamento dos bárbaros foi imediatamente cercado e as águas do rio desviadas para outro canal; enquanto penavam sob a intolerável pressão da sede e da fome, formou-se uma forte linha de circunvalação para impedir-lhes a fuga. Após essas precauções, Estílico, de todo confiante na vitória, retirou-se para desfrutar seu triunfo nos jogos teatrais e nas danças lascivas dos gregos; seus soldados, desertando-lhe as bandeiras, espalharam-se pela região de seus aliados, que despojaram de tudo quanto havia sido salvo das mãos rapaces do inimigo. Alarico parece ter aproveitado tal momento favorável para executar uma daquelas audaciosas empresas em que os talentos de um general se revelam com brilho mais genuíno que no tumulto de um dia de batalha. Para desembaraçar-se da prisão do Peloponeso, era necessário que atravessasse as trincheiras que lhe circundavam o acampamento; que realizasse uma difícil e perigosa marcha de 48 quilômetros até o golfo de Corinto; e que transportasse suas tropas, seus cativos e seu espólio através de um braço de mar que, no estreito intervalo entre Rion*** e a praia oposta, tem pelo menos oitocentos metros de largura.

As operações de Alarico devem ter sido secretas, prudentes e rápidas, de vez que o general romano se desconcertou à notícia de que os godos, que lhe haviam esquivado os esforços, estavam na plena posse da importante província de Épiro.**** Esse

* Rio-deus da Tessália, região grega ao sul do monte Olimpo. (N. T.)

** Região a noroeste do Peloponeso, Sul da Grécia continental, onde estava situada Olímpia, um de seus dois grandes centros religiosos. (N. T.)

*** Promontório e cidade da Acaia, na Grécia continental. (N. T.)

**** Região grega a sudoeste da Macedônia. (N. T.)

atraso desafortunado deu a Alarico tempo suficiente para concluir um tratado que ele negociara secretamente com os ministros de Constantinopla. O temor de uma guerra civil compeliu Estílico a retirar-se, por ordem insolente de seus rivais, dos domínios de Arcádio; e ele respeitou, no inimigo de Roma, a honrosa condição de aliado e servidor do imperador do Oriente.*

Enquanto a queda dos bárbaros era o tema das conversações populares, um édito que anunciava a promoção de Alarico ao posto de general-comandante da Ilíria oriental foi publicado em Constantinopla. Os provincianos romanos e os aliados que haviam respeitado a fé dos tratados se indignaram justificadamente de a ruína da Grécia e do Épiro ter sido tão generosamente recompensada. O conquistador godo foi recebido como um magistrado legítimo nas cidades que ainda recentemente sitiara. Os pais cujos filhos havia massacrado, os maridos cujas esposas havia violado estavam sujeitos a sua autoridade, e o êxito de sua rebelião encorajou a ambição de todo chefe de mercenários estrangeiros. O uso dado por Alarico a seu novo comando revelou o caráter judicioso e firme de sua política. Enviou ordens aos quatro depósitos e manufaturas de armas ofensivas e defensivas, Margo,** Ratiaria, Naisso e Tessalônica, para que lhe suprissem as tropas com um fornecimento extraordinário de escudos, elmos, espadas e lanças; os infortunados provincianos se viram obrigados a forjar os instrumentos de sua própria destruição; e os bárbaros eliminaram a única falha que por vezes frustrara os esforços de sua coragem.

A estirpe de Alarico, a glória de seus feitos passados e a confiança em suas futuras empresas uniram aos poucos o corpo da nação sob seus estandartes vitoriosos; e, com o consentimento unânime dos chefes bárbaros, o general-comandante da Ilíria foi erguido, de acordo com o velho costume, num escudo, e solenemente proclamado rei dos visigodos. Armado desse duplo

* Gibbon faz uma breve digressão, nesta altura do original, e descreve as orações populares de Sinésio, que advertia a corte e o povo sobre a melhor maneira de enfrentar a ameaça bárbara. (N. O.)

** Atual cidade de Pozarevac, na Sérvia. (N. E.)

poder, instalado no limite dos dois impérios, ele alternadamente impingiu suas enganosas promessas às cortes de Arcádio e Honório até o momento em que declarou e executou sua decisão de invadir os domínios do Ocidente. As províncias da Europa que pertenciam ao imperador oriental já estavam exauridas, as da Ásia eram inacessíveis, e a solidez de Constantinopla lhe resistira ao ataque. Mas ele ficou tentado pela fama, pela beleza, pela riqueza da Itália, que visitara duas vezes; secretamente aspirava a plantar a bandeira gótica nas muralhas de Roma e enriquecer seu exército com o espólio reunido de trezentos triunfos.

A escassez de fatos e a incerteza de datas militam contra nossas tentativas de descrever as circunstâncias da primeira invasão da Itália pelas armas de Alarico. Sua marcha, talvez desde a Tessalônica, através da região hostil e belicosa da Panônia, até o sopé dos Alpes julianos; sua travessia dessas montanhas, fortemente guardadas por tropas e entrincheiramentos; o sítio de Aquileia e a conquista das províncias de Ístria e Veneza parecem ter exigido tempo considerável. A menos que suas operações houvessem sido extremamente cautelosas e lentas, a duração do intervalo sugeriria a provável suspeita de que o rei godo se retirou para as margens do Danúbio e reforçou seu exército com novas levas de bárbaros antes de novamente tentar penetrar o coração da Itália.*

O imperador Honório se distinguia de seus súditos pela superioridade de temor bem como de posto. A soberba e o luxo em que fora educado não lhe haviam consentido suspeitar a existência, sobre a face da terra, de qualquer potência presunçosa o bastante para perturbar o repouso do sucessor de Augusto. Os estratagemas da lisonja ocultaram o perigo iminente até Alarico acercar-se do palácio de Milão. Mas quando o rumor da guerra despertou o jovem imperador, em vez de ele correr para as armas com o ânimo ou mesmo o arrebatamento de sua idade,

* Omite-se aqui uma breve passagem na qual Gibbon descreve o efeito da invasão gótica sobre a vida de dois indivíduos e o sentimento generalizado de consternação e desespero. (N. O.)

ansiosamente deu ouvidos aos timoratos conselheiros que propunham transportar sua sagrada pessoa e seus fiéis servidores até algum sítio seguro e distante nas províncias da Gália. Só Estílico teve coragem e autoridade bastante para opor-se a tão vergonhosa medida, que teria deixado Roma e a Itália entregues aos bárbaros; todavia, como as tropas do palácio tinham sido recentemente destacadas para a fronteira reciana e o recurso a novos recrutamentos era demorado e precário, o general do Ocidente podia apenas prometer que se a corte de Milão sustentasse a posição durante sua ausência ele logo voltaria com um exército em condições de fazer frente ao rei godo.

Sem perder um momento (e cada momento era deveras importante para a segurança pública), Estílico embarcou à pressa no lago lariano, galgou as montanhas de gelo e neve em meio à aspereza de um inverno alpino e subitamente conteve, por seu inesperado aparecimento, o inimigo que havia perturbado a tranquilidade da Récia. Os bárbaros, talvez algumas tribos de alamanos, respeitavam a firmeza de um chefe que ainda assumia a linguagem do comando; e a escolha que condescendeu em fazer, de um número seleto de seus jovens mais bravos, foi considerada um sinal de estima e favor. As coortes liberadas do inimigo próximo diligentemente afluíram para o estandarte imperial, e Estílico deu ordens às mais remotas tropas do Ocidente de, em marchas rápidas, acorrer em defesa de Honório e da Itália. As fortalezas do Reno foram abandonadas e a segurança da Gália ficou confiada tão só à lealdade dos germanos e ao antigo terror da fama romana. Mesmo a região que havia sido posta a guardar a muralha da Britânia contra os caledonianos do norte foi convocada à pressa; persuadiu-se um numeroso contingente de cavalaria dos alanos a alistar-se no serviço do imperador, que ansiosamente aguardava o regresso de seu general. A prudência e o vigor de Estílico assinalaram-se nessa ocasião, que revelou, ao mesmo tempo, a fraqueza do império decadente. As legiões de Roma, que de há muito definhavam no gradual declínio da disciplina e da coragem, foram exterminadas pelas guerras góticas e civis; e verificou-se ser impossível, sem exaurir e expor as províncias, reunir um exército para a defesa da Itália.

Quando Estílico aparentemente abandonou seu soberano no desguarnecido palácio de Milão, calculara ele provavelmente a duração de sua ausência, a distância do inimigo e os obstáculos que lhe poderiam retardar a marcha. Dependia ele sobretudo dos rios da Itália, o Ádige, o Míncio, o Oglio e o Adda, que no inverno ou na primavera, em consequência das chuvas ou da fusão das neves, habitualmente se transformam em torrentes largas e impetuosas. Mas aconteceu de a estação estar invulgarmente seca, e os godos puderam atravessar sem impedimento os leitos largos e pedregosos, cujo centro era assinalado pelo fio de um raso riacho. A ponte e a passagem do Adda foram guardadas por um forte destacamento do exército godo; e quando Alarico se aproximou das muralhas, ou melhor, dos subúrbios de Milão, teve a orgulhosa satisfação de ver o imperador dos romanos fugir dele.

Acompanhado de um pequeno séquito de estadistas e eunucos, Honório precipitadamente se retirou para os Alpes, com o propósito de resguardar sua pessoa na cidade de Arles, que havia sido com frequência a residência real de seu predecessor. Mal havia transposto o Pó, todavia, quando foi alcançado pela velocidade da cavalaria gótica; a urgência do perigo induziu-o a buscar refúgio temporário dentro da fortificação de Asta, uma cidade da Ligúria ou Piemonte situada nas margens do Tânaro. O assédio a uma localidade obscura, que guardava um prêmio tão valioso e parecia incapaz de uma longa resistência, foi de imediato empreendido e infatigavelmente instado pelo rei dos godos; e a valente declaração que o imperador poderia ter feito logo após, de que seu peito jamais fora suscetível ao medo, não mereceu provavelmente muito crédito, nem mesmo de sua corte.

No último e quase desesperançado transe, após os bárbaros terem já proposto a indignidade de uma capitulação, o cativo imperial viu-se de súbito socorrido pela fama, pela aproximação e, finalmente, pela presença do herói a quem havia tanto esperava. À testa de um seleto e intrépido destacamento de vanguarda, Estílico nadou a corrente do Adda para recuperar o tempo que devia ter perdido no ataque à ponte; a passagem do Pó foi uma empresa de muito menos risco e dificuldade; e a vitoriosa ação em que cortou caminho através do acampamento dos godos, sob as muralhas de Asta, reacendeu as esperanças e sustentou a honra de Roma. Em vez de colher o fruto de sua vitória, o bárbaro foi sendo aos poucos cercado de todos os lados pelas tropas do Ocidente, que iam surgindo de todas as passagens dos Alpes; os quartéis dele se estreitaram, seus comboios foram interceptados e a vigilância dos romanos preparou-se para formar uma cadeia de fortificações e sitiar as linhas dos assediadores. Reuniu-se um conselho militar dos chefes de longos cabelos da nação gótica, guerreiros idosos cujo corpo estava envolto em peles e cujo severo semblante estava marcado de honrosos ferimentos. Confrontaram a glória de insistir em sua tentativa com a vantagem de garantir seu saque e aconselharam a prudente medida de uma retirada a tempo. Nesse importante debate, Alarico demonstrou seu espírito de conquistador de Roma, e após ter lembrado aos compatriotas seus feitos e propósitos, concluiu sua fala encorajadora com a afirmação solene e peremptória de que estava decidido a achar na Itália ou um reino ou um túmulo.

A frouxa disciplina dos bárbaros os expunha permanentemente ao perigo de uma surpresa; entretanto, em vez de escolher as horas dissolutas de tumulto e intemperança, Estílico resolveu atacar os godos cristianizados enquanto piedosamente se dedicavam a celebrar a festa da Páscoa. A execução do estratagema (ou, como lhe chamou o clero, do sacrilégio) ficou confiada a Saulo, um bárbaro pagão que conquistara alta reputação entre os generais veteranos de Teodósio. O acampamento dos godos, que Alarico instalara na vizinhança de Polência, ficou em polvorosa com a súbita e impetuosa carga da cavalaria imperial; em poucos momentos, porém, o gênio indômito do chefe deles lhes deu ordem e um campo de batalha; tão logo se recobraram da surpresa, a piedosa confiança de que o Deus dos cristãos lhes apoiaria a causa deu novas forças a sua bravura natural. Nessa batalha, sustentada por longo tempo por ambas as partes com coragem e êxito, o chefe dos alanos, cuja figura minúscula de selvagem escondia uma alma magnânima, comprovou sua suspeita lealdade pelo zelo com que lutou e tombou no serviço da República; a fama desse bárbaro galhardo ficou imperfeitamente preservada nos versos de Claudiano,* de vez que o poeta, ao celebrar-lhe a virtude, deixou de mencionar-lhe o nome. A sua morte seguiram-se a fuga e a consternação dos esquadrões que comandava; a derrota da ala de cavalaria poderia ter decidido a vitória de Alarico se Estílico não fizesse a infantaria bárbara e romana atacar imediatamente.

A habilidade do general e a bravura dos soldados levaram de vencida todos os obstáculos. No entardecer do dia sangrento, os godos se retiraram do campo de batalha, os entrincheiramentos de seu acampamento foram forçados e as cenas de rapina e morticínio repararam parte das calamidades que eles haviam infligido aos súditos do Império. Os magníficos espólios de Corinto e Argos enriqueceram os veteranos do Ocidente; a esposa cativa de Alarico, que dele reclamara com impaciência as joias romanas e as criadas patrícias prometidas, viu-se reduzida a implorar a mercê de um inimigo ultrajante; muitos milhares de prisioneiros, libertados das cadeias góticas, difundiram pelas províncias da Itália os louvores a seu heroico libertador. O triunfo de Estílico foi comparado pelo poeta, e talvez pelo público, ao triunfo de Mário, que na mesma parte da Itália havia combatido e destruído outro exército de bárbaros do norte. Os ossos enormes e os elmos vazios dos cimbros e dos godos seriam facilmente confundidos pelas gerações subsequentes e a posteridade poderia erigir um troféu comum à memória desses ilustríssimos generais que venceram, no mesmo terreno memorável, os dois inimigos mais temíveis de Roma.

A eloquência de Claudiano celebrou com profusos aplausos a vitória de Polência, um dos dias mais gloriosos na vida de seu patrono; sua musa relutante e facciosa outorgou, porém, louvor mais genuíno ao caráter do rei godo. Seu nome é na verdade estigmatizado com os epítetos recriminadores de "pirata" e "sal-

* Grego de nascimento, Claudiano escreveu em latim e foi o último grande poeta pagão, conquanto tivesse passado por cristão; entre seus numerosos poemas, além de vários em louvor do jovem imperador Honório e do general Estílico, figuram composições épicas sobre a guerra contra os godos. (N. T.)

teador", aos quais os conquistadores de todas as épocas fazem tanto jus; o poeta de Estílico é obrigado, no entanto, a reconhecer que Alarico possuía a invencível índole de espírito que se sobrepõe a todos os infortúnios e tira novas forças da adversidade. Após a derrota total de sua infantaria, ele fugiu, ou melhor, se retirou do campo de batalha com a maior parte de sua cavalaria intacta. Sem perder um momento em lamentar a perda irreparável de tantos bravos companheiros, deixou o inimigo vitorioso pôr em cadeias as imagens cativas de um rei godo e audazmente decidiu romper as passagens desguarnecidas dos Alpes, espalhar a desolação pelos campos fecundos da Toscana e conquistar Roma ou morrer diante de suas portas.

A capital foi salva pela ativa e incessante diligência de Estílico, que respeitou porém o desespero de seu inimigo e, em vez de entregar a sorte da República ao acaso de outra batalha, propôs-se a marcar a ausência dos bárbaros. O espírito de Alarico teria rejeitado termos que tais, a permissão de uma retirada e a oferta de uma pensão, com desdém e indignação; ele exercia contudo uma autoridade limitada e precária sobre os chefes independentes, que o haviam erguido, para serviço *deles*, acima de seus iguais; estavam ainda menos dispostos a seguir um general malsucedido e muitos deles se sentiam tentados a atender aos próprios interesses numa negociação privada com o ministro de Honório. O rei se submeteu à voz de seu povo, ratificou o tratado com o Império do Ocidente e tornou a atravessar o Pó com os restos do florescente exército que levara à Itália. Parte considerável das forças romanas ainda continuava a aguardar-lhe os movimentos, e Estílico, que mantinha contatos secretos com alguns dos chefes bárbaros, foi pontualmente informado dos planos estabelecidos no acampamento e nos conselhos de Alarico. O rei dos godos, ambicioso de assinalar sua retirada por alguma esplêndida façanha, resolveu ocupar a importante cidade de Verona, que domina a principal passagem dos Alpes récios; e, orientando sua marcha para os territórios de tribos germânicas cuja aliança lhe restauraria as forças exauridas, invadir pelo lado do Reno as ricas e insuspeitas províncias da Gália.

Ignorante da traição que já lhe havia denunciado a audaz e judiciosa empresa, ele atravessou as passagens das montanhas, já dominadas pelas tropas imperiais, onde ficou exposto quase no mesmo instante a um ataque geral pela frente, pelos flancos e pela retaguarda. Nessa ação sanguinolenta, a pequena distância dos muros de Verona, a perda dos godos não foi menos pesada que a que tinham sofrido na derrota de Polência; e seu denodado rei, que escapou graças à rapidez de seu cavalo, teria sido morto ou feito prisioneiro se a célere impetuosidade dos alanos não tivesse frustrado as medidas tomadas pelo general romano. Alarico postou o restante de seu exército nos rochedos adjacentes e se preparou com impávida resolução para sustentar um assédio contra um inimigo superior em número, que o atacava de todos os lados. Mas ele não podia deter o progresso destrutivo da fome e da doença; tampouco lhe era possível impedir a contínua deserção de seus bárbaros caprichosos e impacientes. Nesse transe, ainda encontrou alento em sua própria coragem ou na moderação de seu adversário; a retirada do rei godo foi considerada como a libertação da Itália. Todavia o povo, e até mesmo o clero, incapaz de fazer qualquer julgamento racional da questão da paz e da guerra, atreveu-se a censurar a política de Estílico, que tantas vezes vencera, tantas vezes cercara e tantas vezes expulsara o inimigo implacável da República. O primeiro momento da segurança pública é devotado à gratidão e ao júbilo, mas o segundo é diligentemente ocupado pela inveja e pela calúnia.

Os cidadãos de Roma se tinham assombrado com a aproximação de Alarico e a diligência com que trabalharam para restaurar as muralhas da capital punha à mostra seus temores e o declínio do Império. Após a retirada dos bárbaros, a Honório coube aceitar o respeitoso convite do Senado e celebrar na cidade imperial a auspiciosa era da vitória gótica e de seu sexto consulado. Os subúrbios e as ruas, da Ponte Milviana ao monte Palatino, foram ocupados pelo povo romano, que no espaço de cem anos só três vezes havia sido honrado com a presença de seus soberanos. Enquanto tinha os olhos fitos no carro triunfal onde Estílico merecidamente se sentava ao lado de seu real pupilo, os populares aplaudiam a pompa de um triunfo que não fora inquinado, como o de Constantino ou o de Teodósio, pelo sangue civil. A procissão passou por sob um grandioso arco especialmente erigido para a ocasião; em menos de sete anos, contudo, os conquistadores godos de Roma poderiam ler, se soubessem, a soberba inscrição desse monumento, que atestava a derrota e destruição total de sua nação.*

Enquanto a Itália se rejubilava de sua libertação dos godos, uma furiosa tempestade surgira entre as nações da Germânia, as quais cediam ao irresistível impulso que parece ter-se gradualmente comunicado desde a extremidade oriental da Ásia.** A cadeia de acontecimentos é interrompida, ou melhor, encoberta, conforme transita do Volga para o Vístula, através do sombrio intervalo que separa os limites extremos da geografia chinesa e da romana. Todavia, a têmpera dos bárbaros e a experiência de sucessivas emigrações evidenciam suficientemente que os hunos, que eram oprimidos pelas armas dos gengis, cedo se retiraram da presença de um vencedor insultuoso. As regiões do lado do Euxino já estavam ocupadas por tribos deles aparentadas, e eles, na sua apressada fuga, que logo se convertia em ataque audacioso, se dirigiriam naturalmente para as ricas e retas planuras através das quais o Vístula corre mansamente até o mar Báltico. O norte deve ter se alarmado e agitado com a invasão dos hunos; e as nações que batiam em retirada ao avanço deles devem ter pressionado, com força correspondente, os confins da Germânia. Os habitantes dessas regiões, que os antigos atribuíram aos suevos, aos vândalos e aos borguinhões, poderiam tomar a resolução de

* O mais notável resultado da visita de Honório a Roma, discutido pormenorizadamente no original, foi sua proibição terminante de lutas de gladiadores no anfiteatro. Depois de deixar Roma, ele transferiu a resistência imperial para Ravena, escolhida como "uma fortaleza inacessível [...] onde poderia conservar-se seguro, enquanto a região desprotegida se cobria de um dilúvio de bárbaros". (N. O.)

** Neste ponto do original, Gibbon descreve o desenvolvimento de um grupo belicoso tártaro chamado "gengis", que pressionou os hunos em demanda do oeste e conquistou os do território setentrional do mar Cáspio. (N. O.)

abandonar aos fugitivos da Sarmácia suas florestas e pauis, ou pelo menos de descarregar seu excesso de população nas províncias do Império Romano.

Cerca de quatro anos após o vitorioso Toulun ter assumido o título de cão dos gengis, outro bárbaro, o arrogante Rodogasto, ou Radagásio, marchou desde o extremo norte da Germânia até as portas de Roma e deixou o restante de seu exército consumar a destruição do Ocidente. Os vândalos, os suevos e os borguinhões constituíam a força dessa poderosa hoste; os alanos, porém, que tinham tido uma recepção hospitaleira em seus novos sítios, juntaram sua ativa cavalaria à infantaria pesada dos germanos; e os aventureiros góticos acorreram tão avidamente ao estandarte de Radagásio que alguns historiadores o chamaram de "rei dos godos". Doze mil guerreiros, que se distinguiam do vulgo pelo nascimento nobre ou pelos feitos valorosos, luziam na vanguarda; e o total da multidão, que não era inferior a 200 mil homens combatentes, poderia alcançar, pelo acréscimo de mulheres, crianças e escravos, a soma de 400 mil pessoas. Essa formidável emigração veio da mesma costa do Báltico que despejara as miríades de cimbros e teutões que assaltaram Roma e a Itália em pleno vigor da República. Após a partida desses bárbaros, sua região natal, que lhes ostentava os vestígios da grandeza, longos reparos e molhes gigantescos, permaneceu por longo tempo um vasto e árido ermo, até a espécie humana renovar-se pelos poderes da geração e o vazio ser preenchido pelo afluxo de novos habitantes. As nações que hoje usurpam uma extensão de terra que são incapazes de cultivar logo seriam assistidas pela industriosa pobreza de seus vizinhos se o governo da Europa não protegesse as pretensões de domínio e propriedade.

O intercâmbio de informações entre as nações era tão imperfeito e precário nesse tempo que as radicais mudanças ocorridas no norte poderiam continuar ignoradas da corte de Ravena até a nuvem carregada que se formava ao longo da costa báltica romper em trovões sobre as margens do alto Danúbio. O imperador do Ocidente, se seus ministros lhe perturbavam os divertimentos com notícias do perigo iminente, se contentava em ser a ocasião e o espectador da guerra. A segurança de Roma estava confiada ao juízo e à espada de Estílico; tão débil e exaurida era, no entanto, a condição do Império, que se tornava impossível restaurar as fortificações do Danúbio ou impedir, por um esforço vigoroso, a invasão dos germanos. As esperanças do vigilante ministro de Honório se confinavam à defesa da Itália. Mais uma vez abandonou ele as províncias, chamou de volta as tropas, insistiu nos novos recrutamentos, que foram rigorosamente exigidos e pusilanimemente burlados; empregou os meios mais eficazes para deter ou aliciar os desertores; e ofereceu a dádiva da liberdade e de duas moedas de ouro a todos os escravos que se alistassem. Por via desses esforços, a duras penas conseguiu recrutar, entre os súditos de um grande império, um exército de 30 ou 40 mil homens, o qual, nos tempos de Cipião ou de Camilo, teria sido imediatamente fornecido pelos cidadãos livres do território de Roma. As trinta legiões de Estílico foram reforçadas por um largo corpo de tropas bárbaras auxiliares; os fiéis alanos ficaram a seu serviço pessoal; e as tropas de hunos e godos que marchavam sob as bandeiras de seus príncipes nacionais, Huldin e Saro, tinham a animá-las o ressentimento e o interesse de se opor à ambição de Radagásio.

O rei dos germanos confederados passou sem resistência os Alpes, o Pó e os Apeninos, deixando, de um lado, o inacessível palácio de Honório sepultado em segurança entre os pântanos de Ravena, e, de outro, o acampamento de Estílico, que instalara seu quartel-general em Ticino, ou Pávia, mas que parece ter evitado uma batalha decisiva enquanto não pôde reunir suas forças distantes. Muitas cidades da Itália foram pilhadas ou destruídas, e o sítio de Florença por Radagásio é um dos primeiros sucessos na história dessa célebre república, cuja firmeza deteve e retardou a impetuosidade inábil dos bárbaros.

O Senado e o povo tremeram à notícia da aproximação deles, que só estavam a 290 quilômetros de Roma, e compararam angustiadamente o perigo de que tinham escapado com os novos perigos a que estavam expostos. Alarico era um cristão e um soldado, o chefe de um exército disciplinado, que compreendia as leis da guerra, respeitava a santidade dos tratados e havia conversado familiarmente com os súditos do Império nos mesmos acampamentos e nas mesmas igrejas. Já ao selvático Radagásio eram estranhos os costumes, a religião e até mesmo a língua das nações civilizadas do sul. A ferocidade de seu temperamento tinha, a exasperá-la, uma cruel supersticiosidade, e todos acreditavam que ele se havia comprometido, por um juramento solene, a reduzir a cidade a um monte de pedras e cinza, e a sacrificar os mais ilustres dos senadores romanos nos altares de deuses aos quais só o sangue humano aplacava. O perigo público, que deveria ter reconciliado todas as animosidades internas, pôs à mostra a incurável sandice do facciosismo religioso. Os oprimidos adoradores de Júpiter e Mercúrio respeitavam, no implacável inimigo de Roma, a condição de pagão devoto; e em voz alta proclamavam estar mais apreensivos com os sacrifícios do que com as armas de Radagásio; e secretamente se rejubilavam ante as calamidades de sua pátria, que condenavam a fé de seus adversários cristãos.

Florença se viu em situação angustiosa e a debilitada coragem de seus cidadãos só encontrava apoio na autoridade de santo Ambrósio, que revelara num sonho a promessa de uma rápida libertação. De inopino avistaram eles, de suas muralhas, as bandeiras de Estílico, que avançava com suas forças coligadas em socorro da fiel cidade e que em breve assinalou aquele lugar fatal como o túmulo da hoste bárbara.

As contradições aparentes dos autores que narram de diferentes maneiras a derrota de Radagásio podem ser reconciliadas sem violentar em demasia seus respectivos testemunhos. Orósio e Agostinho, intimamente unidos pela amizade e pela religião, atribuem essa vitória miraculosa à providência de Deus mais do que ao valor de um homem. Excluem rigorosamente qualquer ideia de acaso ou mesmo de matança e afirmam categoricamente que os romanos, em cujo acampamento reinavam a abundância e a ociosidade, apreciavam o sofrimento dos bárbaros que expiavam aos poucos na abrupta e estéril cumeada dos outeiros de Fésulas, que dominam a cidade de Florença. A extravagante afirmativa feita por eles de que nem um só soldado do exército cristão foi morto, ou sequer ferido, pode ser rejeitada com silencioso desdém; entretanto, o restante da narrativa de Agostinho e Orósio se coaduna com a situação da guerra e o caráter de Estílico. Cônscio de estar comandando o *último* exército da República, sua prudência não o iria expor em campo aberto à indomável fúria dos germanos. O método de cercar o inimigo com fortes linhas de circunvalação, método que ele utilizara duas vezes contra o rei godo, foi repetido em maior escala e com efeito mais considerável. Os exemplos de César devem ter sido familiares ao mais iletrado dos guerreiros romanos, e as fortificações de Dirráquio, que ligavam 24 praças-fortes por meio de um fosso e reparo perpétuo de 24 quilômetros, ofereciam o modelo de entrincheiramento capaz de confinar e matar de fome a numerosíssima hoste de bárbaros. As tropas romanas tinham degenerado menos da diligência que do valor de seus antepassados; e se a obra servil e laboriosa ofendesse o orgulho dos soldados, a Toscana poderia fornecer muitos milhares de camponios, que certamente trabalhariam, embora talvez não lutassem, pela salvação de sua terra natal.

A multidão de cavalos e homens aprisionados foi sendo gradualmente destruída pela fome, em vez de o ser pela espada; os romanos porém estavam expostos, durante o progresso de obra tão extensa, a frequentes ataques de um inimigo impaciente. O desespero dos bárbaros famintos os levaria a arrojar-se contra as fortificações de Estílico; o general quiçá condescendesse às vezes com o ardor de suas bravas tropas auxiliares, que instavam ansiosamente em assaltar o acampamento dos germanos; e esses diversos incidentes poderiam dar origem aos violentos e sanguinários conflitos que dignificam a narrativa de Zósimo e as crônicas de Próspero e Marcelino. Um oportuno suprimento de homens e provisões havia sido introduzido nos muros de Florença, e a hoste faminta de Radagásio se viu por sua vez sitiada.

O altivo monarca de tantas nações guerreiras, depois de perder seus guerreiros mais bravos, ficou reduzido a confiar ou na fé de uma capitulação ou na clemência de Estílico. Mas a morte do real cativo, que foi ignominiosamente decapitado, desonrou o triunfo de Roma e da cristandade; e a curta demora de sua execução bastou para estigmatizar o conquistador com a culpa de uma fria e deliberada crueldade. Os germanos famintos que escaparam à fúria das tropas auxiliares foram vendidos como escravos, ao preço vil de uma moeda de ouro cada; contudo, a diferença de alimentação e clima exterminou grande número desses desditosos forasteiros; e os desumanos compradores, em vez de lhes colherem os frutos do trabalho, logo se viram obrigados a arcar com a despesa de seus enterros. Estílico informou o imperador e o Senado de seu triunfo e fez jus pela segunda vez ao título glorioso de libertador da Itália.

A fama da vitória, e mais especialmente do milagre, encorajou a infundada noção de que todo o exército, ou melhor, a nação, de germanos que migraram das costas do Báltico pereceu miseravelmente sob as muralhas de Florença. Essa foi na verdade a sorte do próprio Radagásio, de seus bravos e fiéis companheiros, e de mais de um terço da compósita multidão de suevos e vândalos, de alanos e borguinhões, que aderira ao estandarte de seu general. A união de um exército que tal pode suscitar-nos surpresa, mas as causas da separação são óbvias e convincentes: a vaidade de estirpe, a insolência do valor, a inveja de comando, a impaciência da subordinação e o obstinado conflito de opiniões, de interesses e de paixões entre tantos reis e guerreiros que não haviam aprendido a ceder nem a obedecer. Após a derrota de Radagásio, duas partes da hoste germânica, que deve ter excedido um total de 100 mil homens, ainda permaneceram em armas entre os Apeninos e os Alpes, ou entre os Alpes e o Danúbio. Não se sabe ao certo se tentaram vingar a morte de seu general, mas sua desregrada impetuosidade logo foi desviada pela prudência e firmeza de Estílico, que lhes obstava o avanço e lhes facilitava a retirada, que considerava a segurança de Roma e da Itália como o principal objetivo de seus cuidados, e que sacrificava com a maior indiferença a riqueza e a tranquilidade de províncias distantes. Os bárbaros adquiriram, pela adesão de alguns desertores panônios, conhecimento da região e das estradas, e a invasão da Gália, planejada por Alarico, foi levada a cabo pelos remanescentes do grande exército de Radagásio.

Entretanto, se esperavam obter qualquer ajuda por parte das tribos da Germânia que habitavam as margens do Reno, tiveram suas esperanças desapontadas. Os alamanos mantiveram um estado de neutralidade inativa e os francos se assinalaram por seu zelo e coragem na defesa do Império. No rápido progresso Reno abaixo, que foi o primeiro ato da administração de Estílico, este havia dedicado especial atenção a conseguir uma aliança com os belicosos francos e a erradicar os irreconciliáveis inimigos da paz e da República. Marcomir, um de seus reis, foi publicamente declarado culpado, pelo tribunal do magistrado romano, de violar a fé de tratados. Recebeu por sentença um brando mas distante exílio na província da Toscana; e essa degradação da dignidade legal nem de longe suscitou o ressentimento de seus súditos, que puniram com a morte o turbulento Suno, que tentou vingar o irmão, e se mantiveram leais aos príncipes que foram postos no trono por escolha de Estílico.

Quando a emigração setentrional abalou os limites da Gália e da Germânia, os francos enfrentaram bravamente a força isolada de vândalos que, indiferente às lições da adversidade, novamente desligara suas tropas do estandarte de seus aliados bárbaros. Pagaram o preço de sua temeridade: 20 mil vândalos, com seu rei Godigisclo, foram mortos no campo de batalha. A força inteira teria sido exterminada se os esquadrões de alanos, avançando em seu socorro, não tivessem esmagado a infantaria dos francos, os quais, após uma honrosa resistência, se viram compelidos a abandonar a luta desigual. Os confederados vitoriosos continuaram sua marcha e, no último dia do ano, numa estação em que as águas do Reno estariam muito provavelmente congeladas, invadiram sem oposição as indefesas províncias da Gália. Essa memorável passagem dos suevos, dos vândalos, dos alanos e dos borguinhões, que nunca mais se retiraram depois disso, pode ser considerada como a queda do Império Romano nos países além-Alpes; e as barreiras que por tão longo tempo separaram as nações selvagens das nações civilizadas da terra foram arrasadas a partir desse fatal momento.

Enquanto a paz da Germânia era assegurada pela lealdade dos francos e pela neutralidade dos alamanos, os súditos de

Roma, inconscientes das calamidades que se aproximavam, desfrutavam uma situação de calma e prosperidade com que raras vezes haviam sido abençoadas as fronteiras da Gália. Seus rebanhos e manadas tinham permissão de pascer nas pastagens dos bárbaros; seus caçadores penetravam sem temor nem perigo os mais sombrios recessos da Floresta Hercínia.* As margens do Reno estavam engrinaldadas, como as do Tibre, de casas elegantes e quintas bem cultivadas, e se um poeta descesse o rio poderia expressar sua dúvida quanto a de que lado se situava o território dos romanos. Esse cenário de paz e abundância mudou-se inopinadamente num deserto, e só o espetáculo de ruínas fumegantes lograva distinguir a solidão da natureza da desolação do homem. A florescente cidade de Metz foi surpreendida e destruída, e muitos milhares de cristãos desumanamente massacrados na igreja. Worms caiu após um longo e obstinado assédio; Estrasburgo, Rheims, Tournay, Arras, Amiens padeceram a cruel opressão do jugo germânico; e as chamas devoradoras da guerra se espalharam das margens do Reno pela maior parte das dezessete províncias da Gália. Esse rico e vasto país, que se estendia até o oceano, os Alpes e os Pireneus, ficou entregue aos bárbaros, que levaram pela frente, numa turba promíscua, o bispo, o senador e a virgem, juntamente com os espólios de suas asas e altares.**

O poeta, cujo espírito de lisonja atribuiu à águia romana as vitórias de Polência e Verona, acompanha a precipitada retirada de Alarico dos confins da Itália com um horrendo séquito de espectros imaginários, tais como os que poderiam pairar sobre um exército de bárbaros que foi quase exterminado pela fome, pela guerra e pela doença. No curso dessa infortunada expedição, o rei dos godos deve de fato ter sofrido perda considerável,

* Atual Floresta Negra. (N. T.)

** O original narra outrossim, aqui, as sedições da Britânia — em que dois pretendentes foram elevados e depois assassinados — antes de um soldado raso, que tinha o afortunado nome de Constantino, alcançar êxito e governar tanto a Britânia quanto a Hispânia e as cidades da Gália que não haviam sucumbido aos bárbaros. (N. O.)

e suas devastadas forças precisaram de um intervalo de repouso para preencher seus claros e reavivar sua confiança. A adversidade exercitara e revelara o gênio de Alarico, e a fama de seu valor atraía para o estandarte gótico os mais bravos dos guerreiros bárbaros, aos quais, do Euxino ao Reno, agitava o desejo da rapina e da conquista. Ele havia merecido a estima e logo aceitou a amizade do próprio Estílico. Renunciando ao serviço do imperador do Oriente, Alarico celebrou com a corte de Ravena um tratado de paz e de aliança pelo qual era declarado general-comandante dos exércitos romanos através das prefeituras da Ilíria, conforme as reivindicava, segundo os verdadeiros e antigos limites, o ministro de Honório.

A execução do ambicioso plano, estipulado ou implícito nos artigos do tratado, parece ter sido suspensa pela formidável invasão de Radagásio, e a neutralidade do rei godo pode talvez comparar-se à indiferença de César que, na conspiração de Catilina, se recusou tanto a ajudar quanto a opor-se ao inimigo da República. Após a derrota dos vândalos, Estílico retomou suas pretensões às províncias do Oriente, nomeou magistrados civis para a administração da justiça e das finanças, e manifestou sua impaciência de conduzir até as portas de Constantinopla os exércitos unidos dos romanos e dos godos. A prudência de Estílico, entretanto, sua aversão à guerra civil e seu perfeito conhecimento da fraqueza do Estado podem encorajar a suspeita de que o objetivo de sua política era mais a paz interna do que a conquista estrangeira, sendo seu principal cuidado empregar as forças de Alarico em região distante da Itália.

Esse plano não mais podia escapar à argúcia do rei godo, que continuou a manter duvidosos e talvez traiçoeiros entendimentos com as cortes rivais; que protelou, como um mercenário insatisfeito, suas lentas operações da Tessália e do Épiro; e que logo regressou para reclamar a extravagante recompensa de seus serviços ineficazes. De seu acampamento perto de Emona, nos confins da Itália, ele enviou ao imperador do Ocidente um longo rol de promessas, de despesas e de solicitações, cuja imediata satisfação exigia, mostrando claramente as consequências de uma recusa. Se bem sua conduta fosse hostil, a linguagem por ele usada era decorosa e submissa. Humildemente se declarava amigo de Estílico e soldado de Honório, oferecia sua pessoa e suas tropas para marchar sem demora contra o usurpador da Gália e solicitava, como refúgio permanente da nação gótica, a posse de alguma província vacante do Império Ocidental.

As secretas negociações políticas dos dois estadistas, que forcejavam por enganar-se um ao outro e ao mundo, deveriam ter permanecido para sempre ocultas na impenetrável escuridão do gabinete se os debates de uma assembleia popular não tivessem lançado alguns raios de luz sobre a correspondência entre Alarico e Estílico. A necessidade de encontrar algum sustentáculo artificial para um governo que, por uma questão não de moderação mas de fraqueza, estava reduzido a negociar com seus próprios súditos, restaurara gradualmente a autoridade do Senado romano, e o ministro de Honório respeitosamente consultou o conselho legislativo da República. Estílico reuniu o Senado no palácio dos Césares, descreveu numa oração estudada a situação atual dos negócios públicos, apresentou os pedidos do rei godo e submeteu à consideração dos senadores a escolha da paz ou da guerra. Estes, como se tivessem subitamente despertado de um sonho de quatrocentos anos, pareceram, nessa importante ocasião, estar inspirados antes pela coragem do que pela prudência de seus antecessores. Declararam em alto e bom som, em discursos comedidos ou em aclamações tumultuosas, que era indigno da majestade de Roma negociar uma trégua precária e ultrajante com um rei bárbaro, e que o juízo de um novo magnânimo preferiria sempre a possibilidade de ruína à certeza da desonra. O ministro, cujas intenções pacíficas tinha a secundá-las tão só as vozes de uns poucos seguidores servis e venais, tentou acalmar a exaltação geral com uma apologia de sua própria conduta e mesmo dos pedidos do príncipe godo.

> O pagamento de um subsídio, que suscitara a indignação dos romanos, não devia (tal era a linguagem de Estílico) ser considerado à luz odiosa de um tributo e nem mesmo de um resgate extorquido pelas ameaças de um inimigo bárbaro.

Alarico tinha lealmente sustentado as justas pretensões da República às províncias usurpadas pelos gregos de Constantinopla; modestamente solicitava ele a justa e estipulada recompensa de seus serviços; e, se tinha desistido de prosseguir em sua empresa, obedecera, na retirada, às cartas peremptórias, ainda que confidenciais, do próprio imperador. Essas ordens contraditórias (ele não pretendia encobrir os erros de sua própria família) haviam sido obtidas pela intercessão de Serena. A terna piedade de sua esposa fora profundamente afetada pela discórdia entre os irmãos reais, os filhos de seu pai adotivo; e os sentimentos da natureza com demasiada facilidade tinham prevalecido sobre os severos ditames do bem-estar público.

Essas razões ostensivas, que mal escondem as obscuras intrigas do palácio de Ravena, foram apoiadas pela autoridade de Estílico e alcançaram, ao fim de um acalorado debate, a relutante aprovação do Senado. O tumulto da virtude e da liberdade amainou-se e a soma de 4 mil libras de ouro foi outorgada, a título de subsídio, para garantir a paz da Itália e granjear a amizade do rei dos godos. Somente Lampádio, um dos mais ilustres membros da assembleia, persistiu em sua discordância; [ele] exclamou em voz alta: "Este não é um tratado de paz e sim de servidão", e furtou-se ao perigo de tal oposição audaciosa recolhendo-se imediatamente ao santuário de uma igreja cristã.

Mas o reinado de Estílico se aproximava do fim e o altivo ministro podia perceber os sintomas de sua queda iminente. A generosa temeridade de Lampádio fora aplaudida; e o Senado, tão pacientemente resignado a uma longa servidão, rejeitou com desdém a oferta de uma imaginária e invejosa liberdade. As tropas, que ainda assumiam o nome e as prerrogativas de legiões romanas, estavam irritadas com a facciosa preferência de Estílico pelos bárbaros; e o povo atribuía à política nociva do ministro os infortúnios públicos que eram a consequência natural de sua degenerescência, dele, povo.

Não obstante, Estílico poderia ter continuado a arrostar os clamores do povo e mesmo da soldadesca se pudesse ter mantido o domínio sobre o débil espírito de seu pupilo. Mas a respeitosa lealdade de Honório se converteu em medo, suspeita e rancor. O astucioso Olímpio, que ocultava os próprios vícios sob a máscara da devoção cristã, solapara secretamente o benfeitor cujo favor o promovera a cargos de honra no palácio imperial. Olímpio revelou ao imperador insuspeito, que completara os 25 anos de idade, que este não tinha maior importância ou autoridade em seu próprio governo, e ardilosamente lhe assustou a índole timorata e preguiçosa com uma vívida descrição dos desígnios de Estílico, que já planejava a morte do soberano na ambiciosa esperança de colocar o diadema na cabeça de seu filho Euquério. O imperador foi instigado por seu novo favorito a assumir o tom da dignidade independente, e o ministro assombrou-se ao ver resoluções secretas terem sido tomadas na corte e no conselho que iam contra seus interesses ou suas intenções. Honório declarou que lhe aprazia voltar para a segura fortaleza de Ravena. À primeira notícia da morte de seu irmão Arcádio, preparou-se para ir visitar Constantinopla e reger com a autoridade de um guardião as províncias do infante Teodósio. A antevisão da dificuldade e do dispêndio de tão longa expedição refreou esse estranho repente de ativa diligência, mas o perigoso projeto de mostrar o imperador ao acampamento de Pávia, o qual se compunha de tropas romanas, inimigas de Estílico, e de suas tropas auxiliares bárbaras, se manteve fixo e inalterado. O ministro foi instado, a conselho de seu confidente Justiniano, um advogado de gênio vivaz e penetrante, a opor-se a uma jornada tão prejudicial a sua reputação e segurança. Seus esforços, estrênuos mas ineficazes, confirmaram o triunfo de Olímpio; e o prudente advogado cuidou de salvar-se da iminente ruína de seu patrono.

Na passagem do imperador por Bolonha, um motim dos guardas foi incitado e acalmado pela polícia secreta de Estílico, o qual tornou públicas as instruções que recebera de dizimar os culpados e atribuía a sua própria intercessão o mérito de perdoar os inocentes. Após esse tumulto, Honório abraçou pela última vez o ministro a quem agora considerava um tirano e prosseguiu jornada rumo ao acampamento de Pávia, onde foi recebido pelas aclamações leais das tropas que haviam sido congregadas para o serviço da guerra gálica. Na manhã do quarto dia, ele pronunciou, como lhe tinha sido ensinado, uma oração militar na presença dos soldados, aos quais as caridosas visitas e os discursos matreiros de Olímpio prepararam para executar uma negra e sangrenta conspiração. Ao primeiro sinal, eles chacinaram os amigos de Estílico, os mais ilustres oficiais do Império: dois prefeitos pretorianos, da Gália e da Itália; dois generais-comandantes da cavalaria e da infantaria; o mestre dos ofícios, o questor, o tesoureiro e o conde de assuntos internos. Perderam-se muitas vidas, muitas casas foram saqueadas; a furiosa sedição continuou a lavrar até o fim da tarde; e o trêmulo imperador, visto nas ruas de Pávia sem seu manto ou diadema, cedeu às persuasões de seu favorito, condenou a memória dos trucidados e solenemente ratificou a inocência e a fidelidade dos que os haviam assassinado.

A notícia da chacina de Pávia encheu a mente de Estílico de justas e sombrias apreensões; ele imediatamente reuniu no acampamento de Bolonha um conselho de chefes confederados que se devotavam a seu serviço e que seriam envolvidos em sua ruína. A voz impetuosa da assembleia foi um clamoroso chamado às armas e à vingança; marchar, sem sequer um momento de demora, sob as bandeiras de um herói que tantas vezes haviam seguido até a vitória; surpreender, subjugar, exterminar o culpado Olímpio e seus romanos degenerados; e talvez colocar o diadema na cabeça de seu general injuriado. Em vez de executar uma resolução que poderia ter sido justificada pelo êxito, Estílico hesitou até estar irrecuperavelmente perdido. Ainda ignorava o destino do imperador; desconfiava da lealdade de sua própria facção e encarava com repugnância as consequências fatais de uma turba de bárbaros licenciosos avindo-se com os soldados e o povo da Itália.

Os confederados, impacientes com a demora timorata e dúbia de seu comandante, retiraram-se tomados de receio e indignação. À meia-noite, Saro, um guerreiro godo renomado entre os próprios bárbaros por sua força e valor, invadiu subitamente o acampamento do benfeitor, pilhou a bagagem, feriu os fiéis hunos que lhe guardavam a pessoa e penetrou na tenda onde o ministro, pensativo e insone, meditava nos perigos de sua situação. Estílico escapou com dificuldade à espada dos godos e, após emitir um derradeiro e generoso aviso às cidades da Itália para que fechassem suas portas contra os bárbaros, sua confiança ou seu desespero incitou-o a correr para Ravena, que já estava na posse absoluta de seus inimigos. Olímpio, que assumira domínio sobre Honório, foi rapidamente informado de que seu rival havia abraçado, como suplicante, o altar da Igreja cristã. A índole vil e cruel do hipócrita era incapaz de piedade ou de remorso, mas ele piedosamente fingiu antes esquivar do que violar o privilégio do santuário. O conde Heracliano, com uma tropa de soldados, apareceu ao amanhecer diante das portas da igreja de Ravena. O bispo se satisfez com um solene juramento de que a ordem imperial só incumbira de garantir a pessoa de Estílico; entretanto, assim que o infortunado ministro foi atraído para fora do sacro umbral, ele exibiu a ordem de sua imediata execução. Estílico suportou com calma resignação os injuriosos apodos de traidor e parricida, reprimiu o inoportuno zelo de seus partidários, que estavam prontos a tentar um resgate ineficaz, e com uma firmeza não indigna do último dos generais romanos entregou o pescoço à espada de Heracliano.

A turba servil do palácio, que por tanto tempo cultuara a boa fortuna de Estílico, se satisfez em insultar-lhe a queda; e a mais remota ligação com o general-comandante do Ocidente, que tão pouco antes era um título para a riqueza e as honras, foi diligentemente renegada e rigorosamente punida. Sua família, unida por uma tríplice aliança à família de Teodósio, poderia ter invejado a condição do mais vil dos camponios. A fuga de seu filho Euquério foi interceptada e à morte desse jovem inocente seguiu-se logo o divórcio de Termância, que ocupou o lugar de sua irmã Maria e, como Maria, permaneceu virgem no leito imperial. Os amigos de Estílico que tinham escapado da chacina de Pávia foram perseguidos pela implacável vindita de Olímpio e utilizou-se a mais refinada crueldade para arrancar-lhes a confissão de uma sacrílega e traiçoeira conspiração. Eles morreram em silêncio; sua firmeza justificou a escolha e quiçá absolveu a inocência do patrono deles; e o poder despótico que lhe pôde tomar a vida sem um julgamento e estigmatizar-lhe a memória sem uma prova não tem jurisdição sobre o sufrágio imparcial da posteridade.

Os serviços de Estílico são grandes e manifestos; seus crimes, tal como vagamente os denomina a linguagem da lisonja e do rancor, são obscuros, pelo menos, e improváveis. Cerca de quatro meses depois de sua morte, publicou-se um édito em nome de Honório restaurando a livre comunicação entre os dois impérios havia tanto tempo interrompida pelo *inimigo público*. O ministro cuja fama e fortuna dependiam da prosperidade do Estado foi acusado de trair a Itália aos bárbaros, que ele sucessivamente vencera em Polência, em Verona e diante dos muros de Florença. Seu pretenso plano de colocar o diadema na cabeça de seu filho Euquério não poderia ter sido conduzido sem preparações ou cúmplices, e o ambicioso pai certamente não deixaria o futuro imperador, até os vinte anos de idade, no humilde cargo de tribuno dos notários. Mesmo a religião de Estílico foi censurada pela malevolência de seu rival. A oportuna e quase miraculosa libertação teve a celebrá-la devotamente o aplauso do clero, que afirmou que a perseguição à Igreja e a restauração dos ídolos teria sido a primeira medida do reinado de Euquério. O filho de Estílico, contudo, fora educado no seio do cristianismo, que seu pai desde sempre professara e zelosamente apoiara. Serena havia tomado seu magnífico colar à estátua de Vesta, e os pagãos execravam a memória do sacrílego ministro por cuja ordem os livros sibilinos, os oráculos de Roma, tinham sido entregues às chamas. A altivez e o poder de Estílico constituíam sua verdadeira culpa. Uma honrosa relutância em derramar o sangue de seus compatriotas parece ter contribuído para o êxito de seu indigno rival; e a derradeira humilhação do caráter de Honório é a de que a posteridade não condescendeu em censurar-lhe a vil ingratidão para com o guardião de sua juventude e o sustentáculo de seu império.*

* Gibbon prossegue aqui com uma breve dissertação crítica em torno do poeta Claudiano, que cantara louvores a Estílico e que logo o acompanharia na desgraça e na morte. (N. O.)

15

(408-410 d.C.)
*Invasão da Itália por Alarico — Costumes do Senado e do povo romano — Roma é sitiada três vezes e finalmente pilhada pelos godos — Observações gerais sobre a queda do Império Romano do Ocidente.**

A INCAPACIDADE DE UM GOVERNO fraco e aturdido pode amiúde assumir a aparência e produzir os efeitos de um traiçoeiro entendimento com o inimigo público. Se o próprio Alarico tivesse sido introduzido no conselho de Ravena, provavelmente teria aconselhado as mesmas medidas que foram efetivamente tomadas pelos ministros de Honório. O rei dos godos teria conspirado, talvez com alguma relutância, para destruir o formidável adversário por cujas armas, na Itália como na Grécia, ele fora duas vezes derrotado. O rancor ativo e interessado *dele* laboriosamente acompanhou a desgraça e a ruína do grande Estílico. O valor de Saro, sua fama nas armas e sua influência pessoal ou hereditária sobre os bárbaros confederados só podiam recomendá-lo aos amigos de sua pátria que desprezavam ou detestavam os torpes caracteres de Turpílio, Varanes e Vigilâncio. Pela premente insistência dos novos favoritos, esses generais, que se tinham mostrado indignos do nome de soldados, foram promovidos ao comando da cavalaria, da infantaria e das tropas internas. O príncipe godo teria subscrito com prazer o édito que o fanatismo de Olímpio ditara ao simplório e devoto imperador. Honório excluiu todas as pessoas que eram contrárias à Igreja

* Dos capítulos 21 e 38 do original. (N. O.)

católica de todos os cargos do Estado, rejeitou obstinadamente o serviço de quantos dissentissem de sua religião e arrebatadamente desqualificou muitos de seus mais bravos e mais hábeis oficiais que aderiam ao culto pagão ou perfilhavam as opiniões do arianismo.

Essas medidas, tão vantajosas para um inimigo, Alarico as teria aprovado e poderia inclusive tê-las sugerido; é de duvidar, entretanto, que o bárbaro houvesse promovido seus próprios interesses à custa da desumana e absurda crueldade que foi perpetrada sob a direção, ou pelo menos com a conivência, dos ministros imperiais. As tropas auxiliares estrangeiras que haviam estado ligadas à pessoa de Estílico lhe lamentaram a morte, mas o desejo de vingança teve de ceder à natural apreensão dos soldados com a segurança de suas esposas e filhos que tinham ficado detidos como reféns em cidades bem fortificadas da Itália, onde igualmente estavam depositados seus pertences mais valiosos. Na mesma hora, e como que em resposta a um sinal comum, as cidades da Itália foram inquinadas pelas mesmas horríveis cenas de chacina e pilhagem generalizadas, que envolveram numa destruição promíscua as famílias e as fortunas dos bárbaros. Exasperados com semelhante injúria, capaz de despertar o espírito mais dócil e mais servil, eles lançaram um olhar de indignação e de esperança ao acampamento de Alarico, e unanimemente juraram perseguir, em guerra justa e implacável, uma nação pérfida que tão ignobilmente violara as leis da hospitalidade. Devido à conduta imprudente dos ministros de Honório, a República perdeu a ajuda e fez por merecer a inimizade de 30 mil de seus mais bravos soldados, e o peso desse exército formidável, que por si só poderia decidir o desfecho da guerra, transferiu-se da balança dos romanos para a dos godos.

Nas artes de negociação, tanto quanto nas de guerra, o rei godo mantinha sua superioridade sobre um inimigo cuja aparente inconstância provinha de uma total carência de juízo e de propósito. De seu acampamento nos confins da Itália, Alarico observava atentamente as radicais mudanças que ocorriam no palácio, vigiava o progresso do espírito de facciosismo e de descontentamento, disfarçava o aspecto hostil de invasor bárbaro e assumia a aparência mais popular de amigo e aliado do grande Estílico, a cujas virtudes, já agora não mais temíveis, podia ele pagar um justo tributo de louvor e pesar sinceros. As prementes solicitações dos descontentes, que insistiam com o rei dos godos para invadir a Itália, tinham a reforçá-las um vivo sentimento das injúrias pessoais que ele próprio sofrera; ele estava especiosamente justificado de queixar-se de os ministros continuarem a retardar e a esquivar o pagamento das 4 mil libras de ouro que tinham sido outorgadas pelo Senado romano ou para recompensar-lhe os serviços ou para aplacar-lhe a fúria. Sua decorosa firmeza era secundada por uma ardilosa moderação que contribuía para o êxito de seus propósitos. Ele exigia uma satisfação justa e razoável, mas deu as mais solenes garantias de que, tão logo a tivesse obtido, retirar-se-ia imediatamente. Recusava-se a confiar na boa-fé dos romanos enquanto Aécio e Jasão, os filhos de dois altos oficiais do Estado, não fossem enviados a seu acampamento como reféns; propôs-se porém a entregar, em troca, vários dos jovens mais nobres da nação gótica.

A modéstia de Alarico foi interpretada pelos ministros de Ravena como indício seguro de sua fraqueza e temor. Desdenharam tanto negociar um tratado quanto aprestar um exército, e com temerária confiança, proveniente tão só de sua ignorância do perigo extremo, esbanjaram irrecuperavelmente os momentos decisivos de paz e guerra. Enquanto esperava, em casmurro silêncio, que os bárbaros evacuassem os confins da Itália, Alarico, em marchas rápidas e audazes, atravessou os Alpes e o Pó, pilhou à pressa as cidades de Aquileia, Altino, Concórdia e Cremona, que cederam a suas armas, aumentou suas forças com o acréscimo de 30 mil soldados auxiliares e, sem encontrar em campo um único inimigo, avançou até a beira do pântano que protegia a inexpugnável residência do imperador do Ocidente. Em vez de intentar o irrealizável cerco de Ravena, o prudente chefe dos godos seguiu para Rimini, estendeu suas devastações pelo litoral do Adriático e meditou a conquista da antiga senhora do mundo.

Um eremita italiano, cujo zelo e santidade os próprios bárbaros respeitavam, encontrou-se com o monarca vitorioso e valentemente denunciou a indignação do céu contra os opressores da terra; todavia, o próprio santo desconcertou-se com a solene asseveração de Alarico de que sentia um impulso secreto e sobrenatural que lhe dirigia, e até mesmo compelia a marcha para as portas de Roma. Sentia ele que seu gênio e sua fortuna estavam à altura das empresas mais árduas e o entusiasmo que comunicou aos godos em pouco levava de vencida a generalizada e quase supersticiosa reverência das nações pela majestade do renome romano. Suas tropas, animadas pelas esperanças de espólio, percorreram a Via Flamínia, ocuparam as passagens sem guarda dos Apeninos, desceram até as ricas planícies da Úmbria e, enquanto acampavam à margem do Clitumno, podiam abater e devorar à vontade o gado, alvo havia tanto reservado para o uso dos triunfos romanos. As alturas em que estava situada e uma oportuna tempestade com raios e trovões salvaram a cidadezinha de Narni; desprezando a presa ignóbil, o rei dos godos continuou a avançar com inquebrantável vigor e, depois de passar sob os majestosos arcos adornados com os espólios das vitórias bárbaras, instalou seu acampamento sob os muros de Roma.

Durante um período de 690 anos, a sede do Império nunca fora profanada pela presença de um inimigo estrangeiro. A malograda expedição de Aníbal* só serviu para pôr à mostra o caráter do Senado e do povo: de um Senado antes desonrado do que enobrecido pela comparação com uma assembleia de reis; e de um povo a quem o embaixador de Pirro** atribuíra os inesgotáveis recursos da

* No curso da Segunda Guerra Púnica (218-201 a.C.), o general cartaginês, embora tivesse vencido o romano em três batalhas importantes, não se atreveu a sitiar Roma; depois de uma série de reveses, Aníbal acabou vencido na batalha de Zama (202 a.C.), com o que Cartago perdeu sua independência. (N. T.)

** Rei de Épiro (antigo reino da Grécia, a sudoeste da Macedônia) e inimigo de Roma, ambicionava restaurar o império de Alexandre, de quem era primo em segundo grau; venceu os romanos em duas batalhas, mas as perdas consideráveis que sofreu, e que deram origem à expressão "vitória de Pirro", impediram-no de firmar-se na Itália. (N. T.)

Hidra.* Cada um dos senadores, na época da guerra púnica, completara seu tempo de serviço militar, fosse em posto subordinado, fosse em posto superior; e o decreto que investia no comando temporário todos quantos tivessem sido cônsules ou censores ou ditadores** dava à República a imediata assistência de muitos generais experimentados. No princípio da guerra, o povo romano consistia em 250 mil cidadãos em idade de empunhar armas. Cinquenta mil já tinham morrido na defesa de seu país e as 23 legiões que estavam sediadas em diferentes acampamentos da Itália, da Grécia, da Sardenha, da Sicília e da Hispânia exigiam cerca de 100 mil soldados. Todavia, ainda restavam outros tantos em Roma e no território adjacente; animava a todos a mesma intrépida coragem, e cada cidadão era adestrado desde o começo da juventude na disciplina e no exercício militares. Aníbal ficou pasmo com a firmeza do Senado, o qual, sem suspender o sítio de Cápua nem chamar de volta suas forças dispersas, aguardou-lhe a aproximação. Ele acampou nas margens do Ânio, a uma distância de cinco quilômetros da cidade, e logo o informavam de que o solo em que erguera sua tenda fora vendido por preço adequado num leilão público e que um corpo de tropas havia sido enviado, por uma estrada fronteiriça, para reforçar as legiões da Hispânia. Ele conduziu seus africanos até as portas de Roma, onde encontrou três exércitos em disposição de batalha prontos para recebê-lo; Aníbal temia no entanto o desfecho de um combate do qual não podia esperar escapar, a menos que destruísse o último de seus inimigos, e sua veloz retirada reconheceu a invencível coragem dos romanos.***

* Hidra de Lerna era uma serpente mitológica cujas sete cabeças tornavam a nascer quando não eram cortadas ao mesmo tempo, proeza que só Hércules conseguiu realizar. (N. T.)

** Nos tempos da República romana, o ditador era um magistrado nomeado em caso de crise externa ou interna e cuja magistratura suspendia o exercício dos demais, não havendo apelação de suas decisões; tais poderes duravam no máximo seis meses. (N. T.)

*** Antes de lançar-se à descrição da cidade, logo a seguir no original, Gibbon principia por uma breve história de uma das famílias mais eminentes de Roma, a linhagem aniciana. (N. O.)

A descrição acurada da cidade, composta na época de Teodósio, enumera 1780 casas, residências dos cidadãos abastados e nobres. Muitas dessas mansões majestosas quase que poderiam desculpar o exagero do poeta — de que Roma continha uma infinidade de palácios e de que cada um deles era uma cidade, já que abrigava em seu recinto tudo quanto pudesse servir para o uso ou para o luxo: mercados, hipódromos, templos, fontes, banhos, pórticos, grutas umbrosas e aviários artificiais. O historiador Olimpiodoro, que descreve a situação de Roma sitiada pelos godos, observa ainda que vários dos senadores mais ricos auferiam de suas propriedades uma renda anual de 4 mil libras de ouro, mais de 160 mil libras esterlinas, sem contar a produção regular de cereal e vinho que, caso fosse vendida, igualaria em valor um terço do montante em dinheiro. Comparada com essa desmesurada riqueza, uma renda ordinária de mil ou 1500 libras de ouro podia ser considerada insuficiente para a dignidade da ordem senatorial, que exigia numerosas despesas de tipo ostentoso e público. Na época de Honório, registram-se vários exemplos de nobres fátuos e benquistos que celebravam o ano de sua pretoria com uma festa que durava sete dias e custava perto de 100 mil libras esterlinas.

As propriedades dos senadores romanos, que tanto excediam a medida da riqueza moderna, não se confinavam aos limites da Itália. Suas posses se estendiam bem além dos mares Jônico e Egeu, até as províncias mais distantes: a cidade de Nicópolis, que Augusto fundara como um eterno monumento à vitória de Ácio, era propriedade da devota Paula; e Sêneca observa que os rios que outrora dividiam nações hostis correm agora pelas terras de cidadãos privados. Segundo suas naturezas e circunstâncias, as propriedades dos romanos eram cultivadas ou pelo trabalho de seus escravos ou cedidas, mediante certa renda estipulada, ao lavrador industrioso. Os autores economistas da Antiguidade recomendam com insistência o primeiro método, sempre que seja praticável; mas se a propriedade estiver afastada, por sua distância ou magnitude, da vigilância dos olhos do proprietário, preferem eles o cuidado ativo de um velho rendeiro hereditário, ligado ao solo e interessado em sua produção, à administração mercenária de um encarregado negligente e quiçá desleal.

Os nobres opulentos de uma imensa capital, que nunca se entusiasmavam com a glória das empresas militares e raramente se empenhavam nas ocupações do governo civil, naturalmente consagravam seu lazer aos assuntos e diversões da vida privada. Em Roma, o comércio era visto sempre com desdém, mas os senadores, desde os primeiros tempos da República, aumentaram seu patrimônio e multiplicaram seus clientes pela lucrativa prática da usura; as leis obsoletas eram contornadas ou violadas pelas inclinações e interesses mútuos de ambas as partes. Uma considerável massa de riquezas deve ter sempre existido em Roma, quer na forma de moeda corrente do Império, quer na forma de baixela de ouro e prata; havia muitos aparadores no tempo de Plínio que continham mais prata maciça do que a que Cipião trouxera da Cartago vencida. A maior parte dos nobres, que dissipavam suas fortunas num luxo profuso, acabou pobre no meio da riqueza e indolente numa incessante ronda de dissipação. Seus desejos eram continuamente satisfeitos pelo trabalho de um milhar de mãos, do numeroso séquito de seus escravos domésticos, instigados pelo medo da punição, e pelos variados ofícios de artesãos e comerciantes, aos quais impelia mais poderosamente a expectativa de ganho.

Os antigos não dispunham de muitas das facilidades de vida que foram inventadas ou aperfeiçoadas pelo progresso da indústria; e a abundância de vidro e de tecidos difundiu entre as modernas nações da Europa mais confortos do que os senadores de Roma podiam obter de todos os refinamentos de um luxo pomposo ou sensual. Os luxos e costumes deles foram objeto de pormenorizada e acurada investigação; mas como perquirições que tais me desviariam por demasiado tempo do objetivo da presente obra, prefiro apresentar, da vida de Roma e de seus habitantes, um panorama mais pertinente ao período da invasão gótica. Amiano Marcelino, que escolheu prudentemente para residência a capital do Império como a mais adequada ao historiador de sua própria época, misturou, à narrativa dos acontecimentos públicos, uma vívida descrição das cenas com as quais estava familiarizado. O leitor judicioso nem sempre lhe aprovará a severidade da censura, a escolha das circunstâncias ou o estilo de expressão; talvez perceba os preconceitos latentes e o ressentimento pessoal que azedavam o temperamento do próprio Amiano; certamente observará porém, com filosófica curiosidade, a interessante e original pintura dos costumes de Roma.

> A grandeza de Roma (tal é a linguagem do historiador) se fundou na rara e quase inacreditável aliança da virtude com a fortuna. O longo período de sua infância se passou numa luta tenaz contra as tribos da Itália, vizinhas e inimigas da cidade em ascensão. Na força e no ardor da juventude, ela suportou as tormentas da guerra, levou suas armas vitoriosas além dos mares e das montanhas, e trouxe de volta lauréis triunfais de todos os países do globo. Por fim, descambando para a velhice, e impondo-se às vezes tão só pelo terror de seu renome, ela buscou as bênçãos do conforto e da tranquilidade. A Veneranda Cidade, que calcou aos pés os pescoços das nações mais orgulhosas e estabeleceu um sistema de leis guardiãs perpétuas da justiça e da liberdade, contentou-se, como um pai prudente e abastado, em entregar aos Césares, seus filhos favoritos, o cuidado de gerir o seu vasto patrimônio. Uma paz segura e profunda, tal como a outrora desfrutada no reinado de Numa, sucedeu os tumultos da República, enquanto Roma era ainda adorada como a rainha da terra e as nações vassalas ainda reverenciavam o renome do povo e a majestade do Senado.

E continua Amiano:

> Mas esse esplendor natural é degradado e conspurcado pela conduta de alguns nobres que, descuidosos de sua própria dignidade e da de sua pátria, ostentam, no cultivo do vício e da sandice, uma licença sem freios. Contendem entre si na fátua vaidade de títulos e sobrenomes, e extravagantemente escolhem ou inventam os nomes mais excelsos e sonoros —

Reburrus ou Fabunius, Pagonius ou Tarrasius — capazes de suscitar no vulgo pasmo e respeito. Na vã ambição de perpetuar a própria memória, gostam de ver-se repetidamente reproduzidos em estátuas de bronze e de mármore; não ficam satisfeitos enquanto essas estátuas não estejam revestidas de placas de ouro, honrosa distinção pela primeira vez conferida ao cônsul Acílio depois de ele ter dominado, com suas armas e conselhos, o poderio do rei Antíoco. A ostentação no exibir, e exagerar talvez, o rol de renda das propriedades que possuem em todas as províncias, do nascente ao poente, suscita o justo ressentimento de todo homem que se lembre de que os pobres e invencíveis antepassados deles não se distinguiam do mais humilde soldado pela delicadeza de seus manjares ou pelo esplendor de suas vestes. Mas os nobres modernos medem sua eminência e importância pela altura de seus carros e pela pesada magnificência de sua roupagem. Seus longos mantos de seda e púrpura flutuam ao vento e, quando se entreabrem de propósito ou por acaso, deixam ver ocasionalmente o vestuário de baixo, as ricas túnicas bordadas com as figuras de diversos animais. Seguidos de um séquito de cinquenta criados, e rompendo o pavimento, andam pelas ruas com a mesma impetuosa velocidade por que viajam em cavalos de posta; e o exemplo dos senadores é temerariamente imitado pelas matronas e damas, cujas carruagens cobertas estão continuamente a correr à volta do imenso espaço da cidade e dos subúrbios. Sempre que tais pessoas de alta condição se dignam a visitar os banhos públicos, elas assumem, ao entrar, ares de ruidosa e insolente autoridade, e apropriam-se, para seu próprio uso, das comodidades destinadas ao uso do povo romano. Se, nesses locais de frequência pública e mista, encontram alguns dos infames instrumentos de seus prazeres, exprimem seu afeto com um terno abraço, ao mesmo tempo que soberbamente declinam as saudações de seus concidadãos, que não se podem permitir honra maior do que beijar-lhes as mãos ou os joelhos. Logo depois de prazerosamente se refrescarem com um banho, tornam a pôr seus anéis e as outras insígnias de sua nobreza, escolhem de seu guarda-roupa privado roupa-branca da mais fina que teria bastado para uma dúzia de pessoas, vestes que mais lhes agradem a fantasia, e mantêm até o momento de ir-se o mesmo porte altaneiro, que talvez pudesse ter sido justificável no grande Marcelo* após a conquista de Siracusa.

Algumas vezes, contudo, esses heróis se abalançam a empresas mais árduas; visitam suas propriedades na Itália e se entregam, mercê da azáfama de mãos servis, aos divertimentos da caça. Se em qualquer ocasião, mais especialmente num dia quente, têm a coragem de velejar em suas galeras pintadas desde o lago Lucrino até suas elegantes vilas no litoral de Putéoli e Caieta, comparam suas próprias expedições às marchas de César e Alexandre. Todavia, se uma mosca se atreve a pousar nas pregas sedosas de seus dourados guarda-sóis, se um raio solar penetra por alguma frincha desguarnecida e imperceptível, deploram suas intoleráveis provações e lamentam em linguagem afetada não terem nascido na terra dos cimerianos,** as regiões das trevas eternas. Nessas jornadas pelo interior, todo o corpo de criados acompanha o seu amo. Da mesma maneira com que, na cavalaria e na infantaria, as tropas de armamento leve e pesado, a vanguarda e a retaguarda, são ordenadas pela perícia de seus chefes militares, assim também os oficiais domésticos, que levam uma vara como insígnia de auto, distribuem e ordenam o numeroso séquito de escravos e criados. A bagagem e o guarda-roupa vão à frente, imediatamente seguidos de uma multidão de cozinheiros e servidores subalternos alistados no serviço das cozinhas e da mesa. O corpo prin-

* Famoso general romano que durante a segunda guerra de Roma contra Cartago capturou Siracusa, porto da Sicília, após um longo cerco. (N. T.)

** Povo lendário que, segundo Homero, habitava, nos limites do mundo, uma região sempre envolta em nuvens densas, onde o sol nunca brilhava; foi nessa região que Ulisses logrou encontrar-se com os espíritos dos mortos. (N. T.)

cipal se compõe de uma turba promíscua de escravos, aumentada pelo acidental concurso de plebeus ociosos ou dependentes. A retaguarda é fechada pelo bando de eunucos favoritos, distribuídos pela ordem de idade, dos idosos aos jovens. O número deles e a sua deformidade suscitam o horror dos espectadores indignados, sempre prontos a execrar a memória de Semíramis* pela arte cruel que inventou de frustrar os propósitos da natureza e crestar em botão as esperanças das gerações futuras.

No exercício da jurisdição doméstica, os nobres de Roma demonstram rara sensibilidade para qualquer injúria pessoal e desdenhosa indiferença pelo restante da espécie humana. Quando pedem água quente, e algum escravo demora a obedecer, este é imediatamente castigado com trezentas chibatadas; no entanto, se o mesmo escravo cometer um assassínio deliberado, o amo se limitará a observar benignamente que se trata de um sujeito imprestável, e que, se ele repetir o delito, não escapará da punição. A hospitalidade era outrora a virtude dos romanos, cuja generosidade socorria ou recompensava qualquer forasteiro que pudesse alegar seu mérito ou infortúnio. Hoje em dia, se um forasteiro, talvez de posição não desprezível, se apresenta a um dos soberbos e abastados senadores, é recebido na primeira audiência com gentilezas tão calorosas e tão bondosas indagações que se retira encantado com a afabilidade de seu ilustre amigo e muito pesaroso de por tanto tempo haver protelado a ida a Roma, berço das boas maneiras tanto quanto do Império. Seguro de uma recepção favorável, repete sua visita no dia seguinte e se mortifica ao descobrir que sua pessoa, seu nome e sua procedência já estão esquecidos. Se tiver ânimo de perseverar, será aos poucos admitido ao séquito dos dependentes e obterá permissão para fazer corte assídua e improfícua a um patro-

* Na mitologia assíria, rainha que teria conquistado a Pérsia, a Líbia e a Etiópia, e fundado a Babilônia e Nínive. (N. T.)

no arrogante incapaz de gratidão ou de amizade, que mal se digna a notar-lhe a presença, a saída ou o regresso.

Sempre que os ricos promovem uma diversão solene e popular, sempre que celebram com luxo profuso e pernicioso seus banquetes privados, a escolha dos convidados é tema de apreensiva deliberação. Raras vezes a escolha recai nos modestos, nos sóbrios, nos doutos; e os nomencladores,* que se deixam habitualmente levar por motivos de interesse, jeitosamente incluem, na lista de convidados, os nomes obscuros das pessoas mais insignificantes. Todavia, os convivas frequentes e familiares dos grandes são os parasitas que praticam a mais útil de todas as artes, a arte da lisonja; que veementemente aplaudem cada palavra e cada ato de seu imortal patrono, admiram-lhe em êxtase as colunas de mármore e os pisos variegados, e louvam com ardor a pompa e elegância que ele aprendeu a considerar como parte de seu mérito pessoal. Nas mesas romanas, as aves, os esquilos ou os peixes que ostentem tamanho fora do comum são contemplados com atenta curiosidade; uma balança é usada para determinar-lhes acuradamente o peso; e enquanto convidados mais sensatos se desgostam com a vã e tediosa repetição, convocam-se notários para atestar, num registro de autenticação, a veracidade de tão maravilhoso acontecimento. Outro método de ingresso nas casas e na companhia dos grandes advém do ofício da tavolagem, ou, como é chamado mais educadamente, do jogo. Os parceiros se unem por um vínculo estreito e indissolúvel de amizade, melhor dizendo, de conspiração; um elevado grau de perícia na arte *tesseriana*** (que pode ser interpretada como o jogo de dados e tábulas) é caminho seguro para a riqueza e o renome. Um mestre nessa sublime ciência, que, numa ceia ou reunião, seja colocado abaixo de um magistrado, demons-

* Escravo encarregado de apontar aos candidatos à magistratura as pessoas que, nas ruas, lhes era vantajoso cumprimentar. (N. T.)

** Que diz respeito a *tessera*, dados de jogar, em latim. (N. T.)

tra no seu semblante a surpresa e a indignação que Catão supostamente teria experimentado quando os votos de um povo caprichoso lhe recusaram o cargo de pretor.

A aquisição do saber raramente atrai a curiosidade dos nobres, que aborrecem a fadiga e desdenham as vantagens do estudo; e os únicos livros que folheiam são as *Sátiras* de Juvenal e as verbosas e fabulosas histórias de Mário Máximo. As bibliotecas por eles herdadas de seus pais ficam fechadas, como lúgubres sepulcros, longe da luz do dia. Mas mandam construir para seu uso os dispendiosos instrumentos do teatro, flautas e liras enormes e órgãos hidráulicos; a harmonia de música vocal e instrumental se faz incessantemente ouvir nos palácios de Roma. Nesses palácios, o som é preferido ao sentido, e o cuidado do corpo ao da mente. Aceita-se como máxima salutar que a mais leve e frívola suspeita de uma moléstia contagiosa tem peso bastante para escusar as visitas dos amigos mais íntimos; mesmo os criados enviados a obter notícias decorosas não podem regressar a casa enquanto não tiverem passado pela cerimônia de uma ablução prévia. No entanto, essa consideração egoísta e pusilânime cede ocasionalmente à paixão mais imperiosa da avareza. A perspectiva de ganho levará um senador rico e gotoso até a distante Espoleto; qualquer sentimento de arrogância e dignidade é sobrepujado pelas esperanças de uma herança, ou mesmo de um legado, sendo um cidadão rico e sem filhos o mais poderoso dos romanos. Domina-se com perfeição a arte de obter a assinatura de um testamento favorável, e de por vezes apressar o momento de sua execução; tem acontecido de numa mesma casa, embora em diferentes aposentos, um marido e uma esposa, no louvável empenho de lograr um ao outro, chamarem seus respectivos advogados para declarar ao mesmo tempo suas mútuas mas antagônicas intenções.

Os apertos que se seguem ao luxo extravagante, castigando-o, obrigam os grandes com frequência ao uso dos mais humilhantes expedientes. Quando desejam tomar emprestado, recorrem ao estilo vil e suplicante do escravo de comédia;

quando porém são chamados a pagar, assumem a declamação real e trágica dos netos de Hércules. Se a cobrança se repete, procuram prontamente algum sicofanta de confiança, encarregado de fazer uma acusação de envenenamento ou mágica contra o insolente credor, o qual raramente consegue sair da prisão se não assinar uma quitação da dívida toda. A semelhantes vícios, que degradam o caráter moral dos romanos, mistura-se uma superstição pueril que lhes arruína o entendimento. Ouvem confiantemente as predições dos arúspices, que pretendem ler nas entranhas de vítimas os sinais de futura grandeza e prosperidade; há muitos que não se atrevem nem a banhar-se ou morrer ou aparecer em público, antes de diligentemente consultar, em conformidade com as leis da astrologia, a posição de Mercúrio e o aspecto da Lua. É muito singular que essa tola credulidade seja amiúde descoberta entre os céticos profanos que impiedosamente duvidam da existência de um poder celestial ou que o negam.

Nas cidades populosas, que são os centros de comércio e manufatura, as classes médias dos habitantes, que tiram a subsistência da destreza ou operosidade de suas mãos, demonstram ser via de regra a parte mais útil e, nesse sentido, mais respeitável, da comunidade. Mas os plebeus de Roma, que desdenham tais artes servis e sedentárias, foram oprimidos desde os tempos mais recuados pelo peso da dívida e da usura; e o lavrador, durante o termo de seu serviço militar, via-se obrigado a abandonar o cultivo de sua granja. As terras da Itália, que tinham sido originariamente divididas entre as famílias de proprietários libertos e indigentes, foram sendo compradas ou usurpadas pela avareza dos nobres e, na época que precedeu a queda da República, calculou-se que somente 2 mil cidadãos eram donos de riqueza independente. Entretanto, enquanto o povo pôde outorgar, mediante seus sufrágios, as honras do Estado, o comando das legiões e a administração das províncias abastadas, seu orgulho cônscio aliviou-lhe em certa medida as aflições da pobreza; suas necessidades eram oportunamente atendidas pela generosidade ambiciosa dos candidatos, que aspiravam a obter uma maioria venal nas 38 tribos ou nas 193 centúrias de Roma.

Todavia, quando a plebe pródiga imprudentemente alienou não apenas o uso, mas também a herança do poder, aviltou-se, sob o reinado dos Césares, numa miserável populaça, que se deveria extinguir totalmente em poucas gerações se não tivessem sido preenchidas pela manumissão de escravos e o afluxo de estrangeiros. Já nos tempos de Adriano, os naturais queixavam-se com razão de que a capital atraíra os vícios do universo e os costumes das nações mais opostas. A intemperança dos gauleses, a esperteza e volubilidade dos gregos, a fera obstinação dos egípcios e dos judeus, a índole servil dos asiáticos e a dissoluta, efeminada prostituição dos sírios entremesclavam-se na variegada multidão que, sob a falsa denominação de romanos, se atrevia a desdenhar as nações vassalas e seus soberanos que demoravam além dos limites da Cidade Eterna.

Todavia, o nome da cidade ainda era pronunciado com respeito; toleravam-se impunemente os frequentes e caprichosos tumultos de seus habitantes; e os sucessores de Constantino, em vez de esmagar os últimos vestígios da democracia com o braço forte do poder militar, abraçavam a política benigna de Augusto e diligenciavam aliviar a pobreza e distrair a ociosidade de uma numerosa população. Para a conveniência dos plebeus indolentes, a distribuição mensal de trigo se converteu numa cota diária de pão; um grande número de fornos foi construído e mantido com dinheiro público; e na hora marcada, todo cidadão munido de um talão subia o lance de escadas que houvesse sido prescrito para seu distrito ou divisão e recebia, como donativo ou a um preço muito baixo, três libras de pão para o consumo de sua família. As florestas da Lucânia, cujas bolotas engordavam grandes varas de porcos selvagens, fornecia, à guisa de tributo, um abundante suprimento de carne salutar e barata. Durante cinco meses do ano, uma cota regular de toucinho era distribuída aos cidadãos mais pobres e fixou-se o consumo anual da capital, numa época em que decaíra muito de seu antigo esplendor, em 3 628 000 de libras, em conformidade com um édito de Valentiniano III.

Para o modo de vida da Antiguidade, o uso de óleo era indispensável para a iluminação e os banhos, e o imposto anual exigido da África em benefício de Roma atingia o peso de 3 milhões de libras e o volume, talvez, de 300 mil galões ingleses. A preocupação de Augusto em prover a metrópole com a necessária abundância de trigo não foi além desse indispensável artigo de subsistência humana; quando o clamor popular denunciou a escassez e o encarecimento do vinho, o sisudo reformador divulgou uma proclamação lembrando a seus súditos que homem algum tinha razão de queixar-se de sede, já que os aquedutos de Agripa haviam trazido até a cidade muitos jorros copiosos de água pura e salubre. Essa rígida sobriedade relaxou-se aos poucos e, embora o generoso desígnio de Aureliano não pareça ter sido executado à risca, o uso de vinho foi facultado de modo assaz acessível e liberal. A administração dos celeiros públicos ficou confiada a um magistrado de alta graduação e reservou-se parte considerável da vindima da Campânia para consumo dos afortunados habitantes de Roma.

O estupendo aqueduto, tão justificadamente celebrado pelos louvores do próprio Augusto, abastecia as termas ou banhos, construídos em todas as partes da cidade com imperial magnificência. Os banhos de Antonino Caracala, que eram abertos em horas certas para o uso indiscriminado de senadores e do povo, continham mais de 1600 assentos de mármore, e os banhos de Diocleciano contavam mais de 3 mil. As paredes dos majestosos aposentos eram revestidas de raros mosaicos que imitavam a arte da pintura nas elegâncias do desenho e na variedade de cores. O precioso mármore verde da Numídia incrustava belamente o granito egípcio; o jorro permanente de água quente se derramava em espaçosas banheiras vindo de numerosas e largas bocas de prata maciça e brilhante; e o mais humilde dos romanos, por uma pequena moeda de cobre, tinha acesso ao diário desfrute de um cenário de pompa e luxo capaz de provocar a inveja dos reis da Ásia. Desses majestosos palácios saía um enxame de plebeus sujos e andrajosos, sem sapatos nem manto, que vadiavam dias inteiros pela rua do foro para ouvir as novidades e entabular discussões, que esbanjavam em extravagante jogatina o miserável salário de suas mulheres e filhos, e passavam as horas da noite em escuras tavernas e bordéis, entregando-se à grosseira e vulgar sensualidade.

Mas a diversão mais animada e mais grandiosa da turba indolente eram os jogos e espetáculos públicos promovidos com frequência. A piedade dos príncipes cristãos havia suprimido os desumanos combates de gladiadores, mas o povo romano continuava a ter o Circo como o seu lar, o seu templo e a sede da república. A multidão impaciente já ao raiar do dia se apressava em garantir seus lugares e muitos havia que passavam uma noite de insônia e ansiedade nos pórticos adjacentes. Da manhã até o fim da tarde, indiferentes ao sol ou à chuva, os espectadores, que por vezes chegavam a 400 mil, conservavam-se avidamente atentos, os olhos fitos nos cavalos e áurigas, a mente agitada de esperança ou temor pelo êxito das cores que apoiavam; a felicidade de Roma parecia depender do desfecho de uma corrida.

O mesmo ardor imoderado lhes inspirava os clamores e os aplausos sempre que os divertiam a perseguição de animais selvagens e os diversos tipos de representação teatral. Tais representações, em capitais modernas, merecem possivelmente ser consideradas como pura e elegante escola do gosto e até da virtude. Mas a Musa Trágica e Cômica dos romanos, que raras vezes aspiravam a mais do que imitar o gênio ático, silenciara quase de todo após a queda da República, sendo seu lugar indignamente ocupado pela farsa licenciosa, pela música efeminada e pela pompa exagerada. As pantomimas, que mantinham sua reputação desde a época de Augusto até o século VI, exprimiam sem palavras as diversas fábulas dos deuses e heróis de Antiguidade; e a perfeição de sua arte, que por vezes desarmava a gravidade dos filósofos, suscitava sempre o aplauso e a admiração do povo. Os vastos e luxuosos teatros de Roma eram ocupados por 3 mil bailarinas e 3 mil cantores, com os mestres dos respectivos coros. Desfrutavam a tal ponto o favor popular que, numa época de escassez, quando todos os forasteiros foram banidos da cidade, o mérito de contribuir para os prazeres públicos os isentava de uma lei estritamente cumprida em relação aos professores de artes liberais.

Da tola curiosidade de Heliogábalo, diz-se que tentou descobrir, pela quantidade de teias de aranha, o número de habitantes de Roma. Um método mais racional de recenseamento talvez não fosse indigno da atenção de príncipes mais judiciosos, que poderiam ter facilmente resolvido uma questão tão importante para o governo romano e de tanto interesse para as épocas subsequentes. Os nascimentos e óbitos dos cidadãos eram devidamente registrados, e se algum autor da Antiguidade se houvesse dignado a mencionar o montante anual ou a média comum, poderíamos chegar hoje a um cálculo satisfatório que invalidasse as afirmativas extravagantes dos críticos e talvez confirmasse as modestas e prováveis conjecturas dos filósofos. As investigações mais diligentes compilaram tão só as particularidades abaixo enumeradas, as quais, conquanto insuficientes e imperfeitas, podem ajudar em certa medida a esclarecer a questão do número de habitantes da antiga Roma.

1. Quando a capital do Império esteve sitiada pelos godos, o circuito das muralhas foi acuradamente medido por Amônio, o matemático, que verificou ser de 34 quilômetros. Não se deve esquecer que a forma da cidade era quase a de um círculo, a figura geométrica que se sabe conter o maior espaço dentro de qualquer circunferência dada.

2. O arquiteto Vitrúvio, que floresceu na idade augustana e cujo testemunho neste caso se reveste de peso e autoridade peculiares, observa que as inúmeras habitações do povo romano ter-se-iam espalhado para muito além dos estreitos limites da cidade e que a escassez de terreno, provavelmente diminuído em toda parte por jardins e vilas, sugeria a prática comum, se bem que inconveniente, de elevar as casas a uma altura considerável. Mas a eminência de tais edifícios, erguidos amiúde à pressa e com materiais insuficientes, era causa de frequentes e fatais acidentes, e repetidas vezes Augusto, bem como Nero, decretou que a altura de edifícios particulares dentro dos muros de Roma não deveria exceder a medida de 21 metros acima do solo.

3. Juvenal lamenta, com base em sua própria experiência, os padecimentos dos cidadãos mais pobres, aos quais endereça o salutar conselho de emigrarem sem tardança da fumaceira de Roma, pois poderiam comprar, nas pequenas cidades da Itália, uma morada prazenteira, espaçosa, pelo mesmo preço que pagam anualmente por um sombrio e miserável alojamento. Os aluguéis eram pois exageradamente altos: os ricos adquiriam por enormes somas os terrenos que cobriam de palácios e jardins, mas o grosso do povo romano se apinhava num estreito espaço, e os diferentes andares e apartamentos da mesma casa eram subdivididos, como ainda costuma acontecer em Paris e outras cidades, entre diversas famílias de plebeus.

4. O número total de casas nas catorze regiões da cidade está acuradamente registrado na descrição de Roma composta no reinado de Teodósio, e monta a 48 382. As duas classes de *domus* e *insulae** em que são divididas incluem todas as habitações da capital, de toda classe e condição, desde o palácio de mármore dos *anicii*, com um numeroso corpo de libertos e escravos, até a alta e estreita casa de cômodos onde foi consentido ao poeta Codro e a sua esposa alugarem uma deplorável água-furtada logo debaixo das telhas. Se adotarmos a mesma média que, em circunstâncias semelhantes, se demonstrou aplicável a Paris, e sem distinção admitirmos cerca de 25 pessoas por casa, de qualquer tipo que fosse, podemos estimar razoavelmente o número de habitantes de Roma em 1,2 milhão — número que não se pode julgar excessivo para a capital de um poderoso império, embora exceda o da população das maiores cidades da Europa moderna.

Tal era a condição de Roma no reinado de Honório, à altura em que o exército godo empreendeu o assédio, ou melhor, o bloqueio da cidade. Mercê de uma hábil disposição de suas numerosas forças, que aguardavam impacientemente o momento de

* Respectivamente, casa de moradia ou lar (no sentido de centro doméstico da religião) onde vivia uma única família e casa de cômodos que eram alugados a diferentes inquilinos; nas *insulae* [ilhas] vivia o grosso do povo romano. (N. T.)

um assalto, Alarico cercou as muralhas, dominou as doze portas principais, interceptou toda comunicação com a região adjacente e vigiou, para impedi-la, a navegação do Tibre, de onde os romanos recebiam o suprimento mais seguro e mais abundante de provisões. As primeiras emoções dos nobres e do povo foram de surpresa e indignação com o fato de um bárbaro vil atrever-se a insultar a capital do mundo; a arrogância deles foi contudo logo humilhada pelo infortúnio e sua ira pusilânime se voltou mesquinhamente contra uma vítima inocente e indefesa. Talvez na pessoa de Serena os romanos pudessem ter respeitado a sobrinha de Teodósio, a tia, ou melhor, a mãe adotiva, do imperador reinante; abominavam a viúva de Estílico e com crédula emoção davam ouvidos ao boato calunioso que a acusava de manter um secreto e criminoso entendimento com o invasor gótico. Influenciado ou intimidado pelo mesmo arrebatamento popular, o Senado, sem exigir nenhuma prova de sua culpa, pronunciou contra ela uma sentença de morte. Serena foi ignominiosamente estrangulada; e a multidão obcecada assombrou-se de ver que esse ato cruel de injustiça não ocasionou imediatamente a retirada dos bárbaros e a libertação da cidade.

Essa infortunada cidade foi aos poucos experimentando a angústia da escassez e por fim as horríveis calamidades da fome. A ração diária de três libras de pão reduziu-se a meia, a um terço, a coisa alguma, e o preço do trigo continuava a subir em rápida e extravagante proporção. Os cidadãos mais pobres, que não mais podiam comprar o indispensável para viver, recorriam à precária caridade dos ricos; por algum tempo, a miséria pública foi aliviada pela humanidade de Laeta, a viúva do imperador Graciano, que fixara residência em Roma e consagrava ao atendimento dos indigentes a renda principesca que anualmente recebia dos agradecidos sucessores de seu marido. Mas esses donativos particulares e temporários eram insuficientes para aplacar a fome de uma população numerosa e o progresso da carestia invadiu os palácios de mármore dos próprios senadores. As pessoas de ambos os sexos que haviam sido educadas no desfrute do luxo e do bem-estar descobriram quão pouco é preciso para atender às necessidades da natureza e esbanjaram seus inúteis tesouros de ouro e prata na obtenção do grosseiro e frugal sustento que outrora teriam rejeitado com desdém. A comida mais repugnante à razão e à imaginação, os alimentos mais insalubres e perniciosos à constituição eram avidamente devorados e ferozmente disputados pelo frenesi da fome. Entreteve-se inclusive a sombria suspeita de que alguns dos infelizes desesperados se nutriram do corpo de seus semelhantes, aos quais haviam assassinado em segredo; e mesmo mães (tal era o horrendo conflito entre os dois mais poderosos instintos implantados pela natureza no peito humano), mesmo mães teriam provado a carne de seus infantes chacinados! Muitos milhares de habitantes de Roma morreram em suas casas ou nas ruas por falta de sustento, e como os sepulcros públicos fora das portas estavam em poder do inimigo, o miasma que se desprendia de tantas carcaças pútridas e insepultas infectava o ar, pelo que as misérias da fome foram seguidas e agravadas pelo contágio de uma moléstia pestilencial.

As garantias de pronto e eficaz socorro, que eram repetidamente anunciadas pela corte de Ravena, sustentaram durante algum tempo os ânimos debilitados dos romanos, até que finalmente o desespero de qualquer ajuda humana os induziu a aceitar os oferecimentos de uma libertação sobrenatural. Pompeano, prefeito da cidade, fora persuadido, pela astúcia ou fanatismo de alguns adivinhos toscanos, de que com a força misteriosa de conjuros e sacrifícios poderiam extrair os raios das nuvens e apontar esses fogos celestiais contra o acampamento dos bárbaros. O importante segredo foi comunicado a Inocente, o bispo de Roma, e o sucessor de são Pedro é acusado, quiçá sem fundamento, de ter preferido a segurança da República à rígida severidade do culto cristão. Mas quando se discutiu a questão no Senado, quando se propôs como condição essencial que tais sacrifícios se celebrassem no Capitólio pela autoridade e na presença dos magistrados, a maioria dessa respeitável assembleia, por temor do desagrado divino ou imperial, recusou-se a participar de um ato que parecia quase equivalente à restauração pública do paganismo.

O último recurso dos romanos estava na clemência, ou, ao menos, na moderação, do rei dos godos. O Senado, que nessa emergência assumira os poderes supremos de governo, nomeou dois embaixadores para negociar com o inimigo. O importante encargo ficou confiado a Basílio, um senador de origem espanhola que já se distinguira na administração de províncias, e a João, o primeiro tribuno dos notários, homem particularmente qualificado por sua destreza nos negócios, bem como por sua antiga intimidade com o príncipe godo. Quando foram admitidos a sua presença, declararam eles, talvez num estilo mais altivo do que o adequado a sua abjeta condição, que os romanos estavam decididos a manter sua dignidade na paz como na guerra, e que se Alarico lhes recusasse uma justa e honrosa capitulação, poderia ele fazer soar suas trombetas e preparar-se para dar batalha a um povo inumerável, adestrado nas armas e animado pelo desespero. "Quanto mais compacto o feno, mais fácil de mondar", foi a concisa resposta do bárbaro; a rústica metáfora se fez acompanhar de uma risada alta e insultuosa, que lhe exprimia o desprezo pelas ameaças de uma população pouco belicosa, desfibrada pelo luxo antes de ter sido emaciada pela fome.

Dignou-se ele então a fixar o resgate que aceitaria como o preço de sua retirada de sob as muralhas de Roma: *todo* o ouro e a prata da cidade, quer fosse propriedade do Estado, quer de indivíduos; *todos* os bens móveis ricos e preciosos; e *todos* os escravos que pudessem provar seu direito ao nome de *bárbaros*. Os ministros do Senado se atreveram a perguntar, num tom comedido e suplicante: "Se essas, ó rei!, são as vossas exigências, o que pretendeis deixar-nos?". "*Vossas vidas*", replicou o altivo conquistador; eles se retiraram, trêmulos. No entanto, antes de se retirarem, uma breve suspensão das hostilidades foi concedida, que lhes deu algum tempo para negociação mais branda. As severas feições de Alarico se distenderam aos poucos; ele amainou bastante o rigor de seus termos; por fim, consentiu em levantar o cerco mediante o imediato pagamento de 5 mil libras de ouro, de 30 mil libras de prata, de 4 mil túnicas de seda, de 3 mil peças de fino pano escarlate, e de 3 mil libras-peso de pimenta. Todavia, o tesouro público estava exaurido; as rendas anuais das grandes propriedades da Itália e das províncias haviam sido interceptadas pelas calamidades da guerra; o ouro e as gemas foram trocados, durante a fome, pelo alimento mais vil; os tesouros da riqueza secreta continuavam escondidos pela obstinação da avareza; e alguns remanescentes dos espólios consagrados constituíam o último recurso capaz de impedir a iminente ruína da cidade. Assim que os romanos satisfizeram as exigências rapaces de Alarico, puderam voltar em certa medida ao desfrute da paz e da abundância. Algumas das portas da cidade foram cautelosamente abertas; os godos não mais obstruíam a região adjacente e a importação de provisões pelo rio; os cidadãos acorreram em multidão à feira livre instalada durante três dias nos subúrbios; e enquanto os mercadores que empreendiam esse lucrativo comércio obtinham lucro considerável, a futura subsistência da cidade teve a garanti-la os vastos estoques depositados nos celeiros públicos e privados.

Uma disciplina mais regular do que a que se teria podido esperar foi mantida no acampamento de Alarico; e o prudente bárbaro justificou seu respeito à fé dos tratados pela justa severidade com que puniu um bando de godos desabusados que insultara alguns cidadãos romanos na estrada para Óstia. Seu exército, enriquecido com as contribuições da capital, avançou devagar pela bela e próspera província da Toscana, onde ele se propunha a estabelecer seu quartel de inverno; o estandarte godo se tornou o refúgio de 40 mil escravos bárbaros que haviam rompido seus grilhões e aspiravam, sob o comando de seu grande libertador, a vingar-se das injúrias e da desonra de uma cruel servidão. Aproximadamente na mesma ocasião recebeu Alarico um reforço mais honroso de godos e hunos que Adolfo, o irmão de sua esposa, guiara, por insistente solicitação dele, desde as margens do Danúbio até as do Tibre, abrindo caminho, com alguma dificuldade e algumas perdas, com base em tropas imperiais superiores em número. Um chefe vitorioso, que unia o espírito temerário de um bárbaro com a arte e a disciplina de um general romano, estava à frente de 100 mil combatentes; e a Itália pronunciava com terror e respeito o nome temível de Alarico.

À distância de catorze séculos podemos contentar-nos com narrar os feitos militares dos conquistadores de Roma sem ousar investigar-lhes os motivos da conduta política. No meio de sua prosperidade aparente, Alarico talvez estivesse cônscio de alguma fraqueza secreta, de alguma falha interna; ou talvez a moderação que afetava visava tão só a iludir e a desarmar a fácil credulidade dos ministros de Honório. O rei dos godos declarara repetidas vezes que seu desejo era ser considerado amigo da paz e dos romanos. Três senadores, por sua reiterada insistência, foram enviados como embaixadores à corte de Ravena para requerer a troca de reféns e a conclusão do tratado; e as propostas que ele exprimiu mais claramente durante o curso da negociação só podiam inspirar uma dúvida quanto a sua sinceridade, pois pareciam desconformes com a prosperidade de sua sorte. O bárbaro ainda aspirava ao posto de general-comandante dos exércitos do Ocidente; estipulava um subsídio anual de trigo e dinheiro; e escolhia as províncias de Dalmácia, Nórica e Venécia para sede de seu novo reino, que teria controlado a importante comunicação entre a Itália e o Danúbio.

Se esses modestos termos fossem rejeitados, Alarico estava inclinado a desistir de suas exigências pecuniárias e contentar-se com a posse da Nórica, uma região exaurida e empobrecida, perpetuamente exposta às invasões dos bárbaros da Germânia. Mas as esperanças de paz foram frustradas pela débil obstinação ou pelo viés interesseiro do ministro Olímpio. Sem dar ouvidos às salutares advertências do Senado, ele despediu os embaixadores com uma escolta militar numerosa demais para uma comitiva de honra e fraca demais para um exército de defesa. Seis mil dálmatas, o escol das legiões imperiais, receberam ordem de marchar de Ravena a Roma, através de uma região descoberta que era ocupada por temíveis miríades de bárbaros. Cercados e traídos, esses bravos legionários pereceram sacrificados pela insensatez ministerial; seu general, Valente, com uns cem soldados, conseguiu escapar do campo de batalha; e um dos embaixadores, que não mais podia alegar a proteção da lei de nações, viu-se obrigado a pagar por sua libertação um resgate de 30 mil moedas de ouro. Alarico porém, em vez de ressentir-se com tal ato de impotente hostilidade, renovou imediatamente suas propostas de paz, e a segunda embaixada do Senado romano, que extraía peso e dignidade da presença de Inocêncio, bispo da cidade, foi protegida dos perigos da jornada por um destacamento de soldados godos.*

Enquanto desfrutavam com taciturna soberba a segurança dos pântanos e das fortificações de Ravena, o imperador e sua corte deixavam Roma abandonada, quase sem defesa, ao ressentimento de Alarico. Todavia, era tal a moderação que este mantinha ou fingia manter que, conforme avançava com seu exército ao longo da Via Flamínia, ele ia enviando os bispos das cidades da Itália, um após outro, para reiterarem suas ofertas de paz e instarem com o imperador que salvasse a cidade e seus habitantes do fogo e da espada hostil dos bárbaros. Essas calamidades iminentes foram porém evitadas, não pela sensatez de Honório, mas pela prudência ou humanidade do rei godo, que empregou um método de conquista mais benigno mas não menos eficaz. Em vez de assaltar a capital, ele voltou com êxito seus esforços contra o porto de Óstia, uma das obras mais audaciosas e estupendas da magnificência romana. Os acidentes a que estava continuamente exposta a subsistência da cidade na navegação hibernal e na estrada desprotegida tinham sugerido ao gênio do primeiro César o vantajoso plano que foi executado no reinado de Cláudio. Os molhes artificiais que formavam a estreita entrada avançavam pelo mar e repeliam com firmeza a fúria das ondas, enquanto os maiores barcos lançavam âncora em segurança nas três enseadas profundas e espaçosas que recebiam o ramo norte do Tibre, a cerca de cinco quilômetros da antiga colônia de Óstia. O porto romano foi-se desenvolvendo até atingir o tamanho de uma cidade episcopal onde o trigo da África era depositado em espaçosos celeiros para uso da capital. Tão logo se apossou dessa importante localidade, Alarico intimou a cidade a render-se incondicionalmente, reforçando suas exigências com a

* Neste ponto do original, Gibbon se alonga numa descrição de algumas das tolas e criminosas intrigas que corriam na corte de Honório não obstante a proximidade dos exércitos bárbaros. (N. O.)

afirmação categórica de que uma recusa, ou mesmo uma demora, seria imediatamente seguida da destruição dos estoques de que dependia a vida do povo romano. Os clamores desse povo e o terror da fome venceram a altivez do Senado; sem relutância, ouviram os senadores a proposta de colocar no trono do indigno Honório um novo imperador, e o sufrágio do conquistador godo outorgou a púrpura a Átalo, prefeito da cidade. O agradecido monarca imediatamente reconheceu seu protetor como o general-comandante dos exércitos do Ocidente; Adolfo, com o posto de conde das tropas nacionais, obteve a custódia da pessoa de Átalo; e as duas nações hostis pareceram unir-se pelos laços mais estreitos de amizade e aliança.

As portas da cidade se abriram e o novo imperador dos romanos, cercado de todos os lados pelas armas góticas, foi levado numa ruidosa procissão até o palácio de Augusto e Trajano. Após ter distribuído entre seus favoritos e partidários as dignidades civis e militares, Átalo convocou uma assembleia do Senado perante a qual, numa oração formal e floreada, declarou sua decisão de restaurar a majestade da República e de incorporar ao Império as províncias do Egito e do Oriente que outrora reconheciam a autoridade de Roma. Tais promessas extravagantes inspiraram a todo cidadão sensato um justo desprezo pelo caráter de usurpador imbele, cuja elevação fora a mais funda e ignominiosa afronta jamais sofrida pela República da insolência dos bárbaros. Mas a populaça, com sua habitual leviandade, aplaudiu a mudança de senhores. O público descontente era favorável ao rival de Honório; e os sectários, oprimidos por seus éditos de perseguição, esperavam certo grau de compostura, ou pelo menos de tolerância, de um príncipe que em sua pátria, Jônia, fora educado na superstição pagã e que depois recebera o sacramento do batismo das mãos de um bispo ariano.

Os primeiros dias do reinado de Átalo foram bons e prósperos. Um oficial de confiança partiu com um corpo insignificante de tropas a fim de assegurar a obediência da África; a maior parte da Itália se submeteu ao pavor do poderio godo e, embora a cidade de Bolonha tivesse oferecido uma resistência vigorosa e eficaz, o povo de Milão, insatisfeito talvez com a ausência de Honório, aceitou com ruidosas exclamações a escolha do Senado romano. À frente de um exército formidável, Alarico conduziu seu real cativo até quase as portas de Ravena, e uma solene embaixada dos principais ministros — composta de Jóvio, o prefeito pretoriano, de Valente, o comandante da cavalaria e da infantaria, do questor Potâmio e de Juliano, o primeiro dos notários — foi introduzida com pompa marcial no acampamento godo. Em nome de seu soberano, consentiram em reconhecer a legalidade da eleição de seu competidor e em dividir as províncias da Itália e do Ocidente entre os dois imperadores. Suas propostas foram rejeitadas com desdém, rejeição agravada pela insultuosa clemência de Átalo, que se dignou a prometer que, se Honório abdicasse imediatamente a púrpura, ser-lhe-ia permitido passar o restante de seus dias num exílio pacífico em alguma ilha remota.

Tão desesperada parecia na verdade a situação do filho de Teodósio aos que melhor lhe conheciam a força e os recursos, que Jóvio e Valente, seu ministro e seu general, lhe traíram a confiança, desertaram abjetamente a causa de seu benfeitor e puseram sua traiçoeira lealdade a serviço de seu rival mais afortunado. Pasmado com tais exemplos de traição interna, Honório tremia à aproximação de qualquer serviçal, à chegada de qualquer mensageiro. Temia os inimigos secretos que pudessem emboscar-se em sua capital, em seu palácio, em seu quarto de dormir, e alguns navios estavam ancorados na baía de Ravena prontos para transportar o monarca abdicado até os domínios de seu sobrinho infante, o imperador do Oriente.

Mas *existe* uma Providência (pelo menos na opinião do historiador Procópio) que vela sobre a inocência e a sandice, e as pretensões de Honório aos cuidados dela não podem ser razoavelmente contestadas. No momento em que seu desespero, incapaz de qualquer resolução sensata ou valorosa, meditava uma fuga vergonhosa, um oportuno reforço de 4 mil veteranos inesperadamente desembarcou no porto de Ravena. A esses valentes forasteiros, cuja fidelidade não fora corrompida pelas facções da corte, entregou ele a guarda das muralhas e portas da cidade, e o sono do imperador deixou de ser perturbado pela apreensão de perigo iminente e interno. Uma notícia favorável recebida do Egito mudou de inopino as opiniões das pessoas e a situação dos negócios públicos. As tropas e os oficiais enviados por Átalo àquela província tinham sido derrotados e chacinados, e o ativo zelo de Heracliano sustentou seu próprio devotamento e o de seu povo. O leal conde da África enviou uma grande soma de dinheiro, que garantia a lealdade dos guardas imperiais, e sua vigilância no evitar a exportação de trigo e óleo introduziu a fome, o tumulto e o descontentamento nos muros de Roma.

O malogro da expedição africana foi a causa de mútuas queixas e recriminações no partido de Átalo, e o espírito do protetor deste aos poucos foi perdendo o interesse por um príncipe a quem faltava coragem para comandar ou docilidade para obedecer. Átalo adotou as medidas mais imprudentes sem conhecimento de Alarico ou contrariamente a seu conselho; outrossim, a obstinada recusa do Senado em permitir no embarque a proporção até mesmo de quinhentos godos traía uma índole suspeitosa e desconfiada que, na situação dele, não era nem generosa nem prudente. A astúcia maliciosa de Jóvio logrou exasperar o ressentimento do rei godo; o dito Jóvio fora elevado à condição de patrício e subsequentemente justificou sua dupla perfídia declarando sem corar que *só fingira* abandonar o serviço de Honório para mais eficazmente poder arruinar a causa do usurpador. Numa vasta planície perto de Rimini, e na presença de uma imensa multidão de romanos e bárbaros, o desditoso Átalo foi publicamente despojado do diadema e da púrpura, emblemas de realeza que Alarico enviou, como penhor de paz e amizade, ao filho de Teodósio. Os oficiais que voltaram ao cumprimento de seus deveres tiveram postos restituídos e mesmo o mérito de um arrependimento tardio teve um magnânimo reconhecimento; todavia, o degradado imperador dos romanos, desejoso de viver e insensível à desonra, implorou a permissão de seguir o acampamento gótico no séquito de um altivo e caprichoso bárbaro.

A degradação de Átalo removeu o único obstáculo real à conclusão da paz e Alarico avançou até cinco quilômetros de Ravena para pressionar a irresolução dos ministros imperiais, cuja insolência voltou com o retorno da fortuna. A indignação de Alarico inflamou-se com o informe de que um chefe rival, Saro, inimigo pessoal de Adolfo e antagonista hereditário da casa dos Balti, fora recebido em palácio. À frente de trezentos sequazes, o destemido bárbaro imediatamente irrompeu das portas de Ravena, surpreendeu e aniquilou um considerável corpo de godos, reentrou na cidade em triunfo e pôde insultar seu adversário pela voz de um arauto, que publicamente declarou ter a culpa de Alarico excluído o mesmo da amizade e aliança do imperador.

Os delitos e loucuras da corte de Ravena foram expiados uma terceira vez pelas calamidades de Roma. O rei dos godos, que não mais dissimulava sua sede de pilhagem e vingança, surgiu em armas sob as muralhas da capital, e o trêmulo Senado, sem nenhuma esperança de socorro, preparou-se para, através de uma desesperada resistência, retardar a ruína de sua pátria. Mas nada pôde fazer contra a secreta conspiração de seus escravos e criados, os quais, por nascimento ou interesse, perfilhavam a causa do inimigo. À meia-noite, a porta salariense foi secretamente aberta e os habitantes despertaram ao som tremendo da trombeta gótica. Após 1163 anos de sua fundação, Roma, a cidade imperial, que subjugara e civilizara parte tão considerável da humanidade, viu-se entregue à fúria licenciosa das tribos da Germânia e da Cítia.

A conquista da Cidade Eterna pelos godos não significava evidentemente a "queda de Roma" em qualquer sentido preciso. Observa o próprio Gibbon que "os vestígios da invasão goda foram quase obliterados" em menos de sete anos e que "a venerável matrona retomou a coroa de louros, que havia sido amarrotada pelas tormentas da guerra, e ainda se entreteve, no último momento de sua decadência, com as profecias de vingança, de vitória e de eterno domínio".

Mas vede os ferimentos mortais que lhe haviam sido infligidos. Pela superfície da Gália, da Itália e da Hispânia rodopiava uma nuvem de conquistadores bárbaros — godos, borguinhões, vândalos, hunos etc. — cujo caráter mal se escondia sob o título de "hóspedes" dos romanos. De todo o império ocidental, somente a África, por um breve período, não foi maculada por mãos bárbaras; entretanto, uma vitoriosa expedição dos vândalos sob o comando de Genserico, auxiliada por mouros, fanáticos donatistas, escravos e desertores, em pouco se apoderou daquele celeiro da Europa. O óbvio desamparo do Império ocidental, invadido à vontade por variados bandos de bárbaros, levou a ilha da Britânia e as províncias marítimas francesas entre o Sena e o Loire a desligarem-se do Império e estabelecerem governos independentes.

E para quem poderia o Império do Ocidente voltar-se na sua aflição? Ainda mais fatal do que a pressão dos bárbaros havia sido a divisão do outrora império uno em fragmentos oriental e ocidental. O império oriental mal podia ser chamado de "romano", mesmo forçando o sentido da palavra: era uma monarquia absoluta cujos príncipes "mediam sua grandeza pela obediência servil de seu povo" — um povo "tão incapaz de guardar a vida e as fortunas do assalto dos bárbaros quanto de defender sua própria razão dos terrores da superstição". Em tais circunstâncias, não importava muito que a Itália fosse invadida por Átila, o Huno, o Flagelo de Deus, ou que Roma fosse pilhada pelos vândalos piratas do mar, a partir de suas recém-conquistadas bases africanas. Outros povos bárbaros poderiam facilmente ter levado a cabo tão pavorosa empresa sem serem impedidos por um governo romano que "parecia a cada dia menos temível a seus inimigos, mais odioso e opressivo a seus súditos". Pois a tocha de Roma bruxuleava; antes de 500 d.C. a Itália estava nas mãos de Odoacro, seu primeiro rei bárbaro; e logo depois Gibbon interrompe o curso de sua narração para fazer o seguinte epitáfio à extinção do Império do Ocidente.

OBSERVAÇÕES GERAIS SOBRE A QUEDA DO IMPÉRIO ROMANO DO OCIDENTE

Os gregos, depois de seu país ter sido reduzido a uma província, imputavam os triunfos de Roma não ao mérito mas à *Fortuna* da República. A deusa inconstante, que tão cegamente distribui e retoma seus favores, havia *agora* consentido (essa era a linguagem da invejosa lisonja) em renunciar a suas asas, a descer de seu globo e a assentar seu trono firme e imutável nas margens do Tibre. Um grego mais judicioso (Políbio),* que compôs com espírito filosófico a memorável história de sua própria época, privou seus compatriotas desse vão e ilusório conforto com pôr-lhes ao alcance dos olhos os fundamentos mesmos da grandeza de Roma. A fidelidade dos cidadãos uns aos outros e ao Estado era confirmada pelos hábitos de educação e pelos preconceitos da religião. A honra, tanto quanto a virtude, se constituíam no princípio da República; os cidadãos ambiciosos esforçavam-se por merecer as solenes glórias de um triunfo, e o ardor dos jovens romanos inflamava-se em ativa emulação toda vez que contemplavam as imagens domésticas de seus antepassados. As comedidas lutas dos patrícios e plebeus haviam finalmente estabelecido o firme e proporcionado equilíbrio da estrutura política, que unia a liberdade das assembleias populares à autoridade e sabedoria de um Senado e aos poderes executivos de um magistrado real. Quando o cônsul desdobrava a bandeira da República, cada cidadão se obrigava, pelo dever de um juramento, a empunhar a espada pela causa de seu país até se ter desobrigado do sagrado dever com um serviço militar de dez anos. Essa sábia instituição despejava continuamente no campo de batalha as novas gerações de libertos e soldados, e suas hostes eram reforçadas pelos Estados marciais e populosos da Itália, os quais, após uma brava resistência, tinham cedido ao valor e aceitado a aliança dos romanos.

O judicioso historiador que estimulou a virtude do jovem Cipião e assistiu à ruína de Cartago descreveu-lhes acuradamente o sistema militar, o recrutamento, armas, exercícios, subordinação, marchas, acampamentos e a invencível legião, superior, em

* Grande historiador grego (aproximadamente 202-120 a.C.), postulava que a Grécia devia aceitar o predomínio romano para conservar um resto de autonomia para suas cidades; deportado para a Itália, lá foi preceptor de Cipião, o Africano, a quem acompanhou no cerco de Cartago; a sua *História*, em quarenta livros, vê como causa da grandeza de Roma a perfeição de sua estrutura política, que conciliava princípios monárquicos, aristocráticos e democráticos. (N. T.)

poder ativo, à falange macedônica de Filipe e Alexandre. Dessas instituições de paz e guerra, Políbio inferiu o espírito e o êxito de um povo incapaz de ter medo e ao qual o repouso impacientava. O ambicioso desígnio de conquista, que poderia ter sido frustrado pela oportuna conjunção da humanidade, foi levado a cabo e alcançado, tendo sido a perpétua violação da justiça mantida pelas virtudes políticas da prudência e da coragem. As armas da República, por vezes vencida em batalha, mas sempre vitoriosa na guerra, avançaram a passo rápido até o Eufrates, o Danúbio, o Reno e o oceano; e as imagens de ouro ou prata ou bronze que pudessem servir para representar as nações e seus respectivos reis foram sucessivamente rompidas pela *férrea* monarquia de Roma.

A ascensão de uma cidade que se avantajou num império bem merece, por singular prodígio, ser tema de reflexão para um espírito filosófico. Todavia, o declínio de Roma foi a natural e inevitável consequência da grandeza imoderada. A prosperidade fez com que amadurecesse o princípio de decadência; as causas de destruição se multiplicaram com a extensão das conquistas; e, tão logo o tempo ou os acidentes removeram os sustentáculos artificiais, a estupenda estrutura desabou sob seu próprio peso. A história de sua ruína é simples e óbvia; em vez de perguntar *por que* o Império Romano foi destruído, devemos antes surpreender-nos de ele ter durado tanto. As legiões vitoriosas, que em guerras remotas adquiriram os vícios de estrangeiros e mercenários, primeiro tiranizaram a liberdade da República e mais tarde violaram a majestade da púrpura. Os imperadores, preocupados com sua segurança pessoal e com a ordem pública, viram-se reduzidos ao vil expediente de corromper a disciplina que as tinham tornado temíveis a seu soberano e ao inimigo; relaxou-se a energia do governo militar, e finalmente dissolveu-se com as instituições facciosas de Constantino; e eis que o mundo romano foi engolfado por um dilúvio de bárbaros.

A decadência de Roma tem sido frequentemente atribuída à transferência da sede do Império; esta história já mostrou contudo que os poderes de governo foram *divididos*, mais do que *transferidos*. O trono de Constantinopla ergueu-se no Oriente enquanto o Ocidente ainda era dominado por uma série de imperadores que tinham sua residência na Itália e que igualmente reclamavam a herança das legiões e das províncias. Essa perigosa novidade debilitava o vigor e fomentava os vícios de um duplo reinado; multiplicaram-se os instrumentos de um sistema opressivo e arbitrário; e uma fátua emulação de luxo, não de mérito, iniciou-se e se manteve entre os degenerados sucessores de Teodósio. A extrema angústia, que unifica as virtudes de um povo livre, exacerba as facções de uma monarquia em declínio. Os favoritos antagônicos de Arcádio e de Honório traíram a República a seus inimigos comuns, e a corte bizantina assistiu com indiferença, talvez com prazer, à desonra de Roma, aos infortúnios da Itália, e à perda do Ocidente. Nos reinados que se sucederam, restaurou-se a aliança dos dois impérios, mas a ajuda dos romanos orientais foi tardia, duvidosa e ineficaz; e o cisma nacional de gregos e latinos alargou-se pela permanente diferença de língua e costumes, de interesses e até mesmo de religião. No entanto, o salutar acontecimento sancionou em certa medida o juízo de Constantino. Durante um longo período de decadência, sua inexpugnável cidade repeliu os exércitos vitoriosos dos bárbaros, protegeu a riqueza da Ásia e dominou, na guerra como na paz, o importante estreito que liga o mar Euxino e o mar Mediterrâneo. A fundação de Constantinopla contribuiu mais decisivamente para a preservação do Oriente do que para a ruína do Ocidente.

Como a felicidade de uma vida *futura* é o grande objetivo da religião, quiçá não nos cause surpresa ou escândalo saber que a introdução, ou pelo menos o abuso, do cristianismo teve alguma influência no declínio e na queda do Império Romano. O clero pregava com êxito as doutrinas da paciência e da pusilanimidade; as virtudes ativas da sociedade eram desencorajadas e os últimos vestígios do espírito militar foram sepultados no claustro. Grande parte da riqueza pública e privada se consagrou às especiosas exigências da caridade e da devoção, e a soldada era esbanjada com turbas inúteis de ambos os sexos que só podiam alegar os méritos da abstinência e da castidade. A fé, o ardor, a curiosidade e as paixões mais terrenas da maldade e da ambição acenderam a chama da discórdia teológica; a Igreja e mesmo o Estado foram divididos por facções religiosas cujos conflitos se demonstravam por vezes sangrentos e sempre implacáveis; a atenção do imperador se desviou dos acampamentos para os sínodos; uma nova tirania oprimia o mundo romano e as seitas perseguidas se tornaram inimigas secretas de seu país.

No entanto, o espírito de partido, conquanto pernicioso ou absurdo, é um princípio de união tanto quanto de dissensão. Os bispos, de seus 1800 púlpitos, inculcavam o dever de obediência passiva a um soberano legal e ortodoxo; suas frequentes assembleias e sua contínua correspondência mantinham a comunhão de igrejas distantes; e a índole benevolente do Evangelho se reforçou, embora confinada, com a aliança espiritual dos católicos. A sagrada indolência dos monges foi devotamente perfilhada por uma época servil e afeminada; se a superstição não lhes houvesse propiciado um refúgio conveniente, os mesmos vícios teriam tentado os indignos romanos a desertar, por motivos dos mais vis, o estandarte da República. Obedecem-se com facilidade preceitos religiosos que favorecem e santificam as inclinações naturais de seus devotos, mas a influência pura e genuína do cristianismo pode ser retraçada em seus efeitos benéficos, conquanto imperfeitos, sobre os prosélitos bárbaros do norte. Se o declínio do Império Romano foi apressado pela conversão de Constantino, sua religião vitoriosa amorteceu a violência da queda e abrandou a índole violenta dos conquistadores.

Essa medonha revolução pode ser utilizada para a edificação da época atual. É dever de um patriota preferir e fomentar exclusivamente o interesse e a glória de sua pátria, mas um filósofo se permite alargar suas vistas e considerar a Europa como uma grande república cujos diversos habitantes já quase atingiram o mesmo nível de civilidade e refinamento. O equilíbrio de poder continuará a oscilar e a prosperidade de nosso próprio reino ou dos reinos vizinhos pode ora exalçar-se ora minguar; entretanto, tais sucessos parciais não são de molde a afetar essencialmente nossa condição geral de bem-estar, o sistema de artes, leis e costumes que distingue tão vantajosamente os europeus e suas colônias do resto da humanidade. As nações selvagens do globo são os inimigos naturais da sociedade civilizada, e é lícito perguntar-nos, com ansiosa curiosidade, se a Europa ainda está ameaçada da repetição das calamidades que outrora afligiram as armas e as instituições romanas. Talvez as mesmas reflexões sirvam para ilustrar a queda daquele poderoso Império e explicar as causas prováveis de nossa atual segurança.

Os romanos ignoravam a extensão dos perigos e o número dos inimigos que os ameaçavam. Além do Danúbio e do Reno, os países setentrionais da Europa e da Ásia estavam cheios de inúmeras tribos de caçadores e pastores pobres, vorazes e turbulentos, audazes nas armas e sôfregos de arrebatar os frutos da operosidade. O mundo bárbaro foi agitado pelo rápido impulso da guerra e a paz da Gália ou da Itália sacudida pelas distantes revoluções da China. Os hunos, que fugiam de um inimigo vitorioso, orientaram sua marcha para o Ocidente; e a torrente cresceu com a gradual incorporação de cativos e aliados. As tribos em fuga que cederam aos hunos assumiram, por *sua* vez, o espírito de conquista; as infindas colunas de bárbaros pressionaram o Império Romano com peso multiplicado e, se a vanguarda era aniquilada, novos assaltantes ocupavam o espaço vago. Tais formidáveis emigrações não mais provinham do norte; e o longo período de tranquilidade, atribuído ao decréscimo populacional, é a ditosa consequência do progresso das artes e da agricultura. Em vez de algumas rudes aldeias ralamente disseminadas por suas florestas e pântanos, a Alemanha conta hoje um rol de 2300 cidades muradas; instituíram-se sucessivamente os reinos cristãos da Dinamarca, da Suécia e da Polônia; e os comerciantes da Hansa, com seus cavaleiros teutônicos, estenderam suas colônias pela costa do Báltico até o golfo da Finlândia. Do golfo da Finlândia até o oceano oriental, a Rússia ora assume a forma de um poderoso e civilizado império. O arado, o tear e a forja estão sendo introduzidos nas margens do Volga, do Obi e do Lena, e as hordas tártaras mais ferozes foram ensinadas a temer e obedecer. O reino da barbárie independente se reduziu hoje a uma estreita faixa e os remanescentes dos calmucos ou dos uzbeques, cujas forças podem quase ser contadas, não logram suscitar quaisquer sérias apreensões à grande república da Europa. Mas essa aparente segurança não nos deve levar a esquecer que novos inimigos e perigos ignorados podem *possivelmente* surgir de algum povo obscuro, mal visível ainda no mapa do mundo. Os árabes ou os sarracenos, que disseminaram suas conquistas desde a Índia até a Espanha, haviam enlanguescido na pobreza e na desonra até Maomé infundir naqueles mesmos corpos o sopro do entusiasmo.

O Império de Roma se firmou pela singular e perfeita coalização de seus membros. As nações vassalas, renunciando à esperança e mesmo ao desejo de independência, aceitaram a condição de cidadãs romanas e as províncias do Ocidente foram com relutância arrancadas do seio da pátria-mãe. Mas essa união custou a perda da liberdade nacional e do espírito militar, e as províncias servis, destituídas de vida e de ação, esperavam ter sua segurança garantida pelas tropas mercenárias e pelos governadores que recebiam ordens de uma corte distante. A felicidade de centenas de milhões dependia do mérito pessoal de um ou dois homens, talvez crianças, cuja mente havia sido corrompida pela educação, pelo luxo e pelo poder despótico. Os ferimentos mais profundos foram infligidos ao Império durante a minoridade dos filhos e netos de Teodósio; depois de terem atingido a idade viril, esses príncipes incapazes deixaram a Igreja entregue aos bispos, o Estado aos eunucos e as províncias aos bárbaros. A Europa está hoje dividida em doze reinos poderosos, conquanto desiguais, três respeitáveis comunidades e uma porção de Estados menores, ainda que independentes; as probabilidades de talentos reais e ministeriais multiplicaram-se, pelo menos em proporção ao número de seus governantes; e um Juliano ou uma Semíramis podem reinar no norte, enquanto Arcádio e Honório voltam a dormitar nos tronos do sul. Os abusos da tirania são contidos pela mútua influência do temor e do pejo; as repúblicas alcançaram ordem e estabilidade; as monarquias absorveram os princípios de liberdade ou ao menos de moderação; e um certo senso de honra e justiça introduziu-se nas constituições mais defeituosas por força dos costumes gerais da época. Na paz, o progresso do conhecimento é acelerado pela emulação de tantos rivais em atividade; na guerra, as forças se exercitam em embates moderados e não decisivos. Se um feroz conquistador surgisse dos desertos da Tartária, teria de sucessivamente vencer os robustos campônios da Rússia, os numerosos exércitos da Alemanha, os galhardos nobres da França e os intrépidos homens livres da Inglaterra, que talvez se coligassem na defesa comum. Se os bárbaros vitoriosos levassem a escravidão e a devastação até o oceano Atlântico, 10 mil navios transportariam, em perseguição deles, os remanescentes da sociedade civilizada; e a Europa reviveria e floresceria no mundo americano, já repleto de suas colônias e instituições.

O frio, a pobreza e uma vida de perigos e fadigas fortalecem o vigor e a bravura dos bárbaros. Em todas as épocas eles têm oprimido as nações cultas e pacíficas da China, da Índia e da Pérsia, que se descuidaram até hoje de contrabalançar tais faculdades naturais com os recursos da arte militar. Os Estados belicosos da Antiguidade, Grécia, Macedônia e Roma, cultivaram uma raça de soldados: exercitaram-lhes o corpo, disciplinaram-lhes a coragem, multiplicaram-lhes as forças com manobras regulares e converteram o ferro que possuíam em armas fortes e prestimosas. Mas tal superioridade aos poucos declinou com suas leis e costumes, e a timorata política de Constantino e seus sucessores armou e adestrou, para a ruína do Império, o rude valor dos mercenários bárbaros. A arte militar mudou com a invenção da pólvora, que possibilita ao homem dominar os dois mais poderosos agentes da natureza, o ar e o fogo. A matemática, a química, a mecânica, a arquitetura têm sido aplicadas à arte bélica, e as partes contendoras opõem uma à outra os mais desenvolvidos modos de ataque ou de defesa. Os historiadores podem acentuar, indignados, que os gastos com os preparativos de um assédio bastariam para fundar e manter uma próspera colônia; contudo, não nos pode desagradar que a destruição de uma cidade seja obra de custo e dificuldade, ou que um povo industrioso deva ser protegido por artes que sobreviveram à decadência do valor militar e lhe suprem a deficiência. O canhão e as fortificações formam hoje uma barreira inexpugnável ao cavalo tártaro, e a Europa está a salvo de qualquer futura irrupção de bárbaros, de vez que, para conquistar, terão eles de deixar de ser bárbaros. Seus graduais progressos na ciência da guerra seriam sempre acompanhados, como podemos ver pelo exemplo da Rússia, de um progresso equivalente nas artes da paz e da política civil, pelo que eles próprios mereceriam um lugar entre as nações cultas que subjugassem.

Mesmo que se julguem estas especulações duvidosas ou falazes, ainda subsiste uma fonte mais modesta de consolo e de esperança. As descobertas feitas pelos navegadores antigos e modernos, e a história ou tradição nacional das nações mais esclarecidas, mostram o *selvagem humano* como um ser desnudo de corpo e alma, destituído de leis, de artes, de ideias e quase de linguagem. Dessa condição abjeta, talvez o estado primitivo e universal do homem, ele se elevou gradualmente até chegar a dominar os animais, fertilizar a terra, cruzar o oceano e tomar a medida dos céus. Seu progresso no que respeita ao aperfeiçoamento e exercício de suas faculdades mentais e corpóreas tem sido variado e irregular, infinitamente moroso no começo e aumentando gradualmente com redobrada velocidade; épocas de laboriosa ascensão foram seguidas de momentos de queda vertiginosa; e os diversos climas do globo experimentaram as vicissitudes da luz e das trevas. No entanto, a experiência de quatrocentos anos deve alargar-nos as esperanças e diminuir-nos as apreensões. Não nos é dado predeterminar a que culminâncias pode a espécie humana aspirar em seu avanço rumo à perfeição, mas é seguramente de presumir que povo algum, a menos que a face da natureza se altere, volte a cair na barbárie originária.

Os progressos da sociedade podem ser encarados sob um tríplice aspecto: 1. O poeta ou filósofo ilumina sua época e seu país mercê do empenho de *uma só* mente; todavia, tais poderes excelsos de raciocínio ou imaginação se constituem em produções raras e espontâneas; o gênio de Homero ou Cícero ou Newton suscitaria menos admiração se pudesse ser criado pela vontade de um príncipe ou pelas lições de um preceptor. 2. Os benefícios da lei e da política, do comércio e das manufaturas, das artes e das ciências são mais sólidos e permanentes, e *muitos* indivíduos podem qualificar-se, por via da educação e da disciplina, para fomentar em suas respectivas esferas de atividade os interesses da comunidade. Mas esse sistema geral resulta da habilidade e do trabalho, e a complexa maquinaria pode estragar-se com o tempo ou ser danificada pela violência. 3. Felizmente para a humanidade, as artes mais úteis ou pelo menos mais necessárias podem ser exercidas sem necessidade de talentos extraordinários ou de sujeição nacional, sem os poderes de *um só* ou a união de *muitos*. Cada aldeia, cada família, cada indivíduo têm necessariamente de possuir tanto a capacidade quanto a inclinação de perpetuar o uso do fogo e dos metais; a criação e a utilização de animais domésticos; os métodos de caça e pesca; os rudimentos da navegação; o cultivo imperfeito do trigo ou de outros cereais nutritivos; e a prática simples dos ofícios mecânicos. O gênio individual e a indústria pública podem ser extirpados, mas essas plantas robustas sobrevivem à tormenta e firmam raiz duradoura no solo menos favorável. Os esplêndidos dias de Augusto e de Trajano foram eclipsados por uma nuvem de ignorância, e os bárbaros subverteram as leis e os palácios de Roma. Mas a segadeira, invenção ou emblema de Saturno, continuava a ceifar anualmente as colheitas da Itália, e os festins humanos dos lestrigões* jamais se repetiram no litoral da Campânia.

Desde a descoberta primeva das artes, a guerra, o comércio e o ardor religioso difundiram entre os selvagens do Velho e do Novo Mundo esses dons inestimáveis. Eles se propagaram aos poucos e jamais poderão perder-se. Podemos portanto chegar todos à aprazível conclusão de que cada época da história do mundo aumentou e continua a aumentar efetivamente a riqueza, a felicidade, o saber e quiçá a virtude da raça humana.

* Na mitologia grega, um povo de gigantes antropófagos que devoravam os forasteiros; na *Odisseia*, eles destroem os navios dos companheiros de Ulisses, atirando-lhes grandes rochedos. (N. T.)

16

Excertos da segunda metade da obra original

Mas o monumental trabalho do historiador estava longe de completo. Até aqui, este volume representa uma condensação de aproximadamente a primeira metade de História do declínio e queda do Império Romano. *No original, Gibbon continua descrevendo a longa trajetória do Império do Oriente, o surgimento do maometanismo, a história das tribos outrora bárbaras que fundaram e construíram nações entre as ruínas do Ocidente, as Cruzadas, as transitórias conquistas de Gengis-Khan e Tamerlão — em suma, toda a corrente histórica principal que começou no Império Romano originário, suplantou-o, desenvolveu-se a partir dele, ocorreu na mesma área geográfica ou afetou essa área de algum modo significativo. Considerações de espaço, por si sós, exigiriam a eliminação do grosso da segunda metade do original. Entretanto, a perda do leitor com tal omissão não é tão grande quanto parece, por três razões: (1) a subsequente descoberta de novas fontes relativas a esse longo período, conforme já se assinalou na introdução, tornou essa parte do original menos importante do que a primeira; (2) as exigências do leitor médio serão satisfeitas por uma narração corrida que se conclui com a extinção do Império do Ocidente; e (3) o próprio Gibbon considerou assaz seriamente a possibilidade de concluir sua história neste ponto. Portanto, as poucas páginas finais do presente volume consistirão em curtos trechos seletos da segunda metade do original, escolhidos em parte por seu interesse geral e seu mérito literário e em parte para ilustrar a largueza de vistas e a versatilidade do historiador.*

1. O IMPÉRIO DO ORIENTE NO SÉCULO VI: I. RETRATO DE UMA IMPERATRIZ; II. AS FACÇÕES DO HIPÓDROMO*

I. No exercício do poder supremo, o primeiro ato de Justiniano foi o de dividi-lo com a mulher a quem amava, a famosa Teodora, cuja singular elevação ao trono não pode ser aplaudida como o triunfo do merecimento feminino. No reinado de Atanásio, ficou incumbido de cuidar dos animais selvagens mantidos pela facção verde em Constantinopla um certo Acácio, natural da ilha de Chipre, que dessa ocupação tirou o apodo de mestre dos ursos. Com sua morte, o honroso ofício foi passado a outro candidato, não obstante o empenho de sua viúva, a qual já tinha cuidado de arranjar outro marido e sucessor. Acácio deixara três filhas, Comito, Teodora e Anastácia, a mais velha das quais não tinha mais do que sete anos de idade. Em meio a uma festa solene, essas três órfãs desamparadas foram enviadas por sua aflita e indignada mãe, vestidas de suplicantes, ao teatro; a facção verde as recebeu com desdém, a azul, com compaixão, e tal diferença, que calou fundo no espírito de Teodora, fez-se sentir subsequentemente na administração do Império.

À medida que cresciam em idade e beleza, as três irmãs devotaram-se sucessivamente aos prazeres públicos e privados do povo bizantino; Teodora, após secundar Comito no palco, vestida de escrava, com um mocho sobre a cabeça, pôde finalmente mostrar seus talentos de maneira independente. Ela não dançava nem cantava nem tocava flauta; suas habilidades se confinavam à arte da pantomima; e toda vez que a comediante estufava as bochechas e se queixava, com voz e gestos ridículos, das pancadas que lhe eram infligidas, o teatro inteiro de Constantinopla vinha abaixo com risos e aplausos. A beleza de Teodora era tema do louvor mais lisonjeiro e fonte de refinado deleite. Tinha ela traços delicados e regulares; sua tez, conquanto um pouco pálida, tingia-se de rubor natural; a vivacidade de seus olhos exprimia de imediato todas as sensações;

* Do capítulo 40 do original. (N. O.)

seus gestos desembaraçados punham-lhe à mostra as graças da figura miúda porém elegante; e o amor e a adulação cuidavam de proclamar que a pintura e a poesia eram incapazes de representar a incomparável distinção de suas formas. Estas se aviltavam contudo pela facilidade com que se expunham aos olhares públicos e se prostituíam a desejos licenciosos. Seus encantos venais eram prodigalizados a uma turba promíscua de cidadãos e forasteiros de toda classe e profissão; o afortunado amante a quem fora prometida uma noite de gozo era amiúde expulso do leito dela por um favorito mais forte ou mais rico; quando ela passava pelas ruas, fugiam-lhe à presença todos que desejavam furtar-se ao escândalo ou à tentação. O historiador satírico não corou de descrever as cenas de nu que Teodora exibia sem vergonha no teatro. Após exaurir as artes do prazer sensual,[1] ela resmungava ingratamente contra a parcimônia da Natureza,[2] mas seus resmungos, seus prazeres e suas artes têm de ser encobertos pela obscuridade de uma linguagem culta.

Após governar durante algum tempo o deleite e o desdém da capital, ela se dignou a acompanhar Ecébolo, um natural de Tiro que obtivera o governo da Pentápolis africana. Essa união se revelou porém frágil e transitória; Ecébolo não tardou a rejeitar a dispendiosa ou infiel concubina, a qual se viu reduzida, em Alexandria, à extrema miséria; e, durante seu laborioso retorno a Constantinopla, todas as cidades do Oriente admiraram e desfrutaram a bela cipriota cujo mérito parecia justificar seu nascimento na ilha de Vênus. O incerto comércio de Teodora, e precauções das mais detestáveis, preservavam-na do perigo que ela temia; no entanto, uma vez, e uma somente, ela se tornou mãe. A criança foi salva e educada na Arábia por seu pai, que lhe revelou, no leito de morte, ser ele filho de uma imperatriz. Repleto de esperanças ambiciosas, o insuspeito jovem correu imediatamente para o palácio de Constantinopla e foi admitido à presença de sua mãe.

[1] Numa ceia memorável, trinta escravos atendiam à mesa; dez jovens se banqueteavam com Teodora, cuja caridade era *universal*.

[2] Desejava ela um *quarto* altar onde pudesse derramar libações ao deus do amor.

Como nunca mais foi visto, mesmo após a morte de Teodora, esta faz jus à hedionda acusação de, com tirar-lhe a vida, ter calado um segredo danoso a sua imperial virtude.

No ponto mais abjeto da trajetória de sua fortuna e reputação, uma visão, ou de sonho ou de fantasia, murmurara ao ouvido de Teodora a deleitosa promessa de que ela estava destinada a tornar-se a esposa de um poderoso monarca. Cônscia de sua iminente grandeza, ela deixou a Paflagônia* e voltou para Constantinopla; ali, atriz experimentada, assumiu um caráter mais decoroso, aliviando sua pobreza com a louvável indústria de fiandeira e fingindo viver uma vida de castidade e solidão numa casinha que mais tarde converteria num templo magnífico. Sua beleza, ajudada pela arte ou pelo acaso, logo atraiu, cativou e prendeu o patrício Justiniano, que já reinava com poderes absolutos em nome do tio. Talvez ela tivesse logrado realçar o valor de um dom que prodigalizara com tanta frequência aos homens mais insignificantes; talvez tivesse inflamado, a princípio com adiamentos pudicos e por fim com amavios sensuais, os desejos de um amante que, por natureza ou devoção, se habituara a longas vigílias e dieta abstêmia. Após se haverem extinguido os primeiros transportes dele, ela continuou a manter o mesmo ascendente sobre seu espírito pela virtude mais sólida da índole e do entendimento.

Justiniano se deleitava em enobrecer e enriquecer o objeto de seus afetos; pôs-lhe aos pés os tesouros do Oriente; estava decidido, o sobrinho de Justino, a, quiçá por escrúpulos religiosos, conferir a sua concubina o caráter sagrado e legal de esposa. Mas as leis de Roma proibiam expressamente o casamento de um senador com qualquer mulher que tivesse sido desonrada por uma origem servil ou pela profissão teatral; a imperatriz Lupicínia ou Eufêmia, bárbara de maneiras rústicas mas de impecável virtude, recusou-se a aceitar uma prostituta como sobrinha, e mesmo Vigilância, a supersticiosa mãe de Justiniano, embora reconhecesse o tino e a beleza de Teodora, tinha sérios receios de

* Antigo país da Ásia Menor, ao sul do Ponto Euxino (mar Negro). (N. T.)

que a leviandade e a arrogância daquela ardilosa amante pudessem corromper a piedade e a ventura de seu filho. A inflexível constância de Justiniano removeu tais obstáculos. Aguardou pacientemente a morte da imperatriz; desprezou as lágrimas da mãe, que não tardou a sucumbir sob o peso da aflição, e em nome do imperador Justino fez promulgar uma lei que abolia a rígida jurisprudência da Antiguidade. Um glorioso arrependimento (palavras do édito) era facultado às desditosas mulheres que houvessem prostituído suas pessoas no teatro, sendo-lhes permitido contrair uma união legal com os romanos mais ilustres. A essa indulgência se seguiram imediatamente as solenes núpcias de Justiniano e Teodora; a dignidade dela foi-se gradualmente exaltando com a de seu amante; tão logo Justino investiu o sobrinho na púrpura, o patriarca de Constantinopla colocou o diadema na cabeça do imperador e da imperatriz do Oriente. Mas as honras costumeiras que a severidade dos costumes romanos consentira às esposas dos príncipes não podiam satisfazer nem a ambição de Teodora nem a afeição de Justiniano. Ele a elevou ao trono como colega igual e independente na soberania do Império, tendo sido imposto um juramento de fidelidade aos governadores das províncias nos nomes conjuntos de Justiniano e Teodora. O mundo oriental se prosternou perante o gênio e a fortuna da filha de Acácio. A prostituta que, na presença de inúmeros espectadores, tinha corrompido o teatro de Constantinopla foi adorada como rainha na mesma cidade por graves magistrados, bispos ortodoxos, generais vitoriosos e monarcas cativos.

Os que acreditam que a mente feminina seja totalmente depravada pela perda de castidade darão prontamente ouvidos a todas as invectivas da inveja particular ou do ressentimento público, que dissimularam as virtudes de Teodora, exageraram-lhe os vícios e condenaram com rigor os pecados venais ou voluntários da jovem prostituta. Por uma questão de vergonha ou desprezo, ela declinava amiúde a homenagem servil da multidão, fugia da luz odiosa da capital e passava a maior parte do ano nos palácios e jardins aprazivelmente situados no litoral da Propôntida e do

Bósforo. Suas horas de privacidade eram devotadas ao grato e prudente cuidado de sua beleza, aos deleites do banho e da mesa, e ao sono longo da tarde e da manhã. Seus apartamentos íntimos eram ocupados pelas mulheres e eunucos favoritos, cujos interesses e paixões ela satisfazia em detrimento da justiça; as personalidades mais ilustres do Estado se apinhavam numa escura e abafada antecâmara; e quando finalmente, após uma tediosa espera, eram admitidas a beijar os pés de Teodora, experimentavam, conforme o humor dela lhe sugerisse, a silenciosa arrogância da imperatriz ou a caprichosa frivolidade de uma comediante. A avareza rapace com que ela se empenhava em acumular um imenso tesouro talvez se possa justificar por seu receio de a morte do marido não deixar nenhuma alternativa entre a ruína e o trono; e o temor, tanto quanto a ambição, podiam acirrar Teodora contra dois generais que, durante uma enfermidade do imperador, tinham temerariamente declarado que não estavam dispostos a concordar com a escolha da capital.

Mas a censura de crueldade, tão incompatível mesmo com seus vícios mais brandos, pôs uma mancha indelével na memória de Teodora. Seus numerosos espiões observavam e zelosamente relatavam qualquer ação, palavra ou expressão injuriosa a sua real senhora. Quem quer que acusassem era atirado às prisões privativas da imperatriz, inacessíveis aos inquéritos de justiça; e corria o boato de que a tortura do cavalete ou do açoite fora aplicada em presença de uma mulher tirana insensível à voz do rogo ou da piedade. Algumas dessas vítimas desditosas pereciam em profundos e insalubres calabouços, enquanto a outras se consentia, após perderem os membros, a razão ou a fortuna, reaparecer no mundo como monumentos vivos da vingança dela, que habitualmente se estendia aos filhos daqueles de quem suspeitasse ou a quem lesasse. O senador ou bispo cuja morte ou exílio Teodora decretava era entregue a um mensageiro de confiança, e uma ameaça da boca da própria imperatriz lhe apressava a diligência: "Se falhares na execução de minhas ordens, juro por Aquele que vive para todo o sempre que tua pele te será arrancada do corpo".

Se o credo de Teodora não se tivesse inquinado de heresia, sua exemplar devoção poderia ter-lhe expiado, na opinião de seus contemporâneos, a soberba, a avareza e a crueldade; se ela utilizou sua influência para atenuar a fúria intolerante do imperador, a época atual lhe concederá algum mérito à religião e verá com bastante indulgência seus erros especulativos. O nome de Teodora figura com igual distinção em todas as iniciativas piedosas e caritativas de Justiniano; as instituições mais benevolentes de seu reinado podem ser atribuídas à simpatia da imperatriz por suas irmãs menos afortunadas que haviam sido seduzidas ou compelidas a dedicar-se ao ramo da prostituição. Um palácio no lado asiático do Bósforo foi convertido num espaçoso e imponente mosteiro, e um generoso sustento, garantido a quinhentas mulheres recolhidas das ruas e dos bordéis de Constantinopla. Nesse retiro sacro e seguro, elas se devotavam a um perpétuo confinamento, e o desespero de algumas, que se precipitaram ao mar, foi calado pela gratidão das penitentes libertadas do pecado e da miséria por sua generosa benfeitora.

A prudência de Teodora é celebrada pelo próprio Justiniano, cujas leis são atribuídas aos sábios conselhos de sua idolatrada esposa, por ele recebida como uma dádiva da Divindade. A coragem dela se demonstrava em meio ao tumulto da populaça e aos terrores da corte. Sua castidade, desde o momento de sua união com Justiniano, funda-se no silêncio de seus implacáveis inimigos; e, embora a filha de Acácio pudesse estar farta de amor, merece certo aplauso a firmeza de um espírito capaz de sacrificar o prazer e o hábito ao senso mais forte do dever ou do interesse. Os desejos e preces de Teodora jamais conseguiram obter a bênção de um filho legítimo, e ela teve de sepultar uma filha recém-nascida, único fruto de seu casamento. Malgrado esse desapontamento, seu domínio era permanente e absoluto; ela preservou, pela astúcia ou pelo mérito, o afeto de Justiniano, e as aparentes dissensões entre ambos eram sempre fatais aos cortesãos que as acreditassem sinceras.

Talvez a saúde de Teodora tivesse sido prejudicada pela licenciosidade de sua juventude; era, contudo, sempre delicada, e seus médicos lhes prescreveram os banhos termais pitianos. Nessa viagem, acompanharam a imperatriz o prefeito pretoriano, o tesoureiro-mor, vários condes e patrícios, e um esplêndido séquito de 4 mil servidores. As estradas reais iam sendo consertadas à medida que ela se aproximava; construiu-se um palácio para recebê-la; e enquanto atravessava a Bitínia, Teodora distribuía generosas esmolas às igrejas, aos mosteiros e aos hospitais, para que rogassem aos céus pela restauração de sua saúde. Por fim, no 24º ano de casamento e no 22º de reinado, um câncer a consumiu, e a perda irreparável foi deplorada pelo marido que, no quarto de uma prostituta de teatro, talvez tivesse escolhido a mais pura e a mais nobre virgem do Oriente.

II. Uma diferença significativa pode ser observada nos jogos da Antiguidade: os gregos mais eminentes eram atores, os romanos, meros espectadores. O estádio olímpico estava aberto à riqueza, ao mérito e à ambição, e se os candidatos pudessem depender de sua destreza e atividade pessoais, era-lhes facultado acompanhar as pegadas de Diomedes* e Menelau** e guiar seus próprios cavalos na vertiginosa carreira. Dez, vinte, quarenta carros de corrida partiam no mesmo instante; uma coroa de louros era a recompensa do vencedor, sendo sua fama, juntamente com a de sua família e de seu país, celebrada em versos líricos mais duradouros que os monumentos de bronze e mármore. Mas um senador, ou mesmo um cidadão cônscio de sua dignidade, se envergonharia de expor sua pessoa ou seus cavalos no Circo de Roma. Os jogos eram promovidos às expensas da República, dos magistrados ou dos imperadores, mas as rédeas ficavam confiadas a mãos servis, e, se os ganhos de um auriga favorito ultrapassavam às vezes os de um advogado, devem ser considerados como resultado da extravagância popular e dos altos salários de uma desonrosa profissão.

* Na *Ilíada*, um dos mais impetuosos, belicosos e cavalheirescos chefes gregos durante a guerra de Troia. (N. T.)

** Menelau é o lendário rei de Esparta, esposo da bela Helena, cujo rapto por Páris deu origem à mesma guerra. (N. T.)

A corrida, tal como originariamente instituída, era uma simples disputa de dois carros cujos aurigas se distinguiam um do outro pelos uniformes *branco* ou *vermelho*: duas cores suplementares, o *verde-claro* e o *azul-celeste*, foram introduzidas posteriormente; e como as corridas se repetiam 25 vezes, uma centena de carros contribuía, num só e mesmo dia, para a pompa do Circo. As quatro *facções* logo se oficializaram legalmente e assumiram uma origem misteriosa; as cores fantasiosas advinham da variada aparência da natureza nas quatro estações do ano: a rubra Sírio ou Canícula, astro do verão; as neves do inverno; os matizes escuros do outono; e a alegre verdura da primavera. Outra interpretação preferia os elementos às estações, e a luta entre o verde e o azul representaria supostamente o conflito entre a terra e o céu. Suas respectivas vitórias anunciavam ou uma colheita abundante ou uma navegação próspera, e a hostilidade entre lavradores e marinheiros era pouco menos absurda que o cego entusiasmo do povo romano, que devotava a vida e a fortuna a suas cores preferidas.

Os príncipes mais sensatos desdenhavam tal insânia, embora a tolerassem; no entanto, os nomes de Calígula, Nero, Vitélio, Vero, Cômodo, Caracala e Heliogábalo estavam ligados às facções azul ou verde do Circo; frequentavam-lhes os estábulos, aplaudiam-lhes os favoritos, castigavam-lhes os antagonistas, e desfrutavam a estima da populaça com a imitação fingida ou autêntica de seus costumes. O sangrento e tumultuoso antagonismo continuou a perturbar as festividades públicas até a época final dos espetáculos de Roma; e Teodorico, por uma questão de justiça ou simpatia, interveio com sua autoridade para proteger os verdes da violência de um cônsul e de um patrício que eram partidários fanáticos da facção azul do Circo.

Constantinopla adotava as loucuras, mas não as virtudes, da antiga Roma, e as mesmas facções que haviam agitado o Circo se hostilizavam com redobrada fúria no Hipódromo. No reinado de Atanásio, o frenesi popular inflamou-se de ardor religioso e os verdes, que haviam traiçoeiramente escondido pedras e adagas nos cestos de frutas, chacinaram numa festa solene 3 mil de seus adversários azuis. Da capital, essa pestilência se difundiu pelas províncias e cidades do Oriente, e a distinção esportiva das duas cores deu origem a duas fortes e irreconciliáveis facções que sacudiram as fundações de um governo débil. As dissensões populares, baseadas nos mais sérios interesses ou em pretextos sagrados, dificilmente igualaram a obstinação dessa discórdia irresponsável que invadiu a paz das famílias, dividiu amigos e irmãos, e compeliu o sexo frágil, ainda que raramente visto no Circo, a esposar as inclinações de seus amantes ou a contraditar os desejos de seus maridos. Todas as leis, quer humanas quer divinas, foram calcadas sob os pés, e enquanto o partido estivesse vitorioso, seus iludidos seguidores pareciam não se importar nem com desgraças particulares nem com calamidades públicas. A licenciosidade, sem a liberdade da democracia, reviveu em Constantinopla e na Antioquia, e o apoio de uma facção era necessário a qualquer candidato às honras civis ou eclesiásticas.

Uma secreta vinculação com a família ou seita de Anastácio foi imputada aos verdes; os azuis se devotavam zelosamente à causa da ortodoxia e de Justiniano, e seu agradecido patrono protegeu por cerca de cinco anos as desordens de uma facção cujos tumultos intimidavam o palácio, o Senado e as capitais do Oriente. Insolentes devido ao favor real, os azuis gostavam de espalhar o terror com suas vestes singulares e bárbaras — o longo cabelo de hunos, suas mangas apertadas e vestes amplas, o passo altivo, a voz sonora. De dia ocultavam a adaga de dois gumes, mas de noite se reuniam audazmente em bandos armados e numerosos, preparados para qualquer ato de violência ou de rapina. Seus adversários da facção verde, ou mesmo cidadãos inofensivos, eram saqueados e amiúde mortos por esses ladrões noturnos; tornou-se perigoso usar botões ou cintos de ouro, ou andar a desoras pelas ruas de uma capital pacífica. Um espírito de atrevimento, que começou a se manifestar impunemente, violava a salvaguarda das casas particulares; o fogo era usado para facilitar o ataque ou ocultar os crimes dessas facções de desordeiros. Lugar algum lhes era sagrado ou estava a salvo de suas depredações; para satisfazer a avareza ou a sede de vingança, derramavam profusamente o sangue dos inocentes; igrejas e altares eram conspurcados com assassínios atrozes; e os assassinos se jactavam de que sua destreza podia sempre infligir um ferimento mortal com um só golpe de adaga. A juventude dissoluta de Constantinopla adotou o uniforme azul da desordem; as leis calavam e os vínculos sociais se haviam relaxado; credores eram compelidos a abrir mão de seus direitos, juízes a revogar suas sentenças, amos a alforriar seus escravos, pais a atender à extravagância de seus filhos; nobres matronas se prostituíam à lascívia de seus criados; belos adolescentes eram arrancados aos braços de seus pais; e esposas, a menos que preferissem uma morte voluntária, eram violentadas na presença do marido.

O desespero dos verdes, perseguidos por seus inimigos e desamparados pelo magistrado, assumiu o privilégio da defesa, quiçá da retaliação; os que sobreviveram ao combate, porém, foram arrastados ao cadafalso, e os infelizes fugitivos que se ocultaram em florestas e cavernas passaram a pilhar sem piedade a sociedade de que haviam sido expelidos. Os ministros de justiça que tiveram a coragem de punir os crimes e de enfrentar o ressentimento dos azuis se tornaram vítimas de seu próprio e incauto zelo: um prefeito de Constantinopla teve de ir-se refugiar no Santo Sepulcro; um conde do Oriente foi ignominiosamente açoitado e um governador da Cilícia, enforcado, por ordem de Teodora, na tumba de dois assassinos que ele condenara pela morte de seu palafreneiro e por um ousado ataque a sua própria vida.

Um candidato ambicioso pode sentir-se tentado a fundar sua eminência sobre a confusão pública, mas é do interesse, tanto quanto do dever, de um soberano manter a autoridade das leis. O primeiro édito de Justiniano, que se repetiu numerosas vezes e algumas delas foi executado, proclamava-lhe a firme decisão de amparar o inocente e castigar o culpado fosse de que denominação ou cor fosse. No entanto, a balança da justiça continuava a se inclinar a favor da facção azul em razão da secreta simpatia, dos hábitos e dos temores do imperador; sua equidade, após uma resistência aparente, se submeteu sem mais relutância às paixões implacáveis de Teodora; e a imperatriz jamais esqueceu ou perdoou as injúrias à comediante. Na elevação de Justino, o Jovem, a proclamação de uma justiça imparcial e rigorosa condenou o facciosismo do reinado anterior. "Ó azuis, Justiniano já não existe! Ó verdes, ele ainda está vivo!"

Uma sedição, que quase deixou Constantinopla em cinzas, foi provocada pela mútua aversão e temporária reconciliação de duas facções. No quinto ano de seu reinado, Justiniano celebrou a festa dos Idos de janeiro. Os jogos foram perturbados incessantemente pelos clamores de descontentamento dos verdes; até a 22ª carreira, o imperador manteve-se grave e silente; por fim, cedendo à própria impaciência, dignou-se a travar, em sentenças abruptas e pela voz de um arauto, o mais singular diálogo jamais travado entre um príncipe e seus súditos. As primeiras reclamações destes eram respeitosas e moderadas; acusavam os ministros subordinados de pressão e proclamavam seus votos de longa vida e de vitória ao imperador. "Sede pacientes e atenciosos, ó ralhadores insolentes!", exclamou Justiniano; "calai-vos vós outros, judeus, samaritanos e maniqueus!" Os verdes ainda tentaram despertar-lhe a compaixão. "Somos pobres, somos inocentes, somos injuriados, não nos atrevemos a andar pelas ruas; há uma perseguição generalizada contra nosso nome e nossa cor. Deixai-nos morrer, ó imperador!, mas morrer por vossa ordem e a vosso serviço!" Mas a repetição das invectivas parciais e arrebatadas degradava, aos olhos deles, a majestade da púrpura; eles renunciaram ao dever de vassalagem ao príncipe que recusava justiça a seu povo, deploraram que o pai de Justiniano tivesse nascido e vituperaram-lhe o filho com os títulos oprobriosos de homicida, asno, tirano perjuro. "Desprezais assim vossas próprias vidas?", gritou o monarca indignado. Os azuis se ergueram irados de seus assentos, seus clamores hostis estrondaram no Hipódromo e seus adversários, fugindo de uma luta desigual, espalharam terror e desespero pelas ruas de Constantinopla.

Nesse momento de perigo, sete assassinos notórios de ambas as facções, que tinham sido condenados pelo prefeito, foram conduzidos à volta da cidade e depois transportados ao local de execução no subúrbio de Pera. Após quatro deles terem sido decapitados, enforcou-se um quinto; quando porém a mesma punição estava sendo infligida aos dois restantes, a corda se partiu, eles caíram vivos ao chão, a populaça lhes aplaudiu a escapada e os monges de São Cônon, saindo de um convento das vizinhanças, os levaram num bote até o santuário da igreja. Como um dos criminosos pertencia à facção azul e o outro, à verde, as duas facções se sentiram igualmente provocadas pela crueldade de seu opressor ou pela ingratidão de seu patrono, e uma breve trégua se concertou, até terem elas libertado seus prisioneiros e satisfeito sua vingança. O palácio do prefeito, que resistiu à torrente sediciosa, foi imediatamente queimado, seus oficiais e guardas chacinados, as prisões arrombadas e a liberdade devolvida àqueles que só a sabiam usar para a destruição pública.

Uma força militar enviada em auxílio do magistrado civil teve de enfrentar uma feroz multidão armada, cujas hostes e cuja audácia não paravam de aumentar; e os hérulos, os bárbaros mais bravios no serviço do Império, derrubaram os padres e suas relíquias, que por uma piedosa razão se haviam temerariamente interposto para separar o sangrento conflito. O tumulto recrudesceu com tal sacrilégio; o povo lutou com entusiasmo pela causa de Deus; as mulheres, dos tetos e das janelas, atiravam uma chuva de pedras sobre a cabeça dos soldados, que lançavam fachos acesos contra as casas; e os vários incêndios ateados pelas mãos de cidadãos e estrangeiros se espalharam sem freio pela cidade toda. A conflagração envolveu a Catedral de Santa Sofia, os banhos de Zêuxipo, uma parte do palácio, da primeira entrada até o altar de Marte, e o longo pórtico que ia do palácio ao foro de Constantino; queimou um grande hospital, com todos os seus enfermos; foram destruídos muitas igrejas e edifícios grandiosos; perdeu-se ou foi derretido um imenso tesouro de ouro e prata. A tais cenas de horror e sofrimento os cidadãos mais prudentes e abastados escaparam atravessando o Bósforo para o lado asiático; durante cinco dias, Constantinopla ficou abandonada às facções, cuja palavra de ordem, "*Nika, vence!*", deu nome a essa memorável sedição.

Enquanto as facções estavam divididas, os azuis triunfantes e os verdes abatidos pareciam considerar com a mesma indiferença as desordens do Estado. Concordavam na censura à corrupta administração da justiça e das finanças; os dois ministros responsáveis, o ardiloso Tribônio e o rapace João da Capadócia, eram clamorosamente denunciados como responsáveis pela aflição pública. Os murmúrios pacíficos do povo, que tinham sido desconsiderados, passaram a ser ouvidos com respeito quando a cidade ficou em chamas; o questor e o prefeito foram imediatamente demitidos e seus postos ocupados por dois senadores de impoluta integridade. Depois dessa concessão popular, Justiniano se dirigiu até o Hipódromo para reconhecer seus próprios erros e aceitar o arrependimento de seus súditos agradecidos; estes porém não acreditaram nas promessas dele, embora fossem solenemente pronunciadas na presença dos sacros Evangelhos; alarmado com a desconfiança popular, o imperador se retirou às pressas para a firme fortaleza do palácio.

A persistência do tumulto começou a ser atribuída a uma conspiração ambiciosa e secreta; nutria-se a suspeita de que os insurretos, mais especialmente a facção verde, tinham recebido armas e dinheiro de Hipácio e Pompeu, dois patrícios que não podiam nem esquecer com honra nem lembrar com segurança que eram os sobrinhos do imperador Anastácio. Inconstantemente prestigiados, desonrados e perdoados pela ciumenta leviandade do monarca, tinham eles comparecido como leais servidores perante o trono e durante os cinco dias de tumulto ficaram detidos como reféns importantes; por fim, os temores de Justiniano triunfaram de sua prudência; ele considerou os dois irmãos como espiões, talvez assassinos, e severamente os mandou embora do palácio. Após uma infrutífera tentativa de mostrar que a obediência poderia acarretar uma involuntária traição, ambos se retiraram para suas casas; na manhã do sexto dia, Hipácio foi cercado e agarrado pelo povo, que, sem atender a sua virtuosa resistência nem às lágrimas de sua esposa, conduziu seu favorito até o foro de Constantino e, em vez de um diadema, pôs-lhe um rico colar na cabeça. Se o usurpador, que subsequentemente alegou o mérito da demora, tivesse aceitado o conselho de seu Senado e espicaçado a fúria da multidão, o primeiro irresistível assalto dela teria subjugado ou expelido seu trêmulo competidor. O palácio bizantino tinha livre comunicação com o mar, barcos estavam preparados, junto aos degraus do jardim, e uma decisão secreta já fora tomada de conduzir o imperador com sua família e tesouros a um refúgio seguro a certa distância da capital.

Justiniano estaria perdido se a prostituta que ele tirara do teatro não tivesse renunciado à timidez e às virtudes de seu sexo. Em meio a um conselho de que fazia parte Belisário, só Teodora demonstrou espírito de heroína; ela somente, sem temer-lhe o futuro rancor, poderia salvar o imperador do perigo iminente e de seus indignos temores. "Mesmo que a fuga", disse a esposa de Justiniano, "fosse o único meio de salvação, mesmo assim eu desdenharia fugir. A morte é o preço de nosso nascimento, mas os que reinaram jamais sobreviverão à perda da dignidade e do domínio. Rogo ao céu que eu nunca possa ser vista, um dia que seja, sem meu diadema e a púrpura; que não mais veja a luz quando deixar de ser saudada com o nome de rainha. Se decidirdes fugir, ó César!, tendes tesouros a vosso dispor; vede o mar, tendes navios; mas tremei se o desejo de viver vos expuser a um exílio desditoso e a uma morte ignominiosa. De minha parte, permanecerei fiel à máxima da Antiguidade, de que o trono é um sepulcro glorioso."

A firmeza de uma mulher restaurou a coragem de deliberar e agir, e a coragem logo descobre recursos na mais desesperada das situações. Foi uma medida fácil e decisiva reacender a animosidade entre as duas facções; os azuis se espantaram de sua própria culpabilidade e insensatez, da fútil injúria os levar a conspirar com seus implacáveis inimigos contra um benévolo e generoso benfeitor; tornaram a proclamar a majestade de Justiniano; e os verdes, com seu improvisado imperador, ficaram sozinhos no Hipódromo. A fidelidade dos guardas era duvidosa, mas a força militar de Justiniano consistia em 3 mil veteranos, cuja disciplina e valor se haviam adestrado nas guerras persas e ilírias. Sob o comando de Belisário e Mundo, eles saíram silenciosamente do palácio em duas divisões, abriram seu recôndito caminho por entre exíguas passagens, chamas em extinção e edifícios cadentes, e irromperam no mesmo instante pelos dois portões opostos do Hipódromo. Naquele espaço apertado, a multidão assustada, em desordem, não pôde resistir por nenhum lado a um ataque firme e regular; os azuis se destacaram pela fúria de seu arrependimento, e calcula-se que mais de 30 mil pessoas pereceram na impiedosa e promíscua carnificina daquele dia. Hipácio foi arrancado de seu trono e arrastado com seu irmão Pompeu até os pés do imperador; eles lhe imploraram a clemência, mas seu crime era manifesto, sua inocência incerta e Justiniano estava aterrorizado demais para perdoar. No dia seguinte, os dois sobrinhos de Anastácio, com dezoito ilustres cúmplices de dignidade patrícia ou consular, foram executados sigilosamente pelos soldados; os corpos foram atirados ao mar, os palácios deles arrasados e suas fortunas confiscadas. O próprio Hipódromo ficou condenado, por vários anos, a um lutuoso silêncio; com a restauração dos jogos, as mesmas desordens renasceram, e as facções azul e verde continuaram a afligir o reinado de Justiniano e a perturbar a tranquilidade do Império do Oriente.

2. MAOMÉ E A ASCENSÃO DO ISLÃ*

A origem vil e plebeia de Maomé é uma inábil calúnia dos cristãos, que exaltam em vez de rebaixar o mérito de seu adversário. Sua descendência de Ismael era um privilégio ou fábula nacional; mas ainda que os primeiros graus de uma linhagem sejam obscuros e duvidosos, ela pode produzir muitas gerações de nobreza pura e genuína. Maomé vinha da tribo dos *koreish* e da família dos Hashem, os mais ilustres dos árabes, os príncipes de Meca e guardiães hereditários da Caaba. O avô de Maomé era Abdul Motalleb, o filho de Hashem, um abastado e generoso cidadão que aliviava o sofrimento da fome com suprimentos

* Do capítulo 50 do original. (N. O.)

do comércio. Meca, que havia sido alimentada pela generosidade do pai, foi salva pela coragem do filho. O reino do Iêmen estava submetido aos príncipes cristãos da Abissínia; o vassalo deles, Abrahah, foi provocado, por um insulto, a vingar a honra da cruz, e por isso a cidade santa se viu assediada por uma tropa de elefantes e um exército de africanos. Propôs-se um tratado, e na primeira audiência o avô de Maomé exigiu a restituição de seu gado. "E por que", disse Abrahah, "não imploras antes a minha clemência em favor de teu templo, que ameacei destruir?" "Porque", replicou o intrépido chefe, "o gado me pertence; a Caaba pertence aos deuses, *eles* defenderão sua casa da injúria e do sacrilégio." A escassez de profissões, ou a bravura dos *koreish*, forçou os abissínios a uma retirada vergonhosa; seu malogro tem sido enfeitado com uma miraculosa revoada de pássaros, que despejaram pedras na cabeça dos infiéis; e a libertação foi longamente comemorada pela era do elefante.

A felicidade doméstica coroou a glória de Abdul Motalleb; sua vida se prolongou até a idade de 110 anos, e ele foi pai de seis filhas e treze filhos. Seu bem-amado Abdala era o mais belo e o mais comedido entre os jovens árabes; conta-se que na primeira noite, quando consumou seu casamento com Amina, da nobre raça dos *zahrites*, duzentas virgens morreram de ciúme e desespero. Maomé, filho único de Abdala e Amina, nasceu em Meca quatro anos após a morte de Justiniano e dois meses passados da derrota dos abissínios, cuja vitória teria introduzido na Caaba a religião dos cristãos. Na sua primeira infância viu-se privado do pai, da mãe e do avô; seus tios eram fortes e numerosos; e, na divisão da herança, a parte do órfão reduziu-se a cinco camelos e uma criada etíope. No lar e fora dele, na paz e na guerra, Abu Taleb, o mais respeitável de seus tios, foi-lhe o guia e guardião da juventude; no seu 25º ano de idade, entrou para o serviço de Cadija, rica e nobre viúva de Meca que logo lhe recompensou a fidelidade com o dom de sua mão e fortuna. O contrato de casamento, no estilo simples da Antiguidade, declara o mútuo amor de Maomé e Cadija, descreve-o como o membro mais perfeito da tribo de *koreish* e estipula um dote de doze onças de ouro e vinte camelos, que foi suprido pela liberalidade de seu tio. Por essa aliança, o filho de Abdala recuperou a posição de seus antepassados; a judiciosa matrona se contentou com as virtudes domésticas do marido até este, aos quarenta anos de idade, assumir o título de profeta e proclamar a religião do Corão.

Segundo a tradição de seus companheiros, Maomé se distinguia pela beleza de sua pessoa, um dote exterior raramente desprezado a não ser por aqueles aos quais tenha sido recusado. Já antes de falar, o orador predispunha em seu favor as simpatias de uma audiência privada ou pública. Ela lhe aplaudia a presença dominadora, o aspecto majestoso, o olhar penetrante, o sorriso benévolo, a barba graciosa, o rosto no qual se pintavam todas as sensações da alma e os gestos que reforçavam cada expressão falada. Nas circunstâncias comuns da vida, ele assumia escrupulosamente a grave e cerimoniosa polidez de seu país; sua respeitosa atenção para com os ricos e os poderosos era dignificada pela condescendência e afabilidade que demonstrava aos cidadãos mais pobres de Meca; a franqueza de suas maneiras lhe escondia a astúcia das concepções; e seus hábitos de cortesia eram imputados à amizade pessoal ou à generalizada benevolência. Tinha a memória vasta e tenaz; sua finura de espírito era espontânea e cordial; sua imaginação, sublime; seu discernimento, claro, rápido e decidido. Possuía a coragem da ação tanto quanto a de pensamento e, embora seus desígnios pudessem se expandir gradualmente com o êxito, a primeira ideia que teve de sua missão traz a estampa de um gênio superior e original.

O filho de Abdala foi educado no seio da mais nobre raça da Arábia, no uso de seu mais puro dialeto; a fluência de sua fala era corrigida e realçada pela prática de discreto e oportuno silêncio. Malgrado tais dotes de eloquência, Maomé não passava de um bárbaro iletrado. Na juventude, não fora instruído nas artes da leitura e da escrita; a ignorância generalizada o isentava de pejo ou censura, mas ele se via reduzido a um restrito círculo de existência e privado desses espelhos fiéis que nos refletem na mente as mentes de sábios e heróis. No entanto, o livro da natureza e do homem estava aberto a sua inspeção, e certa dose de fantasia se insinua nas observações políticas e filosóficas atribuídas ao *viajante* árabe. Ele compara as nações e as religiões da terra; descobre a fraqueza das monarquias persa e romana; assiste com piedade e indignação à degenerescência dos tempos; e se decide a unificar sob um só Deus e um só rei o espírito invencível e as virtudes primitivas dos árabes. Uma investigação mais acurada de nossa parte sugerirá que, em vez de visitar as cortes, os acampamentos, os templos do Oriente, as duas jornadas de Maomé à Síria se confinaram às feiras de Bostra e Damasco; que contava apenas treze anos de idade quando acompanhou a caravana de seu tio; e que o dever o compeliu a regressar tão logo vendeu a mercadoria de Cadija. Nessas rápidas e superficiais excursões, o olho do gênio poderia ter discernido algum objeto invisível a seus companheiros mais toscos; algumas sementes de conhecimento poderiam ter caído em solo fértil; todavia, a ignorância do idioma sírio deve ter-lhe entravado a curiosidade; e não consigo perceber, na vida ou nos escritos de Maomé, que sua visada se tivesse estendido para além dos limites do mundo árabe.

Vindos de todas as regiões daquele mundo solitário, os peregrinos de Meca se congregavam anualmente, atendendo ao chamado da devoção e do comércio; na livre afluência de multidões, um mero cidadão poderia estudar, em sua língua nativa, a situação política e o caráter das tribos, a teoria e a prática dos judeus e dos cristãos. Alguns forasteiros podem ter sido tentados ou forçados a implorar os direitos de hospitalidade; e os inimigos de Maomé têm apontado o monge sírio, o judeu e o persa a quem acusam de ter dado uma ajuda secreta na composição do Corão. A conversação enriquece o entendimento, mas a solidão é a escola do gênio; e a uniformidade de uma obra denuncia a mão de um único artista. Desde os primórdios de sua juventude, Maomé se consagrou à contemplação religiosa; todo ano, durante o mês do ramadã, ele se retirava do mundo e dos braços de Cadija; na caverna de Hera, a cinco quilômetros de Meca, consultava o espírito da fraude ou do entusiasmo, cuja morada não está nos céus e sim na mente do profeta. A fé que, sob o nome de *Islã*, ele pregou a sua família e a sua nação compõe-se de uma verdade eterna e de uma ficção necessária: QUE EXISTE UM SÓ DEUS E QUE MAOMÉ É O APÓSTOLO DE DEUS.

O credo de Maomé está isento de suspeição ou ambiguidade, e o Corão é um glorioso testemunho da unidade de Deus. O profeta de Meca rejeitou o culto de ídolos e homens, de estrelas e planetas, em conformidade com o princípio racional de que tudo quanto se ergue deve se pôr, tudo quanto nasce deve morrer, tudo quanto é perecível deve decair e perecer. No Autor do universo seu entusiasmo racional reconheceu e adorou um ser infinito e eterno, sem forma nem lugar, sem fim nem similitude, presente em nossos pensamentos mais secretos, existindo pela necessidade de sua própria natureza e extraindo de si próprio toda a perfeição moral e intelectual. Essas verdades sublimes, assim anunciadas na linguagem do profeta, são firmemente sustentadas por seus discípulos e definidas com precisão metafísica pelos intérpretes do Corão.

Um ateu filósofo poderia subscrever o credo popular dos maometanos, credo talvez sublime demais para nossas faculdades atuais. Que objeto resta para a fantasia, ou mesmo para o entendimento, quando abstraímos da substância desconhecida todas as ideias de tempo e espaço, de movimento e matéria, de sensação e reflexão? O primeiro princípio da razão e da revelação foi confirmado pela voz de Maomé; seus prosélitos, da Índia ao Marrocos, se distinguem pelo nome de "unitários"; e o perigo da idolatria se obviou pela interdição de imagens. A doutrina dos decretos eternos e da predestinação absoluta é rigorosamente perfilhada pelos maometanos; e eles se veem a braços com as dificuldades habituais de *como* reconciliar a presciência de Deus com a liberdade e a responsabilidade do homem, de *como* explicar a permissão do mal sob o reinado do poder infinito e da infinita bondade.

O Deus da natureza grafou sua existência em todas as suas obras e sua lei no coração do homem. Restaurar o conhecimento daquela e a prática desta tem sido o propósito pretendido ou real dos profetas de todas as épocas; a liberalidade de Maomé consentiu aos seus predecessores o mesmo crédito que exigiu para si; e a cadeia de inspiração se prolongou da queda de Adão à promulgação do Corão. Durante esse período, alguns raios de luz profética foram transmitidos a 124 mil dos eleitos, distinguidos por sua respectiva medida de virtude e graça; 313 apóstolos receberam a missão especial de redimir seus países da idolatria e do vício; 104 volumes foram ditados pelo Espírito Santo; e seis legisladores de brilho transcendente anunciaram à humanidade as seis revelações sucessivas de diversos ritos mas de uma só religião imutável. A autoridade e posição de Adão, Noé, Abraão, Moisés, Cristo e Maomé se escalona, em justa gradação, uma acima da outra, mas quem quer que abomine ou rejeite qualquer um dos profetas pertence ao número dos infiéis.

As obras dos patriarcas só nos chegaram através de cópias apócrifas dos gregos e dos sírios; a conduta de Adão não o recomendou à gratidão ou ao respeito de seus filhos; os sete preceitos de Noé foram observados por uma classe inferior e imperfeita de prosélitos da sinagoga; e a memória de Abraão foi obscuramente reverenciada pelos sabeus* em sua terra nativa da Caldeia. Das miríades de profetas, somente Moisés e Cristo viveram e reinaram, e o que restou dos escritos inspirados está compilado nos livros do Velho e do Novo Testamento. A miraculosa história de Moisés é consagrada e aformoseada no Corão, e os judeus cativos desfrutam a secreta vingança de impor sua própria crença às nações cujos credos recentes escarnecem. São os maometanos ensinados a nutrir alta e misteriosa reverência pelo autor do cristianismo. “Em verdade, Cristo Jesus, o filho de Maria, é o apóstolo de Deus, e sua palavra, que foi comunicada a Maria, um Espírito dele provindo; respeitável neste mundo, e no mundo por vir; e

* Habitantes de Sabá, designação bíblica da região situada ao sul da Arábia que inclui o Iêmen; nessa região floresceu uma antiga cultura, testemunhada por inscrições semíticas; a rainha de Sabá, Belkis na tradição muçulmana, visitou o rei Salomão; foram os sabeus que colonizaram a Etiópia. (N. T.)

um dos que estão próximos da presença de Deus." Os prodígios dos Evangelhos genuínos e apócrifos são-lhe profusamente empilhados sobre a cabeça, e a Igreja latina não desdenhou tomar emprestado ao Corão a concepção imaculada de sua virgem mãe.

Todavia, Jesus era um simples mortal, e no dia do juízo seu testemunho servirá para condenar tanto os judeus, que o rejeitaram como profeta, quanto os cristãos, que o adoraram como o Filho de Deus. A malignidade de seus inimigos lhe denegriu a reputação e conspirou contra sua vida; todavia, só a intenção deles era culposa; um fantasma ou um criminoso foi posto em seu lugar na cruz; e o santo inocente se transportou para o sétimo céu. Durante seiscentos anos o Evangelho se constituiu no caminho da verdade e da salvação; os cristãos, porém, acabaram esquecendo tanto as leis quanto o exemplo de seu fundador, e Maomé foi encarregado pelos gnósticos de acusar a Igreja e a Sinagoga de corromperem a integridade do texto sagrado. A piedade de Moisés e de Cristo exultaram na garantia de um futuro profeta, mais ilustre do que eles próprios: a promessa evangélica do *Paracleto*, ou Espírito Santo, estava prefigurada no nome e se cumpriu na pessoa de Maomé, o maior e o último dos apóstolos de Deus.

A transmissão de ideias exige uma similitude de pensamento e de linguagem. O discurso de um filósofo soaria sem efeito no ouvido de um campônio; no entanto, quão pequena é a distância entre os entendimentos *deles*, quando comparada ao contato de uma mente finita com uma mente infinita, com a palavra de Deus expressa na língua ou na pena de um mortal? A inspiração dos profetas hebreus, dos apóstolos e evangelistas de Cristo talvez não fosse incompatível com o exercício da razão e da memória, por parte deles; e a diversidade de seus gênios se faz sentir marcadamente no estilo e na composição dos livros do Velho e do Novo Testamento. Mas Maomé se contentava com o papel mais humilde, conquanto mais sublime, de simples editor; a substância do Corão, segundo ele próprio ou seus discípulos, é incriada e eterna; subsiste na essência da Divindade e foi escrita com uma pena de luz na mesa de seus decretos imperecíveis. Uma cópia em papel, encadernada com seda e gemas preciosas, trouxe-a até o céu mais inferior o anjo Gabriel, ao qual, na administração judaica, incumbira cumprir tarefas da maior importância, e esse fidedigno mensageiro foi revelando sucessivamente os capítulos e versos ao profeta árabe.

Em vez de dar a perfeita e eterna medida da vontade divina, os fragmentos do Corão foram produzidos em conformidade com o critério de Maomé; cada revelação se acomoda às emergências de sua política ou de sua paixão, sendo toda contradição eliminada pela máxima providencial de que qualquer texto da escritura é revogado ou modificado por qualquer passagem subsequente. A palavra de Deus e do apóstolo era diligentemente registrada por seus discípulos em folhas de palma ou em omoplatas de carneiro; sem ordem nem sequência, as páginas eram atiradas para dentro de um baú doméstico que ficou sob a custódia de uma de suas viúvas. Dois anos após a morte de Maomé, um amigo e sucessor dele, Abubequer, coligiu e publicou o sagrado volume, cujo texto foi revisto pelo califa Otman, no trigésimo ano da hégira;* e as diversas edições do Corão afirmam o mesmo miraculoso privilégio de um texto uniforme e incorruptível. Com espírito de entusiasmo ou vaidade, o profeta assenta a verdade de sua missão no mérito do livro, desafia audazmente homens e anjos a imitarem as belezas de uma só página dele, e se atreve a afirmar que somente Deus poderia ditar obra tão incomparável.

Esse argumento atinge mais convincentemente o árabe devoto cuja mente está afinada com a fé e com o arroubo, cujo ouvido se delicia com a musicalidade dos sons e cuja ignorância é incapaz de comparar entre si as produções do gênio humano. A harmonia e copiosidade de estilo não atingirão, numa versão em língua europeia, os ouvidos do infiel; este percorrerá com impaciência a infinda rapsódia em que se misturam incoerentemente a fábula, o preceito e a declamação; rapsódia que raras

* Era muçulmana que começa em 622 da era cristã, ano em que Maomé fugiu de Meca para Medina. (N. T.)

vezes suscita um sentimento ou uma ideia, que umas vezes rasteja no pó e outras vezes se perde nas nuvens. Os atributos divinos exaltam a fantasia do missionário árabe, mas seus mais alcandorados arrebatamentos têm de ceder ante a sublime simplicidade do livro de Jó, composto numa época remota, na mesma região e na mesma língua. Se a composição do Corão excede as faculdades de um homem, a que inteligência superior deveríamos atribuir a *Ilíada* de Homero ou as *Filípicas* de Demóstenes?

Em todas as religiões, a vida do fundador supre o silêncio de sua revelação escrita: os ditos de Maomé foram outras tantas lições de verdade, suas ações, outros tantos exemplos de virtude, e recordações públicas e privadas foram preservadas por suas esposas e companheiros. Ao cabo de duzentos anos, a diligência de Al Bocari fixou e consagrou a *Sona*, ou lei oral; ele conseguiu desenredar 7275 tradições genuínas de uma massa de 300 mil relatos de caráter mais duvidoso ou espúrio. Todo dia esse piedoso autor orava no templo de Meca e realizava suas abluções com água de Zemzem; as páginas foram sendo sucessivamente depositadas no púlpito e no sepulcro do apóstolo e a obra teve a aprovação de quatro seitas ortodoxas de sunitas.

Os talentos de Maomé fazem jus a nosso aplauso, mas seu êxito talvez tenha atraído demasiadamente nossa atenção. É de surpreender, então, que uma multidão de prosélitos abraçasse a doutrina e as paixões de um fanático eloquente? Nas heresias da Igreja, a mesma sedução tem sido intentada e repetida desde o tempo dos apóstolos até o dos reformadores. Parece acaso incrível que um particular agarre a espada e o cetro, domine seu país natal e instale uma monarquia com suas armas vitoriosas? No quadro móvel das dinastias do Oriente, uma centena de usurpadores de boa sorte surgiu de origens vis, venceu obstáculos formidáveis e cumpriu um largo itinerário de conquistas e império. Maomé fora educado para pregar e lutar ao mesmo tempo, e a união dessas qualidades opostas, com acentuar-lhe os méritos, contribuiu para seu êxito. A força e a persuasão, o entusiasmo e o medo atuaram continuamente um sobre o outro até todas as barreiras cederem ao seu poderio irresistível. A voz de Maomé concitou os árabes à liberdade e à vitória, às armas e à rapina, à satisfação de suas paixões mais caras neste e no outro mundo; as restrições que impôs eram indispensáveis para firmar a reputação do profeta e adestrar a obediência do povo; a única objeção a seu êxito estava em sua crença racional na unidade e perfeição de Deus.

Não é a propagação, mas a permanência da religião de Maomé que merece nossa surpresa; a mesma pura e perfeita impressão que ele deixou gravada em Meca e Medina ainda é preservada, após a passagem de doze séculos, pelos prosélitos indianos, africanos e turcos do Corão. Se os apóstolos cristãos, são Pedro ou são Paulo, pudessem voltar ao Vaticano, possivelmente perguntariam o nome da Divindade cultuada com ritos tão misteriosos naquele templo magnífico. Em Oxford ou Genebra experimentariam surpresa menor, mas ainda lhes cumpriria ler o Catecismo da Igreja e estudar os comentadores ortodoxos de suas próprias obras e das palavras de seu Mestre. Mas a cúpula turca de Santa Sofia, com um acréscimo de esplendor e tamanho, representa o humilde tabernáculo erguido em Medina pelas mãos de Maomé. Os maometanos têm resistido invariavelmente à tentação de reduzir o objeto de sua fé e devoção ao mesmo nível dos sentidos e da imaginação humana. "Creio num só Deus e em Maomé, o apóstolo de Deus", eis a simples e invariável profissão de fé do Islã. A imagem intelectual da Divindade jamais foi degradada por qualquer ídolo visível; as honras do profeta jamais transgrediram a medida das possibilidades humanas e seus preceitos vivos restringiram a gratidão dos discípulos aos limites da razão e da religião. Os devotos de Ali consagraram, em verdade, a memória de seu herói, da mulher e dos filhos dele, e alguns doutores persas pretendem que a essência divina se encarnou na pessoa dos imames; tal superstição é porém unanimemente condenada pelos sunitas, e a impiedade dela deu motivo a uma oportuna advertência contra o culto de santos e mártires.

As questões metafísicas concernentes aos atributos de Deus e à liberdade do homem foram debatidas nas escolas dos maometanos bem como nas dos cristãos; entre aqueles, contudo, jamais atraíram as paixões do povo ou perturbaram a tranquilidade do Estado. A causa dessa importante diferença pode ser encontrada na separação ou união dos poderes real e sacerdotal. Era do interesse dos califas, sucessores do profeta e comandantes dos fiéis, reprimir e desencorajar todas as inovações religiosas; a ordem, a disciplina, a ambição temporal e espiritual do clero são desconhecidas dos muçulmanos; e os sábios da lei são os guias de sua consciência e os oráculos de sua fé. Do Atlântico ao Ganges, o Corão é reconhecido como o código fundamental não apenas da teologia como também da jurisprudência civil e criminal, sendo guardadas pela infalível e imutável sanção da vontade de Deus as leis que regulam as ações e as propriedades dos homens. Tal servidão religiosa se faz acompanhar de algumas desvantagens de ordem prática; o legislador iletrado foi amiúde mal guiado por seus próprios preconceitos e os de seu país; por outro lado, as instituições do deserto arábico podem estar mal-adaptadas à riqueza e à numerosa população de Ispahan e Constantinopla. Nessas ocasiões, o cádi coloca respeitosamente sobre a cabeça o sagrado livro e substitui por uma interpretação mais de acordo com os princípios da equidade e dos costumes e política de seus próprios tempos.

A influência benéfica ou perniciosa de Maomé sobre o bem-estar público é o último ponto a considerar em seu caráter. Os mais acrimoniosos ou os mais fanáticos de seus inimigos cristãos ou judeus concordarão seguramente em que ele assumiu um falso encargo para inculcar uma doutrina salutar, menos perfeita que as deles próprios. Maomé piedosamente supôs, como base de sua religião, a verdade e a santidade das revelações anteriores, as virtudes e os milagres dos fundadores das religiões judaica e cristã. Os ídolos da Arábia foram quebrados diante do trono de Deus; o sangue das vítimas humanas foi expiado por preces, jejuns e esmolas; os estratagemas louváveis ou inocentes da devoção e as recompensas e punições de uma vida futura foram representados em imagens mais compatíveis com uma geração ignorante e carnal. Talvez não tivesse Maomé capacidade de ditar um sistema moral e político para uso de seus compatriotas; infundiu ele porém nos fiéis um espírito de caridade e amizade, recomendou a prática das virtudes sociais e obstou, com suas leis e preceitos, a sede de vingança e a opressão de viúvas e órfãos. As tribos hostis se uniram na fé e na obediência, e o valor infundadamente despendido em disputas internas se voltou, vigoroso, contra um inimigo exterior.

Tivesse o impulso sido menos forte e a Arábia, livre interiormente e temida exteriormente, poderia ter florescido sob uma série de seus monarcas nativos. No entanto, perdeu a soberania pela extensão e rapidez de suas conquistas. As colônias da nação se espalharam pelo Oriente e pelo Ocidente, seu sangue se misturou ao sangue de seus convertidos e cativos. Após o reinado de três califas, o trono foi transferido de Medina para o vale de Damasco e para as margens do Tigre; uma guerra impiedosa violou as cidades santas; a Arábia viu-se governada por um súdito, talvez por um forasteiro; e os beduínos do deserto, despertando de seu sonho de dominação, retomaram sua antiga e solitária independência.

3. A QUEDA DE CONSTANTINOPLA (1453 D.C.) E A DERROCADA FINAL DO IMPÉRIO DO ORIENTE*

Outro Maomé, cognominado Maomé II, um enérgico soberano dos turcos otomanos no século XV, estava destinado a completar a extinção do Império do Oriente. Pouco restava dele além de uma delgada fatia de território na margem europeia do Bósforo, principalmente os subúrbios de Constantinopla; mesmo essa cidade minguara tanto, em tamanho e espírito público, que Franza, camarista da corte e secretário do último imperador, Constantino Paleólogo, só conseguiu encontrar, por meio de um censo diligente, 4970 cidadãos dispostos e aptos a pegar em armas pela defesa da cidade. Contando as tropas auxiliares estrangeiras, uma guarnição de talvez 7 ou 8 mil soldados defendia os muros de Constantinopla em seu último cerco por aproximadamente 250 mil muçulmanos; a descrição desse cerco é uma das passagens mais memoráveis de Gibbon.

* Do capítulo 68 do original. (N. O.)

Do triângulo formado pela figura de Constantinopla, os dois lados ao longo do mar se tornaram inacessíveis ao inimigo — a Propôntida por natureza e a baía por arte. Entre as duas águas, a base do triângulo, a terra, estava protegida por uma dupla muralha e um fosso de trinta metros de profundidade. Contra essa linha de fortificação, que Franza, testemunha de vista, prolonga a uma medida de dez quilômetros, os otomanos dirigiram seu principal ataque; e o imperador, após distribuir a guarnição e o comando dos postos mais perigosos, empreendeu a defesa da muralha externa. Nos primeiros dias do cerco, os soldados gregos desceram para o fosso ou fizeram surtidas em campo aberto; não tardaram porém a descobrir que, proporcionalmente a seu número, um cristão tinha mais valor do que vinte turcos; depois desses prelúdios audazes, contentaram-se em prudentemente manter o reparo com suas armas mísseis. A nação era de fato pusilânime e desfibrada, mas o último Constantino merece o título de herói; seu nobre bando de voluntários estava inspirado de valor romano e as tropas auxiliares estrangeiras amparavam a honra da cavalaria ocidental. As incessantes rajadas de lanças e setas eram acompanhadas da fumaça, do ruído e do fogo de seus mosquetes e canhões. Suas armas de fogo portáteis descarregavam ao mesmo tempo de cinco a dez balas de chumbo do tamanho de uma noz e, segundo a proximidade das fileiras e a força da pólvora, várias couraças e corpos eram trespassados pelo mesmo tiro.

Mas os aproches* dos turcos logo descaíam em trincheiras ou se cobriam de ruínas. A cada dia aumentava a perícia dos cristãos, mas seu suprimento inadequado de pólvora se consumia nas operações cotidianas. O material bélico de que dispunham não era numeroso nem potente e, se possuíam alguns canhões pesados, temiam assentá-los na muralha cuja idosa estrutura poderia ser abalada pela explosão e desabar. O mesmo segredo destrutivo fora revelado aos muçulmanos, que o empregavam com a supe-

* Termo do antigo vocabulário militar usado para designar os entrincheiramentos que visavam a facilitar a aproximação de uma praça sitiada. (N. T.)

rior potência do ardor, da abundância e do despotismo. O grande canhão de Maomé chamava a atenção por si só, objeto importante e visível na história da época; todavia, esse engenho enorme era flanqueado por dois companheiros de quase igual tamanho. A longa linha da artilharia turca estava apontada contra as muralhas; catorze baterias estrondavam ao mesmo tempo nos lugares mais acessíveis; e de uma delas diz-se ambiguamente que se compunha de 130 canhões ou que descarregava 130 balas. Entretanto, no poderio e na atividade do sultão podemos enxergar a infância de uma nova ciência. Sob o comando de um oficial que contava os instantes, o grande canhão podia ser carregado e disparado não mais do que sete vezes por dia. O metal aquecido infelizmente estourou; vários artífices morreram na explosão e suscitou admiração a perícia de um deles, que teve a ideia de evitar o perigo e o acidente derramando óleo, depois de cada tiro, dentro da boca do canhão.

Os primeiros disparos ao acaso fizeram mais barulho do que efeito; e foi por recomendação de um cristão que os técnicos aprenderam a visar os dois lados opostos dos ângulos salientes de um bastião. Ainda que imperfeito, a intensidade e a repetição do fogo de artilharia causou certa impressão nas muralhas, e os turcos, levando seus aproches até a beira do fosso, tentaram franquear a enorme brecha e abrir caminho para o assalto. Empilharam inúmeras faxinas,* barris e troncos de árvores, e foi tal a impetuosidade da turba que os mais fracos e os da frente tombaram de ponta-cabeça fosso abaixo, sepultados imediatamente sob a massa amontoada. Encher o fosso era o empenho dos sitiantes, retirar o entulho, a segurança dos sitiados; ao fim de um longo e sanguinário conflito, a teia tecida de dia se desenredou à noite. O recurso seguinte de que lançou mão Maomé foram as galerias subterrâneas; mas o solo era rochoso e cada tentativa era interrompida e solapada pelos técnicos cristãos; ainda não tinha sido

* Feixes de ramos com que, nas campanhas militares, se entopem fossos ou se guarnecem parapeitos de baterias. (N. T.)

inventada a arte de encher tais passagens de pólvora para lançar pelos ares torres e cidades inteiras.

Uma circunstância que distingue o sítio de Constantinopla é a reunião da artilharia antiga com a moderna. O canhão se misturava a engenhos mecânicos que lançavam pedras e dardos; tanto a bala quanto o aríete se voltavam contra as mesmas muralhas; tampouco havia a descoberta da pólvora eliminado o uso do fogo líquido e inextinguível. Um torreão de madeira de tamanho assaz considerável avançava sobre roletes; esse depósito portátil de munição e faxinas tinha a protegê-lo uma tríplice couraça de couro de boi; incessantes rajadas eram disparadas com segurança de suas seteiras; na parte fronteira, três portas possibilitavam a surtida e retirada alternadas de soldados e artífices. Eles subiam por uma escada até a plataforma superior, a cuja altura uma escada de assalto podia ser içada com polias a fim de formar uma ponte que se agarrava ao reparo inimigo.

Por meio desses estratagemas incomodativos, alguns tão novos quão perigosos para os gregos, a torre de São Romano foi por fim derrubada; após luta acirrada, os sitiados repeliram os turcos da brecha e a noite veio interrompê-los; confiavam eles porém que, à luz do dia, pudessem renovar o ataque com maior vigor e sucesso decisivo. Cada momento dessa pausa na ação, desse intervalo de esperança, foi aproveitado pela atividade do imperador e de Justiniani, os quais passaram a noite no local apressando os trabalhos de que dependia a segurança da igreja e da cidade. Ao raiar do dia, o sultão impaciente percebeu com surpresa e pesar que seu torreão de madeira havia sido reduzido a cinzas, o fosso fora limpo e restaurado, e a torre de São Romano estava novamente inteira e firme. Deplorou ele o malogro de seu intento e soltou uma exclamação profana, de que a palavra dos 37 mil profetas não o teriam convencido a acreditar que, em tão pouco tempo, uma obra que tal pudesse ter sido levada a cabo pelos infiéis.

A generosidade dos príncipes cristãos era pouca e tardia; entretanto, aos primeiros receios de um cerco, Constantinopla havia adquirido, nas ilhas do arquipélago, na Moreia* e na Sicília, os suprimentos mais necessários. Já no começo de abril cinco grandes barcos equipados para o comércio e a guerra teriam partido da baía de Quios** se o vento não soprasse obstinadamente do norte. Um desses barcos trazia a bandeira imperial; os outros quatro pertenciam a genoveses e estavam carregados de trigo e cevada, de vinho, óleo e legumes, e, acima de tudo, de soldados e marinheiros para o serviço militar da capital. Após uma tediosa espera, uma brisa suave e, no segundo dia, um vento norte vindos do sul os levaram através do Helesponto e da Propôntida; contudo, a cidade já fora assediada por mar e por terra, e a frota turca, na entrada do Bósforo, se alinhava de praia a praia em forma de crescente a fim de interceptar, ou pelo menos repelir, essas audazes tropas auxiliares.

O leitor que tenha presente no espírito a situação geográfica de Constantinopla poderá conceber e admirar a grandeza do espetáculo. Os cinco barcos cristãos continuavam a avançar com gritos alegres, e todo o ímpeto de velas e remos contra a frota inimiga de trezentas naves: o reparo, o acampamento, as costas da Europa e da Ásia estavam repletos de espectadores que aguardavam com ansiedade o desfecho desse momentoso socorro. À primeira vista, parecia não haver dúvida a respeito; a superioridade dos muçulmanos ultrapassava toda medida ou cálculo e, numa situação de calma, seu maior número e sua bravura teriam inevitavelmente prevalecido. Entretanto, apressada e imperfeita, sua marinha fora criada não pelo gênio do povo mas pela vontade do sultão: no auge de sua prosperidade, os turcos reconheceram que, se Deus lhes tinha dado a terra, deixara o mar aos infiéis; uma série de derrotas, um rápido progresso do declínio comprovaram a verdade dessa confissão de modéstia. À exceção de dezoito galés de algum poder, o restante da frota turca consistia em barcos

* Nome por que passou a ser conhecido o Peloponeso, península do Sul da Grécia, depois da conquista latina (1205); o principado da Moreia durou até 1430. (N. T.)

** Ilha grega do mar Egeu. (N. T.)

abertos, toscamente construídos e desajeitadamente manejados, repletos de tropas e destituídos de canhões; e como a coragem advém, numa grande medida, da consciência da força, o mais bravo dos janízaros só podia tremer sobre um novo elemento.

Na esquadra cristã, quatro robustos e altaneiros barcos eram governados por pilotos competentes e sua equipagem se compunha de veteranos da Itália e da Grécia, longamente adestrados nas artes e perigos do mar. Esses barcos pesados podiam afundar ou dispersar os débeis obstáculos que lhes impedissem a passagem; sua artilharia varria as águas; seu fogo líquido se derramava sobre a cabeça dos adversários que, com a pretensão de abordá-los, se atrevessem a aproximar-se; outrossim, os ventos e as vagas estão sempre a favor dos navegantes mais hábeis. Nesse conflito, a nave imperial, que quase fora subjugada, foi socorrida pela genovesa; os turcos, porém, num ataque à distância e noutro de perto, sofreram perdas consideráveis ao serem duas vezes repelidos. O próprio Maomé, montado a cavalo, encorajava da praia, com sua voz e presença, a bravura de seus comandados com a promessa de recompensas e com um temor mais poderoso que o temor do inimigo. As paixões de sua alma e mesmo os gestos de seu corpo pareciam imitar as ações dos combatentes; como se fora o senhor da natureza, esporeou o cavalo num destemido e impotente esforço de entrar mar adentro. Suas censuras ruidosas e os clamores do acampamento incitaram os otomanos a um terceiro ataque, mais fatal e sangrento que os dois anteriores; e cumpre-me repetir, embora não lhe possa dar crédito, o testemunho de Franza, que afirma terem eles perdido mais de 12 mil homens na matança daquele dia. Fugiram em desordem para as praias da Europa e da Ásia, enquanto o esquadrão dos cristãos, triunfante e ileso, rumou ao longo do Bósforo para ancorar com segurança na baía.

Na ousadia da vitória, jactaram-se eles de que todo o poderio turco tivera de ceder a suas armas; todavia, o almirante, ou capitão-paxá, consolou-se em parte de um doloroso ferimento no olho, apresentando tal acidente como a causa de sua derrota. Balta Ogli era um renegado da raça dos príncipes búlgaros;

maculava-lhe o renome militar o vício malquisto da avareza; e sob o despotismo do príncipe e do povo, o infortúnio é prova suficiente de culpa. Seu posto e serviços foram abolidos pelo desagrado de Maomé. Na presença real, o capitão-paxá foi estendido no chão por quatro escravos e recebeu uma centena de golpes dados com uma vara de ouro; sua morte havia sido decretada e ele implorou a clemência do sultão, que se satisfez com a punição mais branda da confiscação e do exílio.

A chegada desse suprimento reacendeu as esperanças dos gregos e pôs à mostra a indiferença de seus aliados ocidentais. Em meio aos desertos da Anatólia* e às rochas da Palestina, os milhões de cruzados se haviam sepultado a si próprios num voluntário e inevitável túmulo; a situação da cidade imperial, todavia, era tão inacessível a seus inimigos quanto acessível aos amigos, e o armamento moderno e racional dos Estados marítimos poderia ter salvo os remanescentes do nome romano e mantido uma fortaleza cristã no coração do Império Otomano. No entanto, esse foi o único e débil esforço em prol da libertação de Constantinopla; as potências mais distantes eram insensíveis ao perigo dela; e o embaixador da Hungria, ou pelo menos dos huníadas, residia no acampamento turco para desfazer os temores e dirigir as operações do sultão.

Era difícil para os gregos penetrar o segredo do divã;** estavam não obstante convencidos de que uma resistência tão obstinada e surpreendente havia fatigado a perseverança de Maomé. Este começou a pensar numa retirada; o cerco teria sido prontamente erguido se a ambição e o ciúme de um segundo vizir não tivessem contraposto a pérfida opinião de Calil Paxá, que ainda mantinha uma correspondência secreta com a corte bizantina. A conquista da cidade parecia irrealizável a menos que se pudesse empreender um duplo ataque, pela baía e por terra, mas a baía era inacessível; uma impenetrável cadeia tinha

* Nome dado à Ásia Menor e por vezes à Turquia asiática. (N. T.)

** Edifício ou sala onde se reúne o Conselho de Estado turco. (N. T.)

então a defendê-la oito barcos grandes, mais de vinte de menor tamanho e diversas galés e corvetas; em vez de forçar essa barreira, os turcos poderiam conceber uma surtida naval e um segundo encontro em mar aberto.

Nessa hora de perplexidade, o gênio de Maomé ideou e executou um plano audaz e admirável, de transportar por terra seus barcos mais leves e seus suprimentos militares, do Bósforo até a parte mais elevada da baía. A distância é de cerca de quinze quilômetros, o terreno, desigual, estava coberto de mato cerrado, e como a estrada tinha de ser aberta além do subúrbio de Gálata, a livre passagem ou a total destruição dos turcos iria depender da opção dos genoveses. Mas esses mercadores interesseiros ambicionavam o privilégio de serem os últimos devorados, e a deficiência de arte foi suprimida pela força de miríades obedientes. Cobriu-se uma estrada plana com uma larga plataforma de tábuas fortes e sólidas, untadas de sebo de carneiro e boi para ficarem mais macias e escorregadias. Oitenta galés leves e patachos de cinquenta e trinta remos foram desembarcados no litoral do Bósforo, colocados um por um sobre roletes e arrastados pela força de homens e polés. Dois guias ou pilotos postavam-se ao leme e na proa de cada barco, as velas foram desferradas aos ventos e o trabalho, saudado por cantos e aclamações. No decorrer de uma única noite, essa armada turca galgou penosamente a colina, seguiu pelo plaino e foi pelo declive nas águas rasas da baía, muito acima da perseguição das naves dos gregos, de maior calado.

A verdadeira importância dessa operação aumentaram-na a consternação e confiança que inspirou; contudo, o fato notório, inquestionável, ficou à vista e foi registrado pelas penas de suas nações. Um estratagema semelhante havia sido praticado repetidas vezes pelos antigos; as galés otomanas (é mister repetir) deviam ser consideradas antes como botes grandes; e se compararmos a magnitude e a distância, os obstáculos e os meios, o gabado milagre talvez tenha sido igualado pela indústria de nossa própria época. Tão logo Maomé ocupara a baía superior com uma frota e um exército, construiu ele, na parte mais estreita, uma ponte, ou melhor, um molhe, de cinquenta cúbitos* de largura e cem de comprimento; era formada de cascos e barris ligados por caibros, presos por ferros e cobertos com um soalho firme. Nesse molhe flutuante assentou um de seus maiores canhões, do mesmo passo em que oitenta galés, com tropas e escadas de assalto, se aproximaram do lado mais acessível, o qual havia sido outrora escalado pelos conquistadores latinos.

A indolência dos cristãos tem sido responsabilizada por não destruir essas obras inacabadas; seu fogo de artilharia, porém, foi dominado e silenciado por um poder de fogo superior; tampouco deixaram eles de, numa surtida noturna, tentar queimar os navios e a ponte do sultão. A vigilância deste evitou-lhes o avizinhamento; suas galeotas de frente foram afundadas ou apresadas; por ordem do sultão, chacinaram-se desumanamente quarenta jovens, os mais bravos da Itália e da Grécia; o desgosto do sultão tampouco poderia ter sido minorado pela justa, conquanto cruel, retaliação de expor, penduradas às muralhas, as cabeças de 250 cativos muçulmanos.

Após um cerco de quarenta dias, a sina de Constantinopla não pôde mais ser evitada. A diminuta guarnição estava exaurida por um duplo ataque; as fortificações, que haviam aguentado por tanto tempo a violência hostil, foram desmanteladas de todos os lados pelo canhão otomano; abriram-se muitas brechas e perto da porta de São Romano quatro torres foram arrasadas. Para pagamento de suas debilitadas e amotinadas tropas, Constantino se viu obrigado a esbulhar as igrejas com a promessa de uma quadruplicada devolução, e seu sacrilégio propiciou um novo motivo de censura aos inimigos da união. Um espírito de discórdia debilitou o que restava do vigor cristão; as tropas auxiliares genovesas e venezianas sustentaram a primazia de seus respectivos serviços; e Justiniani e o grão-duque, cuja ambição não se extinguira ante o perigo comum, acusaram-se mutuamente de traição e covardia.

* Antiga medida de comprimento, de 45,7 a 55,88 centímetros. (N. T.)

Durante o cerco de Constantinopla, as palavras "paz" e "capitulação" haviam sido por vezes pronunciadas, e várias embaixadas transitaram entre o acampamento e a cidade. O imperador grego fora humilhado pela adversidade e teria cedido a quaisquer termos compatíveis com a religião e a realeza. O sultão turco estava desejoso de poupar o sangue de seus soldados e ainda mais de resguardar para seu próprio uso os tesouros bizantinos; e cumpriu um dever sagrado ao apresentar aos *gabours* a escolha entre circuncisão, tributo ou morte. A avareza de Maomé poderia ter sido satisfeita com uma soma anual de 100 mil ducados, mas sua ambição se apossou da capital do Oriente; ao príncipe ofereceu um rico equivalente, ao povo uma livre tolerância ou uma partida segura; todavia, após algumas negociações infrutíferas, ele anunciou sua decisão de encontrar ou um trono ou um túmulo sob as muralhas de Constantinopla. O senso de honra e o temor da censura universal impediram Paleólogo de entregar a cidade às mãos dos otomanos, pelo que decidiu arrostar os últimos extremos da guerra.

Vários dias foram gastos pelo sultão nos preparativos do assalto; deu-lhe uma pausa sua ciência favorita, a astrologia, que fixara o 29 de maio como o dia fatal e afortunado. Na tarde de 27, ele deu suas ordens finais, reuniu em sua presença os chefes militares e enviou seus arautos pelo acampamento para proclamarem o dever e os motivos da perigosa empresa. O temor é o primeiro princípio de um governo despótico; as ameaças do sultão foram expressas no estilo oriental, advertindo os fugitivos e desertores de que, ainda que tivessem asas de pássaro, jamais conseguiriam escapar-lhe da justiça. A maior parte de seus paxás e janízaros era constituída de filhos de pais cristãos, mas as glórias do nome turco se perpetuaram por adoção consecutiva; na mudança gradual de indivíduos, o espírito de uma legião, de um regimento ou de uma *oda* se mantém vivo pela disciplina. Nessa guerra santa, os muçulmanos eram exortados a purificar a mente com preces, o corpo com sete abluções, e a se abster de alimento até o fim do dia seguinte. Uma turba de dervixes visitava as tendas com o fito de insular o desejo de martírio e a confiança de desfrutar uma perene juventude entre os rios e jardins do paraíso, nos braços de virgens de olhos negros. No entanto, Maomé confiava principalmente na eficácia de recompensas visíveis e materiais. Duplo soldo era prometido às tropas vitoriosas. "A cidade e os edifícios", disse Maomé, "são meus; mas renuncio, em favor de vossa bravura, os cativos e o espólio, os tesouros de ouro e de beleza; sede ricos e felizes. São muitas as províncias de meu império; o primeiro soldado que galgar as muralhas de Constantinopla será recompensado com o governo da mais bela e mais rica; e minha gratidão o cumulará de honras e riquezas acima da medida de suas próprias esperanças." Esses diversos e poderosos incitamentos difundiram entre os turcos generalizado ardor, descuidoso da vida e ávido de ação; o acampamento ressoava aos gritos muçulmanos de "Deus é Deus; só existe um Deus, e Maomé é seu apóstolo", e o mar e a terra, de Gálata até as sete torres, se iluminava com o clarão de suas fogueiras noturnas.

Bem diversa era a situação dos cristãos, os quais, com brados de impotência, deploravam a culpa ou a punição de seus pecados. A imagem celeste da Virgem fora exposta em procissão solene, mas a divina protetora deles estava surda às súplicas. Eles exprobravam a obstinação do imperador em recusar uma rendição a tempo, anteviam os horrores de sua sina e suspiravam pela tranquilidade e segurança da servidão turca. Os gregos mais nobres e os aliados mais bravos foram chamados ao palácio para se preparar, na tarde do 28º dia, para os encargos e perigos do assalto geral. A derradeira fala de Paleólogo se constituiu na oração fúnebre do Império Romano; prometeu, exortou e tentou em vão infundir a esperança que já se lhe extinguira no espírito. Neste mundo, era tudo desconsolo e desalento, e nem o Evangelho nem a Igreja propunham qualquer recompensa de vulto aos heróis tombados no serviço de sua pátria. Mas o exemplo do soberano e o confinamento de um cerco tinham armado aqueles guerreiros da coragem do desespero; a cena patética é descrita com emoção pelo historiador Franza, que estava presente à lutuosa assembleia. Eles choraram, abraçaram-se; sem pensar em suas famílias ou em suas fortunas, dispuseram-se a oferecer a própria vida; e cada comandante, rumando para seu setor, passou a noite toda em ansiosa vigília na muralha. O imperador, acompanhado de alguns leais companheiros, entrou na catedral de Santa Sofia, que em poucas horas se iria converter numa mesquita, e recebeu devotamente, entre lágrimas e preces, os sacramentos da comunhão. Repousou por alguns momentos no palácio, onde ecoavam os gritos e as lamentações; rogou o perdão a todos quantos pudesse ter ofendido; e partiu a cavalo para visitar os guardas e acompanhar a movimentação do inimigo. A aflição e a queda do último Constantino se revestem de mais glória do que a longa prosperidade dos Césares bizantinos.

Na confusão das trevas, um assaltante pode às vezes ter êxito; mas naquele grande ataque geral, o discernimento militar e a informação astrológica de Maomé o aconselharam a esperar o amanhecer do memorável dia 29 de maio, no 1453º ano da era cristã. A noite anterior havia sido de afanosa atividade; as tropas, o canhão e as faxinas avançaram até a beira do fosso, que em muitas partes oferecia livre e lisa passagem até a brecha; as oitenta galés quase tocavam, com suas proas e suas escadas de assalto, os muros menos defensáveis da baía. Sob pena de morte, exigiu-se silêncio, mas as leis físicas do movimento e do som não obedecem nem à disciplina nem ao temor; cada indivíduo pode abafar sua voz e medir seus passos, mas a marcha e a atividade de milhares deve inevitavelmente produzir uma estranha confusão de clamores dissonantes, que chegavam aos ouvidos dos vigias nas torres.

Ao romper do dia, sem o costumeiro sinal do canhão matinal, os turcos assaltaram a cidade por mar e por terra; o símile de um fio torcido ou retorcido tem sido usado para figurar a compacidade e continuidade de sua linha de ataque. As fileiras de vanguarda consistiam no refugo do exército, uma turba de voluntários que combatiam sem ordem nem comando: velhos ou crianças sem força, campônios e vagabundos, e todos quantos se haviam incorporado ao acampamento na cega esperança da pilhagem e do martírio. O impulso comum os impeliu até a muralha; os mais audaciosos no escalá-la foram imediatamente derrubados; os cristãos não gastaram em vão nenhum dardo, nenhuma bala na turba amontoada. Mas o vigor e a munição deles se exauriram nessa laboriosa defesa; o fosso encheu-se de cadáveres que serviram de degrau aos companheiros; dessa devotada vanguarda, a morte se demonstrou mais prestável que a vida. Sob o comando de seus respectivos paxás e sanjacos,* as tropas da Anatólia e da Rumânia foram sucessivamente à carga; seu avanço foi variado e duvidoso, mas após um conflito de duas horas os gregos ainda mantinham e aumentavam sua vantagem; ouviu-se a voz do imperador encorajando os soldados a buscarem, num último esforço, a libertação de seu país.

Nesse momento fatal, os janízaros surgiram, frescos, vigorosos e invencíveis. O próprio sultão, a cavalo, com uma maça de ferro na mão, era o espectador e juiz da bravura deles; estava cercado por 10 mil soldados de suas tropas nacionais, que reservara para a hora decisiva; sua voz e seus olhos orientavam e impeliam a vaga da batalha. Seus numerosos ministros de justiça postavam-se atrás das linhas para incitar, conter e punir; se o perigo estava na frente de batalha, a vergonha e a morte inevitável aguardavam, na retaguarda, os fugitivos. Os brados de medo e de dor eram afogados pela música marcial dos tambores, trombetas e timbales; a experiência demonstrara que a ação mecânica dos sons, com acelerar a circulação do sangue e dos espíritos, age sobre a máquina humana mais vigorosamente do que a eloquência da razão e da honra. Das linhas, das galeras e da ponte, a artilharia otomana estrondava por toda parte; e o acampamento e a cidade, e os gregos e os turcos, se envolviam numa nuvem de fumaça que só poderia ser dispersada pela libertação ou destruição final do Império Romano. Os combates singulares dos heróis da Antiguidade ou da fábula entretêm nossa fantasia e aliciam nossos sentimentos; as hábeis manobras de guerra podem esclarecer a mente e aperfeiçoar uma ciência necessária, conquanto perniciosa. Mas os quadros invariáveis e odiosos de um assalto geral são só sangue e horror e confusão; não diligenciarei, a uma distância de três

* Nome dado ao antigo governador de território no Império Otomano. (N. T.)

séculos e de um milhar de quilômetros, delinear uma cena para a qual não pode haver espectadores e da qual os próprios atores eram incapazes de formar qualquer ideia justa ou adequada.

A perda imediata de Constantinopla pode ser atribuída à bala ou seta que perfurou a manopla de João Justiniani. A visão do próprio sangue e a dor intensa abateram a coragem do chefe cujas armas e conselhos eram a mais firme muralha da cidade. Quando ele se retirou de seu posto em busca de um cirurgião, sua fuga foi percebida e interrompida pelo infatigável imperador. "Teu ferimento", exclamou Paleólogo, "é leve, o perigo premente e tua presença necessária; para onde queres retirar-te?" "Pela mesma estrada", respondeu o trêmulo genovês, "que Deus abriu aos turcos"; e com tais palavras apressou-se em transpor uma das brechas da muralha interna. Por semelhante ato de pusilanimidade, inquinou ele a reputação de uma vida militar; os poucos dias que conseguiu sobreviver em Gálata, ou na ilha de Quios, foram amargurados por suas próprias censuras e por censuras públicas. A maior parte das tropas auxiliares lhe imitou o exemplo e a defesa começou a afrouxar quando o ataque redobrou de vigor. O número de otomanos era cinquenta, quiçá cem vezes superior ao de cristãos; as duplas muralhas foram reduzidas pelo canhão a um monte de escombros; num circuito de vários quilômetros, alguns lugares devem por força apresentar-se menos bem guardados ou de mais fácil acesso; e se os sitiantes pudessem penetrar por um só ponto, a cidade toda estaria irremediavelmente perdida.

O primeiro a merecer a recompensa do sultão foi Hassan, o Janízaro, de estatura e força gigantescas. Com a cimitarra numa das mãos e o escudo na outra, ele galgou a fortificação externa; dos trinta janízaros que lhes emularam a bravura, dezoito pereceram na audaciosa aventura. Hassan e seus doze companheiros tinham alcançado o topo; o gigante foi precipitado muralha abaixo; ergueu-se sobre um joelho e foi novamente atacado com uma rajada de dardos e pedras. Mas seu êxito provou que a façanha era possível; as muralhas e torres se cobriram imediatamente de um enxame de turcos; e os gregos, expulsos então da posição vantajosa, foram sobrepujados por turbas cada vez maiores.

Entre elas, o imperador, que cumpria todos os deveres de um general e de um soldado, pôde ser visto por longo tempo, até que finalmente sumiu. Os nobres que pelejavam a sua volta defenderam até o último alento os nomes honrosos de Paleólogo e Cantacuzeno; fez-se ouvir a dolorida exclamação de Constantino: "Não haverá um cristão que me corte a cabeça?", e seu último receio foi o de cair vivo nas mãos dos infiéis. O discreto desespero do imperador repeliu a púrpura; em meio ao tumulto, ele caiu vitimado por mão desconhecida e seu corpo ficou sepultado sob uma montanha de outros cadáveres.

Após sua morte, a resistência e a ordem deixaram de existir: os gregos fugiram de volta à cidade, e muitos ficaram comprimidos e sufocaram na estreita passagem da Porta de São Romano. Os turcos vitoriosos irromperam pelas brechas da muralha interna e, à medida que iam avançando pelas ruas, vinham engrossar-lhes as fileiras compatriotas seus que haviam forçado a Porta do Fanar, do lado da baía. No ardor da perseguição, perto de 2 mil cristãos foram passados pela espada; mas a avareza não tardou a prevalecer sobre a crueldade e os vencedores reconheceram que teriam imediatamente dado quartel se a bravura do imperador e de seus grupos de elite não os houvesse preparado para uma oposição semelhante nas várias partes da capital. Foi assim que, ao cabo de um cerco de 53 dias, Constantinopla, que já desafiara o poderio de Cosroês,* do Chagan e dos califas, foi irreparavelmente dominada pelas armas de Maomé II. Seu império só havia sido subvertido pelos latinos; sua religião foi calcada aos pés pelos conquistadores muçulmanos.

As novas de infortúnio viajam com asas rápidas; tamanha era, no entanto, a extensão de Constantinopla que os bairros mais distantes puderam prolongar por mais alguns momentos a feliz ignorância de sua ruína. Mas na generalizada consternação, nos sentimentos de ansiedade egoísta ou gregária, no tumulto e no

* Trata-se de Cosroês I Anochavan, rei da dinastia dos sassânidas, que governou a Pérsia (531-579 d.C.) e combateu com êxito os bizantinos. (N. T.)

estrondo do assalto, uma noite e manhã insones devem ter decorrido; não posso crer, tampouco, que muitas damas gregas houvessem sido despertadas pelos janízaros de um sono profundo e tranquilo. A certeza da calamidade pública fez com que as casas e os conventos imediatamente se esvaziassem; os trêmulos habitantes se apinharam nas ruas, feito um bando de animais assustadiços, como se a fraqueza acumulada pudesse gerar força ou na vã esperança de que, no meio da multidão, cada indivíduo pudesse tornar-se seguro e invisível.

Vindos de todas as partes da capital, eles afluíram para a Catedral de Santa Sofia; no espaço de uma hora, o santuário, o coro, a nave, as galerias superior e inferior se encheram de multidões de pais e maridos, de mulheres e crianças, de padres, monges e virgens religiosas; as portas foram trancadas por dentro e todos buscaram a proteção do domo sagrado que tão recentemente haviam execrado como um edifício profano e poluído. A confiança deles se alicerçava na profecia de um entusiasta ou impostor de que um dia os turcos entrariam em Constantinopla e perseguiriam os romanos até a coluna de Constantino, na praça fronteira a Santa Sofia; esse seria, porém, o termo de suas calamidades, pois um anjo desceria do céu com uma espada na mão e entregaria o Império, com essa arma celeste, a um pobre homem sentado ao pé da coluna. "Toma esta espada", ele diria, "e vinga o povo do Senhor." A essas palavras animadoras, os turcos fugiriam instantaneamente e os romanos vitoriosos os expulsariam do Ocidente e de toda a Anatólia, até as fronteiras da Pérsia. É nessa ocasião que Ducas, com alguma dose de imaginação e muita de verdade, censura a discórdia e obstinação dos gregos. "Tivesse tal anjo aparecido", exclama o historiador, "tivesse ele se oferecido para exterminar vossos inimigos se consentísseis na unificação da Igreja, mesmo então, nesse momento fatal, haveríeis de rejeitar vossa segurança ou enganar vosso Deus."

Enquanto aguardavam a descida desse anjo moroso, as portas foram arrebentadas a machado e, como os turcos não encontraram resistência, suas mãos sem sangue se ocuparam em selecionar e atar a multidão de seus prisioneiros. Juventude, beleza e aparência de riqueza lhes guiavam a escolha, e o direito de propriedade se decidia entre eles pela primazia de apresamento, pela força pessoal e pela autoridade de comando. No espaço de uma hora, os cativos homens foram atados com cordas, as mulheres com seus véus e cintos. Encadearam-se os senadores a seus escravos, os prelados aos porteiros da igreja e os jovens de classe plebeia a nobres donzelas cujo rosto era até então invisível ao sol e aos seus parentes mais próximos. No cativeiro comum, confundiam-se as classes sociais, os vínculos da natureza foram rompidos e ao soldado inexorável pouco importavam os gemidos do pai, as lágrimas da mãe e os lamentos dos filhos. Os gemidos mais altos vinham das freiras, que foram arrancadas do altar com peitos à mostra, mãos estendidas e cabelos desgrenhados; cumpre-nos piedosamente acreditar que poucas delas estariam tentadas a preferir as vigílias do harém às do mosteiro. Longas fieiras desses gregos infortunados, desses animais domésticos, foram rudemente arrastadas pelas ruas; como os conquistadores ansiavam por voltar em busca de mais presas, os passos incertos dos cativos eram apressados com ameaças e golpes.

Na mesma hora, rapina semelhante ocorria em todas as igrejas e mosteiros, em todos os palácios e habitações da capital; não havia lugar, por mais sagrado ou apartado que fosse, capaz de proteger as pessoas ou as propriedades dos gregos. Mais de 60 mil cidadãos desse povo dedicado foram levados da cidade para o campo e para a marinha, trocados ou vendidos conforme o capricho ou interesse de seus donos, e distribuídos, em remota servidão, pelas províncias do Império Otomano. Entre eles, podemos assinalar algumas personalidades notáveis. O historiador Franza, primeiro camarista da corte e seu principal secretário, viu-se envolvido, com sua família, nisso tudo. Após padecer durante quatro meses as provações da escravidão, recuperou a liberdade; no inverno seguinte, arriscou-se a ir até Adrianópolis para resgatar sua mulher ao *mir bashi*, ou dono da casa; seus dois filhos, porém, na flor da juventude e da beleza, tinham sido apresados para o uso do próprio Maomé. A filha de Franza morreu no serralho, talvez virgem; seu filho, aos quinze anos de idade, preferiu a morte à infâmia e foi apunhalado pela mão de seu real amante. Ato assim desumano não poderá certamente ser expiado pelo discernimento e liberalidade com que ele libertou uma matrona grega e suas duas filhas ao receber uma ode latina de Filelfo, que escolhera esposa naquela nobre família. O orgulho ou crueldade de Maomé teria sido sumamente obsequiado com a captura de um núncio romano, mas a destreza do cardeal Isidoro evitou a busca e o núncio fugiu de Gálata em trajes de plebeu.

A ponte pênsil e a entrada da baía externa ainda estavam ocupadas por navios italianos, mercantes e de guerra. Haviam se destacado, durante o cerco, por sua bravura; aproveitaram para a retirada a ocasião em que os marinheiros turcos estavam entregues à pilhagem da cidade. Quando içaram vela, a praia se cobria de uma multidão suplicante e deplorável; todavia, os meios de transporte eram escassos; os venezianos e genoveses escolheram seus compatriotas e, não obstante as tranquilizadoras promessas do sultão, os habitantes de Gálata evacuaram suas casas e embarcaram com seus pertences de maior valor.

Na queda e saque de grandes cidades, o historiador está condenado a repetir o relato de invariável calamidade; os mesmos efeitos têm de ser produzidos pelas mesmas paixões; e quando tais paixões podem ser alimentadas sem freio, pequena, ai de nós!, é a diferença entre o homem civilizado e o selvagem. Inquinados, por vagas exclamações, de fanatismo e rancor, os turcos não são acusados de um brutal e imoderado derramamento de sangue cristão; entretanto, de acordo com suas máximas (as máximas da Antiguidade), a vida dos vencidos foi confiscada e a recompensa legítima do conquistador adveio do serviço, venda ou resgate de seus cativos de ambos os sexos. A riqueza de Constantinopla fora concedida pelo sultão a suas tropas vitoriosas e a rapina de uma hora rende mais do que a labuta de anos. Mas como não se intentou uma divisão regular do espólio, os respectivos quinhões não foram determinados pelo mérito; e as recompensas do valor surrupiaram-nas os sequazes do acampamento, que declinaram a lida e o perigo da batalha. A narrativa de suas depredações não iria propiciar nem entretenimento nem instrução; a soma total, dada a pobreza final do Império, foi avaliada em 4 milhões de ducados; e dessa soma uma pequena parte era propriedade dos venezianos, dos genoveses e dos mercadores de Ancona. O cabedal desses estrangeiros aumentara por via da célere e constante circulação, mas as riquezas dos gregos se ostentavam na ociosa dissipação de palácios e guarda-roupas ou estavam escondidas em tesouros de lingotes e moedas antigas, de modo que lhes fossem tiradas das mãos para a defesa do país.

A profanação e a pilhagem dos mosteiros e igrejas suscitaram as queixas mais trágicas. O domo da própria Santa Sofia, o céu terrenal, o segundo firmamento, o veículo do querubim, o trono da glória de Deus, foi esbulhado das oblações de séculos; e o ouro e a prata, as pérolas e joias, os vasos e ornamentos sacerdotais foram perversamente postos a serviço dos homens. Depois de as imagens divinas terem sido despojadas de tudo quanto pudesse ser valioso a um olho profano, a tela ou a madeira foi rasgada, ou quebrada, ou queimada, ou espezinhada, ou utilizada nos estábulos e nas cozinhas para os fins mais vis. O exemplo de sacrilégio fora imitado, contudo, dos conquistadores latinos de Constantinopla, e o tratamento que o Cristo, a Virgem e os santos tiveram de suportar do católico culposo bem podia ter sido infligido pelo muçulmano fanático aos monumentos da idolatria.

Talvez, em vez de juntar-se ao clamor público, um filósofo observe que, no declínio das artes, o artesanato não pode ser mais valioso do que a própria obra e que um novo suprimento de visões e de milagres seria prontamente fornecido pela perícia dos monges e pela credulidade do povo. Deploraria ele com mais razão, portanto, a perda das bibliotecas bizantinas, que foram destruídas ou se dispersaram na confusão geral: consta que 120 mil manuscritos desapareceram então; dez volumes podiam ser comprados por um único ducado e o mesmo preço ignominioso, talvez excessivo demais para uma estante de teologia, incluía as obras completas de Aristóteles e de Homero, as mais nobres produções da ciência e da literatura da antiga Grécia. É com prazer que meditamos na circunstância de ter sido uma inestimável porção de nossos tesouros clássicos guardada em segurança na Itália, e de os artífices de uma cidade alemã terem inventado uma arte que zomba das devastações do tempo e da barbárie.

Desde a primeira hora do memorável 29 de maio, a desordem e a rapina reinaram em Constantinopla até as oito horas do mesmo dia, quando o próprio sultão atravessou em triunfo a Porta de São Romano. Fazia-se acompanhar de seus vizires, paxás e guardas, cada um dos quais (diz um historiador bizantino) era robusto como Hércules, destro como Apolo, e igualava em batalha dez mortais comuns, quaisquer que fossem. O conquistador observou com satisfação e espanto a estranha, conquanto esplêndida, vista de domos e palácios de estilo tão diferente da arquitetura oriental. No Hipódromo, ou *atmeidan*, seu olhar foi atraído pela coluna retorcida de três serpentes; e, para pôr à prova sua força, ele arrebentou com a maça de ferro ou a acha de guerra a mandíbula inferior de um desses monstros que, aos olhos dos turcos, eram os ídolos ou talismãs da cidade. Na porta principal de Santa Sofia, o sultão apeou do cavalo e adentrou o domo; e era tal sua ciumenta preocupação com esse monumento de sua glória que, ao observar um muçulmano fanático a pique quebrar o pavimento de mármore, advertiu-o com sua cimitarra que o espólio e os cativos tinham sido concedidos aos soldados, mas que os edifícios públicos e privados estavam reservados para o príncipe.

Por sua ordem, a metrópole da igreja oriental se transformou numa mesquita; os ricos instrumentos portáteis da superstição foram removidos dali; derrubou-se a cruz, e as paredes cobertas de imagens e mosaicos, depois de limpas e purificadas, voltaram ao estado de nua simplicidade. No mesmo dia, ou na sexta-feira seguinte, o muezim ou arauto subiu à torre mais elevada e fez o *ezan*, ou chamamento público, em nome de seu profeta; o imame pregou; e Maomé II entoou o *namaz* de prece e ação de graças no grande altar onde os mistérios cristãos tão pouco tempo antes tinham sido celebrados perante o último dos Césares. De Santa Sofia ele se dirigiu até a augusta e desolada mansão de uma centena de sucessores do grande Constantino, que em poucas horas fora despida da pompa da realeza. Uma reflexão melancólica acerca das vicissitudes da grandeza humana se insinuou em sua mente e ele repetiu um elegante dístico da poesia persa: "A aranha teceu sua teia no palácio imperial, e o mocho cantou sua canção de vigia nas torres de Afrasiab".

4. AS RUÍNAS DE ROMA NO SÉCULO XV E CONCLUSÃO DA OBRA TODA*

Nos últimos dias do papa Eugênio IV, dois de seus servidores, o douto Poggio e um amigo seu, subiram a colina capitolina, recostaram-se entre as ruínas de colunas e templos e contemplaram desse lugar elevado o vasto e variado panorama de desolação. O local e o objeto ofereciam amplo espaço para considerações moralizantes em torno das vicissitudes da fortuna, que não poupam nem o homem nem suas obras mais soberbas, que sepultam impérios e cidades numa vala comum; concordaram então os dois observadores que, comparativamente a sua antiga grandeza, a decadência de Roma era deplorável e terrível.

> Sua aparência primeva, tal como poderia se mostrar numa época remota, quando Evandro entreteve o forasteiro de Troia, foi esboçada pela fantasia de Virgílio. A rocha Tarpeia** era então um bosque selvático e solitário; na época do poeta, coroava-o o teto dourado de um templo; o templo foi arrasado, o ouro pilhado, a roda da fortuna completou seu giro e o solo sagrado está de novo desfigurado por espinheiros e silvados. A colina do Capitólio, em que nos assentamos, foi outrora o topo do Império Romano, cidadela da terra, o terror de reis, ilustrada pela passagem de tantos triunfos, enriquecida com os espólios e tributos de tantas nações. Esse espetáculo do mundo, como decaiu!, como mudou!, como se

* Do capítulo 71 do original. (N. O.)

** Situada no canto sudoeste da colina capitolina, dali se lançavam os criminosos condenados à morte; Tarpeia fora possivelmente, na religião romana, uma deusa do mundo subterrâneo. (N. T.)

desfigurou! A senda da vitória está obliterada por vinhas e os bancos dos senadores escondidos por um monturo. Voltai vossos olhos para a colina palatina e procurai entre os informes e gigantescos fragmentos o teatro de mármore, os obeliscos, as estátuas colossais, os pórticos do palácio de Nero; examinai as outras colinas da cidade: o espaço vazio só é interrompido por ruínas e jardins. O foro do povo romano, onde este se reunia para estabelecer suas leis e eleger seus magistrados, foi agora cercado para cultivo de hortaliças ou escancarado para receber porcos e búfalos. Jazem por terra, desnudos e esfacelados com os membros de um poderoso gigante, os edifícios públicos e privados erguidos para a eternidade; a ruína torna-se ainda mais visível por causa das estupendas relíquias que sobreviveram às injúrias do tempo e da fortuna [...].

Quando Petrarca recreou pela primeira vez seus olhos na visão desses monumentos cujos fragmentos espalhados desafiavam a mais eloquente das descrições, ficou atônito com a supina indiferença dos próprios romanos; humilhou-o, em vez de o ensoberbecer, a descoberta de que, com exceção de seu amigo Rienze e de outro amigo de Colonna, um forasteiro do Ródano estava mais bem familiarizado com aquelas antiguidades do que os nobres e naturais da metrópole. A ignorância e a credulidade dos romanos se demonstram à saciedade no velho levantamento topográfico da cidade levado a cabo nos primórdios do século XIII; sem demorar-nos nos numerosos erros de nomes e lugares, a lenda do Capitólio é de molde a suscitar um sorriso de desdém e indignação.

"O Capitólio",* diz o autor anônimo,

* Nome de uma das sete colinas de Roma; do latim vulgar *capitia* (clássico *caput*), veio em português "cabeça"; no topo ou cabeça da dita colina foi erigido o Templo de Júpiter, guardião da cidade, e nele os magistrados investidos no cargo e os generais triunfadores ofereciam sacrifícios. (N. T.)

é assim chamado por ser a cabeça do mundo, onde outrora residiam os cônsules e senadores aos quais incumbia o governo da cidade e do globo. Os altos e fortes muros estavam revestidos de vidro e ouro e coroados por um teto repleto de entalhes dos mais ricos e singulares. Logo abaixo da cidadela, erguia-se um palácio, de ouro na maior parte, decorado com pedras preciosas e cujo valor poderia ser estimado em um terço do valor do próprio mundo. As estátuas de todas as províncias estavam dispostas em renque, cada uma com uma sineta pendurada ao pescoço; e tão hábil era o artifício da arte mágica que, se a província se rebelasse contra Roma, a estátua se voltava para aquele quadrante dos céus, a sineta soava, o profeta do Capitólio relatava o prodígio e o Senado era advertido do perigo iminente.

Um segundo exemplo, de menor importância mas de absurdez equivalente, pode ser extraído dos dois cavalos de mármore guiados por dois jovens desnudos, que foram transportados dos banhos de Constantino para a colina do Quirinal. A infundada aplicação dos nomes de Fídias e Praxíteles talvez se possa desculpar; todavia, esses dois escultores gregos não deveriam ter sido deslocados cerca de quatrocentos anos, da época de Péricles à de Tibério; não deveriam ter sido transformados tampouco em dois filósofos ou magos, cuja nudez era símbolo da verdade e do saber, que revelavam ao imperador suas ações mais secretas e que, após recusar qualquer recompensa pecuniária, solicitaram a honra de deixar aquele eterno monumento de si mesmos.

Assim alerta para o poder da magia, os romanos se tornaram insensíveis às belezas da arte. Não mais do que cinco estátuas eram visíveis aos olhos de Poggio; o grande número delas, que por acaso ou de propósito havia sido sepultado sob as ruínas, felizmente só foi ressuscitado numa época mais segura e mais esclarecida. O Nilo, que hoje adorna o Vaticano, fora descoberto por alguns trabalhadores que escavavam um vinhedo perto do Templo ou Convento de Minerva; todavia, o impaciente proprietário, atormentado pelas visitas de curiosos, devolveu o mármore improfícuo a sua tumba anterior. A descoberta de uma estátua de Pompeu, de três metros extensão, deu origem a uma demanda judicial. Havia sido encontrada sob uma parede divisória; o equânime juiz sentenciou que a cabeça fosse separada do corpo para satisfazer às exigências dos donos da propriedade contígua, sentença que teria sido executada se a intercessão de um cardeal e a liberalidade de um papa não houvessem salvo o herói romano das mãos de seus bárbaros compatriotas.

Mas as nuvens da barbárie foram-se dispersando gradualmente e a pacífica autoridade de Martinho V* e de seus sucessores restaurou os ornamentos da cidade, bem como a ordem do Estado eclesiástico. Os melhoramentos de Roma a partir do século XV não foram consequência espontânea da liberdade e da indústria. A raiz primeira e mais natural de uma grande cidade são a labuta e a abundância de habitantes na região circunvizinha, que supre os artigos de subsistência, de manufatura e de comércio estrangeiro. Mas a maior parte da Campanha Romana se reduz a um ermo árido e desolado; as excessivas propriedades rurais dos príncipes e do clero são cultivadas pelas mãos preguiçosas de vassalos indigentes e desesperançados, sendo as escassas colheitas reservadas ou exportadas em benefício de um monopólio. Podem ser considerados como causa segunda e mais artificial do desenvolvimento de uma metrópole a resistência de um monarca, as despesas de uma corte luxuosa e os tributos de províncias dependentes. Tais províncias e tributos se tinham perdido na queda do Império e, conquanto alguns fluxos de prata do Peru e de ouro do Brasil houvessem sido atraídos pelo Vaticano, as rendas dos cardeais, os emolumentos do culto, as oblatas dos peregrinos e clientes e as demais taxas eclesiásticas produziam um modesto e precário rendimento que servia para sustentar, no entanto, a ociosidade da corte e da cidade. A população de Roma, numericamente muito abaixo da das grandes capitais da

* Papa cuja eleição pôs fim ao grande cisma da Igreja do Oriente (1387-1417), durante o qual houve dois papas, um em Avinhão e outro em Roma. (N. T.)

Europa, não ultrapassava os 170 mil habitantes; dentro do espaçoso circuito das muralhas, a maior parte da superfície das sete colinas está coberta de vinhedos e ruínas.

A beleza e o esplendor da cidade moderna podem ser atribuídos aos abusos do governo, à influência da superstição. Cada reinado (as exceções são raras) se assinalou pela rápida elevação de uma família, enriquecida pelo pontífice sem filhos às custas da Igreja e do país. Os palácios desses sobrinhos afortunados são os mais dispendiosos monumentos de elegância e servidão; as artes perfeitas da arquitetura, da pintura e da escultura se prostituíram a serviço deles; e suas galerias e jardins estão decorados com as mais preciosas obras da Antiguidade que o gosto ou a vaidade os incitou a colecionar. As rendas eclesiásticas eram empregadas de maneira mais decente pelos próprios papas na pompa do culto católico; seria porém supérfluo enumerar suas piedosas fundações de altares, capelas e igrejas, de vez que essas estrelas de menor grandeza são eclipsadas pelo sol do Vaticano, pelo domo de São Pedro, a mais gloriosa estrutura jamais consagrada ao uso da religião. A fama de Júlio II, de Leão X e de Sexto V se faz acompanhar do mérito superior de Bramante e Fontana, de Rafael e Michelangelo, e a mesma munificência que se exibia nos templos e palácios se empenhou, com igual zelo, em reviver e emular as obras da Antiguidade. Obeliscos prostrados foram erguidos do chão e erigidos nos lugares mais conspícuos; dos onze aquedutos dos Césares e cônsules, três foram restaurados; os rios artificiais, conduzidos por sobre uma longa série de arcos antigos ou novos, despejavam em bacias de mármore uma torrente de águas frescas e salubres; e o espectador, impaciente por galgar os degraus de São Pedro, é detido por uma coluna de granito egípcio que se ergue, entre duas majestosas fontes perenes, à altura de 136 metros. O mapa, a descrição, os monumentos de Roma antiga foram elucidados pela diligência do antiquário e do estudioso; e as pegadas dos heróis, as relíquias não da superstição mas do Império, são devotamente visitadas por uma nova raça de peregrinos vindos dos remotos e outrora selvagens países do norte.

A atenção desses peregrinos, e de todos os leitores, será despertada pela história do declínio e queda do Império Romano, a maior e quiçá a mais espantosa cena da História da humanidade. As diversas causas e os efeitos progressivos vinculam-se a muitos dos acontecimentos mais interessantes dos anais humanos; a política ardilosa dos Césares, que manteve por longo tempo o nome e a imagem de uma república livre; as desordens do despotismo militar; o surgimento, estabelecimento e seitas do cristianismo; a fundação de Constantinopla; a divisão da monarquia; as invasões e colônias dos bárbaros da Germânia e da Cítia; as instituições do direito civil; o caráter e a religião de Maomé; a soberania temporal dos papas; a restauração e decadência do Império Ocidental de Carlos Magno; as Cruzadas dos latinos no Oriente; as conquistas dos sarracenos e dos turcos; a ruína do império grego; o estado e as radicais mudanças de Roma na Idade Média. O historiador pode aplaudir a importância e a variedade de sua matéria, mas, conquanto tenha consciência de suas próprias imperfeições, deve amiúde denunciar a deficiência de seus dados. Foi entre as ruínas do Capitólio que pela primeira vez concebi a ideia de uma obra que distraiu e ocupou perto de vinte anos de minha vida e que, por mais longe que esteja da medida dos meus desejos, entrego finalmente à curiosidade e à imparcialidade do público.

Lausanne
27 de junho de 1787

ÍNDICE ONOMÁSTICO

Um dos maiores historiadores ingleses do século XVIII, **EDWARD GIBBON** nasceu em Putney, em 1737, no seio de uma família de posses. Filho mais velho e o único sobrevivente de sete crianças, teve uma infância muito doente. Por estar constantemente em tratamento, não pôde frequentar a escola com regularidade. Assim, teve tempo para seu hobby favorito: a leitura e sobretudo a história, que chamou de seu "alimento". Autodidata desde o início, Gibbon compôs *Declínio e queda do Império Romano* sem consultar outros especialistas e imprimiu muita personalidade ao texto.

Aos dezesseis anos decidiu se converter ao catolicismo, o que o impossibilitava de exercer qualquer cargo público. Seu pai, contrariado, o enviou a Lausanne, na Suíça, para morar com um pastor calvinista. Foram cinco anos de muito estudo, durante os quais Gibbon aprendeu o francês, refez o voto protestante (embora posteriormente adotasse uma postura cética e tratasse a religião com ironia) e conheceu a sociedade local — participando das festas na casa de Voltaire.

De regresso à Inglaterra, passou por um período de serviço militar. Depois visitou Paris e Roma, e finalmente se estabeleceu em Londres, onde teve uma vida social intensa e participou de algumas poucas sessões no Parlamento. É nesse período que publica os quatro primeiros volumes de sua grande obra, obtendo sucesso imediato. Os últimos três volumes foram escritos em Lausanne, onde ele também elaborou suas *Memórias*. Com a saúde cada vez mais debilitada, agravada pelo temor de uma invasão da Suíça durante a Revolução Francesa e deprimido pela morte de duas amigas próximas, Gibbon retorna mais uma vez a Londres, onde morre, em 1794.

1ª edição Companhia das Letras [1989] 6 reimpressões
1ª edição Companhia de Bolso [2005] 9 reimpressões

Esta obra foi composta pela Verba Editorial em Janson Text e
impressa em ofsete pela Gráfica Bartira sobre papel Pólen Natural
da Suzano S.A. para a Editora Schwarcz em fevereiro de 2024